KB129473

디딤돌수학 개념기본 중학 3-2

펴낸날 [초판 1쇄] 2022년 1월 1일 [초판 3쇄] 2023년 3월 20일
펴낸이 이기열
펴낸곳 (주)디딤돌 교육
주소 (03972) 서울특별시 마포구 월드컵북로 122 청원선와이즈타워
대표전화 02-3142-9000
구입문의 02-322-8451
내용문의 02-336-7918
팩시밀리 02-335-6038
홈페이지 www.didimdol.co.kr
등록번호 제10-718호
구입한 후에는 철회되지 않으며 잘못 인쇄된 책은 바꾸어 드립니다.

[2291260]

수학은 개념이다!

디딤돌수학

개념기본

중 3 / 2

개념북

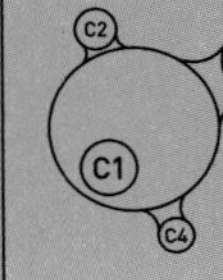

중학 수학은 개념의 연결과 확장이다.

올바른 **개념학습**을 통한 **중학수학 완성!**

1 꼭 알아야 할 핵심개념!

Think Way

올바른 개념학습의 길을 열어줍니다.

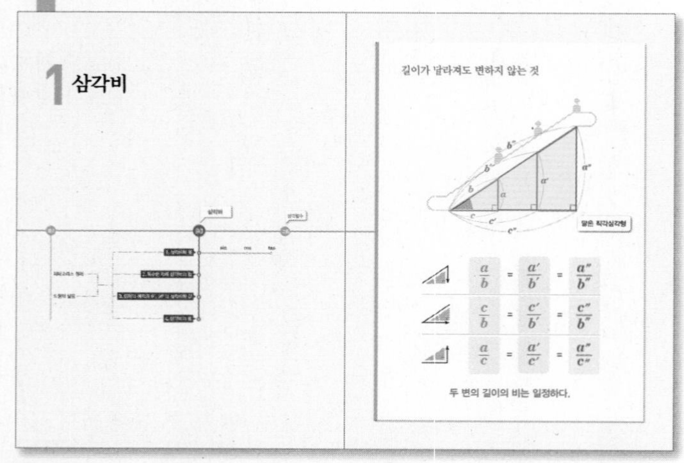

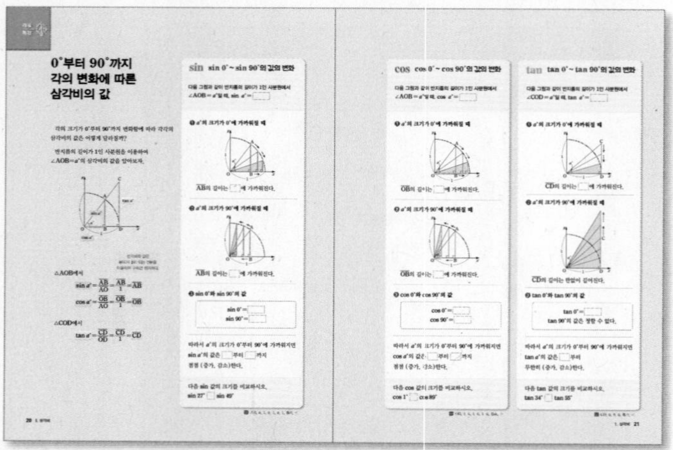

개념을 연결하고 핵심개념 포인트로 생각을 열어주고, 개념특강을 통해 개념을 마무리 정리해줍니다.

중단원 도입

이전 학습개념, 이 단원에서 배울 개념, 이후 학습개념의 연결고리를 통해 개념의 연결성을 이끌어주고, 단원의 핵심개념을 통해 생각을 열어줍니다.

개념특강

이 단원의 중요한 개념, 설명이 필요한 개념, 공식화되는 과정 등 필요한 단원의 마무리 개념을 정리하는 길을 열어줍니다.

2 사례 중심으로 쉽게 설명하는 개념 정리!

Think Way

왜?라는 궁금증을 해결합니다.

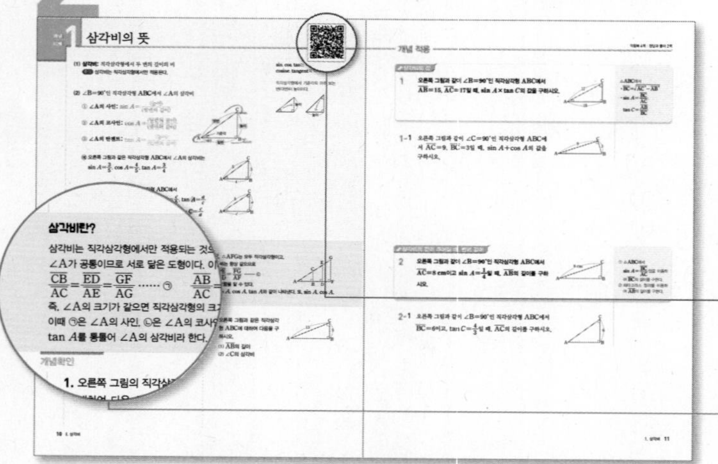

수학적 개념을 이해하는 데 꼭 필요한 '왜?'라는 궁금증을 해결해줍니다.

주제별 개념

외우지 않아도 개념을 한눈에 이해할 수 있게 정리해줍니다.

개념강의 동영상

왜 개념이 필요한지, 그 원리 등을 설명해주어 개념 학습의 이해를 도와줍니다.

3 5 Part의 문제 훈련을 통한 개념완성!

Think Way

문제를 통해
개념정리를 도와줍니다.

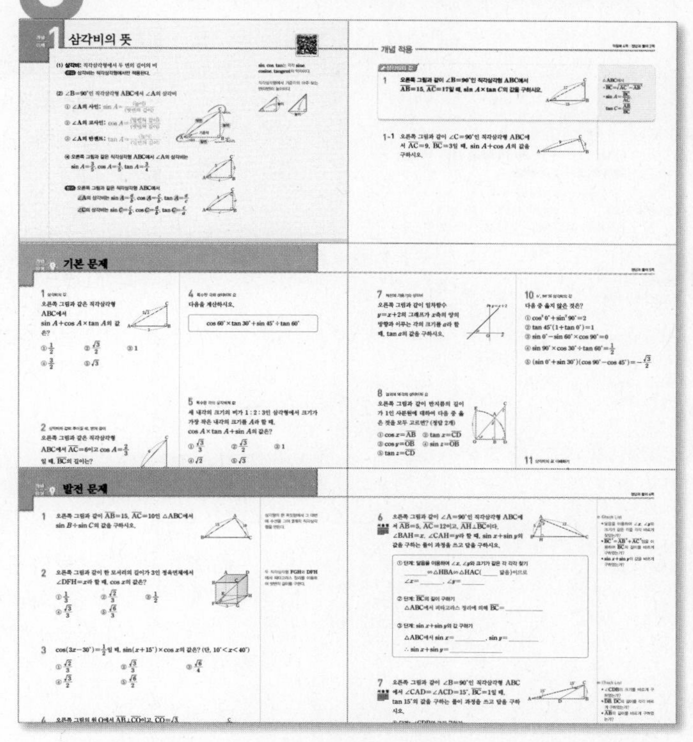

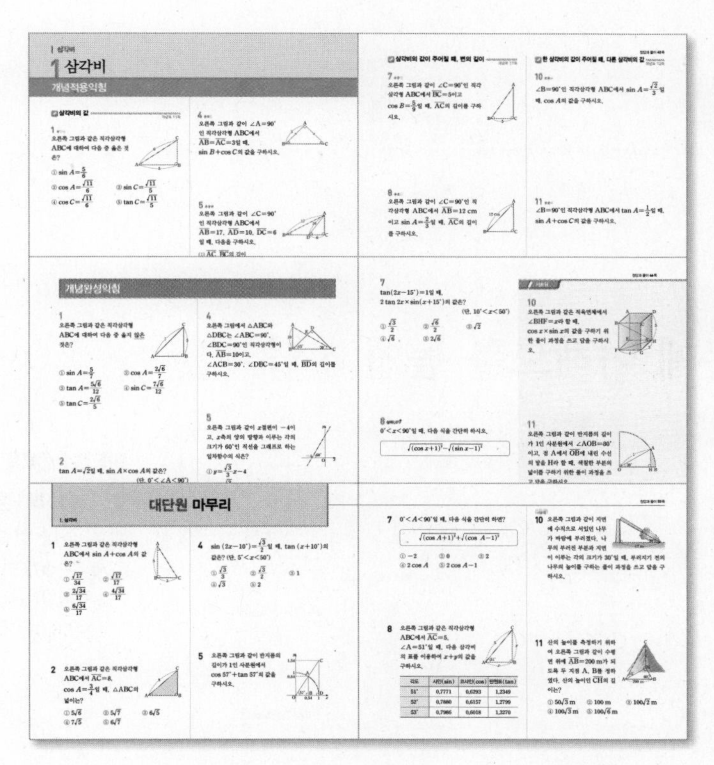

머릿속에 정리된 개념을 문제 학습 5개 Part를 통해 확실하게 내 개념으로 만들수 있습니다.

개념북

Part 1 개념적용

배운 개념을 개념적용 파트를 통해 문제에 적용하여 개념을 정리합니다.

Part 2 기본문제

개념적용 파트에서 정리한 개념을 기본 문제 파트를 통해 다시 한 번 반복! 머릿속에 꼭꼭 담아줍니다.

Part 3 발전문제

기본 문제 파트보다 조금 더 발전된 문제를 통해 문제해결력을 키워줍니다.

익힘북

Part 4 개념적용익힘

개념북의 개념적용 파트와 **1:1매칭 문제**로 구성되어 좀 더 다양한 개념적용 문제를 학습하며, 반복학습을 통해 개념을 완성시켜줍니다.

Part 5 개념완성익힘+대단원 마무리

배운 개념을 응용단계 학습까지 연결할 수 있도록, 그리고 최종 해당 단원의 평가까지 확인하며 마무리 할 수 있도록 구성하였습니다.

디딤돌수학 개념기본 중학편은 반복학습으로 개념을 이해하고
확장된 문제를 통해 응용단계 학습의 발판을 만들어 줍니다.

4 단계별 학습을 통한 서술형완성!

Think Way

서술형 학습의
올바른 길을 열어줍니다.

6 서술형 오른쪽 그림과 같이 $\angle A=90°$인 직각삼각형 ABC에서 $\overline{AB}=5$, $\overline{AC}=12$이고, $\overline{AH}\perp\overline{BC}$이다. $\angle BAH=x$, $\angle CAH=y$라 할 때, $\sin x+\sin y$의 값을 구하는 풀이 과정을 쓰고 답을 구하시오.

① 단계: 닮음을 이용하여 $\angle x$, $\angle y$와 크기가 같은 각 각각 찾기
______ ∽ △HBA ∽ △HAC(_____ 닮음)이므로
$\angle x=$______, $\angle y=$______

② 단계: $\overline{BC}$의 길이 구하기
△ABC에서 피타고라스 정리에 의해 $\overline{BC}=$__________

③ 단계: $\sin x+\sin y$의 값 구하기
△ABC에서 $\sin x=$________, $\sin y=$________
$\therefore \sin x+\sin y=$______________

Check List
- 닮음을 이용하여 $\angle x$, $\angle y$와 크기가 같은 각을 각각 바르게 찾았는가?
- $\overline{BC}^2=\overline{AB}^2+\overline{AC}^2$임을 이용하여 $\overline{BC}$의 길이를 바르게 구하였는가?
- $\sin x+\sin y$의 값을 바르게 구하였는가?

7 오른쪽 그림과 같이 $\angle B=90°$인 직각삼각형 ABC

Check List

7
$\tan(2x-15°)=1$일 때,
$2\tan 2x\times\sin(x+15°)$의 값은? (단, $10°<x<50°$)

① $\frac{\sqrt{3}}{2}$ ② $\frac{\sqrt{6}}{2}$ ③ $\sqrt{2}$
④ $\sqrt{6}$ ⑤ $2\sqrt{6}$

8 실력UP
$0°<x<90°$일 때, 다음 식을 간단히 하시오.

$\sqrt{(\cos x+1)^2}-\sqrt{(\sin x-1)^2}$

서술형

10
오른쪽 그림과 같은 직육면체에서 $\angle BHF=x$라 할 때, $\cos x\times\sin x$의 값을 구하기 위한 풀이 과정을 쓰고 답을 구하시오.

11
오른쪽 그림과 같이 반지름의 길이가 1인 사분원에서 $\angle AOB=30°$이고, 점 A에서 $\overline{OB}$에 내린 수선의 발을 H라 할 때, 색칠한 부분의 넓이를 구하기 위한 풀이 과정을 쓰

서술형 학습

- **개념북**에서는 서술형 훈련을 단계별로 학습 할 수 있게 빈칸 넣기로 구성되어 있습니다.
- **익힘북**에서는 실전을 대비하여 실전처럼 서술형 훈련을 할 수 있게 구성되어 있습니다.

5 문제 이해도를 높인 정답과 풀이!

Think Way

문제 이해도를
높여줍니다.

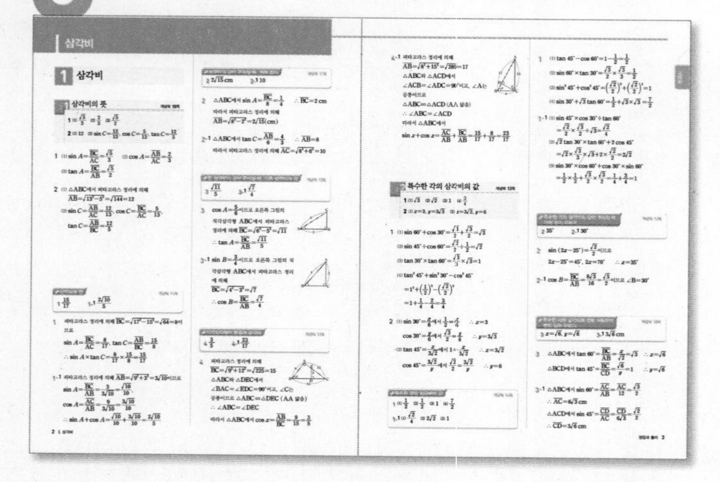

정답과 풀이

학생 스스로 정답과 풀이를 통해 충분히 이해 및 학습 할 수 있도록 정답과 풀이를 친절하게 구성하였습니다.

차례

I 삼각비

1 삼각비 008

개념특강 0°부터 90°까지 각의 변화에 따른 삼각비의 값 020

2 삼각비의 활용 026

개념특강 삼각비를 다루는 기술 040

개념특강 '특수한 직각삼각형'에서 세 변의 길이의 비 042

II 원의 성질

1 원과 직선 050

개념특강 두 원의 공통접선의 길이 구하기 064

2 원주각 070

개념특강 원과 비례의 응용 090

III 통계

1 대푯값과 산포도 098

2 상관관계 116

● 삼각비의 표 124

1 삼각비

1 삼각비의 뜻
2 특수한 각의 삼각비의 값
3 임의의 예각과 $0°$, $90°$의 삼각비의 값
4 삼각비의 표

2 삼각비의 활용

1 직각삼각형의 변의 길이
2 일반 삼각형의 변의 길이
3 삼각형의 높이
4 삼각형의 넓이
5 사각형의 넓이

I

1 삼각비

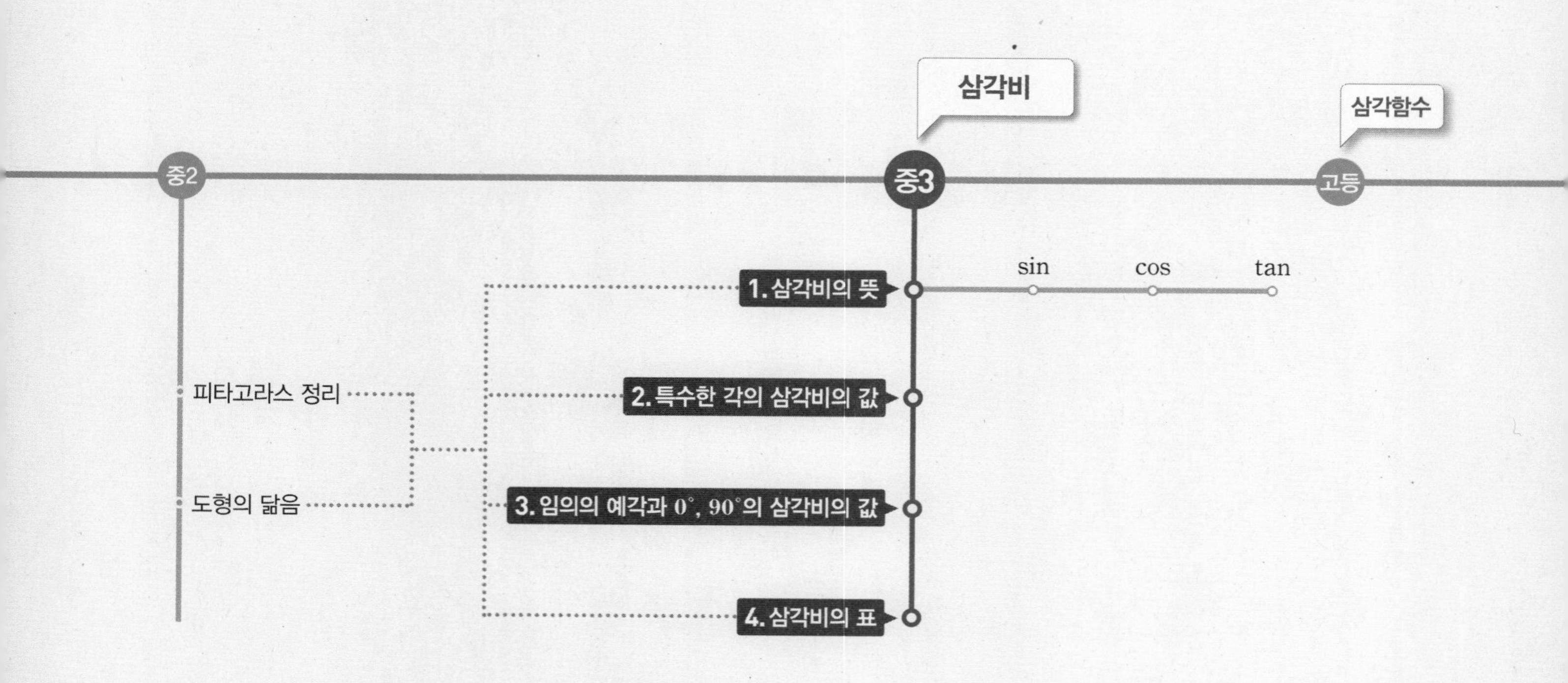

삼각비
삼각함수
중2
중3
고등
sin
cos
tan
1. 삼각비의 뜻
2. 특수한 각의 삼각비의 값
3. 임의의 예각과 0°, 90°의 삼각비의 값
4. 삼각비의 표
피타고라스 정리
도형의 닮음

길이가 달라져도 변하지 않는 것

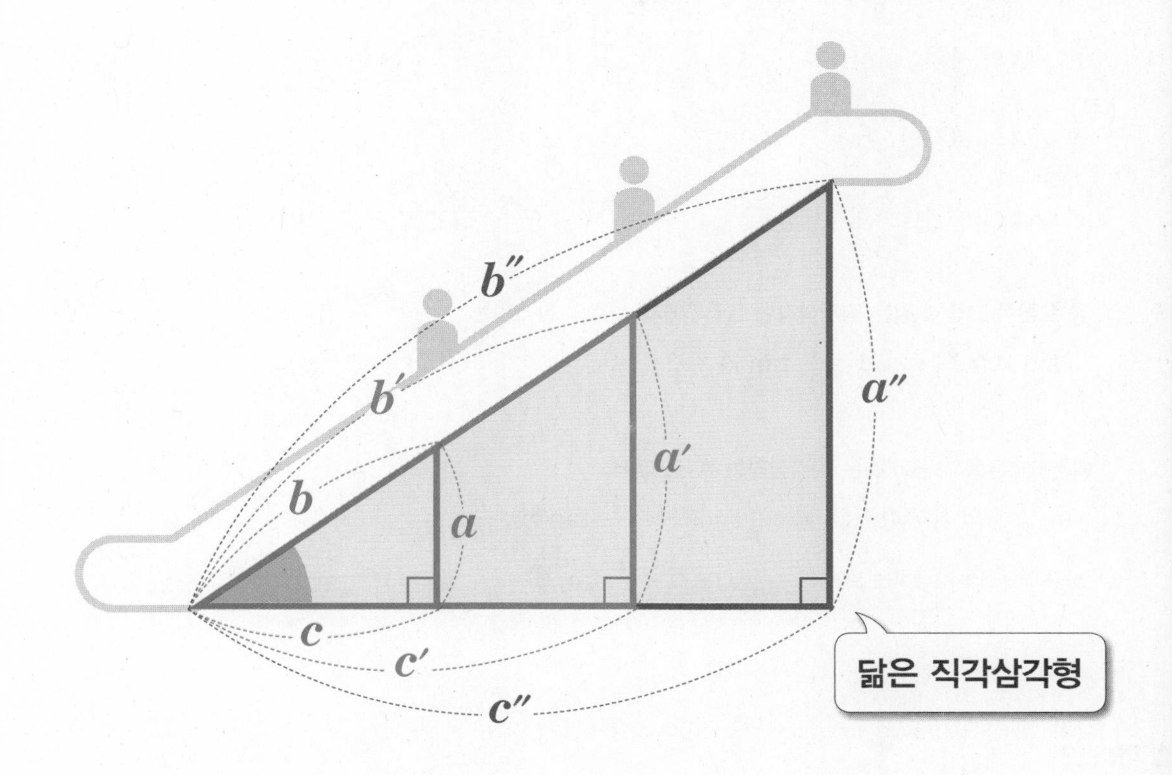

$$\frac{a}{b} = \frac{a'}{b'} = \frac{a''}{b''}$$

$$\frac{c}{b} = \frac{c'}{b'} = \frac{c''}{b''}$$

$$\frac{a}{c} = \frac{a'}{c'} = \frac{a''}{c''}$$

두 변의 길이의 비는 일정하다.

개념 이해 1

삼각비의 뜻

(1) **삼각비:** 직각삼각형에서 두 변의 길이의 비

주의 삼각비는 직각삼각형에서만 적용된다.

sin, cos, tan는 각각 sine, cosine, tangent의 약자이다.

직각삼각형에서 기준각의 마주 보는 변(대변)이 높이이다.

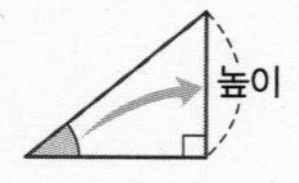
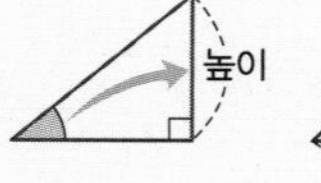

(2) $\angle B=90^\circ$인 직각삼각형 ABC에서 $\angle A$의 삼각비

① **$\angle$A의 사인:** $\sin A=\dfrac{(\text{높이})}{(\text{빗변의 길이})}$

② **$\angle$A의 코사인:** $\cos A=\dfrac{(\text{밑변의 길이})}{(\text{빗변의 길이})}$

③ **$\angle$A의 탄젠트:** $\tan A=\dfrac{(\text{높이})}{(\text{밑변의 길이})}$

예 오른쪽 그림과 같은 직각삼각형 ABC에서 $\angle$A의 삼각비는

$\sin A=\dfrac{3}{5}$, $\cos A=\dfrac{4}{5}$, $\tan A=\dfrac{3}{4}$

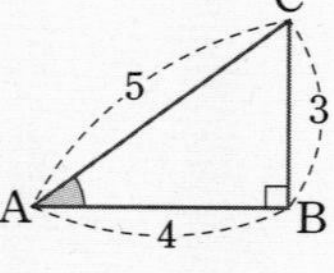

참고 오른쪽 그림과 같은 직각삼각형 ABC에서

$\angle$A의 삼각비는 $\sin A=\dfrac{a}{b}$, $\cos A=\dfrac{c}{b}$, $\tan A=\dfrac{a}{c}$

$\angle$C의 삼각비는 $\sin C=\dfrac{c}{b}$, $\cos C=\dfrac{a}{b}$, $\tan C=\dfrac{c}{a}$

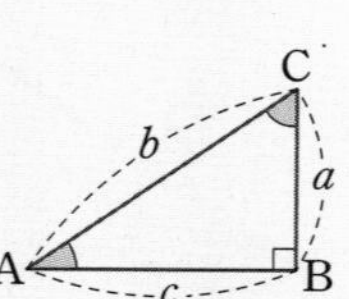

삼각비란?

삼각비는 직각삼각형에서만 적용되는 것으로 오른쪽 그림에서 $\triangle$ABC, $\triangle$ADE, $\triangle$AFG는 모두 직각삼각형이고, $\angle$A가 공통이므로 서로 닮은 도형이다. 이때 닮은 도형에서 대응하는 변의 길이의 비는 항상 같으므로

$\dfrac{\overline{CB}}{\overline{AC}}=\dfrac{\overline{ED}}{\overline{AE}}=\dfrac{\overline{GF}}{\overline{AG}}$ …… ㉠ $\dfrac{\overline{AB}}{\overline{AC}}=\dfrac{\overline{AD}}{\overline{AE}}=\dfrac{\overline{AF}}{\overline{AG}}$ …… ㉡ $\dfrac{\overline{BC}}{\overline{AB}}=\dfrac{\overline{DE}}{\overline{AD}}=\dfrac{\overline{FG}}{\overline{AF}}$ …… ㉢

즉, $\angle$A의 크기가 같으면 직각삼각형의 크기에 관계없이 ㉠, ㉡, ㉢의 값은 항상 일정함을 알 수 있다.

이때 ㉠은 $\angle$A의 사인, ㉡은 $\angle$A의 코사인, ㉢은 $\angle$A의 탄젠트 값이고, 기호로 $\sin A$, $\cos A$, $\tan A$와 같이 나타낸다. 또, $\sin A$, $\cos A$, $\tan A$를 통틀어 $\angle$A의 삼각비라 한다.

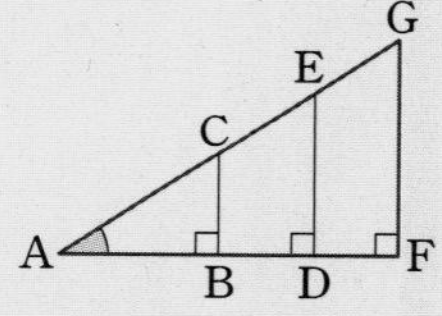

개념확인

1. 오른쪽 그림의 직각삼각형 ABC에 대하여 다음 삼각비의 값을 구하시오.

(1) $\sin A$

(2) $\cos A$

(3) $\tan A$

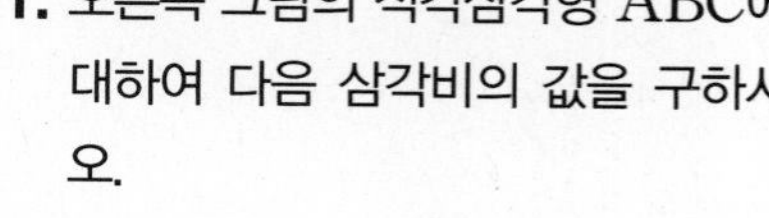
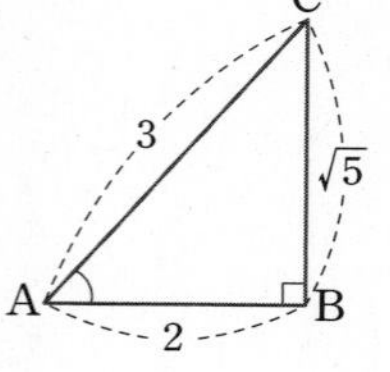

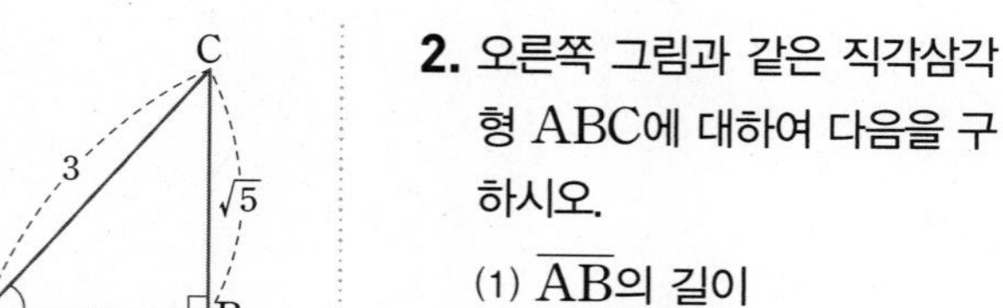

2. 오른쪽 그림과 같은 직각삼각형 ABC에 대하여 다음을 구하시오.

(1) $\overline{AB}$의 길이

(2) $\angle$C의 삼각비

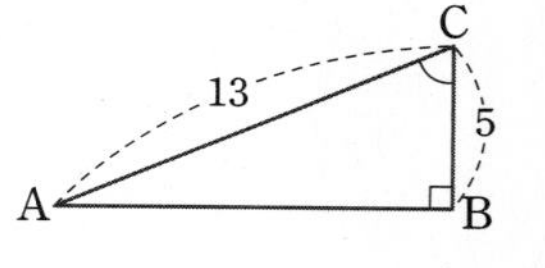

개념 적용

삼각비의 값

1 **오른쪽 그림과 같이 $\angle B=90°$인 직각삼각형 ABC에서 $\overline{AB}=15$, $\overline{AC}=17$일 때, $\sin A\times\tan C$의 값을 구하시오.**

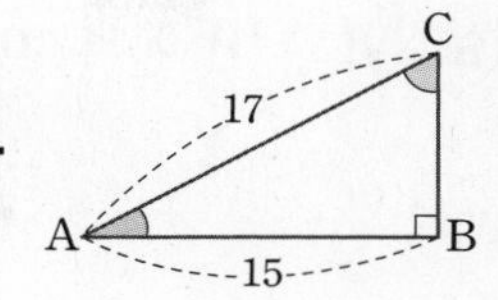

△ABC에서
- $\overline{BC}=\sqrt{\overline{AC}^2-\overline{AB}^2}$
- $\sin A=\frac{\overline{BC}}{\overline{AC}}$, $\tan C=\frac{\overline{AB}}{\overline{BC}}$

1-1 오른쪽 그림과 같이 $\angle C=90°$인 직각삼각형 ABC에서 $\overline{AC}=9$, $\overline{BC}=3$일 때, $\sin A+\cos A$의 값을 구하시오.

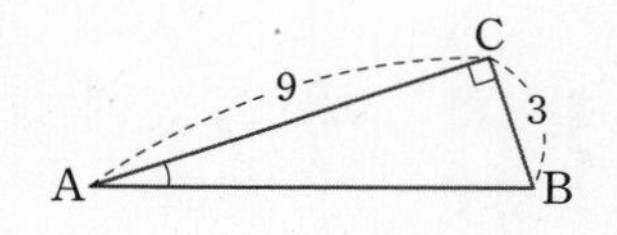

삼각비의 값이 주어질 때, 변의 길이

2 **오른쪽 그림과 같이 $\angle B=90°$인 직각삼각형 ABC에서 $\overline{AC}=8$ cm이고 $\sin A=\frac{1}{4}$일 때, $\overline{AB}$의 길이를 구하시오.**

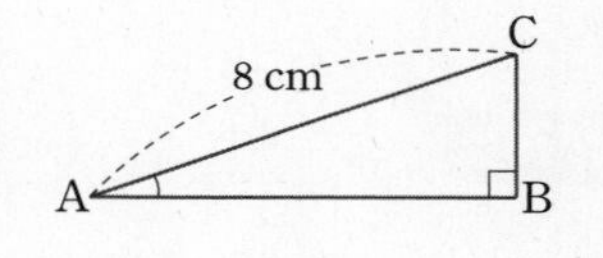

① △ABC에서 $\sin A=\frac{\overline{BC}}{\overline{AC}}$임을 이용하여 $\overline{BC}$의 길이를 구한다.
② 피타고라스 정리를 이용하여 $\overline{AB}$의 길이를 구한다.

2-1 오른쪽 그림과 같이 $\angle B=90°$인 직각삼각형 ABC에서 $\overline{BC}=6$이고, $\tan C=\frac{4}{3}$일 때, $\overline{AC}$의 길이를 구하시오.

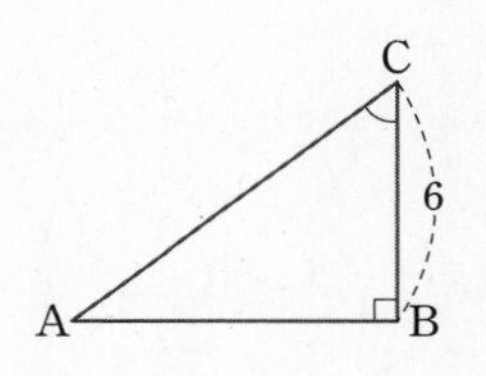

한 삼각비의 값이 주어질 때, 다른 삼각비의 값

3 $\angle B=90^\circ$인 직각삼각형 ABC에서 $\cos A=\frac{5}{6}$일 때, $\tan A$의 값을 구하시오.

① $\cos A=\frac{5}{6}$를 만족하고, $\angle B=90^\circ$인 $\triangle ABC$를 그린다.
② 피타고라스 정리를 이용하여 나머지 한 변의 길이를 구한다.
③ $\tan A$의 값을 구한다.

3-1 다음은 영채와 동현이가 삼각비의 값에 대하여 토론한 내용이다. 마지막 영채의 질문에 대한 답을 구하시오.

> 영채: 직각삼각형에서 한 삼각비의 값을 알면 나머지 두 삼각비의 값을 구할 수 있을까?
> 동현: 응! 구할 수 있어. 예를 들어 $\angle C=90^\circ$인 직각삼각형 ABC에서 $\sin B=\frac{3}{4}$이라고 해봐. 어떤 삼각비의 값을 알고 싶어?
> 영채: 음... $\cos B$의 값은 얼마일까?

직각삼각형의 닮음과 삼각비

4 오른쪽 그림과 같이 $\angle A=90^\circ$인 직각삼각형 ABC에서 $\overline{BC}\perp\overline{DE}$이고, $\overline{AB}=9$, $\overline{AC}=12$일 때, $\cos x$의 값을 구하시오.

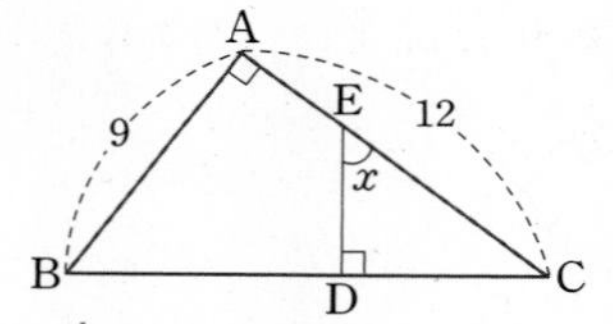

① 닮음인 삼각형을 찾는다.
② $\angle x$와 크기가 같은 각을 찾는다.
③ $\triangle ABC$에서 삼각비의 값을 구한다.

4-1 오른쪽 그림과 같이 $\angle C=90^\circ$인 직각삼각형 ABC에서 $\overline{AB}\perp\overline{CD}$이고, $\overline{AC}=15$, $\overline{BC}=8$일 때, $\sin x+\cos x$의 값을 구하시오.

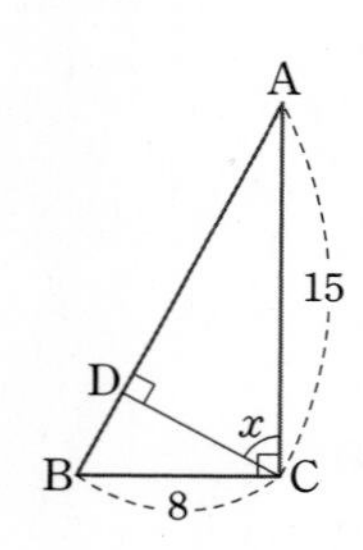

개념 이해

2 특수한 각의 삼각비의 값

30°, 45°, 60°의 삼각비의 값

삼각비 \ A	30°	45°	60°
$\sin A$	$\frac{1}{2}$	$\frac{\sqrt{2}}{2}$	$\frac{\sqrt{3}}{2}$
$\cos A$	$\frac{\sqrt{3}}{2}$	$\frac{\sqrt{2}}{2}$	$\frac{1}{2}$
$\tan A$	$\frac{\sqrt{3}}{3}$	1	$\sqrt{3}$

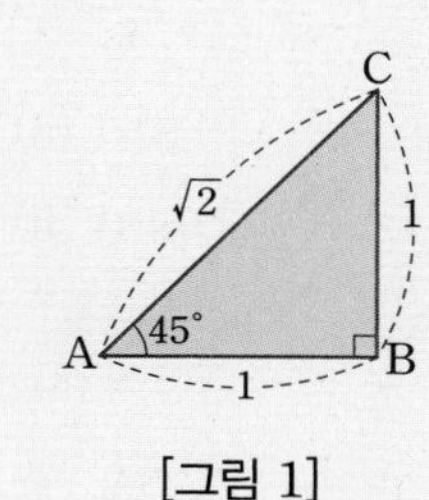

[그림 1]

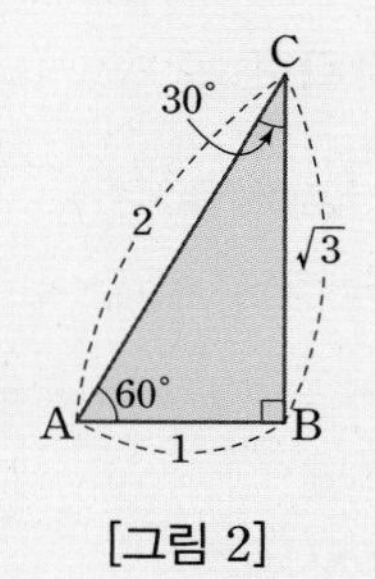

[그림 2]

[그림 1]에서 $\sin 45° = \frac{\overline{BC}}{\overline{AC}} = \frac{1}{\sqrt{2}} = \frac{\sqrt{2}}{2}$, $\cos 45° = \frac{\overline{AB}}{\overline{AC}} = \frac{1}{\sqrt{2}} = \frac{\sqrt{2}}{2}$, $\tan 45° = \frac{\overline{BC}}{\overline{AB}} = \frac{1}{1} = 1$

45°의 삼각비의 값

오른쪽 그림과 같이 한 변의 길이가 1인 정사각형 ABCD에서 대각선 AC를 그으면 $\overline{AC} = \sqrt{1^2+1^2} = \sqrt{2}$이므로

$\sin 45° = \frac{1}{\sqrt{2}} = \frac{\sqrt{2}}{2}$, $\cos 45° = \frac{1}{\sqrt{2}} = \frac{\sqrt{2}}{2}$, $\tan 45° = \frac{1}{1} = 1$

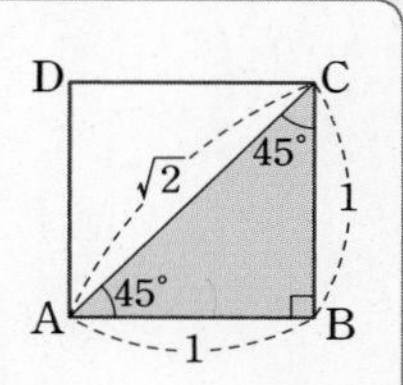

[그림 2]에서 $\sin 30° = \frac{\overline{AB}}{\overline{AC}} = \frac{1}{2}$, $\cos 30° = \frac{\overline{BC}}{\overline{AC}} = \frac{\sqrt{3}}{2}$, $\tan 30° = \frac{\overline{AB}}{\overline{BC}} = \frac{1}{\sqrt{3}} = \frac{\sqrt{3}}{3}$

$\sin 60° = \frac{\overline{BC}}{\overline{AC}} = \frac{\sqrt{3}}{2}$, $\cos 60° = \frac{\overline{AB}}{\overline{AC}} = \frac{1}{2}$, $\tan 60° = \frac{\overline{BC}}{\overline{AB}} = \frac{\sqrt{3}}{1} = \sqrt{3}$

30°, 60°의 삼각비의 값

오른쪽 그림과 같이 한 변의 길이가 2인 정삼각형 ABC의 꼭짓점 A에서 $\overline{BC}$에 내린 수선의 발을 D라 하면

$\overline{BD} = \frac{1}{2}\overline{BC} = 1$, $\overline{AD} = \sqrt{2^2-1^2} = \sqrt{3}$이므로

$\sin 30° = \frac{1}{2}$, $\cos 30° = \frac{\sqrt{3}}{2}$, $\tan 30° = \frac{1}{\sqrt{3}} = \frac{\sqrt{3}}{3}$

$\sin 60° = \frac{\sqrt{3}}{2}$, $\cos 60° = \frac{1}{2}$, $\tan 60° = \frac{\sqrt{3}}{1} = \sqrt{3}$

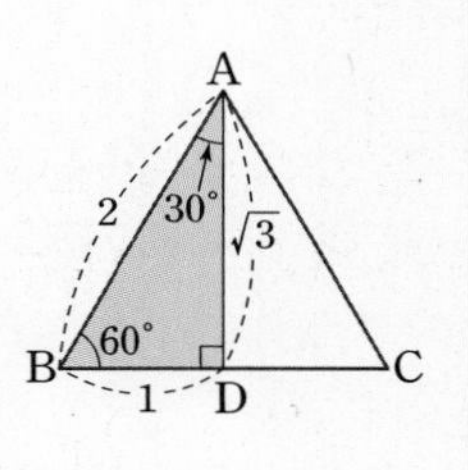

개념확인

1. 다음을 계산하시오.

(1) $\sin 60° + \cos 30°$

(2) $\sin 45° \div \cos 60°$

(3) $\tan 30° \times \tan 60°$

(4) $\tan^2 45° + \sin^2 30° - \cos^2 45°$

❗ $(\sin A)^2$은 $\sin^2 A$로 표현한다.

2. 다음 그림의 직각삼각형 ABC에서 x, y의 값을 각각 구하시오.

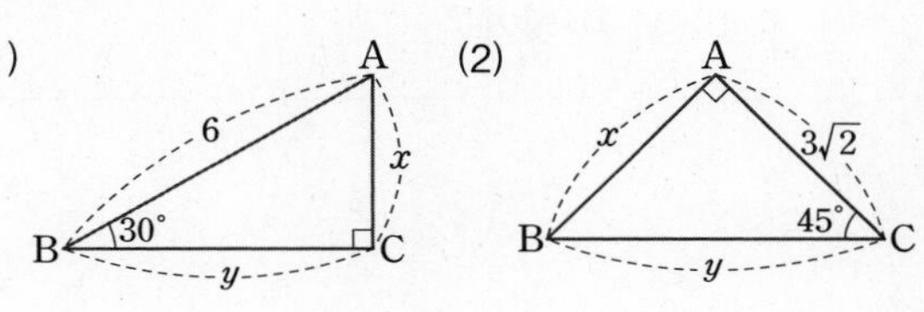

개념 적용

특수한 각의 삼각비의 값

1 **다음을 계산하시오.**

(1) $\tan 45° - \cos 60°$　　(2) $\sin 60° \times \tan 30°$

(3) $\sin^2 45° + \cos^2 45°$　　(4) $\sin 30° + \sqrt{3} \tan 60°$

특수한 각의 삼각비의 값을 이용하여 계산한다.

1-1 다음을 계산하시오.

(1) $\sin 45° \times \cos 30° \div \tan 60°$

(2) $\sqrt{2} \tan 30° \times \tan 60° + 2 \cos 45°$

(3) $\sin 30° \times \cos 60° + \cos 30° \times \sin 60°$

특수한 각의 삼각비의 값이 주어질 때, 각의 크기 구하기

2 $\sin (2x - 25°) = \dfrac{\sqrt{2}}{2}$**를 만족하는 x의 크기를 구하시오. (단, $20° < x < 50°$)**

$\dfrac{\sqrt{2}}{2}$와 같은 특수한 각의 삼각비의 값이 주어지면 이를 이용하여 각의 크기를 구할 수 있다.

⇨ $0° < \angle A < 90°$일 때

$\sin A = \dfrac{\sqrt{2}}{2}$이면 $\angle A = 45°$

$\cos A = \dfrac{1}{2}$이면 $\angle A = 60°$

⋮

2-1 다음은 미영이와 준수가 특수한 각의 삼각비의 값에 대하여 배운 후 토론한 내용이다. 마지막 미영이의 물음에 대하여 답하시오.

미영: 오른쪽 그림과 같은 직각삼각형 ABC에서 $\angle B$의 크기를 구할 수 있을까?

준수: 응! 특수한 각의 삼각비의 값을 이용하면 구할 수 있어.

미영: 어떻게? ……

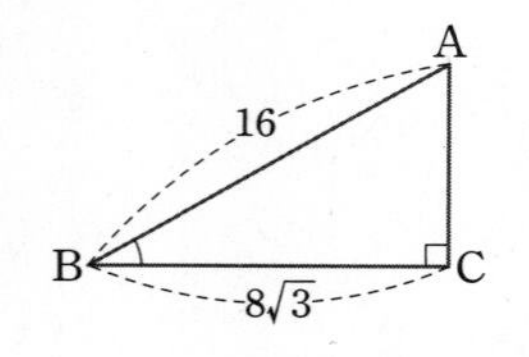

특수한 각의 삼각비의 값을 이용하여 변의 길이 구하기

3 **오른쪽 그림과 같이 △ABC와 △BCD는 각각 ∠ABC=90°, ∠BCD=90°인 직각삼각형이다. ∠A=60°, ∠D=45°이고, $\overline{AB}=\sqrt{2}$일 때, x, y의 값을 각각 구하시오.**

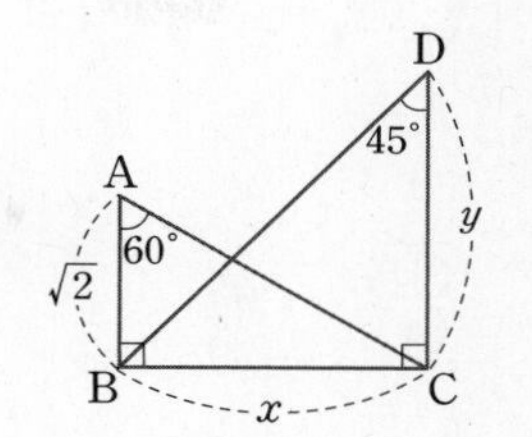

특수한 각의 삼각비의 값을 이용하여 △ABC에서 x의 값을 구한 후, △BCD에서 y의 값을 구한다.

3-1 오른쪽 그림과 같이 △ABC와 △ACD는 각각 ∠ACB=90°, ∠D=90°인 직각삼각형이다. $\overline{AB}$=12 cm이고, ∠B=60°, ∠CAD=45°일 때, $\overline{CD}$의 길이를 구하시오.

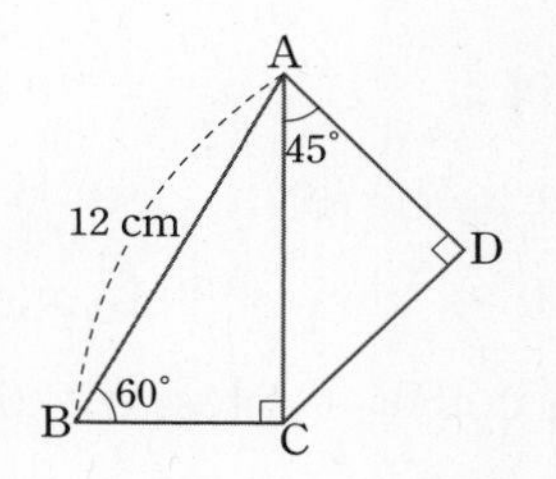

직선의 기울기와 삼각비

4 **오른쪽 그림과 같이 일차함수 $y=\sqrt{3}x+1$의 그래프와 x축의 양의 방향이 이루는 각의 크기를 θ라 할 때, θ의 크기를 구하시오.**

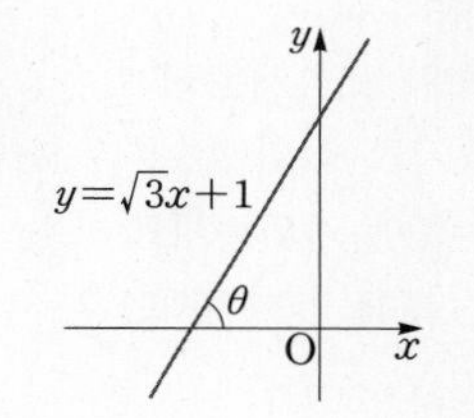

tan θ=(직선의 기울기)임을 이용한다.

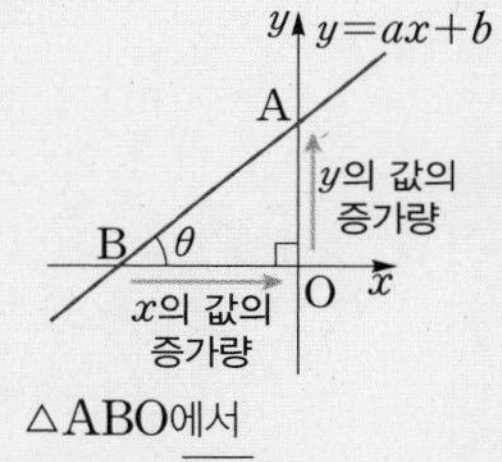

△ABO에서

$\tan\theta=\dfrac{\overline{AO}}{\overline{BO}}$

$=\dfrac{(y\text{의 값의 증가량})}{(x\text{의 값의 증가량})}$

=(직선의 기울기)

$=a$

4-1 오른쪽 그림과 같이 x절편이 -3이고, x축의 양의 방향과 이루는 각의 크기가 30°인 직선을 그래프로 하는 일차함수의 식이 $y=ax+b$일 때, ab의 값을 구하시오. (단 a, b는 상수)

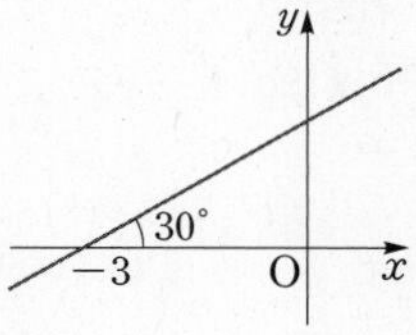

개념 이해 3

임의의 예각과 0°, 90°의 삼각비의 값

(1) 임의의 예각의 삼각비의 값

오른쪽 그림과 같이 반지름의 길이가 1인 사분원에서

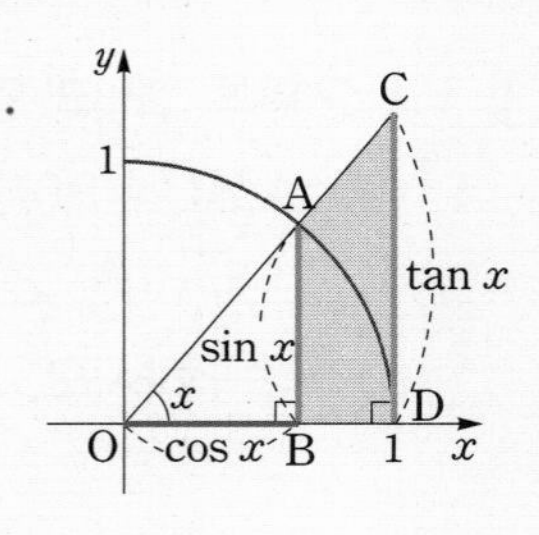

① $\sin x=\dfrac{\overline{AB}}{\overline{OA}}=\dfrac{\overline{AB}}{1}=\overline{AB}$

② $\cos x=\dfrac{\overline{OB}}{\overline{OA}}=\dfrac{\overline{OB}}{1}=\overline{OB}$

③ $\tan x=\dfrac{\overline{CD}}{\overline{OD}}=\dfrac{\overline{CD}}{1}=\overline{CD}$

(2) 0°, 90°의 삼각비의 값

반지름의 길이가 1인 사분원에서 $\angle AOB=x$라 하면

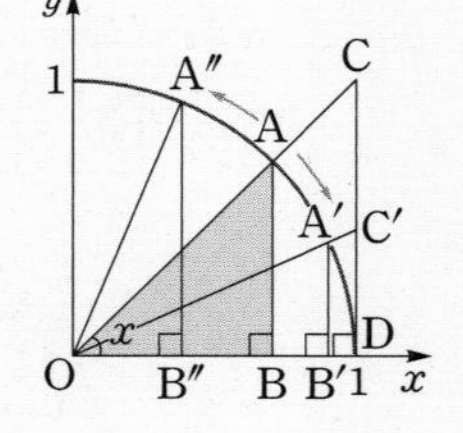

① $\angle x$의 크기가 0°에 가까워지면 $\sin x$는 0에, $\cos x$는 1에, $\tan x$는 0에 가까워진다.

➡ $\sin 0°=0$, $\cos 0°=1$, $\tan 0°=0$

② $\angle x$의 크기가 90°에 가까워지면 $\sin x$는 1에, $\cos x$는 0에 가까워지고 $\tan x$는 한없이 커진다.

➡ $\sin 90°=1$, $\cos 90°=0$, $\tan 90°$의 값은 정할 수 없다.

참고 $\angle x$의 크기가 0°에서부터 90°까지 커질 때, 삼각비의 값의 변화

- $\sin x$: 0에서 1까지 증가
- $\cos x$: 1에서 0까지 감소
- $\tan x$: 0에서 한없이 증가

0°, 90°의 삼각비의 값

(1) 반지름의 길이가 1인 사분원에서 $\angle x$의 크기가 작아질수록 $\overline{AB}$의 길이는 0에 가까워지고, $\overline{OB}$의 길이는 1에 가까워지므로 $\sin 0°=0$, $\cos 0°=1$
$\angle x$의 크기가 커질수록 $\overline{AB}$의 길이는 1에 가까워지고, $\overline{OB}$의 길이는 0에 가까워지므로 $\sin 90°=1$, $\cos 90°=0$

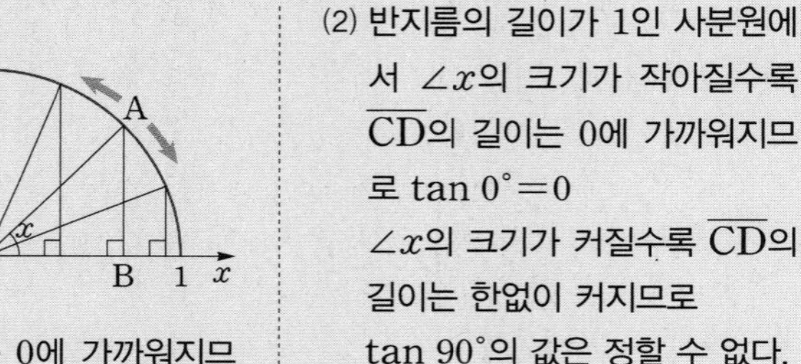

(2) 반지름의 길이가 1인 사분원에서 $\angle x$의 크기가 작아질수록 $\overline{CD}$의 길이는 0에 가까워지므로 $\tan 0°=0$
$\angle x$의 크기가 커질수록 $\overline{CD}$의 길이는 한없이 커지므로 $\tan 90°$의 값은 정할 수 없다.

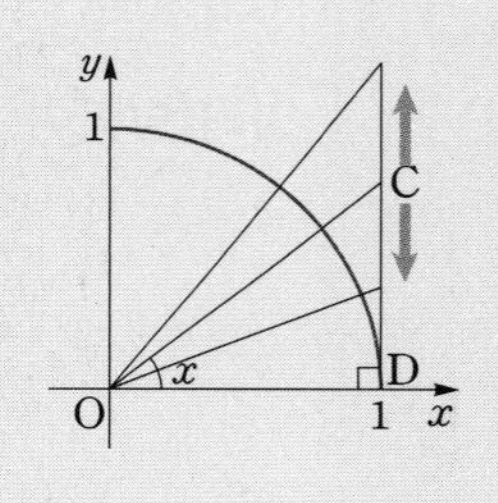

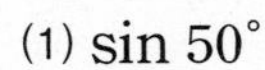

개념확인

1. 오른쪽 그림과 같이 반지름의 길이가 1인 사분원을 이용하여 다음 삼각비의 값을 구하시오.

(1) $\sin 50°$
(2) $\cos 50°$
(3) $\tan 50°$

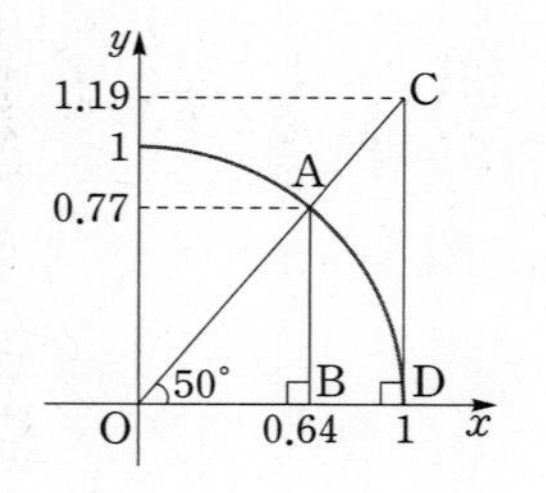

2. 다음을 계산하시오.

(1) $\sin 0°+\cos 90°$
(2) $\cos 0°+\tan 45°$
(3) $\tan 0°-\sin 90°$
(4) $\cos 60°\times\sin 90°$

개념 적용

익힘북 9쪽 | 정답과 풀이 4쪽

임의의 예각의 삼각비의 값

1 오른쪽 그림과 같이 반지름의 길이가 1인 사분원에서 $\sin 55° + \cos 55° + \tan 55°$의 값을 구하시오.

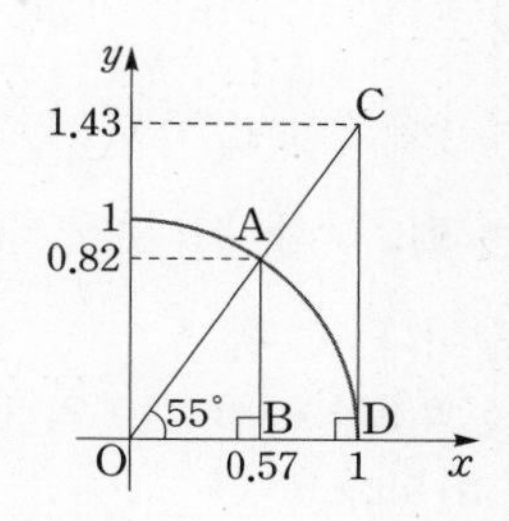

- △AOB에서
  $\sin 55° = \frac{\overline{AB}}{1} = \overline{AB}$
  $\cos 55° = \frac{\overline{OB}}{1} = \overline{OB}$
- △COD에서
  $\tan 55° = \frac{\overline{CD}}{1} = \overline{CD}$

1-1 오른쪽 그림과 같이 반지름의 길이가 1인 사분원에서 $\angle AOB = x$, $\angle OAB = y$라 하자. 다음 중 삼각비의 값을 나타내는 선분을 바르게 말한 학생을 찾으시오.

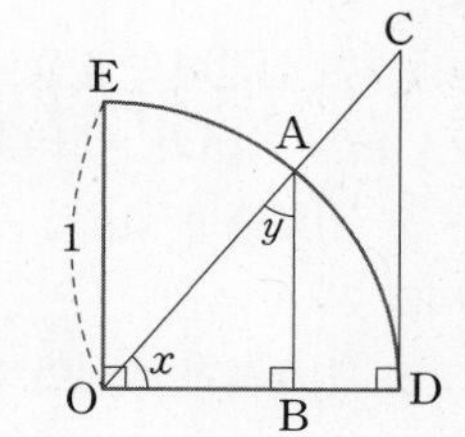

▶ 분모가 되는 변의 길이가 1이 되도록 하는 직각삼각형을 찾아본다.

> 영채: $\sin x$의 값을 나타내는 선분은 $\overline{CD}$야.
> 슬기: $\tan x$의 값을 나타내는 선분은 $\overline{AB}$야.
> 성오: $\sin y$의 값을 나타내는 선분은 $\overline{OD}$야.
> 동은: $\cos y$의 값을 나타내는 선분은 $\overline{AB}$야.

0°, 90°의 삼각비의 값

2 다음을 계산하시오.

(1) $(\sin 30° + \tan 0°) \times \sin 90°$

(2) $\sin 60° \times \cos 0° + \tan 30° \times \sin 0°$

(3) $\tan 45° \div \sin 90° - \cos 90° \times \cos 30°$

A	$\sin A$	$\cos A$	$\tan A$
0°	0	1	0
90°	1	0	정할 수 없다.

2-1 다음을 계산하시오.

(1) $\cos 45° - \sin 45° + \cos 90°$

(2) $\sin 0° \times \tan 60° + \cos 0° \div \sin 90°$

(3) $(1 + \sin^2 0°) \times \cos^2 60° - \tan^2 0°$

개념 이해 4

삼각비의 표

(1) **삼각비의 표:** 0°에서 90°까지 1° 단위로 삼각비의 값을 표로 나타낸 것

(2) **삼각비의 표를 보는 법:** 삼각비의 표에서 가로줄과 세로줄이 만나는 수가 삼각비의 값이다.

예 cos 49°의 값은 삼각비의 표에서 49°의 가로줄과 cos의 세로줄이 만나는 곳의 수 0.6561이다.

각도	사인(sin)	코사인(cos)	탄젠트(tan)
⋮	⋮	⋮	⋮
48°	0.7431	0.6691	1.1106
49°	0.7547	0.6561	1.1504
50°	0.7660	0.6428	1.1918
⋮	⋮	⋮	⋮

참고 삼각비의 표에 있는 값은 반올림하여 소수 넷째 자리까지 구한 값이지만 삼각비의 값을 나타낼 때 편의상 =를 사용한다.

삼각비의 표를 보는 법

삼각비의 표를 이용하여 삼각비의 값을 구하는 방법은 가로줄의 각도와 세로줄의 sin, cos, tan가 만나는 곳에 있는 수를 찾는다.

① sin 78°는 78°의 가로줄과 sin의 세로줄이 만나는 곳에 있는 수인 0.9781이다.

② cos 77°는 77°의 가로줄과 cos의 세로줄이 만나는 곳에 있는 수인 0.2250이다.

③ tan 79°는 79°의 가로줄과 tan의 세로줄이 만나는 곳에 있는 수인 5.1446이다.

각도	사인(sin)	코사인(cos)	탄젠트(tan)
77°	0.9744	0.2250	4.3315
78°	0.9781	0.2079	4.7046
79°	0.9816	0.1908	5.1446

개념확인

1. 오른쪽 삼각비의 표를 이용하여 다음 삼각비의 값을 구하시오.

(1) sin 25°

(2) cos 28°

(3) tan 26°

❗ 각도의 가로줄과 sin, cos, tan의 세로줄이 만나는 곳의 수를 읽는다.

각도	사인(sin)	코사인(cos)	탄젠트(tan)
24°	0.4067	0.9135	0.4452
25°	0.4226	0.9063	0.4663
26°	0.4384	0.8988	0.4877
27°	0.4540	0.8910	0.5095
28°	0.4695	0.8829	0.5317

2. 오른쪽 삼각비의 표를 이용하여 다음을 만족하는 x의 값을 구하시오.

(1) $\sin x° = 0.8192$

(2) $\cos x° = 0.5878$

(3) $\tan x° = 1.4826$

❗ sin, cos, tan의 세로줄에서 주어진 삼각비의 값을 찾아 가로줄의 왼쪽에 있는 각도를 읽는다.

각도	사인(sin)	코사인(cos)	탄젠트(tan)
53°	0.7986	0.6018	1.3270
54°	0.8090	0.5878	1.3764
55°	0.8192	0.5736	1.4281
56°	0.8290	0.5592	1.4826
57°	0.8387	0.5446	1.5399

개념 적용

삼각비의 표 이해하기

1 **오른쪽 삼각비의 표를 이용하여 다음을 구하시오.**

(1) $\sin 43^\circ + \tan 44^\circ$의 값

(2) $\sin x = 0.6947$, $\cos y = 0.7431$일 때, $\angle x + \angle y$의 크기

각도	사인(sin)	코사인(cos)	탄젠트(tan)
42°	0.6691	0.7431	0.9004
43°	0.6820	0.7314	0.9325
44°	0.6947	0.7193	0.9657

(1) 삼각비의 표를 이용하여 주어진 삼각비의 값을 각각 구한다.
(2) 주어진 삼각비의 값을 찾아 그 곳의 가로줄에 있는 각도를 읽는다.

1-1 다음은 오른쪽 삼각비의 표를 보고 학생들이 대화한 내용이다. 바르게 말한 학생을 찾으시오.

각도	사인(sin)	코사인(cos)	탄젠트(tan)
17°	0.2924	0.9563	0.3057
18°	0.3090	0.9511	0.3249
19°	0.3256	0.9455	0.3443

가은: $\sin 17^\circ$의 값은 이 표를 봐서는 구할 수 없어.
승훈: $\tan x^\circ = 0.3443$이면 x의 값은 19야.
민지: $\sin 19^\circ$, $\cos 18^\circ$, $\tan 17^\circ$의 값을 모두 합하면 1.5482야.

삼각비의 표를 이용하여 삼각형의 변의 길이 구하기

2 **오른쪽 그림의 직각삼각형 ABC에서 $\angle B = 63^\circ$, $\overline{AB} = 100$일 때, 다음 삼각비의 표를 이용하여 $x + y$의 값을 구하시오.**

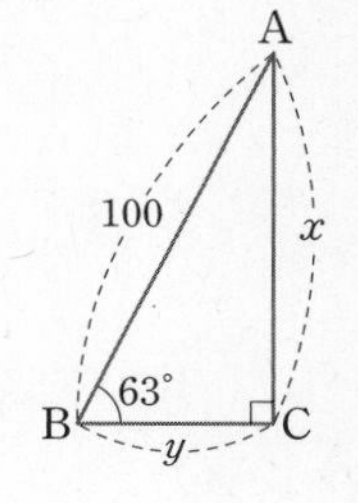

각도	사인(sin)	코사인(cos)	탄젠트(tan)
61°	0.8746	0.4848	1.8040
62°	0.8829	0.4695	1.8807
63°	0.8910	0.4540	1.9626

삼각비의 표를 이용하여 63°의 삼각비의 값을 알 수 있고, 빗변의 길이가 주어졌으므로 $\angle B$의 삼각비를 이용하여 x, y의 값을 각각 구할 수 있다.

2-1 오른쪽 그림의 직각삼각형 ABC에서 $\angle B = 35^\circ$, $\overline{AB} = 4$일 때, 다음 삼각비의 표를 이용하여 x의 값을 구하시오.

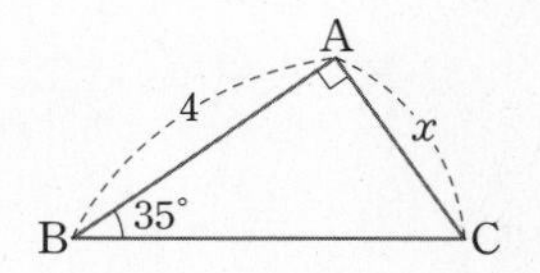

각도	사인(sin)	코사인(cos)	탄젠트(tan)
34°	0.5592	0.8290	0.6745
35°	0.5736	0.8192	0.7002
36°	0.5878	0.8090	0.7265

0°부터 90°까지 각의 변화에 따른 삼각비의 값

각의 크기가 0°부터 90°까지 변화함에 따라 각각의 삼각비의 값은 어떻게 달라질까?

반지름의 길이가 1인 사분원을 이용하여 $\angle AOB=a°$의 삼각비의 값을 알아보자.

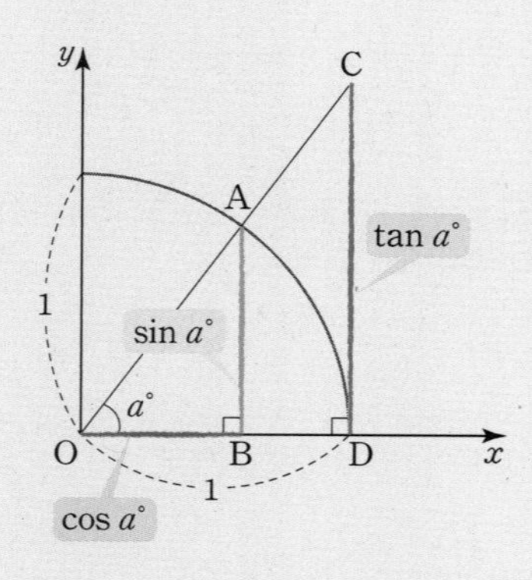

삼각비의 값은 분모가 1이 되는 선분을 이용하여 구하면 편리하다.

△AOB에서

$$\sin a° = \frac{\overline{AB}}{\overline{AO}} = \frac{\overline{AB}}{1} = \overline{AB}$$

$$\cos a° = \frac{\overline{OB}}{\overline{AO}} = \frac{\overline{OB}}{1} = \overline{OB}$$

△COD에서

$$\tan a° = \frac{\overline{CD}}{\overline{OD}} = \frac{\overline{CD}}{1} = \overline{CD}$$

sin sin 0° ~ sin 90°의 값의 변화

다음 그림과 같이 반지름의 길이가 1인 사분원에서 $\angle AOB = a°$일 때, $\sin a° =$ [ ]

❶ $a°$의 크기가 0°에 가까워질 때

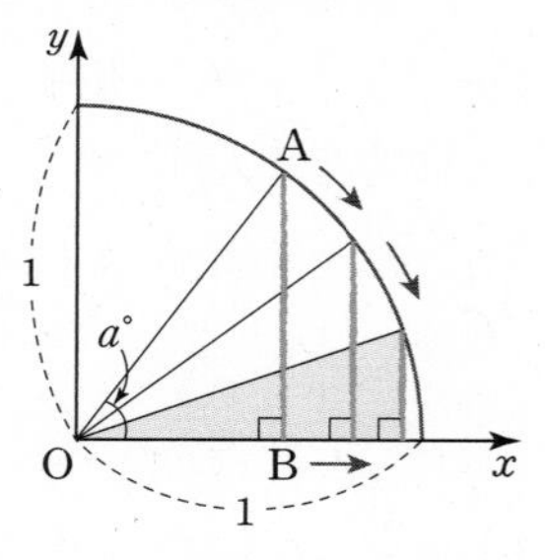

$\overline{AB}$의 길이는 [ ]에 가까워진다.

❷ $a°$의 크기가 90°에 가까워질 때

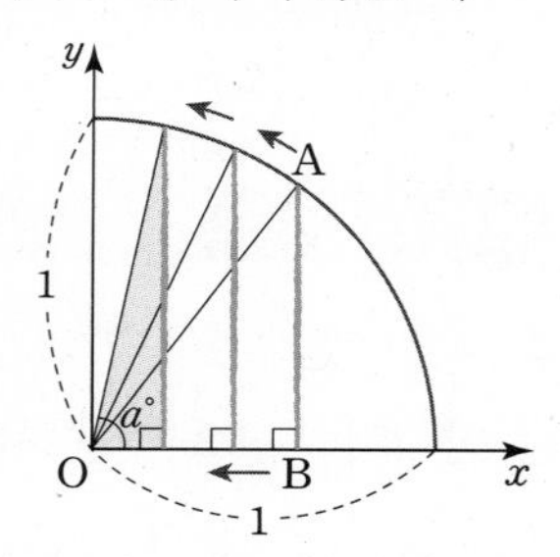

$\overline{AB}$의 길이는 [ ]에 가까워진다.

❸ sin 0°와 sin 90°의 값

sin 0° = [ ]
sin 90° = [ ]

따라서 $a°$의 크기가 0°부터 90°에 가까워지면 $\sin a°$의 값은 [ ]부터 [ ]까지 점점 (증가, 감소)한다.

다음 sin 값의 크기를 비교하시오.
sin 27° [ ] sin 49°

답 $\overline{AB}$, 0, 1, 0, 1, 0, 1, 증가, $<$

cos $\cos 0^\circ \sim \cos 90^\circ$의 값의 변화

다음 그림과 같이 반지름의 길이가 1인 사분원에서 $\angle AOB = a^\circ$일 때, $\cos a^\circ =$ ☐

❶ a°의 크기가 0°에 가까워질 때

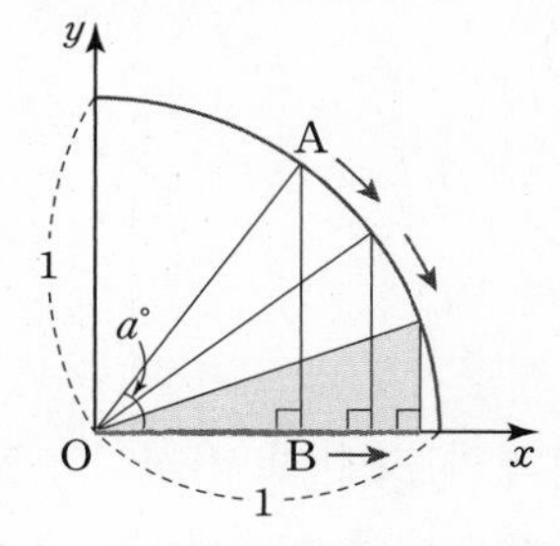

$\overline{OB}$의 길이는 ☐에 가까워진다.

❷ a°의 크기가 90°에 가까워질 때

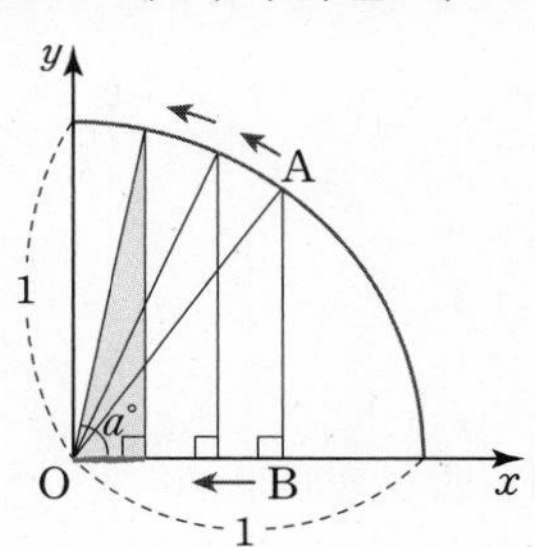

$\overline{OB}$의 길이는 ☐에 가까워진다.

❸ $\cos 0^\circ$와 $\cos 90^\circ$의 값

$\cos 0^\circ =$ ☐
$\cos 90^\circ =$ ☐

따라서 a°의 크기가 0°부터 90°에 가까워지면 $\cos a^\circ$의 값은 ☐부터 ☐까지 점점 (증가, 감소)한다.

다음 cos 값의 크기를 비교하시오.
$\cos 1^\circ$ ☐ $\cos 89^\circ$

답 $\overline{OB}$, 1, 0, 1, 0, 1, 0, 감소, >

tan $\tan 0^\circ \sim \tan 90^\circ$의 값의 변화

다음 그림과 같이 반지름의 길이가 1인 사분원에서 $\angle COD = a^\circ$일 때, $\tan a^\circ =$ ☐

❶ a°의 크기가 0°에 가까워질 때

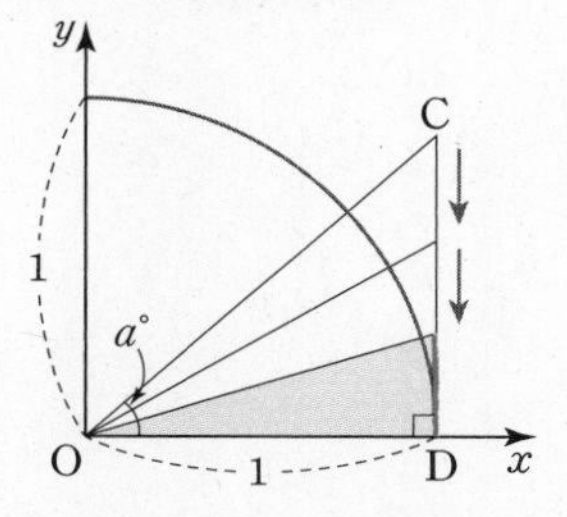

$\overline{CD}$의 길이는 ☐에 가까워진다.

❷ a°의 크기가 90°에 가까워질 때

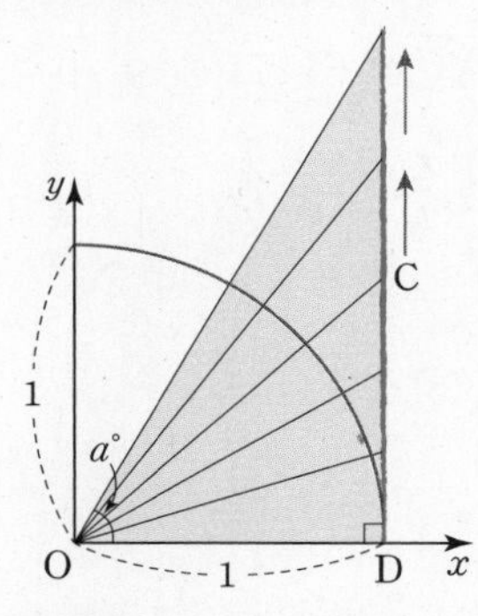

$\overline{CD}$의 길이는 한없이 길어진다.

❸ $\tan 0^\circ$와 $\tan 90^\circ$의 값

$\tan 0^\circ =$ ☐
$\tan 90^\circ$의 값은 정할 수 없다.

따라서 a°의 크기가 0°부터 90°에 가까워지면 $\tan a^\circ$의 값은 ☐부터 무한히 (증가, 감소)한다.

다음 tan 값의 크기를 비교하시오.
$\tan 34^\circ$ ☐ $\tan 55^\circ$

답 $\overline{CD}$, 0, 0, 0, 증가, <

기본 문제

1 삼각비의 값

오른쪽 그림과 같은 직각삼각형 ABC에서 $\sin A+\cos A\times\tan A$의 값은?

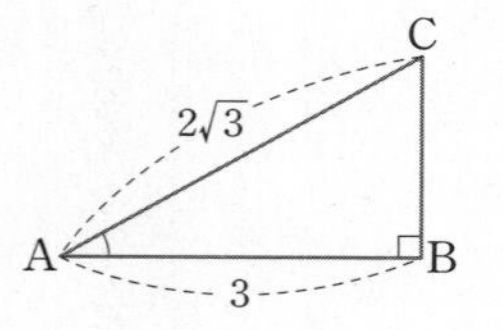

① $\frac{1}{2}$ ② $\frac{\sqrt{3}}{2}$ ③ 1
④ $\frac{3}{2}$ ⑤ $\sqrt{3}$

2 삼각비의 값이 주어질 때, 변의 길이

오른쪽 그림과 같은 직각삼각형 ABC에서 $\overline{AC}=6$이고 $\cos A=\frac{2}{3}$일 때, $\overline{BC}$의 길이는?

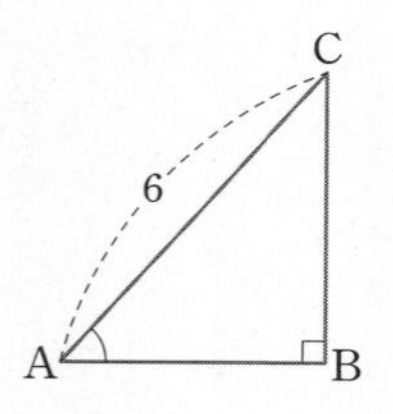

① $2\sqrt{5}$ ② $2\sqrt{6}$ ③ $2\sqrt{7}$
④ $3\sqrt{5}$ ⑤ $3\sqrt{7}$

3 한 삼각비의 값이 주어질 때, 다른 삼각비의 값

$\sin A=\frac{4}{5}$일 때, $5\cos A\times\tan A$의 값은?

(단, $0°<\angle A<90°$)

① $\sqrt{3}$ ② $2\sqrt{2}$ ③ 4
④ 5 ⑤ $3\sqrt{3}$

4 특수한 각의 삼각비의 값

다음을 계산하시오.

$$\cos 60°\times\tan 30°+\sin 45°\div\tan 60°$$

5 특수한 각의 삼각비의 값

세 내각의 크기의 비가 1 : 2 : 3인 삼각형에서 크기가 가장 작은 내각의 크기를 A라 할 때, $\cos A\times\tan A+\sin A$의 값은?

① $\frac{\sqrt{3}}{3}$ ② $\frac{\sqrt{3}}{2}$ ③ 1
④ $\sqrt{2}$ ⑤ $\sqrt{3}$

6 특수한 각의 삼각비의 값을 이용하여 변의 길이 구하기

오른쪽 그림과 같은 △ABC에서 $\overline{AD}\perp\overline{BC}$이다. $\overline{AB}=4$ cm이고, $\angle B=45°$, $\angle CAD=60°$일 때, $\overline{AC}$의 길이를 구하시오.

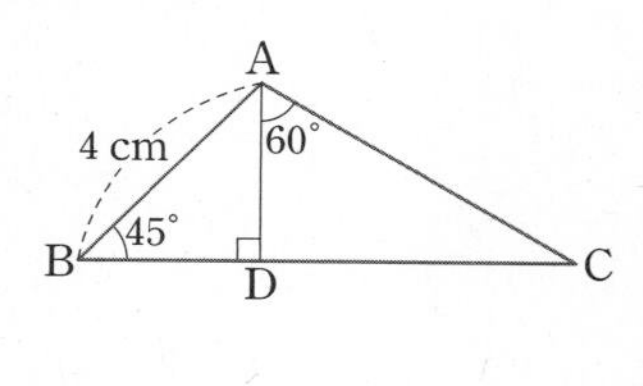

7 직선의 기울기와 삼각비

오른쪽 그림과 같이 일차함수 $y=x+2$의 그래프가 x축의 양의 방향과 이루는 각의 크기를 a라 할 때, $\tan a$의 값을 구하시오.

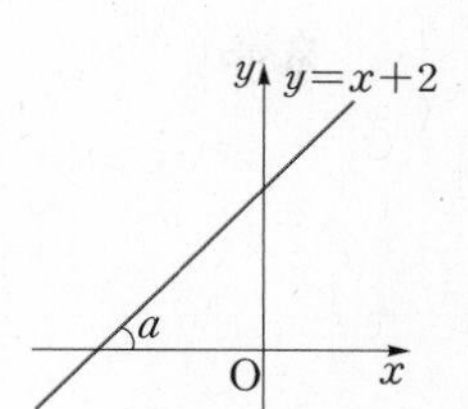

8 임의의 예각의 삼각비의 값

오른쪽 그림과 같이 반지름의 길이가 1인 사분원에 대하여 다음 중 옳은 것을 모두 고르면? (정답 2개)

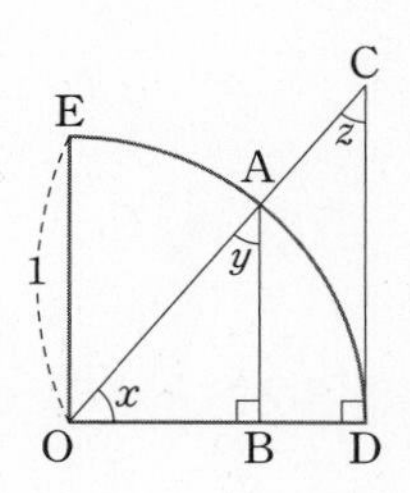

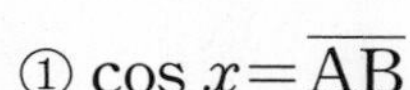

① $\cos x=\overline{AB}$　② $\tan x=\overline{CD}$
③ $\cos y=\overline{OB}$　④ $\sin z=\overline{OB}$
⑤ $\tan z=\overline{CD}$

9 임의의 예각의 삼각비의 값

오른쪽 그림에서 두 점 A, D는 $\overline{EC}$ 위에 있고, $\angle C=90^\circ$, $\angle ABC=45^\circ$이다. $\angle DBC<\angle ABC<\angle EBC$이고, $\overline{AC}=\overline{BC}$임을 이용하여 다음 □ 안에 $>$, $=$, $<$를 써넣으시오.

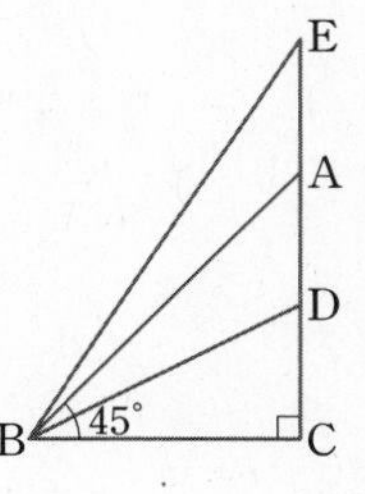

(1) $\angle x=45^\circ$이면 $\sin x$ □ $\cos x$
(2) $0^\circ<\angle x<45^\circ$이면 $\sin x$ □ $\cos x$
(3) $45^\circ<\angle x<90^\circ$이면 $\sin x$ □ $\cos x$

10 0°, 90°의 삼각비의 값

다음 중 옳지 않은 것은?

① $\cos^2 0^\circ+\sin^2 90^\circ=2$
② $\tan 45^\circ(1+\tan 0^\circ)=1$
③ $\sin 0^\circ-\sin 60^\circ\times\cos 90^\circ=0$
④ $\sin 90^\circ\times\cos 30^\circ\div\tan 60^\circ=\frac{1}{2}$
⑤ $(\sin 0^\circ+\sin 30^\circ)(\cos 90^\circ-\cos 45^\circ)=-\frac{\sqrt{3}}{2}$

11 삼각비의 표 이해하기

다음 삼각비의 표를 이용하여 $\angle x+\angle y$의 크기를 구하시오.

$\sin x=0.6428$, $\tan y=0.7813$

각도	사인(sin)	코사인(cos)	탄젠트(tan)
37°	0.6018	0.7986	0.7536
38°	0.6157	0.7880	0.7813
39°	0.6293	0.7771	0.8098
40°	0.6428	0.7660	0.8391

개념 완성

발전 문제

1 오른쪽 그림과 같이 $\overline{AB}=15$, $\overline{AC}=10$인 $\triangle ABC$에서 $\sin B \div \sin C$의 값을 구하시오.

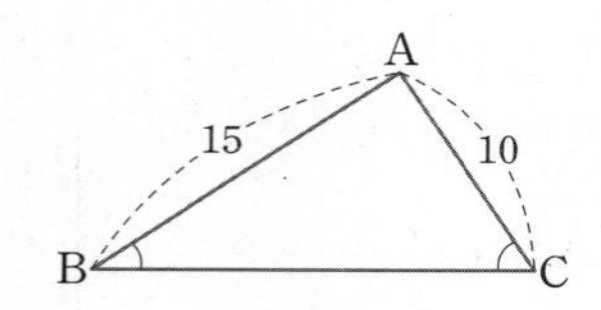

삼각형의 한 꼭짓점에서 그 대변에 수선을 그어 2개의 직각삼각형을 만든다.

2 오른쪽 그림과 같이 한 모서리의 길이가 3인 정육면체에서 $\angle DFH=x$라 할 때, $\cos x$의 값은?

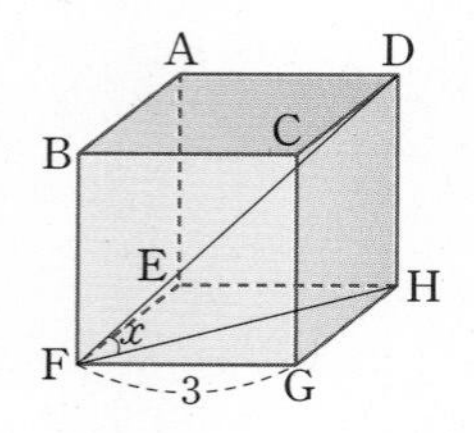

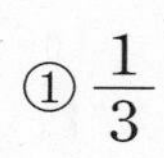

① $\frac{1}{3}$　② $\frac{\sqrt{2}}{3}$　③ $\frac{1}{2}$　④ $\frac{\sqrt{3}}{3}$　⑤ $\frac{\sqrt{6}}{3}$

두 직각삼각형 FGH와 DFH에서 피타고라스 정리를 이용하여 빗변의 길이를 구한다.

3 $\cos(3x-30^\circ)=\frac{1}{2}$일 때, $\sin(x+15^\circ)\times\cos x$의 값은? (단, $10^\circ < x < 40^\circ$)

① $\frac{\sqrt{2}}{3}$　② $\frac{\sqrt{3}}{3}$　③ $\frac{\sqrt{6}}{4}$　④ $\frac{\sqrt{3}}{2}$　⑤ $\frac{\sqrt{6}}{2}$

4 오른쪽 그림의 원 O에서 $\overline{AB}\perp\overline{CO}$이고, $\overline{CO}=\sqrt{3}$, $\angle PCO=30^\circ$일 때, $\overline{AP}$의 길이는?

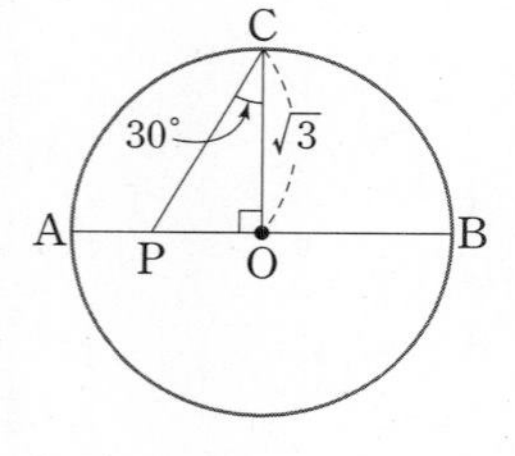

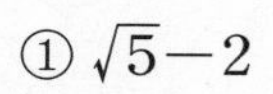

① $\sqrt{5}-2$　② $\sqrt{2}-1$　③ $\sqrt{3}-1$　④ 1　⑤ $\sqrt{2}$

5 오른쪽 그림과 같이 반지름의 길이가 1인 사분원에서 색칠한 부분의 넓이를 구하시오.

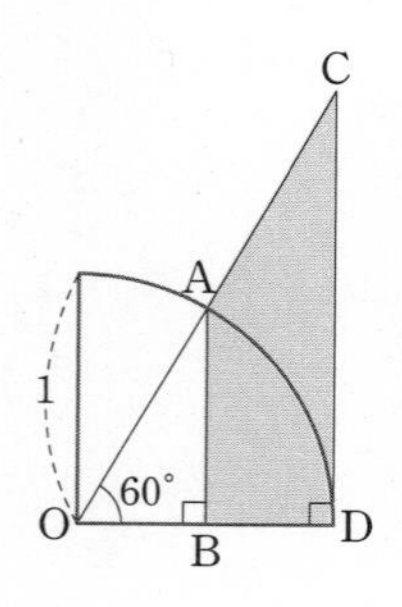

6 서술형

오른쪽 그림과 같이 $\angle A=90^{\circ}$인 직각삼각형 ABC에서 $\overline{AB}=5$, $\overline{AC}=12$이고, $\overline{AH}\perp\overline{BC}$이다. $\angle BAH=x$, $\angle CAH=y$라 할 때, $\sin x+\sin y$의 값을 구하기 위한 풀이 과정을 쓰고 답을 구하시오.

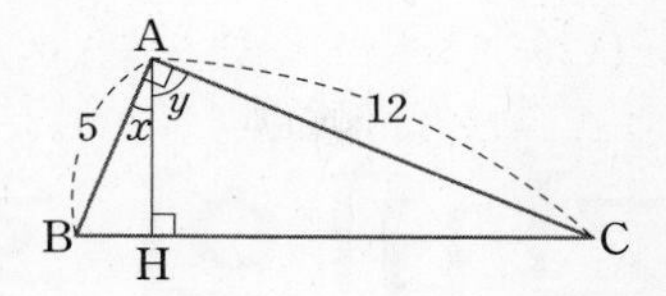

① 단계: 닮음을 이용하여 $\angle x$, $\angle y$와 크기가 같은 각을 각각 찾기

______ $\backsim\triangle HBA\backsim\triangle HAC$(______ 닮음)이므로

$\angle x=$ ______, $\angle y=$ ______

② 단계: $\overline{BC}$의 길이 구하기

$\triangle ABC$에서 피타고라스 정리에 의해 $\overline{BC}=$ ______

③ 단계: $\sin x+\sin y$의 값 구하기

$\triangle ABC$에서 $\sin x=$ ______, $\sin y=$ ______

$\therefore \sin x+\sin y=$ ______

► Check List
- 닮음을 이용하여 $\angle x$, $\angle y$와 크기가 같은 각을 각각 바르게 찾았는가?
- $\overline{BC}^2=\overline{AB}^2+\overline{AC}^2$임을 이용하여 $\overline{BC}$의 길이를 바르게 구하였는가?
- $\sin x+\sin y$의 값을 바르게 구하였는가?

7 서술형

오른쪽 그림과 같이 $\angle B=90^{\circ}$인 직각삼각형 ABC에서 $\angle CAD=\angle ACD=15^{\circ}$, $\overline{BC}=1$일 때, $\tan 15^{\circ}$의 값을 구하기 위한 풀이 과정을 쓰고 답을 구하시오.

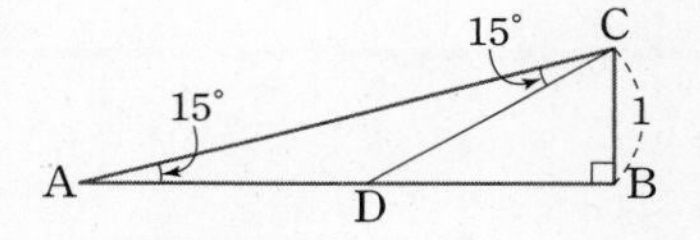

① 단계: $\angle CDB$의 크기 구하기

______

② 단계: $\overline{DB}$, $\overline{DC}$의 길이 각각 구하기

______

③ 단계: $\overline{AB}$의 길이 구하기

______

④ 단계: $\tan 15^{\circ}$의 값 구하기

______

► Check List
- $\angle CDB$의 크기를 바르게 구하였는가?
- $\overline{DB}$, $\overline{DC}$의 길이를 각각 바르게 구하였는가?
- $\overline{AB}$의 길이를 바르게 구하였는가?
- $\tan 15^{\circ}$의 값을 바르게 구하였는가?

2 삼각비의 활용

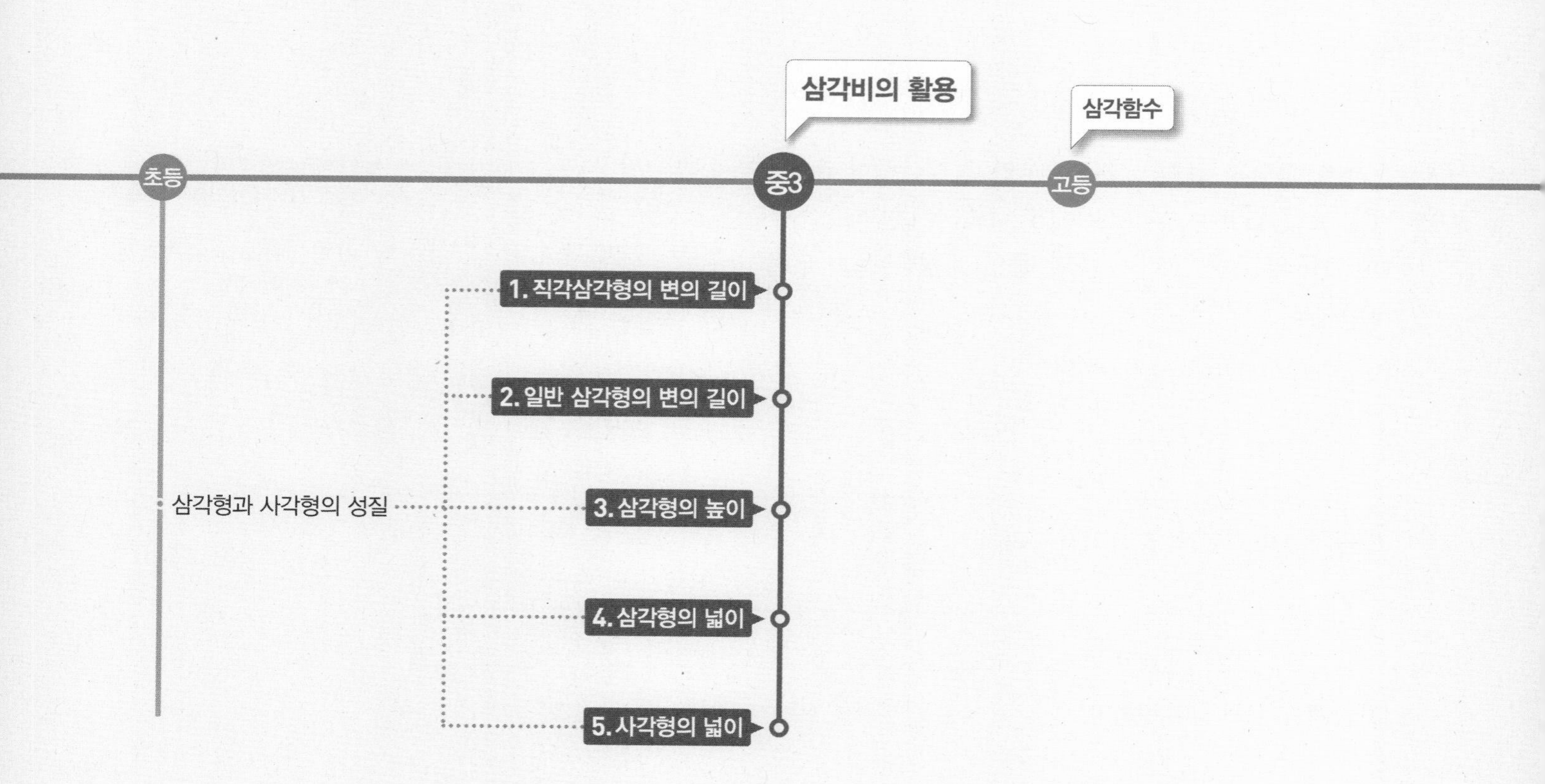

삼각비의 활용
삼각함수
초등
중3
고등
1. 직각삼각형의 변의 길이
2. 일반 삼각형의 변의 길이
삼각형과 사각형의 성질
3. 삼각형의 높이
4. 삼각형의 넓이
5. 사각형의 넓이

삼각비를 활용한 문제 해결의 첫걸음!

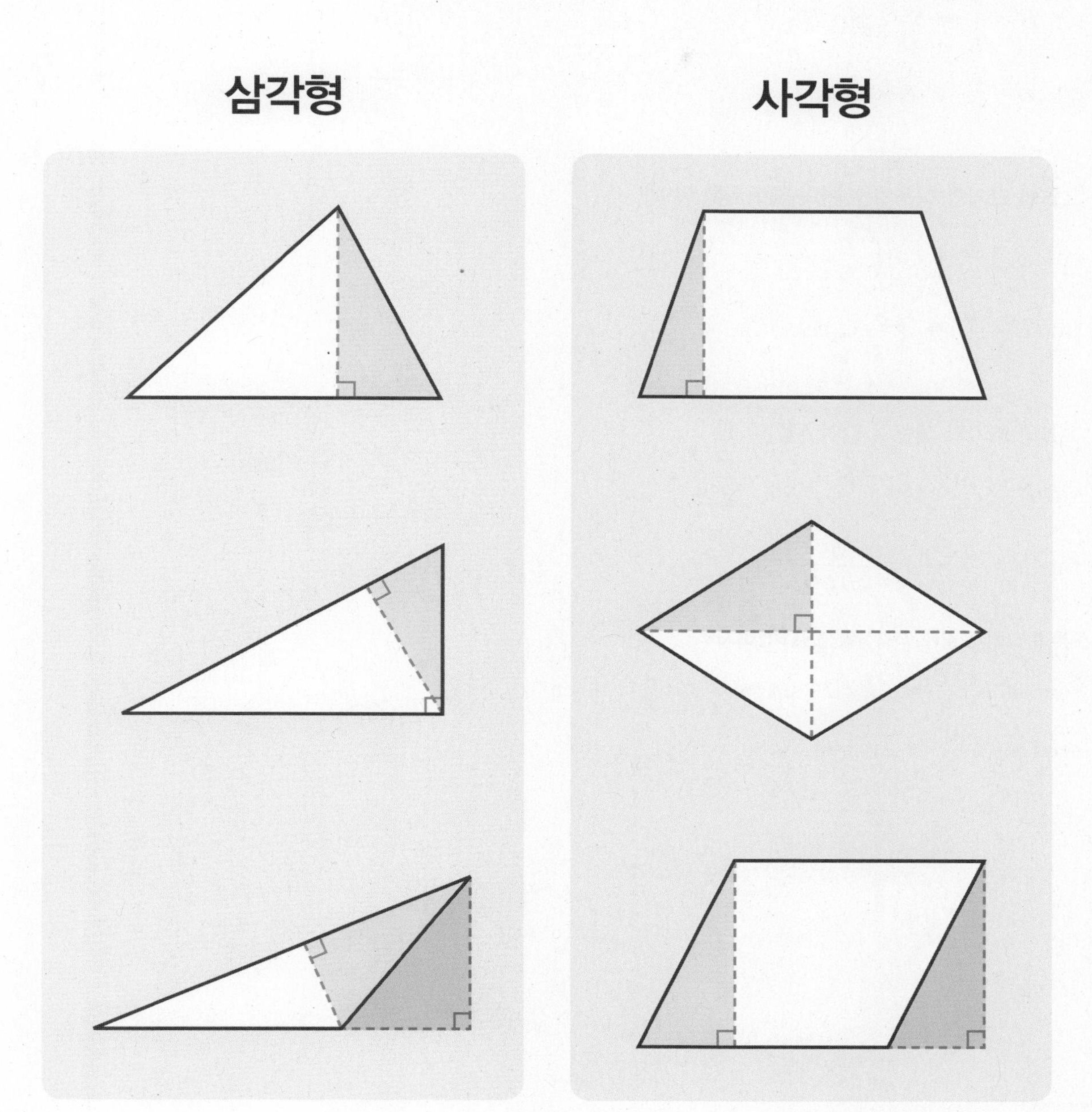

숨어있는 직각삼각형을 찾아라!

개념 이해 1

직각삼각형의 변의 길이

직각삼각형에서 한 변의 길이와 한 예각의 크기를 알면 삼각비를 이용하여 나머지 두 변의 길이를 구할 수 있다.

$\angle C=90^\circ$인 직각삼각형 ABC에서

(1) ∠B의 크기와 빗변의 길이 c를 알 때,

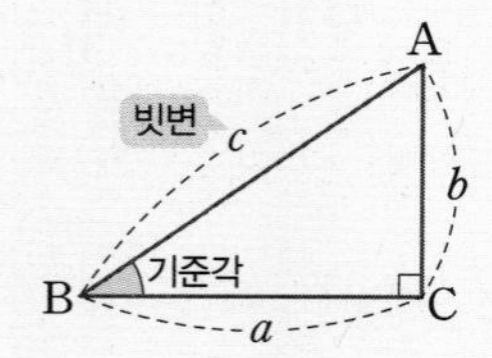

$\sin B=\dfrac{b}{c}$ ➡ $b=c\sin B$

$\cos B=\dfrac{a}{c}$ ➡ $a=c\cos B$

(2) ∠B의 크기와 이웃하는 변의 길이 a를 알 때,

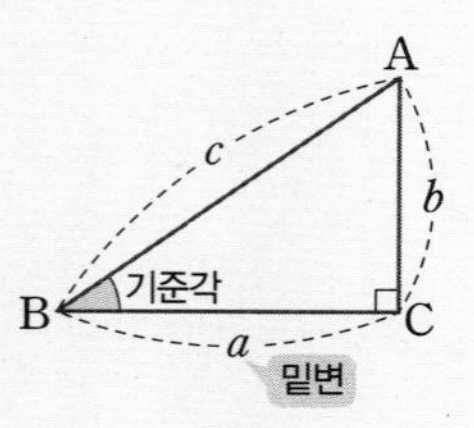

$\cos B=\dfrac{a}{c}$ ➡ $c=\dfrac{a}{\cos B}$

$\tan B=\dfrac{b}{a}$ ➡ $b=a\tan B$

(3) ∠B의 크기와 대변의 길이 b를 알 때,

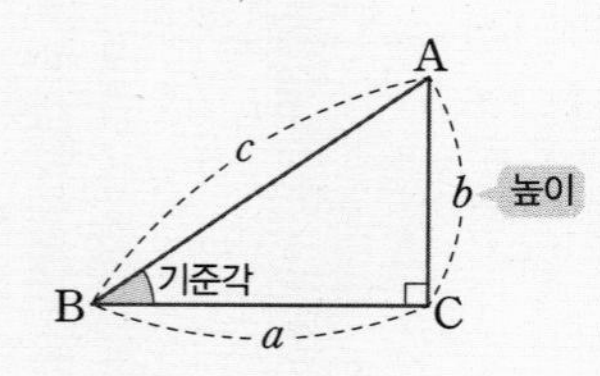

$\sin B=\dfrac{b}{c}$ ➡ $c=\dfrac{b}{\sin B}$

$\tan B=\dfrac{b}{a}$ ➡ $a=\dfrac{b}{\tan B}$

㉮ 오른쪽 그림과 같은 직각삼각형 ABC에서

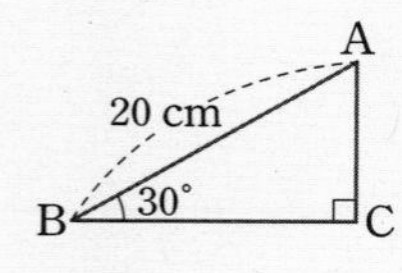

• $\sin 30^\circ=\dfrac{\overline{AC}}{20}$ ➡ $\overline{AC}=20\sin 30^\circ=20\times\dfrac{1}{2}=10(\text{cm})$

• $\cos 30^\circ=\dfrac{\overline{BC}}{20}$ ➡ $\overline{BC}=20\cos 30^\circ=20\times\dfrac{\sqrt{3}}{2}=10\sqrt{3}(\text{cm})$

개념확인

1. 오른쪽 그림과 같은 직각삼각형 ABC에서 $\overline{AC}=10$ cm, $\angle A=36^\circ$일 때, 다음 □ 안에 알맞은 것을 써넣으시오. (단, $\sin 36^\circ=0.59$, $\cos 36^\circ=0.81$, $\tan 36^\circ=0.73$으로 계산한다.)

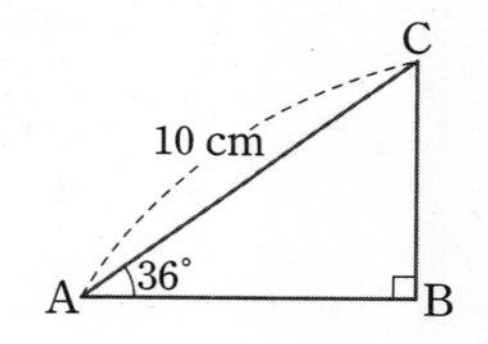

(1) $\overline{AB}=$ □ $\times\cos 36^\circ=$ □

(2) $\overline{BC}=10\times$ □ $=$ □

직각삼각형의 변의 길이

1 **오른쪽 그림과 같은 직각삼각형 ABC에서 $\angle B=50°$, $\overline{AC}=6$ 일 때, 다음 중 $\overline{BC}$의 길이를 나타낸 것은?**

① $6\sin 50°$ ② $6\cos 50°$ ③ $6\tan 50°$

④ $\dfrac{6}{\cos 50°}$ ⑤ $\dfrac{6}{\tan 50°}$

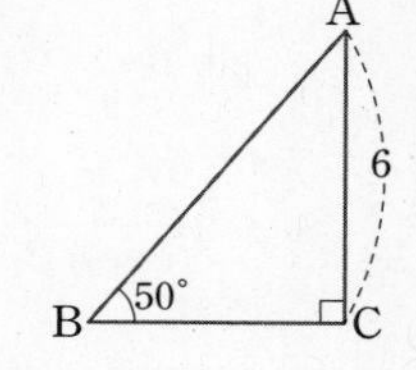

△ABC에서
- $\sin B=\dfrac{\overline{AC}}{\overline{AB}}$
  ⇨ $\overline{AB}=\dfrac{\overline{AC}}{\sin B}$
- $\tan B=\dfrac{\overline{AC}}{\overline{BC}}$
  ⇨ $\overline{BC}=\dfrac{\overline{AC}}{\tan B}$

1-1 오른쪽 그림과 같이 길이가 3 m인 사다리가 지면 위에 수직으로 놓여진 벽에 걸쳐 있다. 사다리와 지면이 이루는 각의 크기가 40°일 때, 지면에서 사다리가 걸쳐진 곳까지의 높이인 $\overline{BC}$의 길이를 구하시오.
(단, $\sin 40°=0.64$, $\cos 40°=0.77$, $\tan 40°=0.84$로 계산한다.)

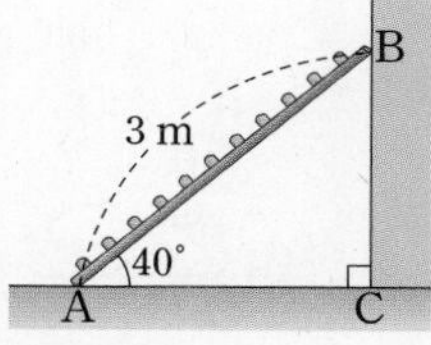

1-2 오른쪽 그림과 같은 두 직각삼각형 ABC와 ACD에서 $\angle BAC=30°$, $\angle CAD=45°$이고 $\overline{AB}=8$ cm일 때, $\overline{AD}$의 길이를 구하시오.

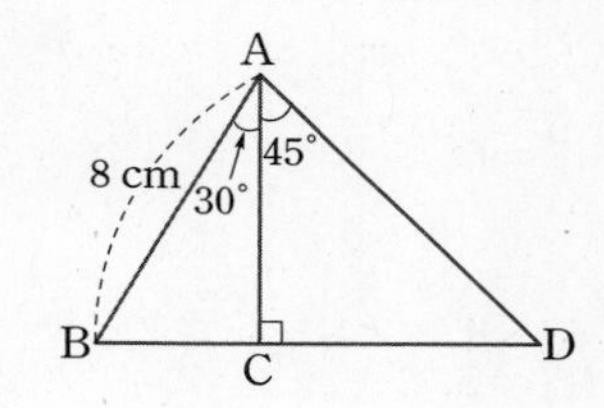

1-3 오른쪽 그림과 같이 눈높이가 1.6 m인 준석이가 나무로부터 12 m 떨어진 지점에서 나무의 꼭대기를 올려다본 각의 크기가 46°일 때, 나무의 높이인 $\overline{BD}$의 길이를 구하시오.
(단, $\sin 46°=0.72$, $\cos 46°=0.69$, $\tan 46°=1.04$로 계산한다.)

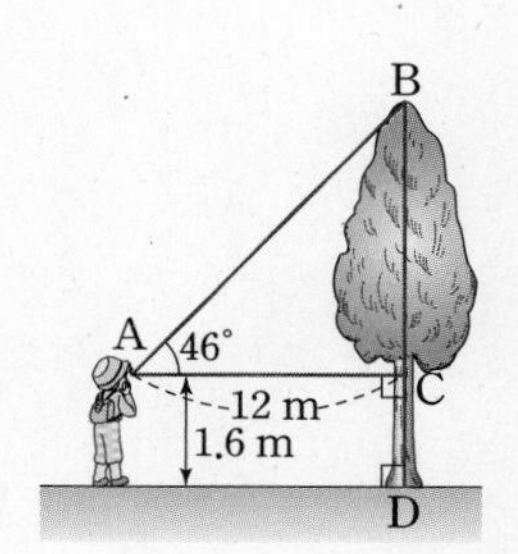

개념 이해 2

일반 삼각형의 변의 길이

일반 삼각형의 변의 길이를 구할 때에는 수선을 그어 구하는 변을 빗변으로 하는 직각삼각형을 만든 후, 삼각비 또는 피타고라스 정리를 이용한다.

(1) 두 변의 길이와 그 끼인각의 크기를 알 때, 변의 길이

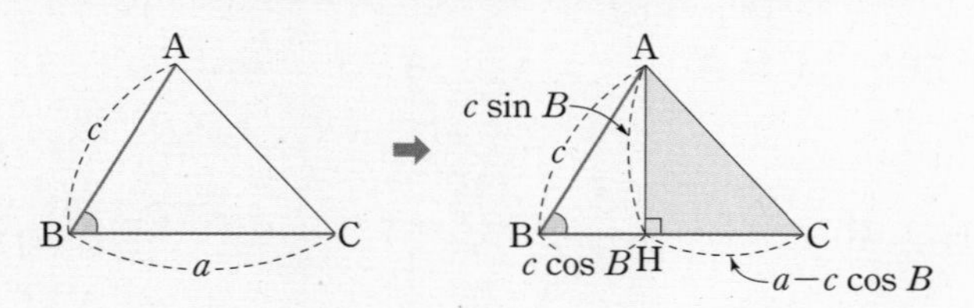

$\triangle$AHC에서 $\overline{AC}=\sqrt{(c\sin B)^2+(a-c\cos B)^2}$

삼각형의 세 내각의 크기의 합은 180°이므로 $\triangle ABC$에서 $\angle B$, $\angle C$의 크기를 알면 $\angle A$의 크기를 구할 수 있다.

(2) 한 변의 길이와 그 양 끝 각의 크기를 알 때, 변의 길이

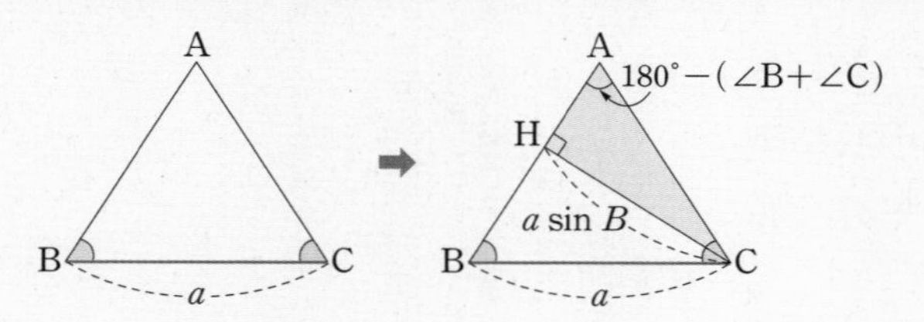

$\triangle$AHC에서 $\overline{AC}=\dfrac{a\sin B}{\sin A}$

일반 삼각형의 변의 길이 구하기

(1) 두 변의 길이와 그 끼인각의 크기를 알 때

오른쪽 그림과 같이 $\triangle ABC$의 꼭짓점 A에서 $\overline{BC}$에 내린 수선의 발을 H라 하면 $\triangle ABH$에서

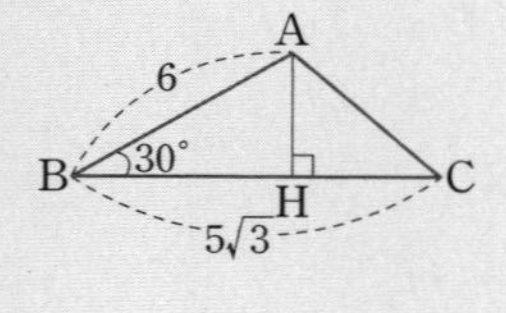

$\overline{AH}=6\sin 30^\circ=6\times\dfrac{1}{2}=3$

$\overline{BH}=6\cos 30^\circ=6\times\dfrac{\sqrt{3}}{2}=3\sqrt{3}$

$\overline{CH}=\overline{BC}-\overline{BH}=5\sqrt{3}-3\sqrt{3}=2\sqrt{3}$

따라서 $\triangle AHC$에서 피타고라스 정리에 의해

$\overline{AC}=\sqrt{3^2+(2\sqrt{3})^2}=\sqrt{21}$

(2) 한 변의 길이와 그 양 끝 각의 크기를 알 때

오른쪽 그림과 같이 $\triangle ABC$의 꼭짓점 C에서 $\overline{AB}$에 내린 수선의 발을 H라 하면 $\triangle BCH$에서

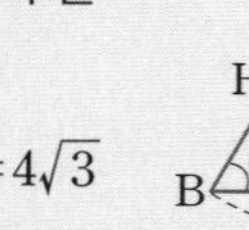

$\overline{CH}=8\sin 60^\circ=8\times\dfrac{\sqrt{3}}{2}=4\sqrt{3}$

$\angle A=180^\circ-(60^\circ+75^\circ)=45^\circ$이므로

$\triangle ACH$에서

$\overline{AC}=\dfrac{\overline{CH}}{\sin 45^\circ}=4\sqrt{3}\times\dfrac{2}{\sqrt{2}}=4\sqrt{6}$

개념확인

1. 오른쪽 그림과 같이 $\triangle ABC$의 꼭짓점 A에서 $\overline{BC}$에 내린 수선의 발을 H라 하자. 다음 순서에 따라 $\overline{AC}$의 길이를 구하시오.

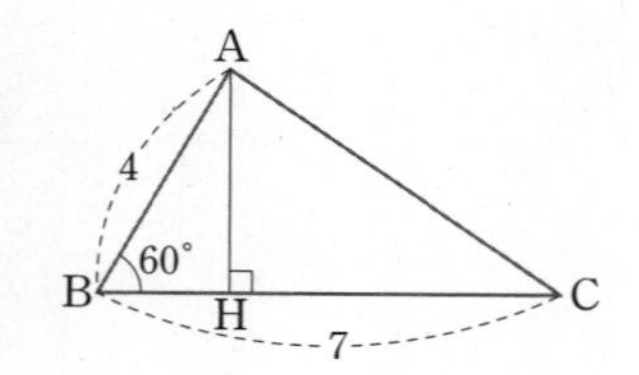

(1) $\overline{AH}$의 길이

(2) $\overline{BH}$의 길이

(3) $\overline{CH}$의 길이

(4) $\overline{AC}$의 길이

2. 오른쪽 그림과 같이 $\triangle ABC$의 꼭짓점 A에서 $\overline{BC}$에 내린 수선의 발을 H라 하자. 다음 순서에 따라 $\overline{AB}$의 길이를 구하시오.

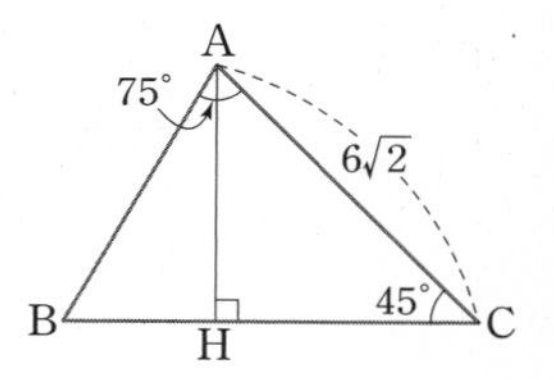

(1) $\overline{AH}$의 길이

(2) $\angle B$의 크기

(3) $\overline{AB}$의 길이

개념 적용

일반 삼각형의 변의 길이 (1) – 두 변의 길이와 그 끼인각의 크기를 알 때

1 **오른쪽 그림과 같은 평행사변형 ABCD에서 $\overline{AB}=8$ cm, $\overline{BC}=7\sqrt{2}$ cm, $\angle B=45°$일 때, 대각선 AC의 길이를 구하시오.**

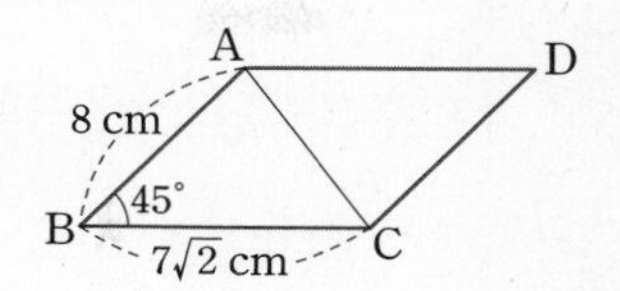

① 한 꼭짓점에서 수선을 그어 $\overline{AC}$를 빗변으로 하는 직각삼각형을 만든다.
② 삼각비를 이용하여 필요한 변의 길이를 구한다.
③ 피타고라스 정리를 이용하여 $\overline{AC}$의 길이를 구한다.

1-1 오른쪽 그림과 같이 A 도시와 B 도시는 산으로 가로막혀 있어 일반 국도와 고속 국도가 만나는 P 지점을 거쳐 이동해야 한다. 산에 터널을 뚫어 A 도시와 B 도시를 최단 거리로 연결할 때, 터널의 길이를 구하시오.

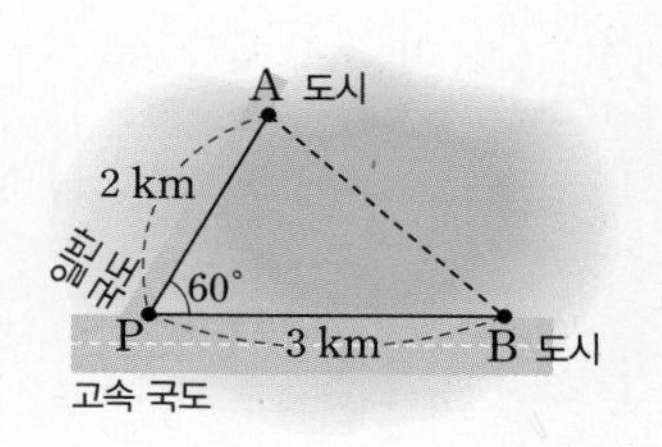

▸ A 도시 지점에서 수선을 그어 60°의 삼각비의 값을 이용할 수 있는 직각삼각형을 만든다.

일반 삼각형의 변의 길이 (2) – 한 변의 길이와 그 양 끝 각의 크기를 알 때

2 **오른쪽 그림의 △ABC에서 $\overline{AB}=20$, $\angle A=45°$, $\angle B=105°$일 때, $\overline{BC}$의 길이를 구하시오.**

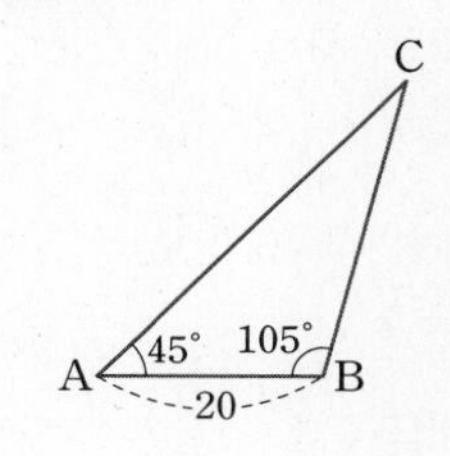

① 한 꼭짓점에서 수선을 그어 $\overline{BC}$를 빗변으로 하고, 특수각의 삼각비의 값을 이용할 수 있는 직각삼각형을 만든다.
② $\angle C$의 크기를 구한다.
③ 삼각비를 이용하여 $\overline{BC}$의 길이를 구한다.

2-1 오른쪽 그림과 같이 두 지점 B, C 사이의 거리는 $6\sqrt{3}$ m이고, 두 지점에서 강 건너편의 A 지점에 있는 나무를 바라본 각의 크기는 각각 75°, 60°이다. 두 지점 A, B 사이의 거리를 구하시오.

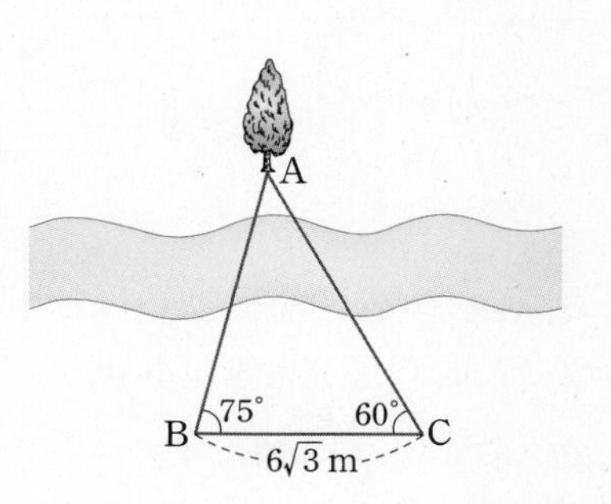

개념 이해 3

삼각형의 높이

삼각형의 한 변의 길이와 그 양 끝 각의 크기를 알면 높이를 구할 수 있다.

(1) 모두 예각이 주어진 경우

꼭짓점 C에서 $\overline{AB}$에 내린 수선 CH의 길이를 h라 하면

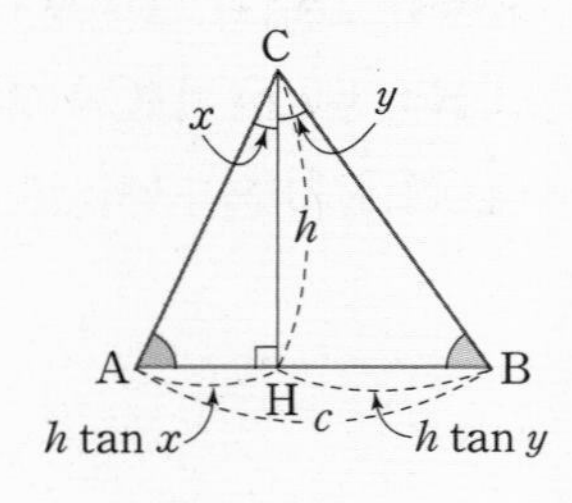

① $\triangle$CAH에서 $\overline{AH}=h\tan x$

② $\triangle$CBH에서 $\overline{BH}=h\tan y$

③ $\overline{AB}=\overline{AH}+\overline{BH}$이므로

$$c=h\tan x+h\tan y=h(\tan x+\tan y) \qquad \therefore h=\frac{c}{\tan x+\tan y}$$

(2) 둔각이 주어진 경우

꼭짓점 C에서 $\overline{AB}$의 연장선에 내린 수선 CH의 길이를 h라 하면

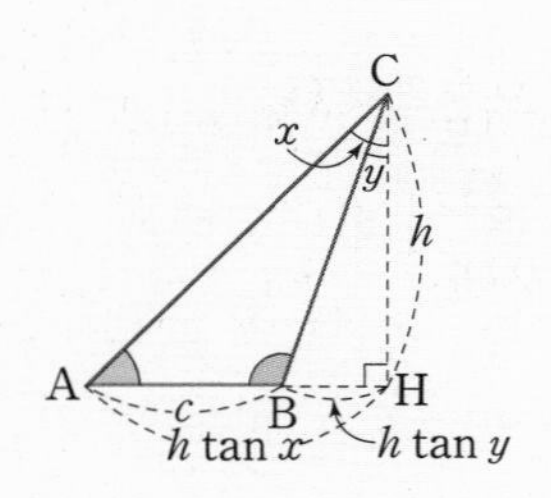

① $\triangle$CAH에서 $\overline{AH}=h\tan x$

② $\triangle$CBH에서 $\overline{BH}=h\tan y$

③ $\overline{AB}=\overline{AH}-\overline{BH}$이므로

$$c=h\tan x-h\tan y=h(\tan x-\tan y) \qquad \therefore h=\frac{c}{\tan x-\tan y}$$

삼각형의 높이 구하기

(1) 모두 예각이 주어졌을 때

오른쪽 그림과 같이 점 A에서 $\overline{BC}$에 내린 수선의 발을 H라 하면 $\triangle$ABH에서 $\angle$BAH$=30^\circ$이므로

$\overline{BH}=h\tan 30^\circ=\frac{\sqrt{3}}{3}h$

$\triangle$ACH에서 $\angle$CAH$=45^\circ$이므로

$\overline{CH}=h\tan 45^\circ=h$

$\overline{BC}=\overline{BH}+\overline{CH}$이므로 $6=\frac{\sqrt{3}}{3}h+h$

$\therefore h=\frac{18}{3+\sqrt{3}}=3(3-\sqrt{3})$

(2) 둔각이 주어졌을 때

오른쪽 그림과 같이 점 A에서 $\overline{BC}$의 연장선에 내린 수선의 발을 H라 하면 $\triangle$ACH에서

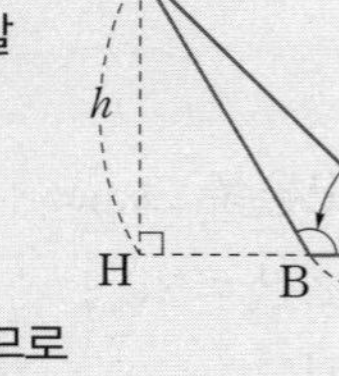

$\angle$CAH$=45^\circ$이므로

$\overline{CH}=h\tan 45^\circ=h$

$\triangle$ABH에서 $\angle$BAH$=30^\circ$이므로

$\overline{BH}=h\tan 30^\circ=\frac{\sqrt{3}}{3}h$

$\overline{BC}=\overline{CH}-\overline{BH}$이므로 $6=h-\frac{\sqrt{3}}{3}h$

$\therefore h=\frac{18}{3-\sqrt{3}}=3(3+\sqrt{3})$

개념확인

1. 오른쪽 그림과 같이 $\triangle$ABC의 점 C에서 $\overline{AB}$에 내린 수선의 발을 H라 하자. $\overline{AB}=4$, $\angle A=60^\circ$, $\angle B=30^\circ$일 때, 다음 물음에 답하시오.

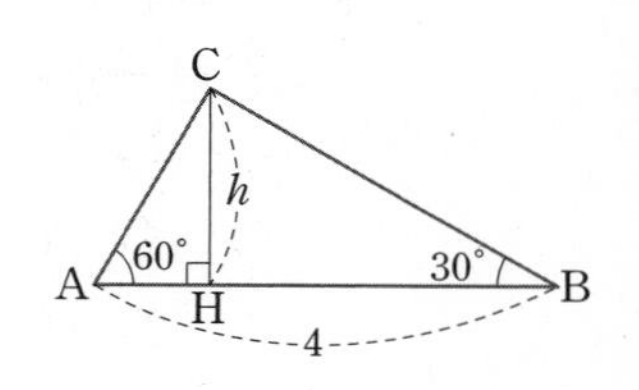

(1) $\overline{AH}$의 길이를 h를 이용하여 나타내시오.

(2) $\overline{BH}$의 길이를 h를 이용하여 나타내시오.

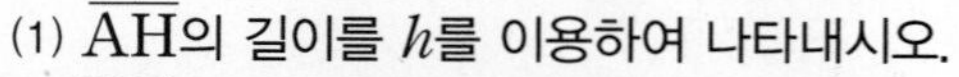

(3) $\overline{AB}=\overline{AH}+\overline{BH}$임을 이용하여 $\overline{CH}$의 길이를 구하시오.

❗ 한 꼭짓점에서 그 대변 또는 대변의 연장선에 수선을 그어 2개의 직각삼각형에서 tan를 이용하여 식을 세운 후 높이를 구한다.

개념 적용

모두 예각이 주어졌을 때, 삼각형의 높이

1 **오른쪽 그림과 같이 40 m 떨어진 지면 위의 두 지점 A, B에서 열기구 C를 올려다본 각의 크기가 각각 45°, 60°일 때, 이 열기구의 높이인 $\overline{CH}$의 길이를 구하시오.**

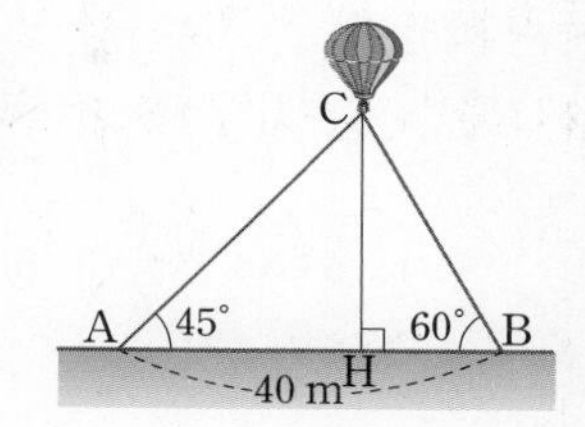

① $\overline{CH}=h$ m라 놓는다.
② △ACH에서 tan를 이용하여 $\overline{AH}$를 h로 나타낸다.
③ △BCH에서 tan를 이용하여 $\overline{BH}$를 h로 나타낸다.
④ $\overline{AB}=\overline{AH}+\overline{BH}$임을 이용하여 식을 세운 후, h의 값을 구한다.

1-1 오른쪽 그림과 같은 △ABC에서 $\overline{BC}=10$이고, ∠B=30°, ∠C=45°일 때, △ABC의 넓이를 구하시오.

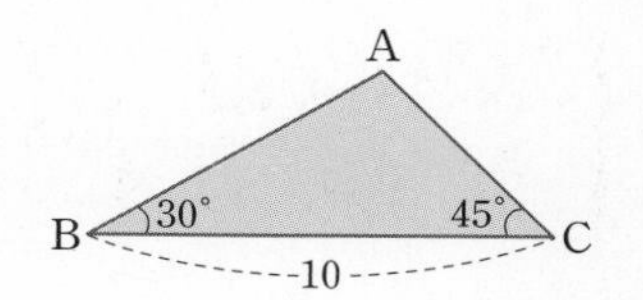

둔각이 주어졌을 때, 삼각형의 높이

2 **오른쪽 그림의 △ABC에서 $\overline{BC}=12$ cm이고, ∠B=30°, ∠ACB=135°일 때, $\overline{AH}$의 길이를 구하시오.**

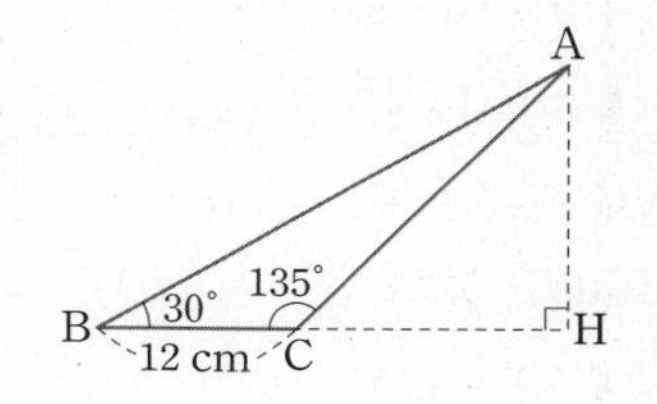

① $\overline{AH}=h$ cm라 놓는다.
② △ABH에서 tan를 이용하여 $\overline{BH}$의 길이를 h로 나타낸다.
③ △ACH에서 tan를 이용하여 $\overline{CH}$의 길이를 h로 나타낸다.
④ $\overline{BC}=\overline{BH}-\overline{CH}$임을 이용하여 식을 세운 후, h의 값을 구한다.

2-1 오른쪽 그림은 어느 건물의 높이를 알아보기 위해 측량한 결과이다. $\overline{BC}=20$ m이고, ∠ABC=120°, ∠ACB=30°일 때, 이 건물의 높이인 $\overline{AH}$의 길이를 구하시오.

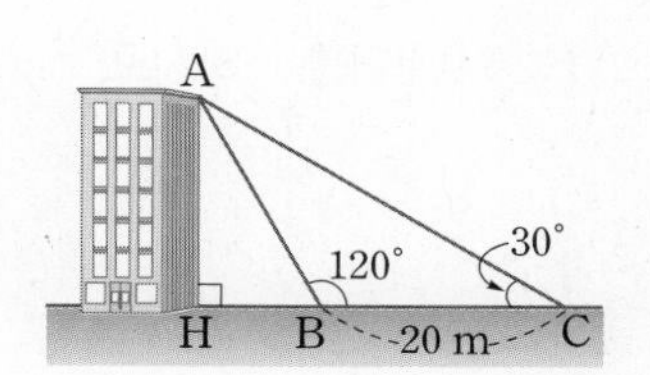

개념 이해

4 삼각형의 넓이

삼각형의 두 변의 길이와 그 끼인각의 크기를 알면 넓이를 구할 수 있다.

(1) 예각이 주어진 경우

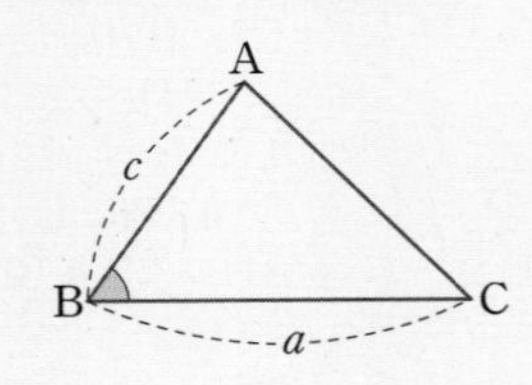

➡ $\triangle ABC=\frac{1}{2}ac\sin B$

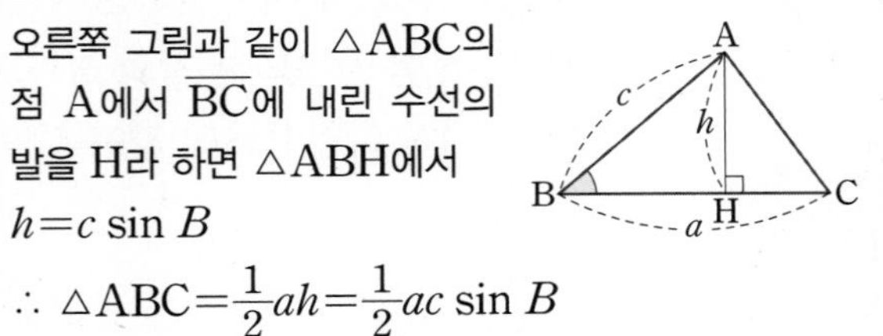

오른쪽 그림과 같이 △ABC의 점 A에서 $\overline{BC}$에 내린 수선의 발을 H라 하면 △ABH에서
$h=c\sin B$
$\therefore \triangle ABC=\frac{1}{2}ah=\frac{1}{2}ac\sin B$

예 오른쪽 그림에서

$\triangle ABC=\frac{1}{2}\times4\times6\times\sin 45^\circ$
$=\frac{1}{2}\times4\times6\times\frac{\sqrt{2}}{2}=6\sqrt{2}$

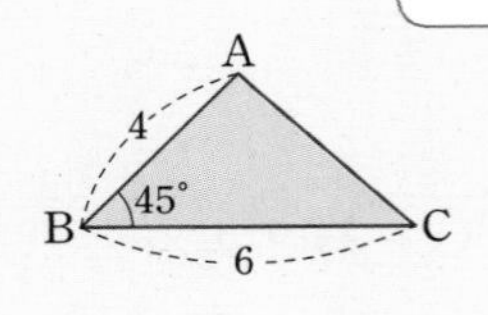

(2) 둔각이 주어진 경우

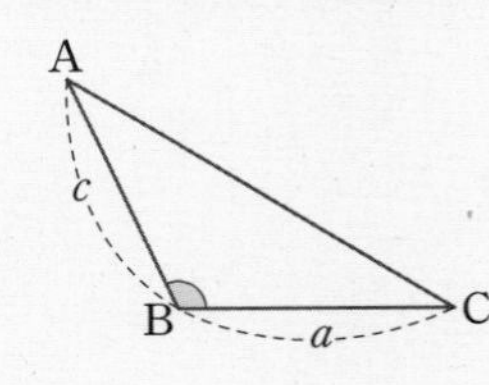

➡ $\triangle ABC=\frac{1}{2}ac\sin(180^\circ-B)$

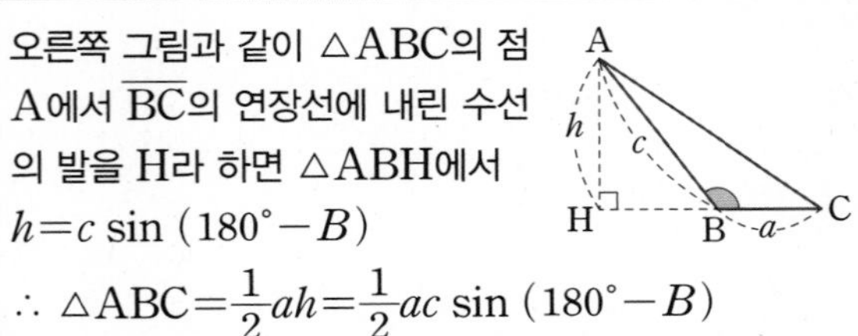

오른쪽 그림과 같이 △ABC의 점 A에서 $\overline{BC}$의 연장선에 내린 수선의 발을 H라 하면 △ABH에서
$h=c\sin(180^\circ-B)$
$\therefore \triangle ABC=\frac{1}{2}ah=\frac{1}{2}ac\sin(180^\circ-B)$

예 오른쪽 그림에서

$\triangle ABC=\frac{1}{2}\times4\times6\times\sin(180^\circ-150^\circ)$
$=\frac{1}{2}\times4\times6\times\frac{1}{2}=6$

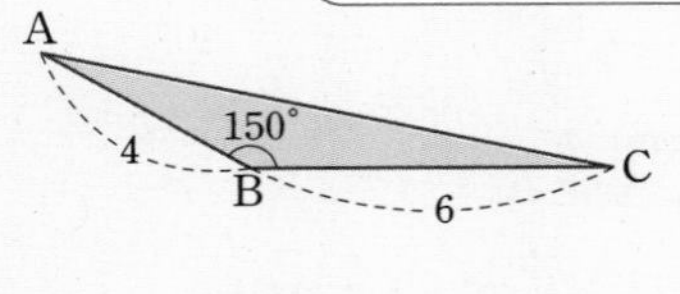

참고 ∠B=90°인 직각삼각형의 넓이: $\triangle ABC=\frac{1}{2}ac\sin 90^\circ=\frac{1}{2}ac$

개념확인

1. 다음 그림과 같은 △ABC의 넓이를 구하시오.

(1)

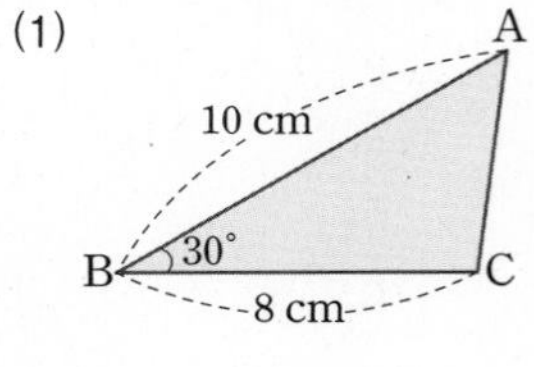

(2)

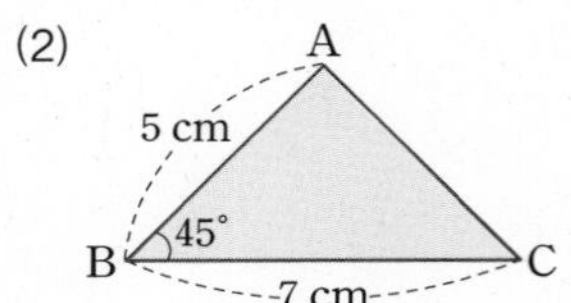

2. 다음 그림과 같은 △ABC의 넓이를 구하시오.

(1)

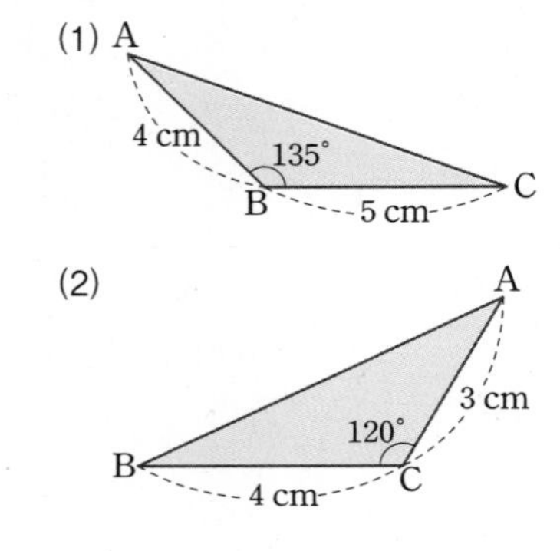

(2)

개념 적용

예각이 주어졌을 때, 삼각형의 넓이

1 **오른쪽 그림의 $\triangle ABC$에서 $\overline{AC}=\overline{BC}=6$ cm이고, $\angle B=75°$일 때, $\triangle ABC$의 넓이를 구하시오.**

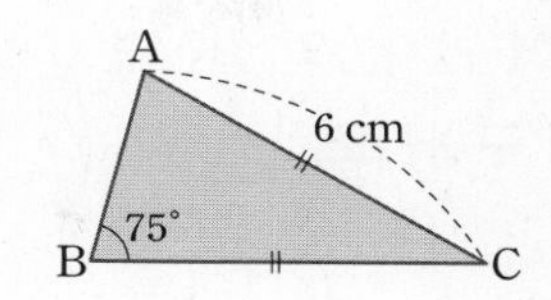

$\triangle ABC$에서 $\angle B$가 예각일 때, $\triangle ABC$의 넓이는

⇨ $\frac{1}{2}ac\sin B$

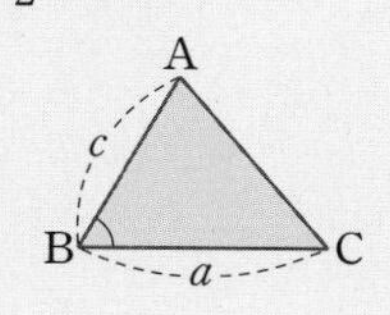

1-1 오른쪽 그림과 같이 $\overline{BC}=2\sqrt{3}$ cm, $\angle B=60°$인 $\triangle ABC$의 넓이가 12 cm^2 일 때, $\overline{AB}$의 길이를 구하시오.

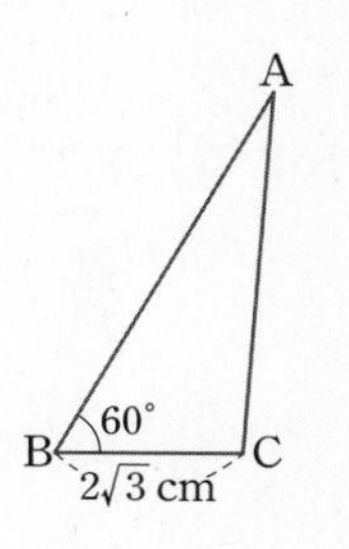

둔각이 주어졌을 때, 삼각형의 넓이

2 **오른쪽 그림의 $\triangle ABC$에서 $\overline{AB}=6$ cm, $\overline{AC}=10$ cm이고, $\angle B=40°$, $\angle C=20°$일 때, $\triangle ABC$의 넓이는?**

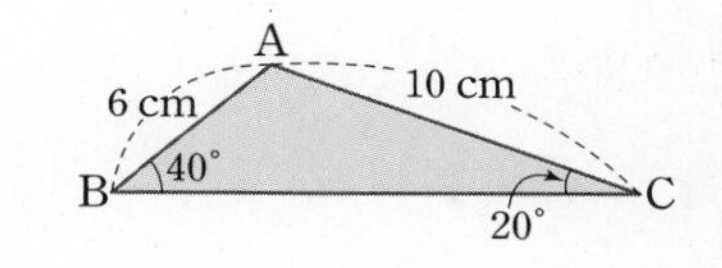

① 15 cm^2 ② $15\sqrt{2}$ cm^2 ③ $15\sqrt{3}$ cm^2
④ $30\sqrt{2}$ cm^2 ⑤ $30\sqrt{3}$ cm^2

$\triangle ABC$에서 $\angle B$가 둔각일 때, $\triangle ABC$의 넓이는

⇨ $\frac{1}{2}ac\sin(180°-B)$

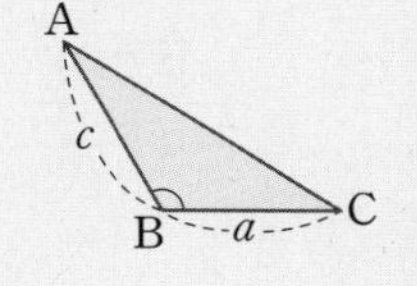

2-1 다음은 선생님께서 학생들에게 제시한 $\triangle ABC$의 세 가지 조건이다. 선생님의 마지막 질문에 대한 답을 구하시오.

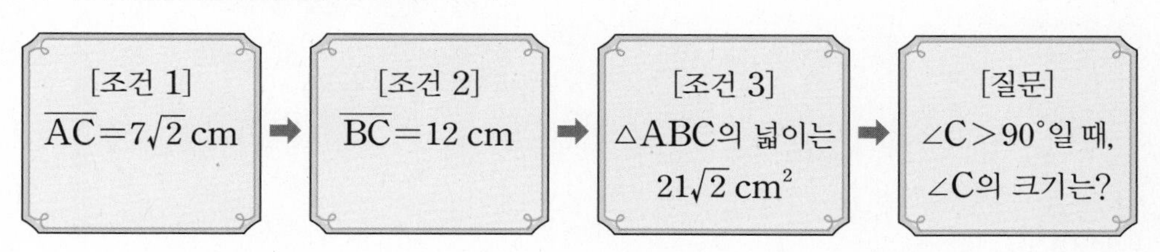

원에 내접하는 정다각형의 넓이

3 **오른쪽 그림과 같이 반지름의 길이가 8 cm인 원 O에 내접하는 정육각형의 넓이를 구하시오.**

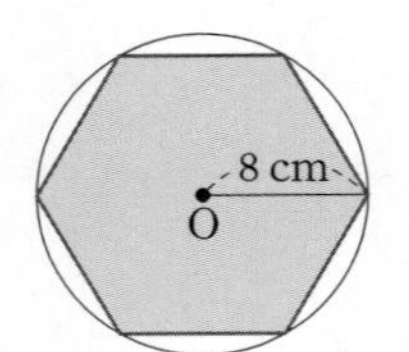

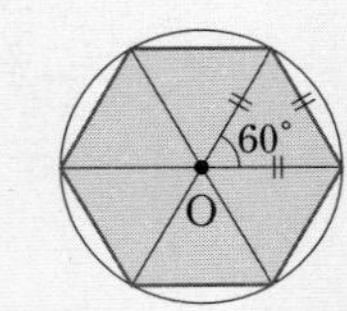

보조선을 그으면 정육각형은 합동인 6개의 정삼각형으로 나누어지므로
(정육각형의 넓이)
=6×(정삼각형의 넓이)

3-1 오른쪽 그림과 같이 지름의 길이가 12 cm인 원 O에 내접하는 정팔각형의 넓이를 구하시오.

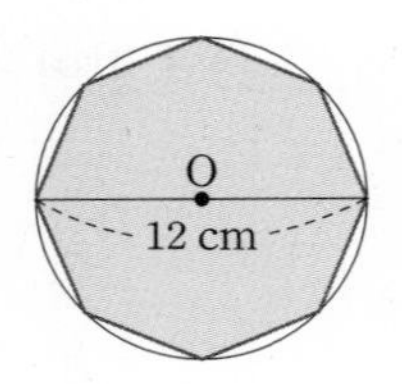

다각형의 넓이

4 **오른쪽 그림과 같은 □ABCD의 넓이는?**

① 5 cm^2 ② 6 cm^2 ③ 7 cm^2
④ 8 cm^2 ⑤ 9 cm^2

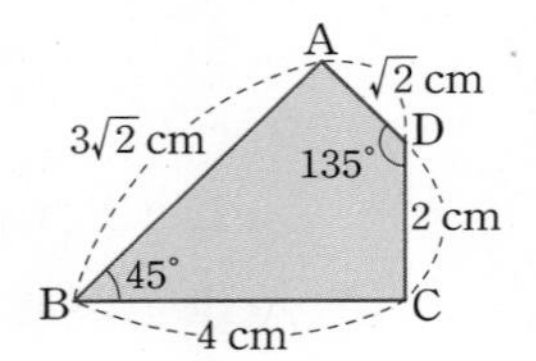

보조선을 그어 2개의 삼각형으로 만든다.

4-1 오른쪽 그림과 같은 □ABCD의 넓이를 구하시오.

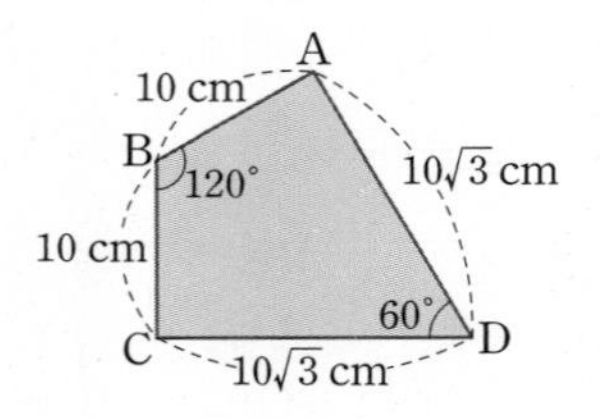

사각형의 넓이

(1) 평행사변형의 넓이

이웃하는 두 변의 길이와 그 끼인각의 크기를 알 때

① $\angle x$가 예각인 경우

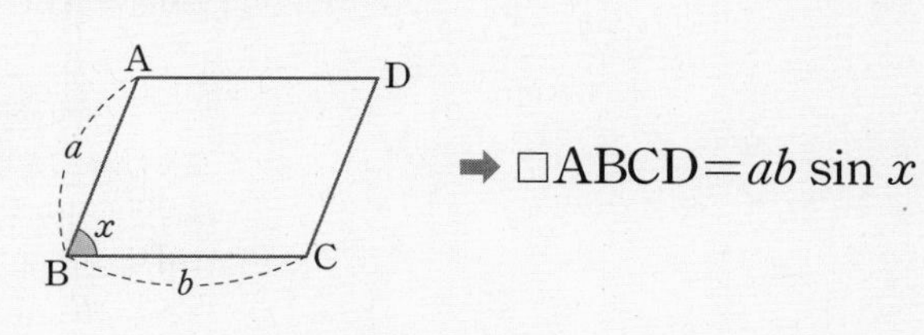

➡ $\square\mathrm{ABCD}=ab\sin x$

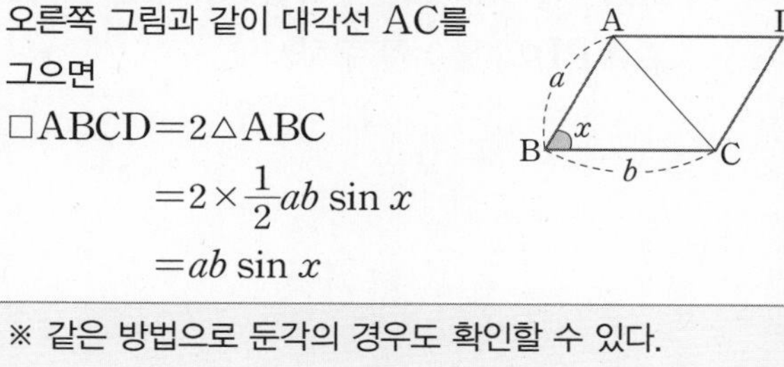

오른쪽 그림과 같이 대각선 AC를 그으면

$\square\mathrm{ABCD}=2\triangle\mathrm{ABC}$

$=2\times\frac{1}{2}ab\sin x$

$=ab\sin x$

※ 같은 방법으로 둔각의 경우도 확인할 수 있다.

② $\angle x$가 둔각인 경우

➡ $\square\mathrm{ABCD}=ab\sin(180°-x)$

(2) 사각형의 넓이

두 대각선의 길이와 두 대각선이 이루는 각의 크기를 알 때

① $\angle x$가 예각인 경우

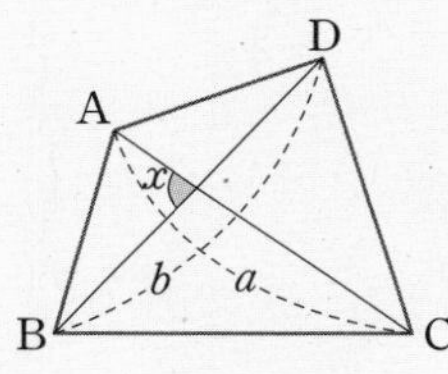

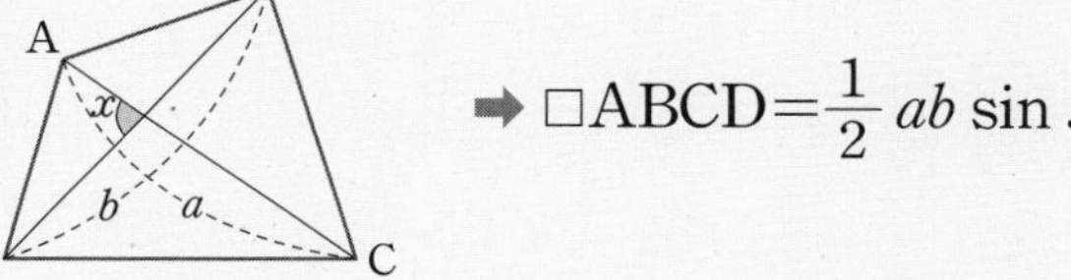

➡ $\square\mathrm{ABCD}=\frac{1}{2}ab\sin x$

오른쪽 그림과 같이 각 꼭짓점을 지나면서 두 대각선 AC, BD에 평행한 선분을 그으면 □EFGH는 평행사변형이므로

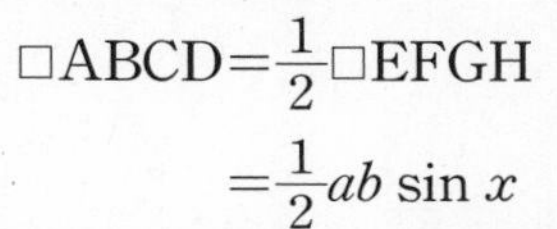

$\square\mathrm{ABCD}=\frac{1}{2}\square\mathrm{EFGH}$

$=\frac{1}{2}ab\sin x$

※ 같은 방법으로 둔각의 경우도 확인할 수 있다.

② $\angle x$가 둔각인 경우

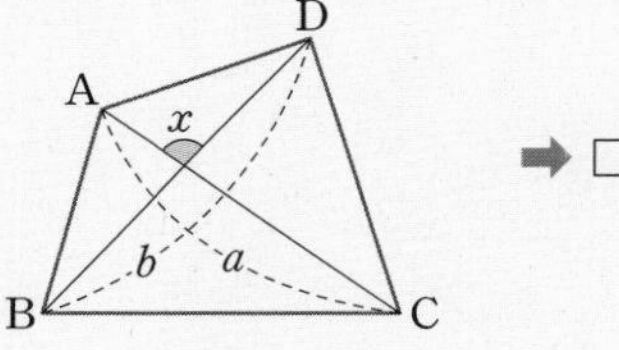

➡ $\square\mathrm{ABCD}=\frac{1}{2}ab\sin(180°-x)$

개념확인

1. 다음 그림과 같은 평행사변형의 넓이를 구하시오.

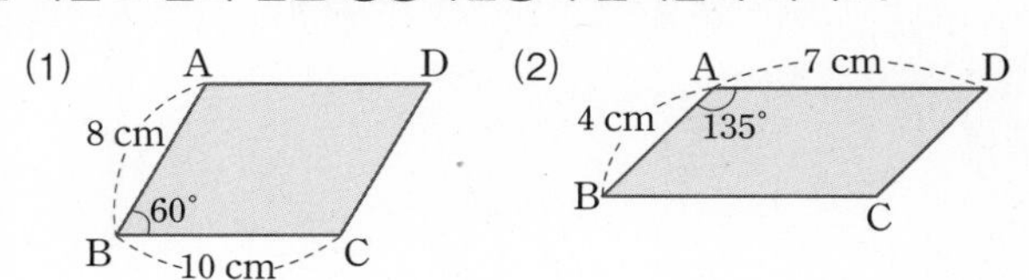

2. 다음 그림과 같은 사각형의 넓이를 구하시오.

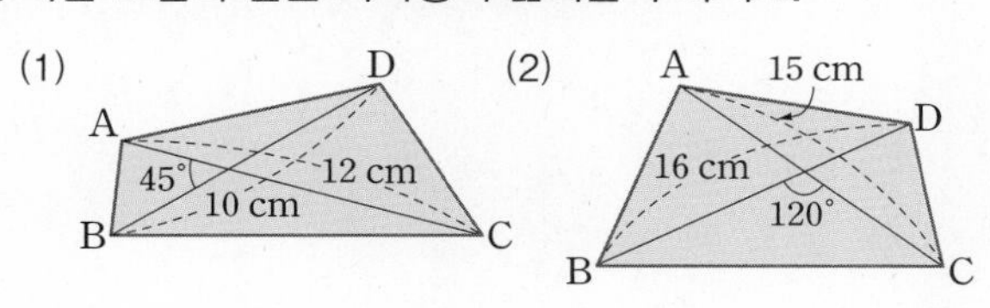

개념 적용

평행사변형의 넓이

1 **오른쪽 그림과 같은 평행사변형 ABCD에서 $\overline{AB}=4$ cm, $\overline{BC}=4\sqrt{3}$ cm이고, $\angle ABC=60°$일 때, $\triangle APD$의 넓이를 구하시오.**

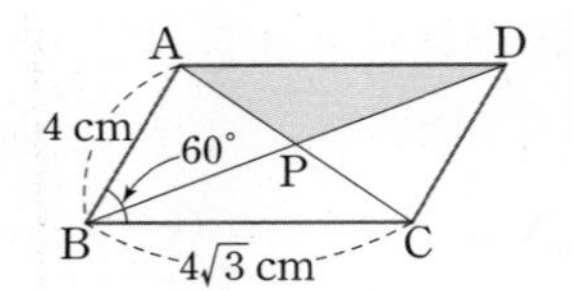

이웃한 두 변의 길이가 a, b이고 그 끼인각의 크기가 x인 평행사변형 ABCD의 넓이 S는

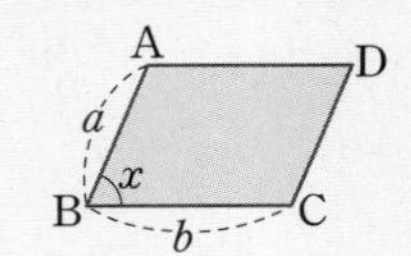

(1) $0°<x<90°$이면
$S=ab\sin x$
(2) $90°<x<180°$이면
$S=ab\sin(180°-x)$

1-1 오른쪽 그림과 같이 $\overline{AD}=7$ cm, $\angle A=150°$인 평행사변형 ABCD의 넓이가 21 cm^2일 때, $\overline{AB}$의 길이를 구하시오.

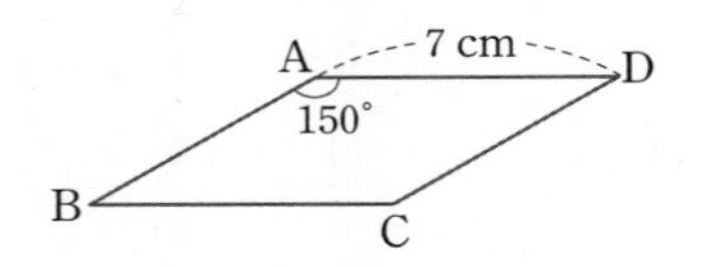

1-2 오른쪽 그림과 같이 $\overline{AB}=5$ cm, $\overline{AD}=8$ cm인 평행사변형 ABCD의 넓이가 $20\sqrt{2}$ cm^2일 때, $\angle B$의 크기를 구하시오. (단, $0°<\angle B<90°$)

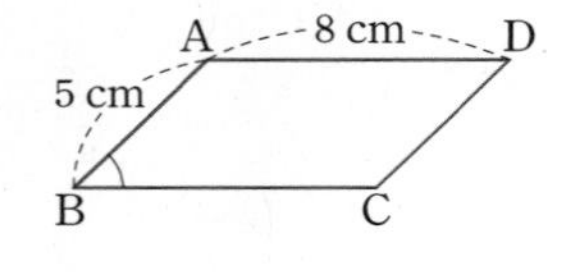

사각형의 넓이

2 **오른쪽 그림과 같은 등변사다리꼴 ABCD에서 $\overline{AC}=6$ cm이고, 두 대각선이 이루는 각의 크기가 $135°$일 때, 등변사다리꼴 ABCD의 넓이를 구하시오.**

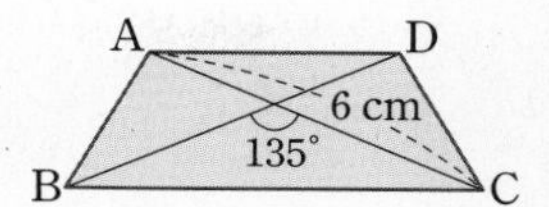

두 대각선의 길이가 a, b이고 두 대각선이 이루는 각의 크기가 x인 사각형 ABCD의 넓이 S는

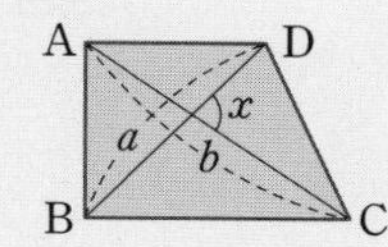

(1) $0°<x<90°$이면
$S=\frac{1}{2}ab\sin x$

(2) $90°<x<180°$이면
$S=\frac{1}{2}ab\sin(180°-x)$

2-1 오른쪽 그림과 같이 $\overline{AC}=9$ cm, $\overline{BD}=12$ cm인 □ABCD의 넓이가 $27\sqrt{3}$ cm^{2}일 때, 두 대각선이 이루는 각 중에서 예각의 크기를 구하시오.

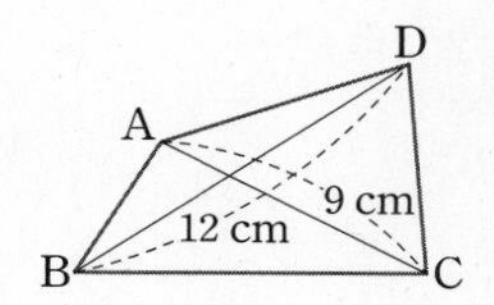

2-2 오른쪽 그림과 같이 $\overline{BD}=40$ cm, $\angle APB=60°$인 □ABCD의 넓이가 $240\sqrt{3}$ cm^{2}일 때, $\overline{AC}$의 길이를 구하시오.

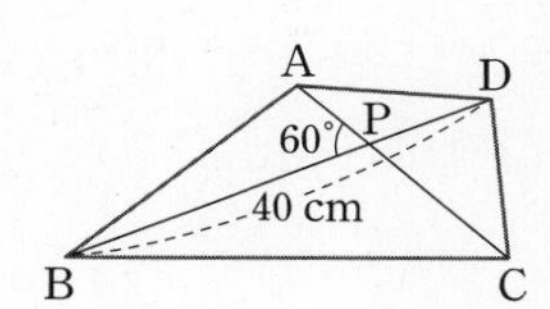

개념 특강

삼각비를 다루는 기술

직각삼각형에서 변의 길이를 간단히 구하는 비법

sin

CASE 1

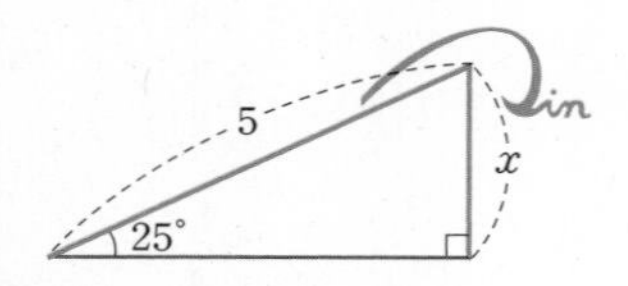

각과 두 변의 길이에 해당하는 삼각비는 sin 25°

일반 풀이

[식 세우기] $\sin 25° = \dfrac{x}{5}$

[결론] $x = 5\sin 25°$

비법 풀이

[결론] $x = 5\sin 25°$

비법 $\sin a°$의 (분모)에 값이 주어져 있을 때
➡ (분모)$\times \sin a°$

CASE 2

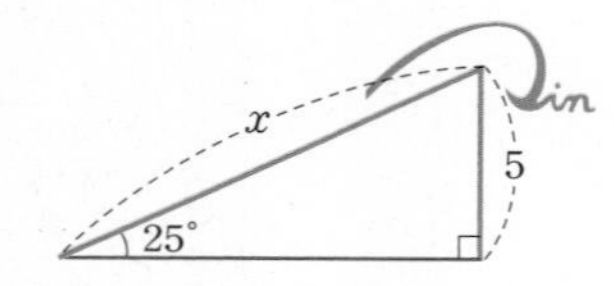

각과 두 변의 길이에 해당하는 삼각비는 sin 25°

일반 풀이

[식 세우기] $\sin 25° = \dfrac{5}{x}$

[결론] $x = \dfrac{5}{\sin 25°}$

비법 풀이

[결론] $x = \dfrac{5}{\sin 25°}$

비법 $\sin a°$의 (분자)에 값이 주어져 있을 때
➡ (분자)$\div \sin a°$

cos

CASE 1

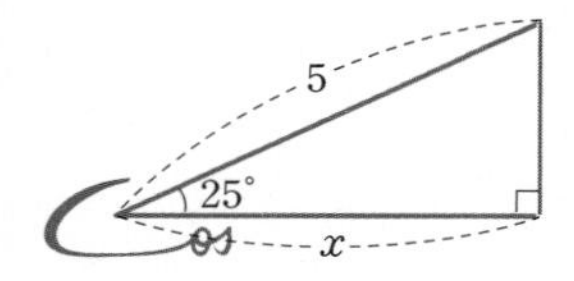

각과 두 변의 길이에 해당하는 삼각비는 cos 25°

일반 풀이

[식 세우기] $\cos 25° = \dfrac{x}{5}$

[결론] $x = 5\cos 25°$

비법 풀이

[결론] $x = 5\cos 25°$

비법 $\cos a°$의 (분모)에 값이 주어져 있을 때
➡ (분모)$\times \cos a°$

CASE 2

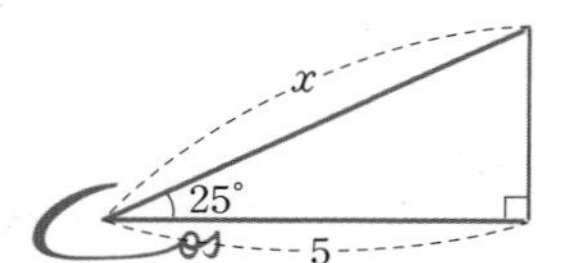

각과 두 변의 길이에 해당하는 삼각비는 cos 25°

일반 풀이

[식 세우기] $\cos 25° = \dfrac{5}{x}$

[결론] $x = \dfrac{5}{\cos 25°}$

비법 풀이

[결론] $x = \dfrac{5}{\cos 25°}$

비법 $\cos a°$의 (분자)에 값이 주어져 있을 때
➡ (분자)$\div \cos a°$

tan

CASE 1

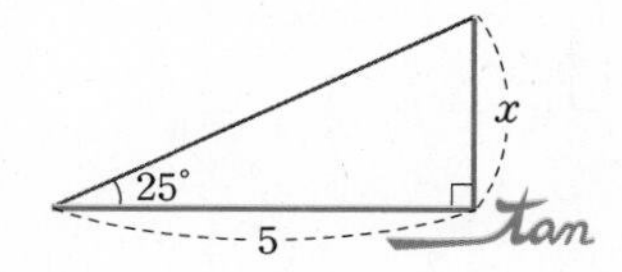

각과 두 변의 길이에 해당하는
삼각비는 tan 25°

일반 풀이

[식 세우기] $\tan 25° = \frac{x}{5}$

[결론] $x = 5\tan 25°$

비법 풀이

[결론] $x = 5\tan 25°$

비법 $\tan a°$의 (분모)에 값이 주어져 있을 때
➡ (분모) × $\tan a°$

CASE 2

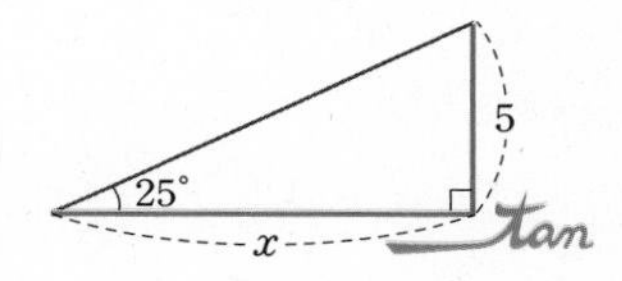

각과 두 변의 길이에 해당하는
삼각비는 tan 25°

일반 풀이

[식 세우기] $\tan 25° = \frac{5}{x}$

[결론] $x = \frac{5}{\tan 25°}$

비법 풀이

[결론] $x = \frac{5}{\tan 25°}$

비법 $\tan a°$의 (분자)에 값이 주어져 있을 때
➡ (분자) ÷ $\tan a°$

비법 정리

- **삼각비의 (분모)에 값이 주어져 있을 때는 (분모)의 값에 삼각비를 곱한다.**
- **삼각비의 (분자)에 값이 주어져 있을 때는 (분자)의 값을 삼각비로 나눈다.**

비법 정리를 이용하여 다음 문제를 풀어보시오.

문제 1

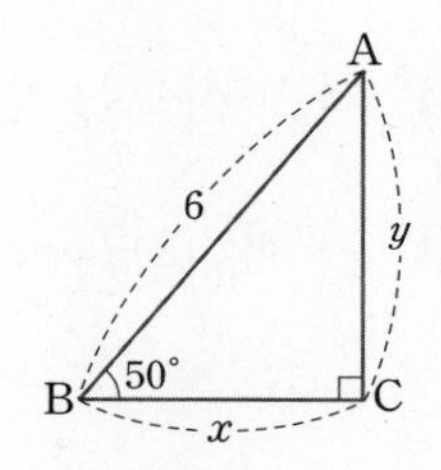

각($\angle$B)과 두 변($\overline{AB}$, $\overline{BC}$)의 길이에 해당하는 삼각비는 [ ] 50°

[결론] $x=$[ ]

각($\angle$B)과 두 변($\overline{AB}$, $\overline{AC}$)의 길이에 해당하는 삼각비는 [ ] 50°

[결론] $y=$[ ]

문제 2

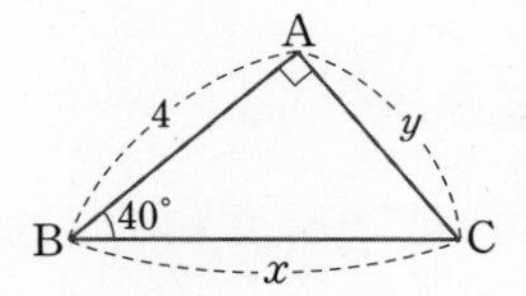

각($\angle$B)과 두 변($\overline{AB}$, $\overline{BC}$)의 길이에 해당하는 삼각비는 [ ] 40°

[결론] $x=$[ ]

각($\angle$B)과 두 변($\overline{AB}$, $\overline{AC}$)의 길이에 해당하는 삼각비는 [ ] 40°

[결론] $y=$[ ]

답 cos, $6\cos 50°$, sin, $6\sin 50°$, cos, $\frac{4}{\cos 40°}$, tan, $4\tan 40°$

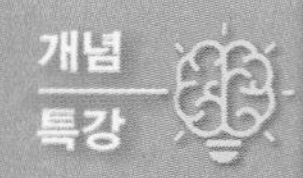

'특수한 직각삼각형'에서 세 변의 길이의 비

세 내각의 크기가 30°, 60°, 90°인 직각삼각형

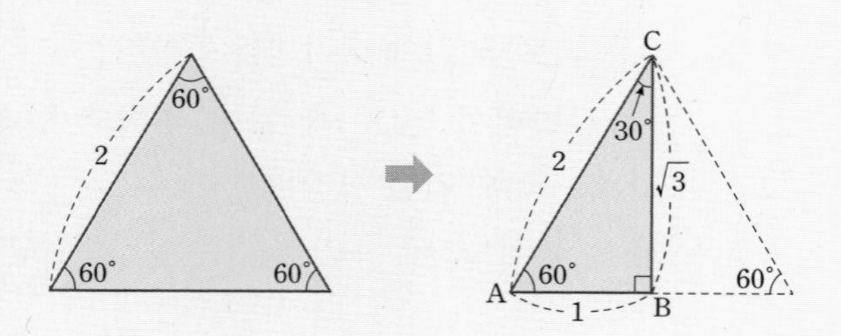

한 변의 길이가 2인 정삼각형을 반으로 접으면, $\overline{AB}=1$이므로 피타고라스 정리에 의해

$\overline{BC}=\sqrt{2^2-1^2}=\sqrt{3}$

30° 가 바라보는 **변 AB**의 길이	**1**
60° 가 바라보는 **변 BC**의 길이	**$\sqrt{3}$**
90° 가 바라보는 **변 CA**의 길이	**2**

➡ $\overline{AB}:\overline{BC}:\overline{CA}=1:\sqrt{3}:2$

각이 커질수록 — 대변의 길이는 길어진다.

오른쪽 그림과 같이 $\angle B=90°$인 직각삼각형 ABC에서 $\angle A=60°$, $\overline{AC}=4$일 때, x, y의 값을 각각 구하시오.

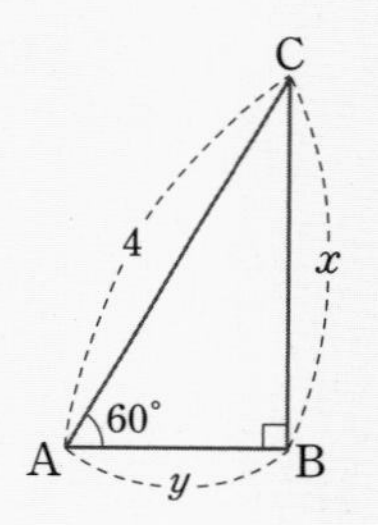

풀이1 비례식 이용

세 변의 길이의 비에 의해

$\overline{BC}:\overline{CA}=\sqrt{3}:\square$이므로

$x:4=\sqrt{3}:\square$

$2x=\square$ $\quad\therefore x=\square$

$\overline{AB}:\overline{CA}=\square:2$이므로

$y:4=\square:2$

$2y=\square$ $\quad\therefore y=\square$

답 2, 2, $4\sqrt{3}$, $2\sqrt{3}$, 1, 1, 4, 2

풀이2 삼각비의 값 이용

$\sin 60°=\dfrac{x}{4}$

$\therefore x=4\sin 60°=4\times\square=\square$

$\cos 60°=\dfrac{y}{4}$

$\therefore y=4\cos 60°=4\times\square=\square$

답 $\dfrac{\sqrt{3}}{2}$, $2\sqrt{3}$, $\dfrac{1}{2}$, 2

세 내각의 크기가 45°, 45°, 90°인 직각삼각형

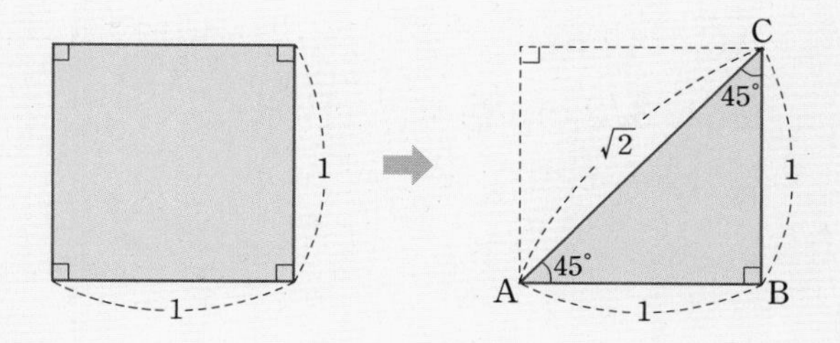

한 변의 길이가 1인 정사각형을 대각선으로 접으면, 피타고라스 정리에 의해

$\overline{AC}=\sqrt{1^2+1^2}=\sqrt{2}$

45° 가 바라보는 **변 AB**의 길이	**1**
45° 가 바라보는 **변 BC**의 길이	**1**
90° 가 바라보는 **변 CA**의 길이	$\sqrt{2}$

각이 커질수록 → 대변의 길이는 길어진다.

➡ $\overline{AB}:\overline{BC}:\overline{CA}=1:1:\sqrt{2}$

오른쪽 그림과 같이 $\angle B=90°$인 직각삼각형 ABC에서 $\angle A=45°$, $\overline{AC}=6$일 때, x의 값을 구하시오.

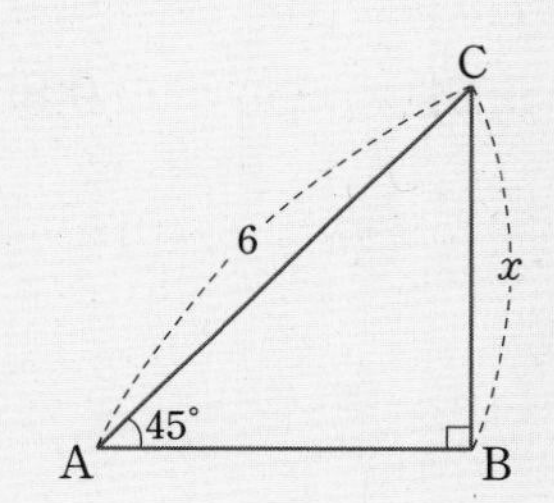

풀이1 비례식 이용

세 변의 길이의 비에 의해

$\overline{BC}:\overline{CA}=1:$ ☐ 이므로

$x:6=1:$ ☐

$\sqrt{2}x=$ ☐ $\qquad\therefore x=$ ☐

풀이2 삼각비의 값 이용

$\sin 45°=\frac{x}{6}$

$\therefore x=6\sin 45°=6\times$ ☐ $=$ ☐

답 $\sqrt{2}$, $\sqrt{2}$, 6, $3\sqrt{2}$

답 $\frac{\sqrt{2}}{2}$, $3\sqrt{2}$

개념 완성

기본 문제

1 직각삼각형의 변의 길이

오른쪽 그림과 같은 직각삼각형 ABC에 대하여 다음 중 옳지 않은 것은?

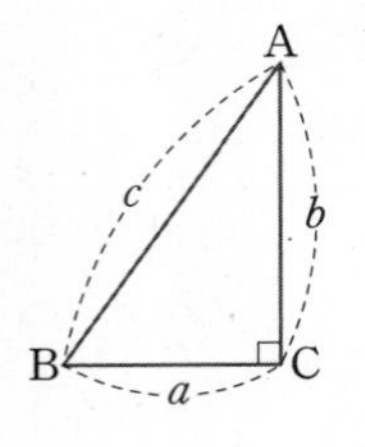

① $a=c\sin A$　② $b=c\sin B$
③ $b=a\tan B$　④ $a=\dfrac{b}{\tan A}$
⑤ $c=\dfrac{a}{\cos B}$

2 직각삼각형의 변의 길이

오른쪽 그림과 같이 $\angle B=90°$인 직각삼각형 ABC에서 $\angle A=52°$, $\overline{AC}=6$일 때, $x+y$의 값은?
(단, $\sin 38°=0.62$, $\cos 38°=0.79$, $\tan 38°=0.78$로 계산한다.)

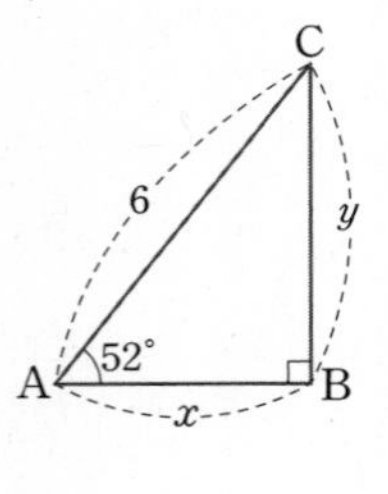

① 7.92　② 8.46　③ 8.83
④ 9.14　⑤ 9.85

3 일반 삼각형의 변의 길이 (1)

오른쪽 그림은 연못 둘레의 두 지점 A, C 사이의 거리를 구하기 위해 측량한 것이다. $\overline{AB}=6$ m, $\overline{BC}=10$ m, $\angle B=60°$일 때, $\overline{AC}$의 길이는?

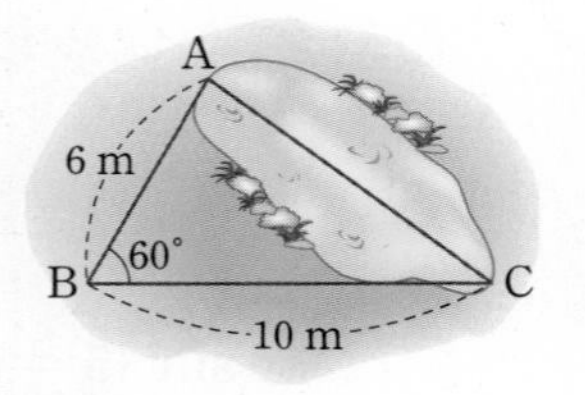

① $2\sqrt{10}$ m　② $2\sqrt{13}$ m　③ $2\sqrt{15}$ m
④ 8 m　⑤ $2\sqrt{19}$ m

4 일반 삼각형의 변의 길이 (1)

오른쪽 그림과 같은 $\triangle ABC$에서 $\angle ACB=135°$, $\overline{AC}=4$ cm, $\overline{BC}=3\sqrt{2}$ cm일 때, $\overline{AB}$의 길이를 구하시오.

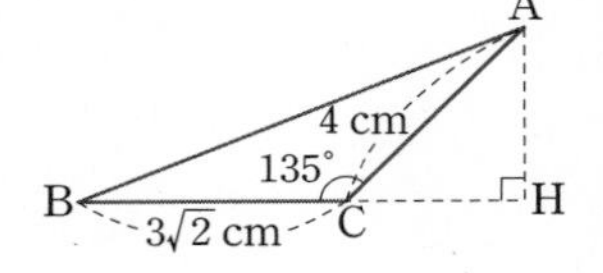

5 일반 삼각형의 변의 길이 (2)

오른쪽 그림의 $\triangle ABC$에서 $\angle B=105°$, $\angle C=30°$, $\overline{BC}=10$ cm일 때, $\overline{AB}$의 길이는?

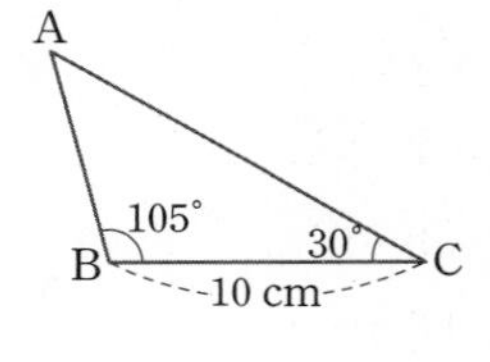

① 7 cm　② $5\sqrt{2}$ cm　③ $5\sqrt{3}$ cm
④ $7\sqrt{2}$ cm　⑤ 10 cm

6 일반 삼각형의 변의 길이 (2)

오른쪽 그림과 같은 $\triangle ABC$에서 $\angle A=60°$, $\angle B=45°$, $\overline{BC}=6\sqrt{2}$ cm일 때, $\overline{AC}$의 길이는?

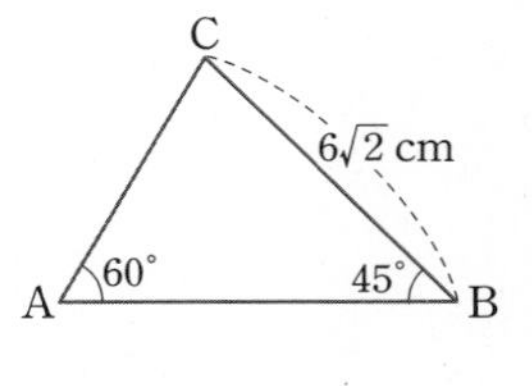

① $2\sqrt{3}$ cm　② $3\sqrt{3}$ cm　③ $4\sqrt{3}$ cm
④ $5\sqrt{3}$ cm　⑤ $6\sqrt{3}$ cm

7 모두 예각이 주어졌을 때, 삼각형의 높이

오른쪽 그림과 같은 $\triangle ABC$에서 $\overline{AH}\perp\overline{BC}$이고, $\angle B=45^\circ$, $\angle C=60^\circ$, $\overline{BC}=6$ cm일 때, $\overline{AH}$의 길이를 구하시오.

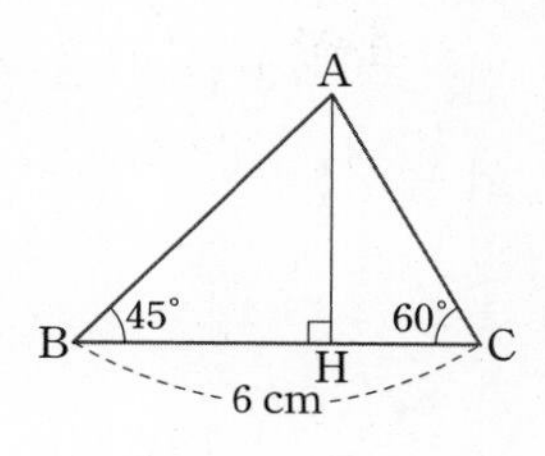

8 모두 예각이 주어졌을 때, 삼각형의 높이

오른쪽 그림과 같이 나무를 사이에 두고 지면 위의 두 지점 B, C에서 나무의 꼭대기 A를 올려다본 각의 크기가 각각 45°, 30°이었다. 두 지점 B, C 사이의 거리가 10 m일 때, 나무의 높이는?

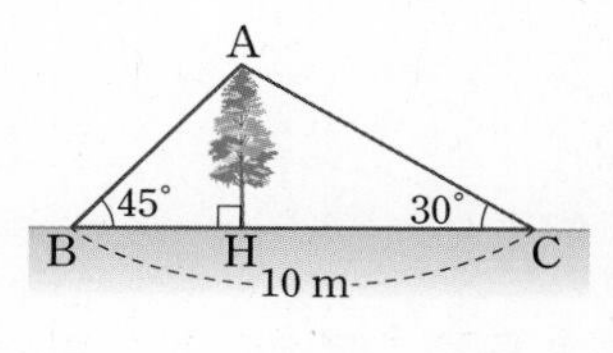

① $(\sqrt{3}-1)$ m ② $\sqrt{3}$ m
③ $5(\sqrt{3}-1)$ m ④ $3(\sqrt{3}+1)$ m
⑤ $10(\sqrt{3}+1)$ m

9 둔각이 주어졌을 때, 삼각형의 높이

오른쪽 그림과 같이 50 m 떨어진 지면 위의 두 지점 B, C에서 산의 꼭대기를 올려다본 각의 크기가 각각 30°, 60°일 때, 산의 높이인 $\overline{AH}$의 길이는?

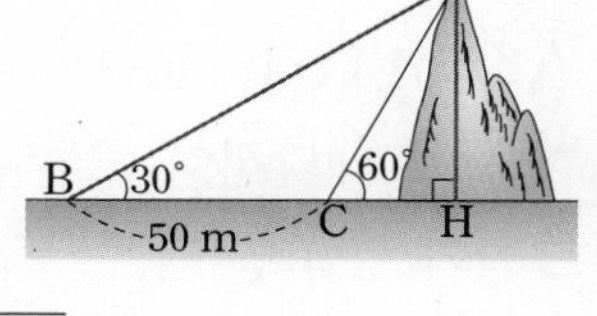

① 25 m ② $20\sqrt{2}$ m ③ $20\sqrt{3}$ m
④ $25\sqrt{2}$ m ⑤ $25\sqrt{3}$ m

10 예각이 주어졌을 때, 삼각형의 넓이

오른쪽 그림과 같이 $\overline{AC}=5$ cm, $\overline{AB}=8$ cm, $\angle A=45^\circ$인 $\triangle ABC$의 넓이는?

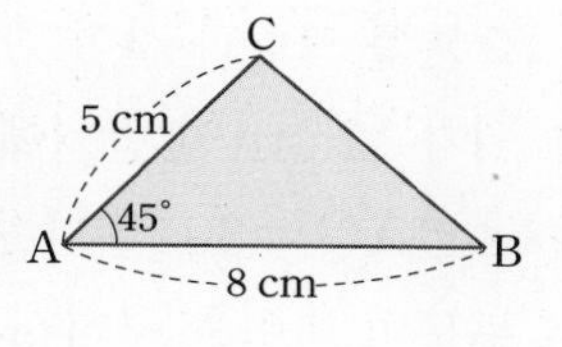

① $5\sqrt{2}$ cm^2 ② $10\sqrt{2}$ cm^2 ③ $15\sqrt{2}$ cm^2
④ $20\sqrt{2}$ cm^2 ⑤ $25\sqrt{2}$ cm^2

11 예각이 주어졌을 때, 삼각형의 넓이

오른쪽 그림과 같이 $\angle B=60^\circ$, $\overline{AB}=30$ cm인 $\triangle ABC$의 넓이가 $210\sqrt{3}$ cm^{2}일 때, $\overline{BC}$의 길이는?

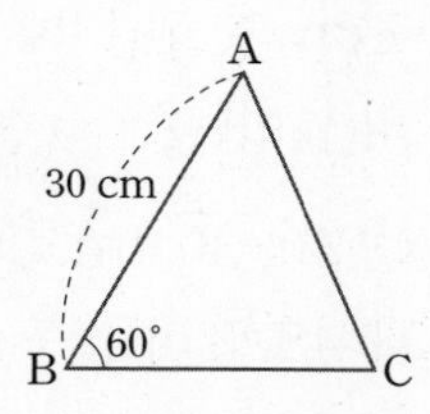

① 27 cm ② 28 cm ③ 29 cm
④ 30 cm ⑤ 31 cm

12 둔각이 주어졌을 때, 삼각형의 넓이

오른쪽 그림과 같이 $\overline{AB}=8$, $\overline{BC}=12$인 $\triangle ABC$의 넓이가 $24\sqrt{3}$일 때, $\angle B$의 크기를 구하시오. (단, $\angle B>90^\circ$)

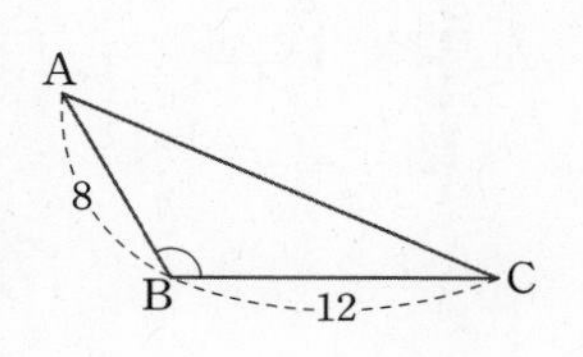

13 둔각이 주어졌을 때, 삼각형의 넓이

오른쪽 그림과 같이 반지름의 길이가 12 cm인 반원에서 $\angle BAO=30^\circ$일 때, 색칠한 부분의 넓이를 구하시오.

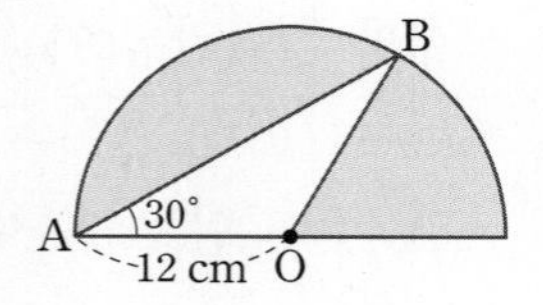

14 원에 내접하는 정다각형의 넓이

오른쪽 그림과 같이 반지름의 길이가 4 cm인 원 O에 내접하는 정십이각형의 넓이는?

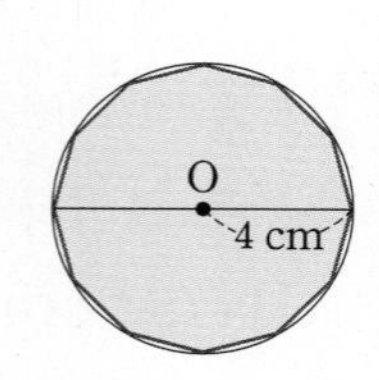

① $40\sqrt{30}$ cm² ② 48 cm²
③ $48\sqrt{3}$ cm² ④ 56 cm²
⑤ $56\sqrt{3}$ cm²

15 다각형의 넓이

오른쪽 그림과 같은 □ABCD의 넓이를 구하시오.

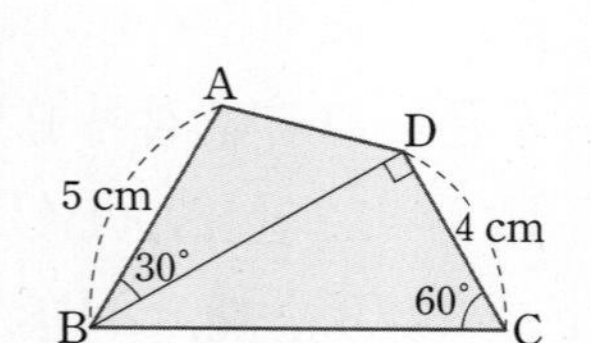

16 다각형의 넓이

오른쪽 그림과 같은 □ABCD의 넓이는?

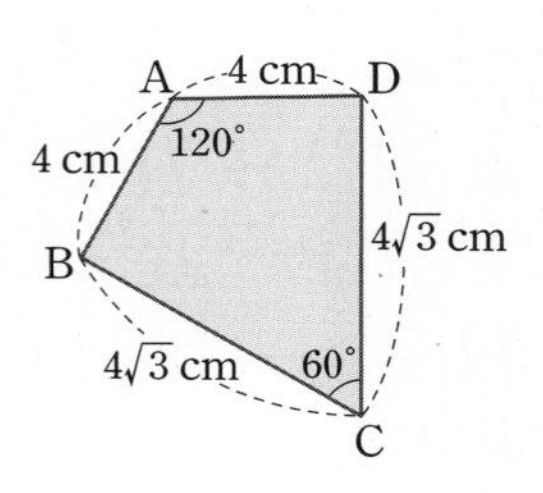

① $8\sqrt{2}$ cm²
② $8\sqrt{3}$ cm²
③ $16\sqrt{2}$ cm²
④ $16\sqrt{3}$ cm²
⑤ $24\sqrt{2}$ cm²

17 평행사변형의 넓이

오른쪽 그림과 같은 평행사변형 ABCD에서 $\overline{AB}=4\sqrt{2}$ cm, $\overline{BC}=6$ cm이고 $\angle B=45^\circ$일 때, △AED의 넓이를 구하시오.

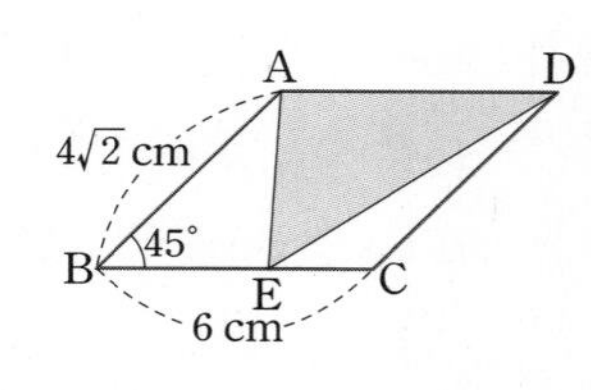

18 사각형의 넓이

오른쪽 그림과 같이 $\overline{AC}=14$ cm, $\overline{BD}=10$ cm이고 두 대각선이 이루는 각의 크기가 120°인 □ABCD의 넓이는?

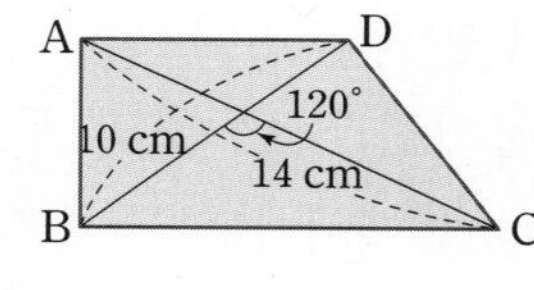

① 35 cm² ② $35\sqrt{2}$ cm² ③ $35\sqrt{3}$ cm²
④ 70 cm² ⑤ $70\sqrt{2}$ cm²

발전 문제

1 오른쪽 그림과 같이 한 모서리의 길이가 2인 정사면체 D−ABC에서 모서리 AB와 CD의 중점을 각각 M, N이라 하고 점 D에서 $\overline{CM}$에 내린 수선의 발을 H라 하자. $\angle DMN = \angle x$라 할 때, $\overline{MN}$의 길이와 $\sin x$의 값을 각각 구하시오.

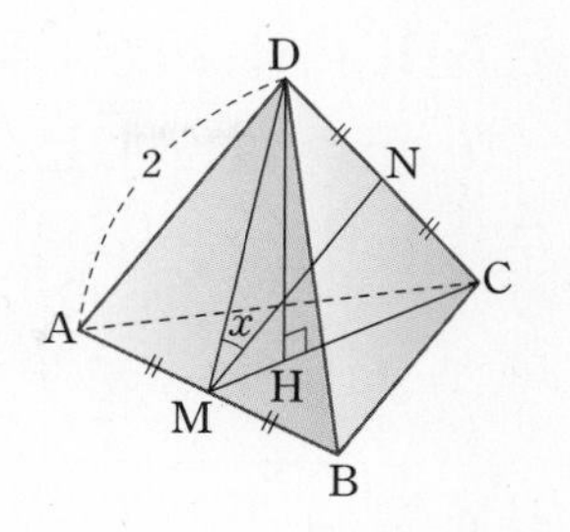

△DMC는 $\overline{DM} = \overline{MC}$인 이등변삼각형이다.

2 오른쪽 그림과 같이 20 m 떨어진 두 건물 A, B가 있다. A 건물의 옥상에서 B 건물의 옥상을 올려다본 각의 크기는 30°이고, 바닥을 내려다본 각의 크기는 60°일 때, B 건물의 높이를 구하시오.

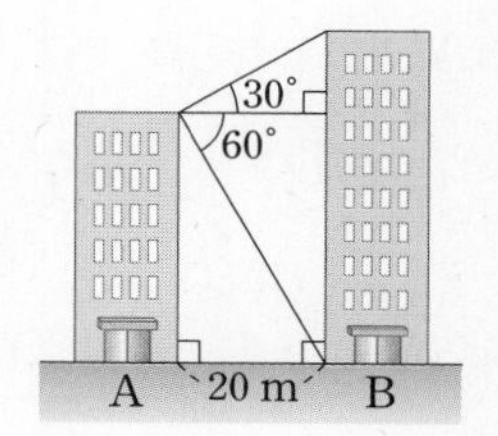

3 태경이는 민준이와 송이네 집 사이의 거리를 구하기 위해 오른쪽 그림과 같이 측량하였다. 민준이와 송이네 집 사이의 거리를 구하시오.

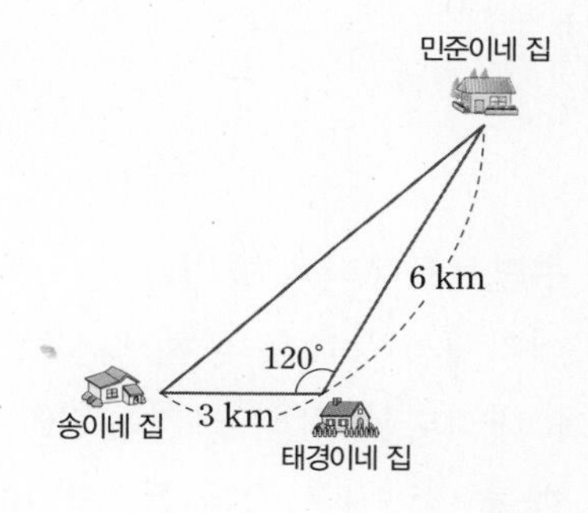

4 오른쪽 그림과 같은 △ABC에서 $\angle A = 75°$, $\angle B = 60°$, $\overline{AB} = 6$ cm일 때, △ABC의 둘레의 길이를 구하시오.

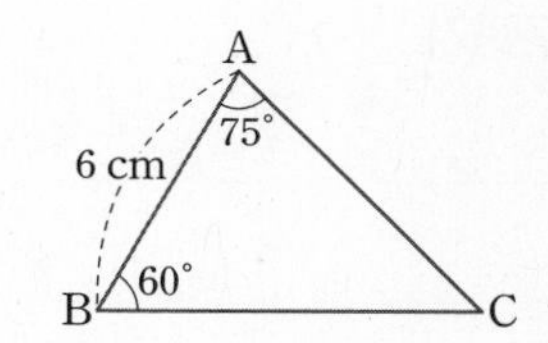

점 A에서 수선을 그어 직각삼각형을 만든다.

5 오른쪽 그림과 같이 $\angle A = 150°$인 평행사변형 ABCD의 넓이가 15 cm^{2}이고, $\overline{AB} : \overline{BC} = 2 : 3$일 때, □ABCD의 둘레의 길이를 구하시오.

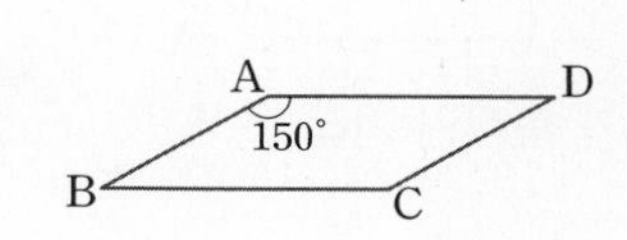

6 서술형

오른쪽 그림과 같은 $\triangle ABC$에서 $\angle BAC=60^\circ$이고, $\overline{AB}=8\text{ cm}$, $\overline{AC}=10\text{ cm}$이다. $\overline{AD}$는 $\angle A$의 이등분선일 때, $\overline{AD}$의 길이를 구하기 위한 풀이 과정을 쓰고 답을 구하시오.

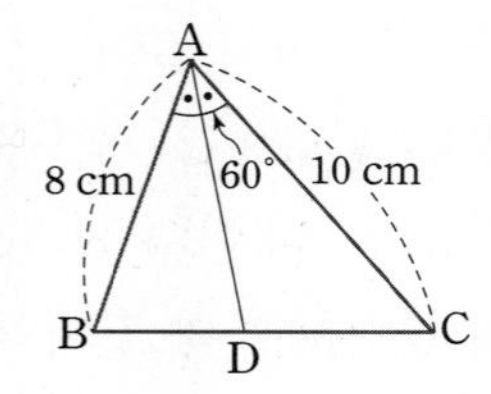

① 단계: $\triangle ABC$의 넓이 구하기

$\triangle ABC=\frac{1}{2}\times 8\times 10\times$ ______ $=$ ______ (cm^2)

② 단계: $\triangle ABD$, $\triangle ADC$의 넓이를 각각 $\overline{AD}$로 나타내기

$\triangle ABD=\frac{1}{2}\times 8\times \overline{AD}\times$ ______ $=$ ______ (cm^2)

$\triangle ADC=\frac{1}{2}\times \overline{AD}\times 10\times$ ______ $=$ ______ (cm^2)

③ 단계: $\overline{AD}$의 길이 구하기

$\triangle ABC=\triangle ABD+\triangle ADC$이므로 ______ $=$ ______ $\overline{AD}$

$\therefore\ \overline{AD}=$ ______ cm

► Check List
- 삼각비를 이용하여 $\triangle ABC$의 넓이를 바르게 구하였는가?
- 삼각비를 이용하여 $\triangle ABD$의 넓이를 $\overline{AD}$로 바르게 나타내었는가?
- 삼각비를 이용하여 $\triangle ADC$의 넓이를 $\overline{AD}$로 바르게 나타내었는가?
- $\triangle ABC=\triangle ABD+\triangle ADC$임을 이용하여 $\overline{AD}$의 길이를 바르게 구하였는가?

7 서술형

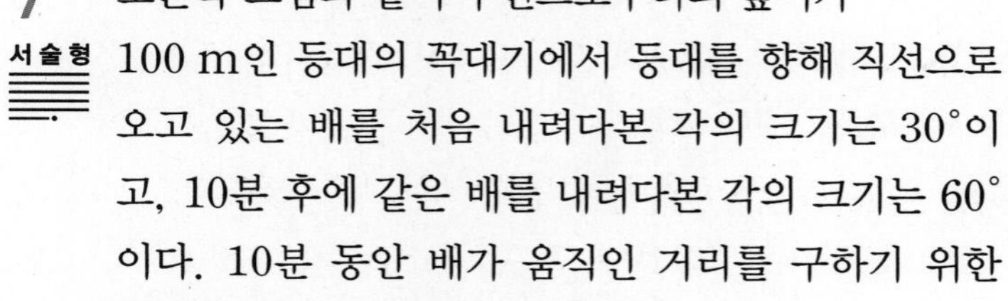

오른쪽 그림과 같이 수면으로부터의 높이가 100 m인 등대의 꼭대기에서 등대를 향해 직선으로 오고 있는 배를 처음 내려다본 각의 크기는 30°이고, 10분 후에 같은 배를 내려다본 각의 크기는 60°이다. 10분 동안 배가 움직인 거리를 구하기 위한 풀이 과정을 쓰고 답을 구하시오.

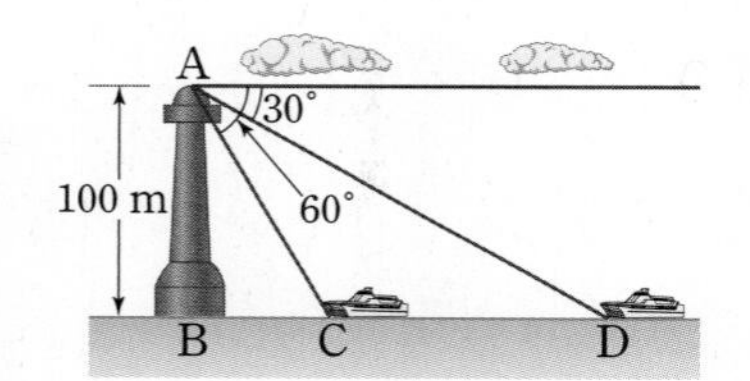

① 단계: $\overline{BC}$의 길이 구하기

____

____

② 단계: $\overline{BD}$의 길이 구하기

____

____

③ 단계: 10분 동안 배가 움직인 거리 구하기

____

____

► Check List
- $\overline{BC}$의 길이를 바르게 구하였는가?
- $\overline{BD}$의 길이를 바르게 구하였는가?
- 10분 동안 배가 움직인 거리를 바르게 구하였는가?

1 원과 직선

1 현의 수직이등분선
2 현의 길이
3 원과 접선
4 삼각형의 내접원
5 외접사각형의 성질

2 원주각

1 원주각과 중심각의 크기
2 원주각의 성질
3 원주각의 크기와 호의 길이
4 네 점이 한 원 위에 있을 조건
5 원에 내접하는 사각형의 성질
6 사각형이 원에 내접하기 위한 조건
7 접선과 현이 이루는 각
8 두 원에서 접선과 현이 이루는 각

원의 성질

1 원과 직선

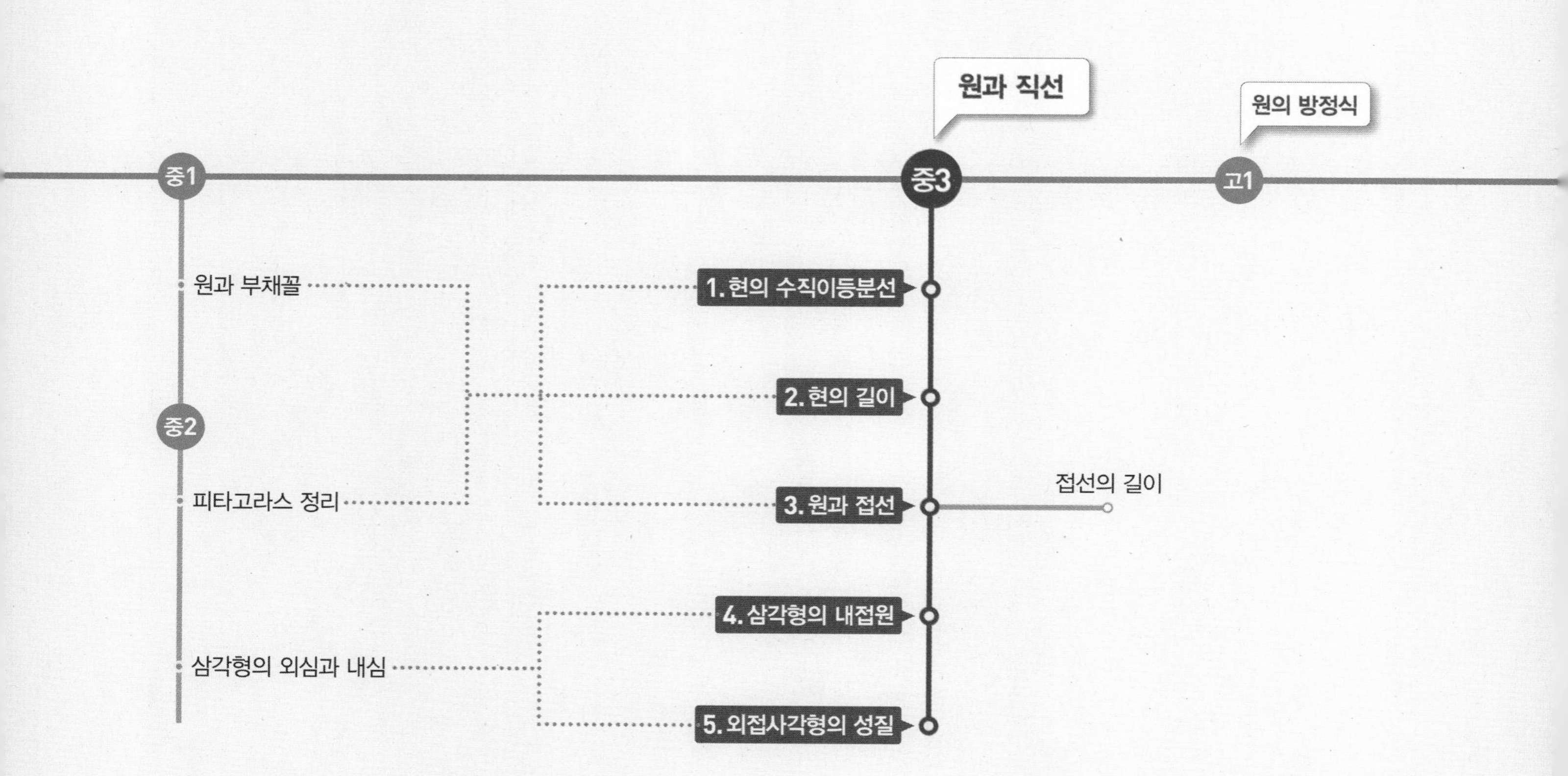
원과 직선
원의 방정식
중1
중3
고1
원과 부채꼴
중2
피타고라스 정리
삼각형의 외심과 내심
1. 현의 수직이등분선
2. 현의 길이
3. 원과 접선
4. 삼각형의 내접원
5. 외접사각형의 성질
접선의 길이

원과 직선이 만날 때, 알 수 있는 것들

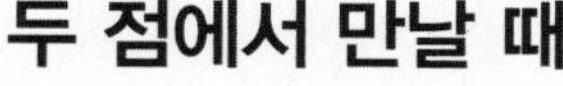

두 점에서 만날 때

한 점에서 만날 때

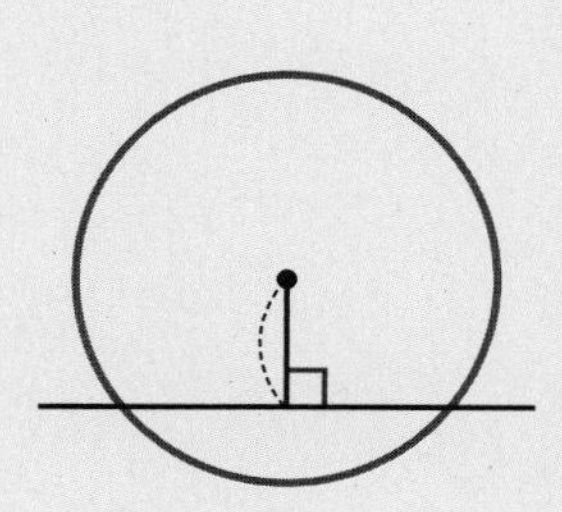

점과 직선
사이의 거리

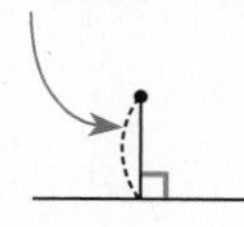

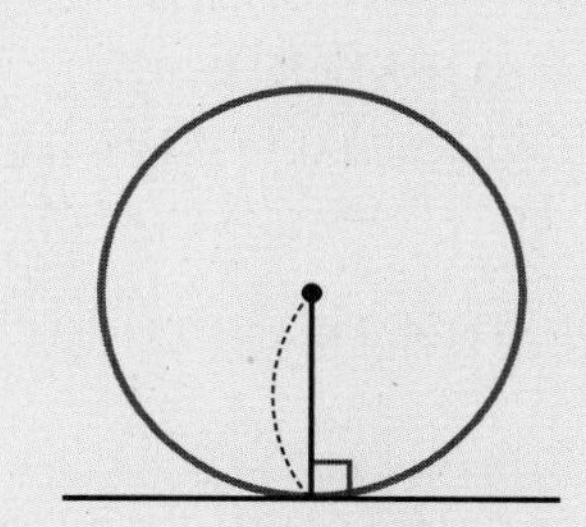

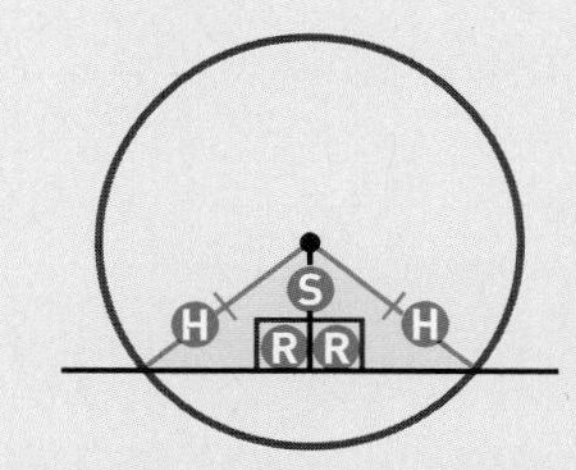

(원의 중심으로부터 두 점까지의 거리)
=(반지름의 길이)

직각삼각형의 합동
(RHS 합동)

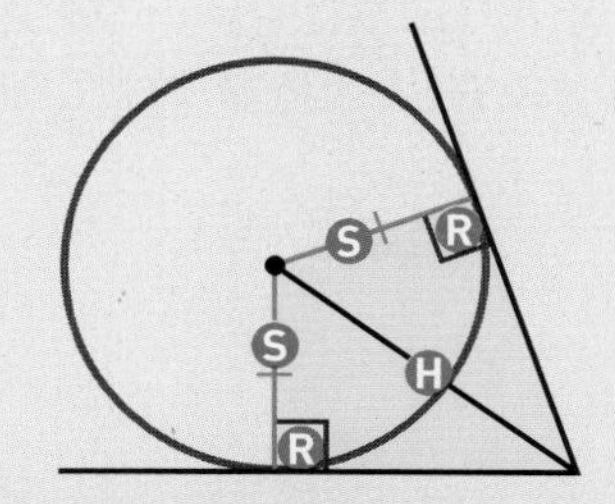

(원의 중심으로부터 직선까지의 거리)
=(반지름의 길이)

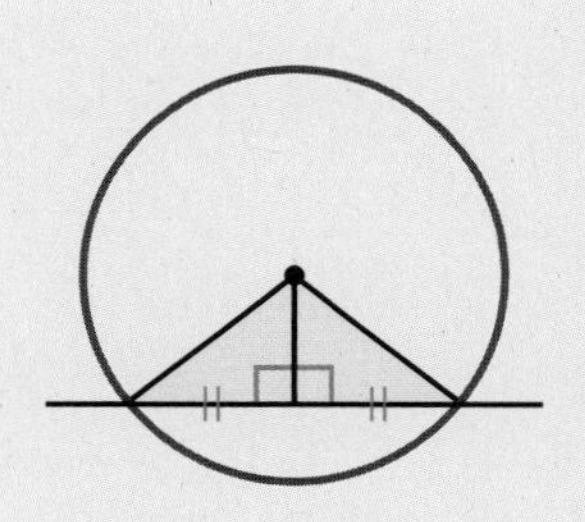

현을 수직이등분한다.

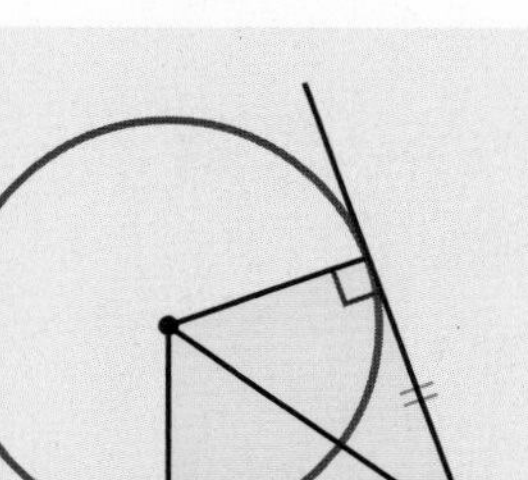

**원 밖의 한 점에서
접점에 이르는 거리가 같다.**

개념 이해 1

현의 수직이등분선

(1) 원의 중심에서 현에 내린 수선은 그 현을 이등분한다.

➡ $\overline{AB}\perp\overline{OM}$이면 $\overline{AM}=\overline{BM}$

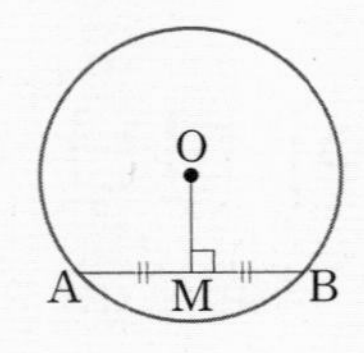

오른쪽 그림과 같이 원 O의 중심에서 현 AB에 내린 수선의 발을 M이라 하면
△OAM과 △OBM에서
$\overline{OA}=\overline{OB}$ (반지름), $\angle OMA=\angle OMB=90°$, $\overline{OM}$은 공통이므로
$\triangle OAM\equiv\triangle OBM$ (RHS 합동) $\quad\therefore\ \overline{AM}=\overline{BM}$
따라서 원 O의 중심에서 현 AB에 내린 수선 OM은 현 AB를 이등분한다.

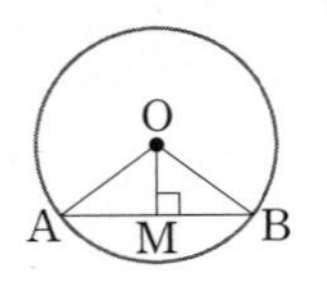

(2) 원에서 현의 수직이등분선은 그 원의 중심을 지난다.

오른쪽 그림과 같이 원 O에서 현 AB의 수직이등분선을 l이라 하면
l 위의 모든 점에서 두 점 A, B까지의 거리는 항상 같다.
즉, 두 점 A, B로부터 같은 거리에 있는 점들은 모두 직선 l 위에 있다.
따라서 원의 중심도 직선 l 위에 있으므로 현의 수직이등분선은 원 O의 중심을 지난다.

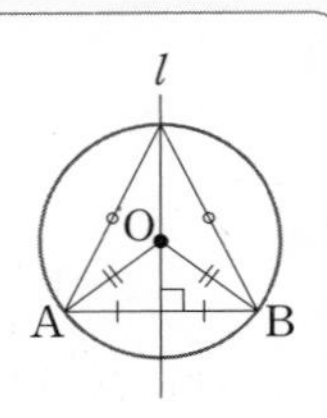

개념확인

1. 다음 그림에서 x의 값을 구하시오.

(1)

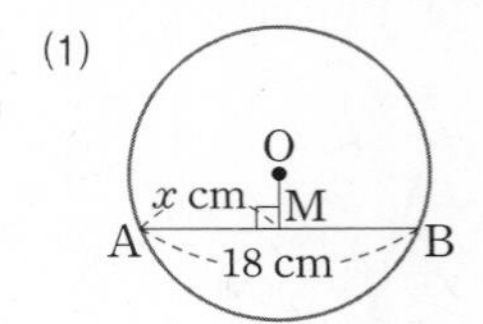

(2)

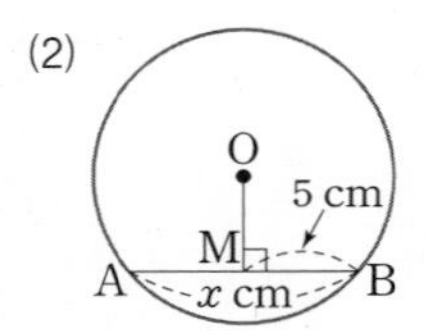

2. 오른쪽 그림과 같은 원 O에서 $\overline{OA}=5$ cm, $\overline{AB}=8$ cm일 때, 다음을 구하시오.

(1) $\overline{AM}$의 길이　　(2) $\overline{OM}$의 길이

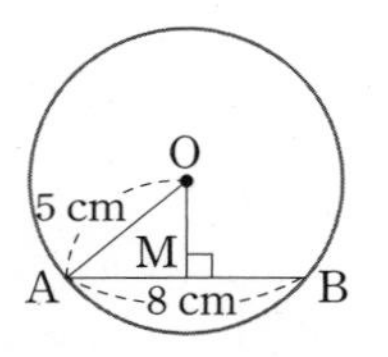

3. 오른쪽 그림과 같은 원 O에서 $\overline{OB}=13$ cm, $\overline{OM}=5$ cm일 때, 다음을 구하시오.

(1) $\overline{BM}$의 길이　　(2) $\overline{AB}$의 길이

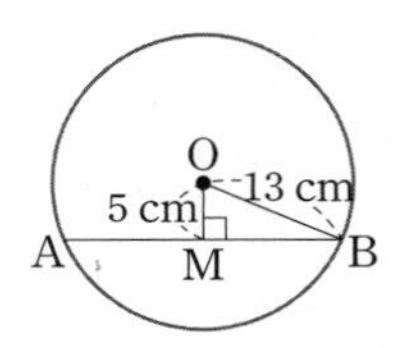

개념 적용

현의 수직이등분선의 이용 (1)

1 **오른쪽 그림의 원 O에서 $\overline{AB}\perp\overline{OM}$이고 $\overline{OA}=5$ cm, $\overline{AB}=6$ cm일 때, $\overline{OM}$의 길이를 구하시오.**

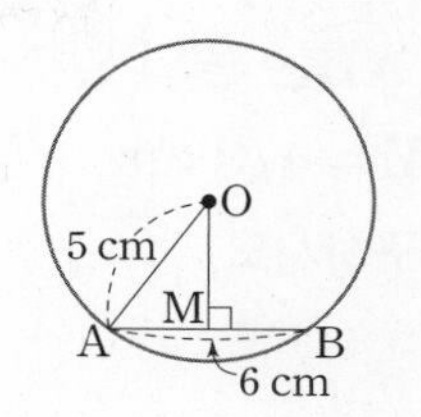

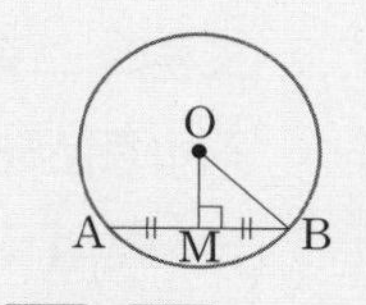

(1) $\overline{AM}=\overline{BM}$
(2) $\overline{OB}^2=\overline{OM}^2+\overline{BM}^2$

1-1 오른쪽 그림의 원 O에서 $\overline{AB}\perp\overline{OM}$이고 $\overline{OB}=6$ cm, $\overline{OM}=4$ cm일 때, $\overline{AB}$의 길이를 구하시오.

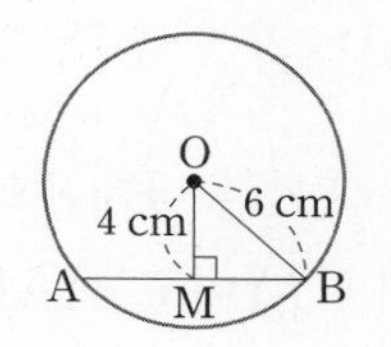

1-2 오른쪽 그림과 같이 반지름의 길이가 10 cm인 원 O의 중심에서 길이가 16 cm인 현 AB까지의 거리를 구하시오.

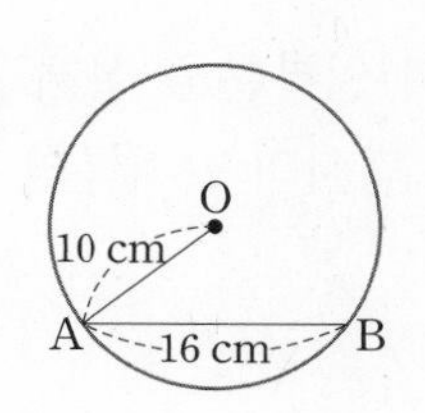

▶ 원의 중심 O에서 현 AB에 수선을 긋고, 원의 수직이등분선의 성질을 이용한다.

현의 수직이등분선의 이용 (2)

2 **오른쪽 그림과 같은 원 O에서 $\overline{AB}\perp\overline{OC}$이고 $\overline{AM}=8$ cm, $\overline{CM}=5$ cm일 때, $\overline{OB}$의 길이를 구하시오.**

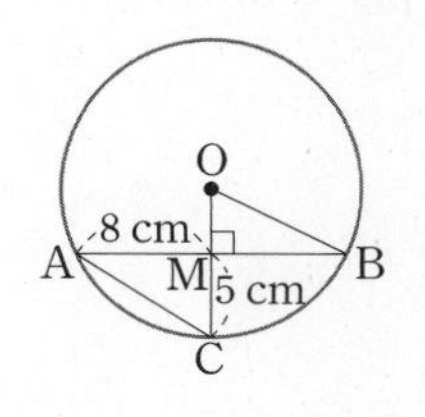

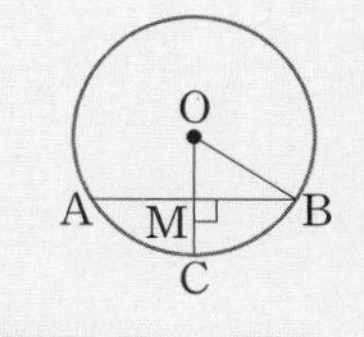

⇨ $\overline{OM}=\overline{OC}-\overline{CM}$
$=\overline{OB}-\overline{CM}$

2-1 오른쪽 그림의 원 O에서 $\overline{AB}\perp\overline{OC}$, $\overline{OM}=\overline{CM}$이고 $\overline{OA}=10$ cm일 때, $\overline{AB}$의 길이를 구하시오.

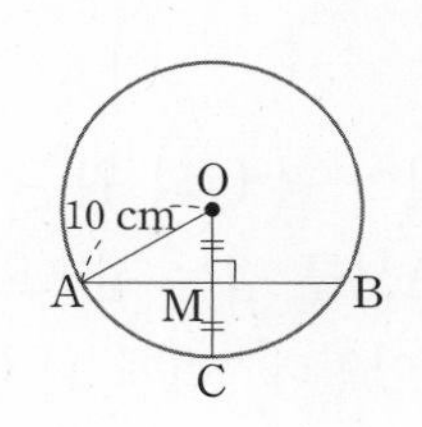

개념 적용

원의 일부분이 주어진 경우

3 **오른쪽 그림에서 $\overset{\frown}{AB}$는 원의 일부분이다. $\overline{CM}$이 $\overline{AB}$를 수직이등분하고 $\overline{AM}=4\sqrt{3}$ cm, $\overline{CM}=4$ cm일 때, 이 원의 반지름의 길이를 구하시오.**

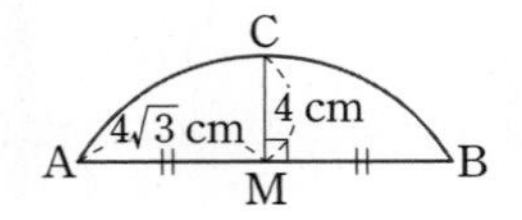

원의 일부분이 주어진 경우
원의 중심 O를 찾아 반지름의 길이를 r로 놓고 피타고라스 정리를 이용한다.

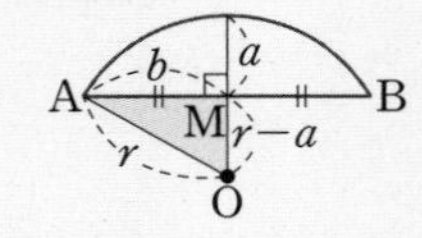

⇨ $r^2=(r-a)^2+b^2$

3-1 오른쪽 그림에서 $\overset{\frown}{AB}$는 반지름의 길이가 13 cm인 원의 일부분이다. $\overline{AB}\perp\overline{CM}$이고 $\overline{AM}=\overline{BM}$, $\overline{AB}=24$ cm일 때, $\overline{CM}$의 길이를 구하시오.

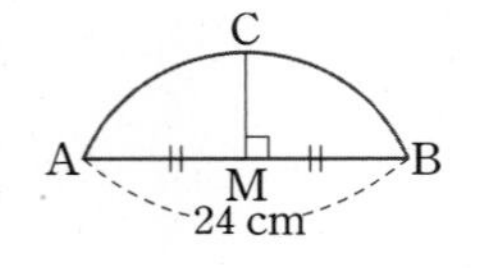

3-2 원 모양의 접시의 일부분을 실제로 측정하였더니 오른쪽 그림과 같을 때, 이 접시의 반지름의 길이를 구하시오.

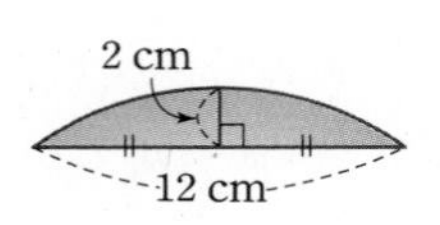

▸ 원의 중심을 찾아 반지름의 길이를 r로 놓고 피타고라스 정리를 이용한다.

원의 일부분을 접은 경우

4 **오른쪽 그림과 같이 반지름의 길이가 6 cm인 원 O의 원주 위의 한 점이 원의 중심 O에 겹쳐지도록 $\overline{AB}$를 접는 선으로 하여 접었을 때, $\overline{AB}$의 길이를 구하시오.**

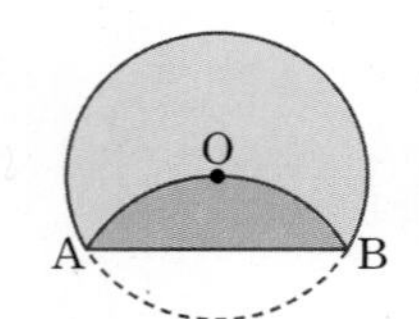

원주 위의 한 점이 원의 중심에 겹쳐지도록 접은 경우
원의 중심 O에서 현에 수선을 그어 피타고라스 정리를 이용한다.

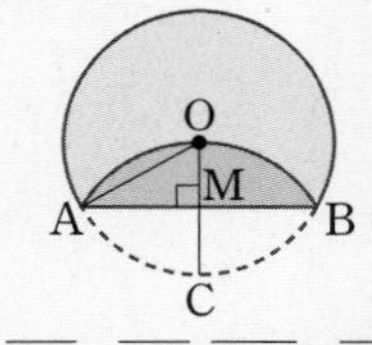

⇨ $\overline{OA}=\overline{OC}$, $\overline{AM}=\overline{BM}$,
$\overline{OM}=\overline{CM}=\frac{1}{2}\overline{OC}$

4-1 오른쪽 그림과 같이 원 O의 원주 위의 한 점이 원의 중심 O에 겹쳐지도록 $\overline{AB}$를 접는 선으로 하여 접었더니 접힌 현의 길이가 $4\sqrt{3}$ cm이었다. 이때 원 O의 반지름의 길이를 구하시오.

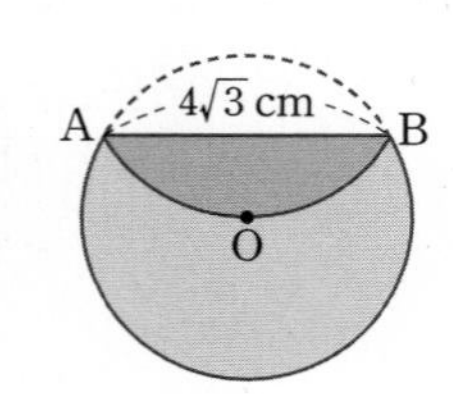

개념 이해

2 현의 길이

한 원 또는 합동인 두 원에서

(1) 원의 중심으로부터 같은 거리에 있는 두 현의 길이는 서로 같다.

➡ $\overline{OM}=\overline{ON}$이면 $\overline{AB}=\overline{CD}$

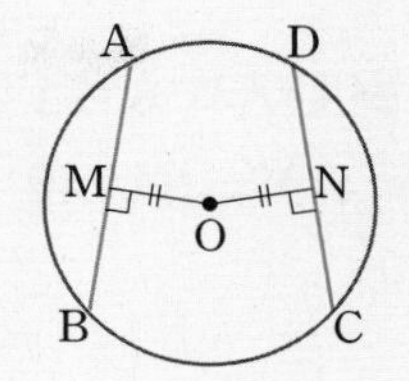

오른쪽 그림과 같이 원 O의 중심에서 같은 거리에 있는 두 현 AB, CD에 내린 수선의 발을 각각 M, N이라 하면
△OAM과 △OCN에서
$\angle OMA=\angle ONC=90^\circ$, $\overline{OA}=\overline{OC}$ (반지름), $\overline{OM}=\overline{ON}$ (조건)이므로
△OAM≡△OCN (RHS 합동) $\therefore$ $\overline{AM}=\overline{CN}$
그런데 $\overline{AB}=2\overline{AM}$, $\overline{CD}=2\overline{CN}$이므로 $\overline{AB}=\overline{CD}$
따라서 원 O의 중심으로부터 같은 거리에 있는 두 현 AB, CD의 길이는 같다.

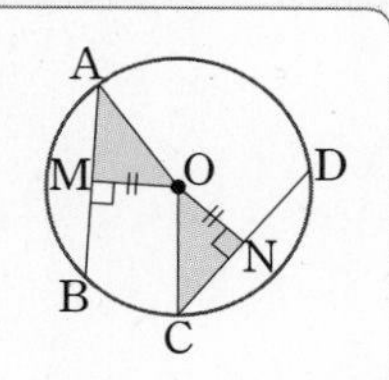

(2) 길이가 같은 두 현은 원의 중심으로부터 같은 거리에 있다.

➡ $\overline{AB}=\overline{CD}$이면 $\overline{OM}=\overline{ON}$

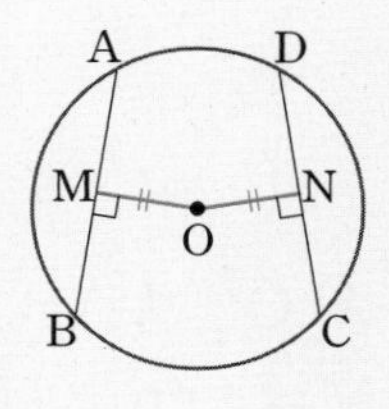

오른쪽 그림과 같이 원 O의 중심에서 두 현 AB, CD에 내린 수선의 발을 각각 M, N이라 하면
$\overline{AM}=\overline{BM}$, $\overline{CN}=\overline{DN}$
그런데 조건에서 $\overline{AB}=\overline{CD}$이므로 $\overline{AM}=\overline{CN}$
△OAM과 △OCN에서
$\angle OMA=\angle ONC=90^\circ$, $\overline{OA}=\overline{OC}$ (반지름), $\overline{AM}=\overline{CN}$이므로
△OAM≡△OCN (RHS 합동) $\therefore$ $\overline{OM}=\overline{ON}$
따라서 길이가 같은 두 현 AB, CD는 원 O의 중심으로부터 같은 거리에 있다.

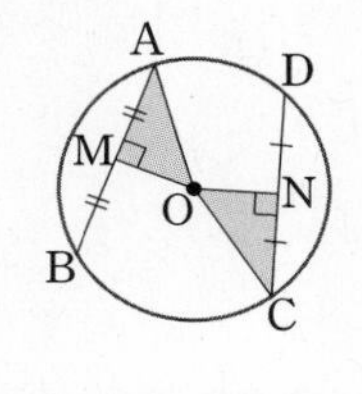

개념확인

1. 다음 그림에서 x의 값을 구하시오.

(1)
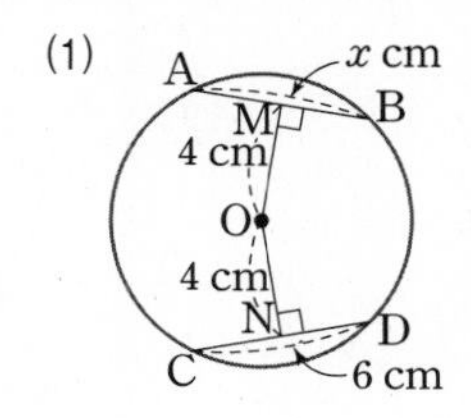

(2)
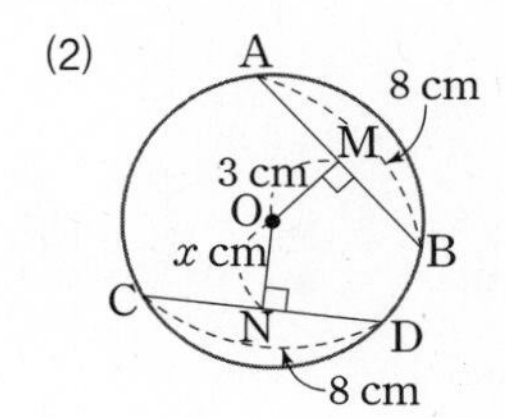

(3)
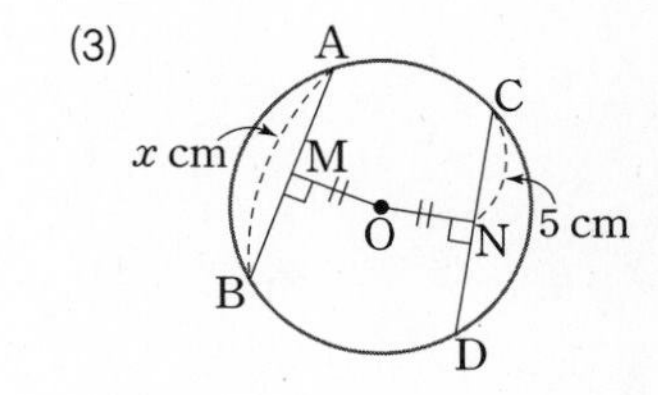

(4)
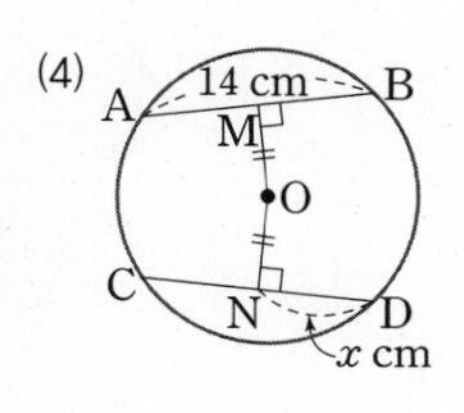

2. 오른쪽 그림과 같은 원 O에서 $\overline{OM}=\overline{ON}$이고, $\angle B=65^\circ$일 때, $\angle ACB$의 크기를 구하시오.

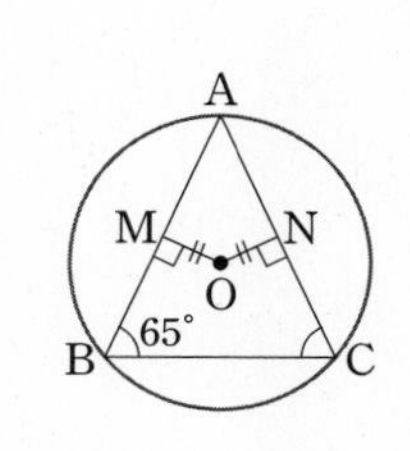

개념 적용

현의 길이의 성질

1 **오른쪽 그림과 같은 원 O에서 $\overline{AB}\perp\overline{OM}$, $\overline{CD}\perp\overline{ON}$이고 $\overline{OA}=6$ cm, $\overline{OM}=\overline{ON}=3$ cm일 때, $\overline{CD}$의 길이를 구하시오.**

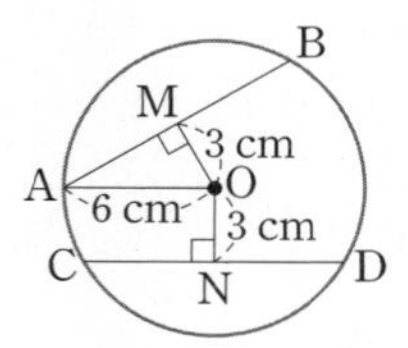

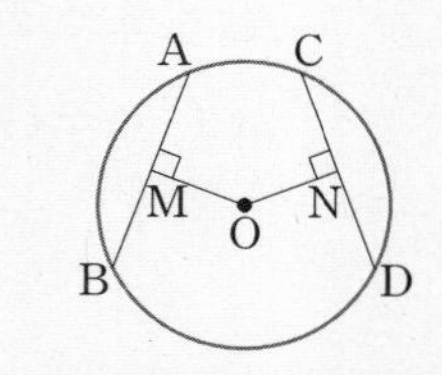

(1) $\overline{OM}=\overline{ON}$이면 $\overline{AB}=\overline{CD}$
(2) $\overline{AB}=\overline{CD}$이면 $\overline{OM}=\overline{ON}$
(3) $\overline{AM}=\overline{BM}$, $\overline{CN}=\overline{DN}$

1-1 오른쪽 그림과 같은 원 O에서 $\overline{AB}\perp\overline{OM}$, $\overline{CD}\perp\overline{ON}$이고 $\overline{CD}=12$ cm, $\overline{OM}=\overline{ON}=6$ cm일 때, $\overline{OA}$의 길이를 구하시오.

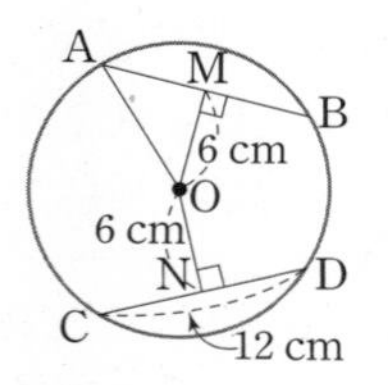

1-2 오른쪽 그림과 같은 원 O에서 $\overline{AB}\perp\overline{OM}$, $\overline{CD}\perp\overline{ON}$이고 $\overline{AB}=\overline{CD}$이다. $\overline{AM}=4$ cm, $\overline{AO}=5$ cm일 때, $\triangle$OCD의 넓이를 구하시오.

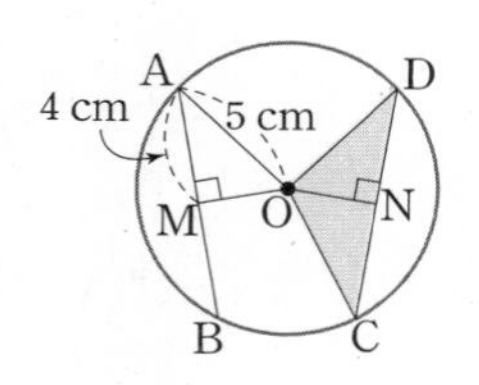

길이가 같은 두 현이 만드는 삼각형

2 **오른쪽 그림과 같이 원 O의 중심에서 두 현 AB, AC에 내린 수선의 발을 각각 M, N이라 하자. $\overline{OM}=\overline{ON}$이고 $\angle MON=100°$일 때, $\angle ACB$의 크기를 구하시오.**

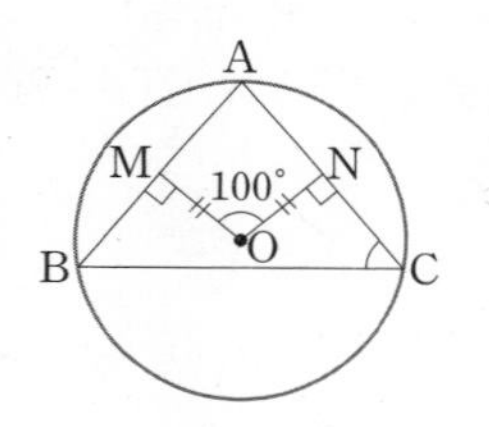

다음 그림의 원 O에서 $\overline{OM}=\overline{ON}$이면

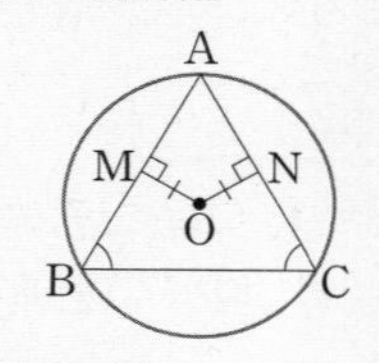

(1) $\overline{AB}=\overline{AC}$
(2) $\triangle$ABC는 이등변삼각형
(3) $\angle ABC=\angle ACB$

2-1 오른쪽 그림과 같은 원 O에서 $\overline{OD}=\overline{OE}=\overline{OF}$이고 $\overline{AD}=4$ cm일 때, $\triangle$ABC의 넓이를 구하시오.

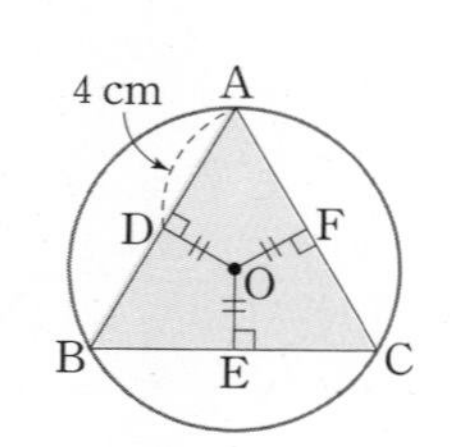

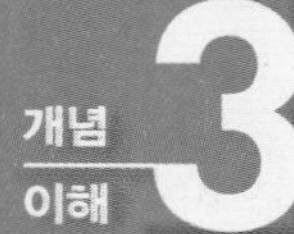

3 원과 접선

(1) 접선의 길이

원 O 밖의 한 점 P에서 원 O에 그을 수 있는 접선은 2개이고, 각각의 접점을 A, B라 할 때, $\overline{PA}$ 또는 $\overline{PB}$의 길이를 점 P에서 원 O에 그은 접선의 길이라 한다.

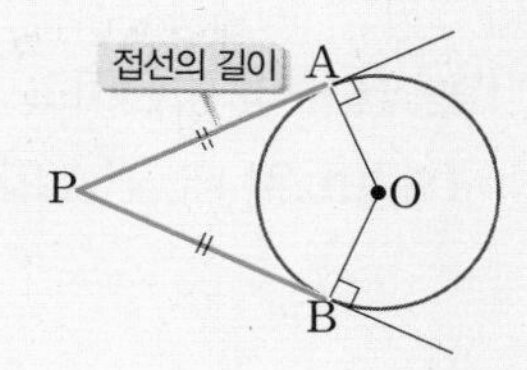

원 위의 한 점을 지나고 그 점을 지나는 반지름에 수직인 직선은 그 원의 접선이다.

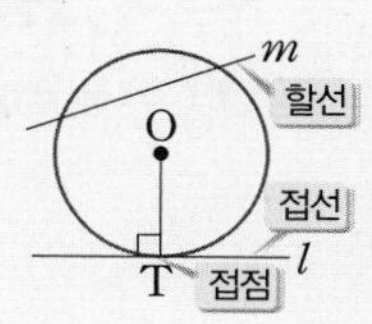

(2) 원의 접선의 길이의 성질

① 원의 접선은 그 접점을 지나는 원의 반지름과 수직이다.

② 원 밖의 한 점에서 그 원에 그은 두 접선의 길이는 같다.

➡ $\overline{PA}=\overline{PB}$

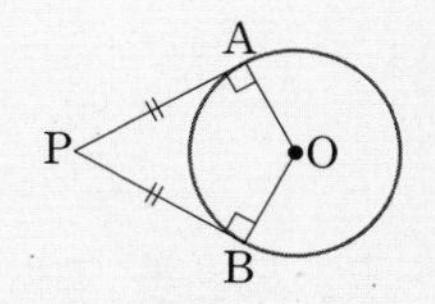

(1) $\overline{OA}\perp\overline{PA}$, $\overline{OB}\perp\overline{PB}$
(2) $\overline{PA}=\overline{PB}$
(3) $\angle APB+\angle AOB=180°$

오른쪽 그림의 $\triangle PAO$와 $\triangle PBO$에서
$\angle PAO=\angle PBO=90°$, $\overline{OA}=\overline{OB}$ (반지름), $\overline{OP}$는 공통
이므로
$\triangle PAO\equiv\triangle PBO$(RHS 합동) $\therefore \overline{PA}=\overline{PB}$
따라서 원 O 밖의 한 점 P에서 원 O에 그은 두 접선 PA, PB의 길이는 같다.

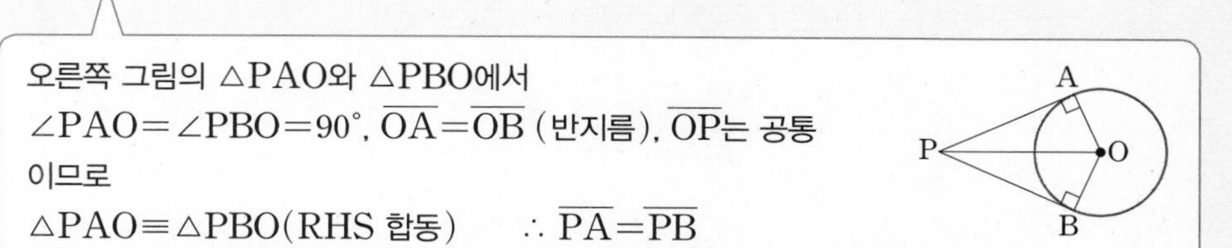

원의 접선은 그 접점을 지나는 반지름과 수직이야.

원 O와 직선 l이 한 점 A에서 만날 때(접할 때), $\overline{OA}$와 직선 l이 수직이 아니라고 하자.
오른쪽 그림과 같이 점 O에서 직선 l에 내린 수선의 발을 H라 하면
$\angle OHA=90°$이고 직각삼각형 OHA에서 $\overline{OH}<\overline{OA}$
그러면 $\overline{OB}=\overline{OA}$인 또 다른 한 점 B를 직선 l 위에 나타낼 수 있고 직선 l은 원과 두 점 A, B에서 만난다.
이것은 원과 접선은 한 점에서 만난다는 접선에 대한 성질에 맞지 않다.
따라서 $\overline{OA}$와 직선 l이 수직이 되어야 원과 한 점에서 만나므로 $\overline{OA}$와 직선 l은 수직이다.

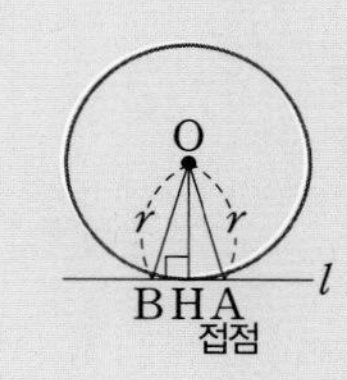

개념확인

1. 다음 그림에서 $\overline{PA}$, $\overline{PB}$가 원 O의 접선일 때, $\angle x$의 크기를 구하시오.

(1)

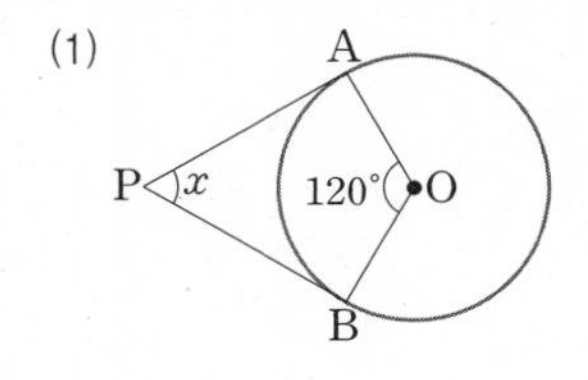

(2)

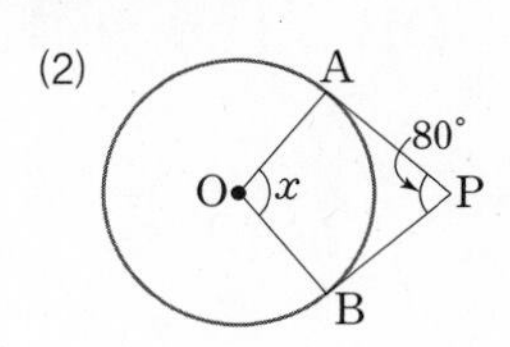

2. 오른쪽 그림에서 $\overline{PA}$, $\overline{PB}$는 두 점 A, B를 각각 접점으로 하는 원 O의 접선이다. $\overline{OA}=2$ cm, $\overline{PB}=2\sqrt{3}$ cm일 때, 다음을 구하시오.

(1) $\overline{PA}$의 길이

(2) $\overline{PO}$의 길이

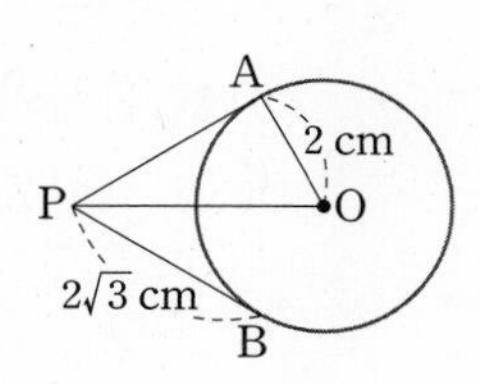

개념 적용

원의 접선과 반지름

1 **오른쪽 그림에서 $\overline{PT}$는 원 O의 접선이고 점 T는 접점이다. $\overline{OT}=8$ cm, $\overline{PT}=15$ cm일 때, $\overline{PA}$의 길이를 구하시오.**

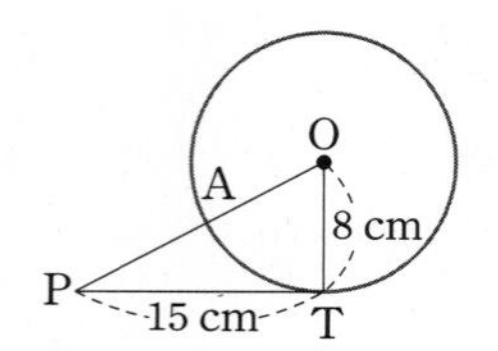

$\overline{PT}$가 원 O의 접선이고 점 T가 접점일 때

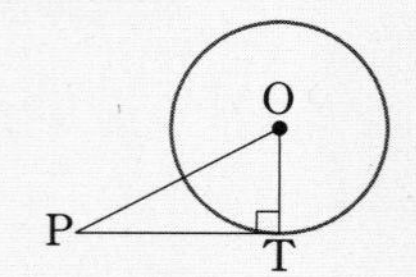

(1) $\overline{OT}\perp\overline{PT}$
(2) $\overline{OP}^2=\overline{PT}^2+\overline{OT}^2$

1-1 오른쪽 그림에서 $\overline{PA}$는 원 O의 접선이고 점 A는 접점이다. $\overline{PA}=4$ cm, $\overline{PB}=2$ cm일 때, 원 O의 넓이를 구하시오.

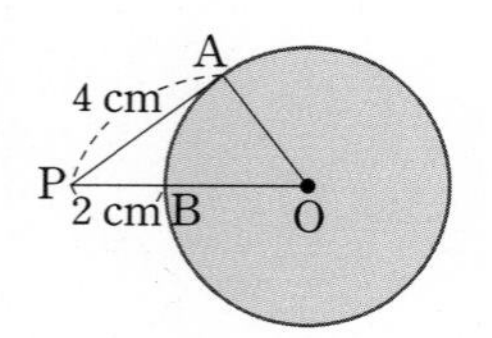

원의 접선의 성질

2 **오른쪽 그림에서 $\overrightarrow{PA}$, $\overrightarrow{PB}$는 원 O의 접선이고 두 점 A, B는 접점이다. $\angle APB=50°$일 때, $\angle OAB$의 크기를 구하시오.**

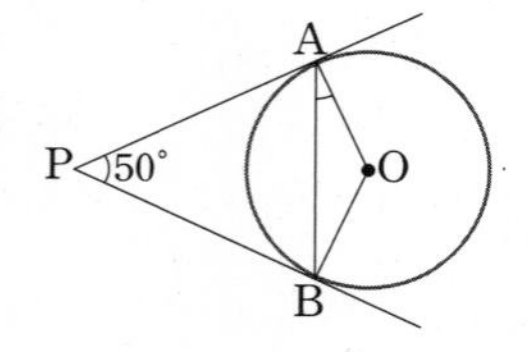

$\overline{PA}$, $\overline{PB}$가 원 O의 접선이고 점 A, B가 접점일 때

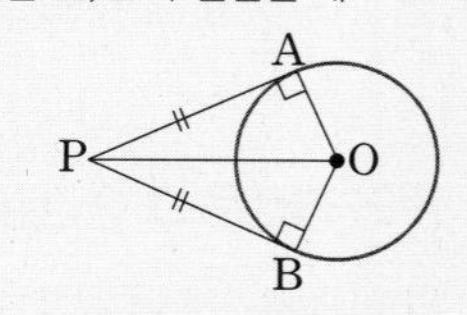

(1) $\angle APB+\angle AOB=180°$
(2) $\overline{PA}=\overline{PB}$
(3) $\triangle OAP\equiv\triangle OBP$ (RHS 합동)

2-1 오른쪽 그림에서 $\overline{PA}$, $\overline{PB}$는 원 O의 접선이고 두 점 A, B는 접점이다. $\overline{PC}=4$ cm, $\overline{OB}=3$ cm일 때, $\overline{PA}$의 길이를 구하시오.

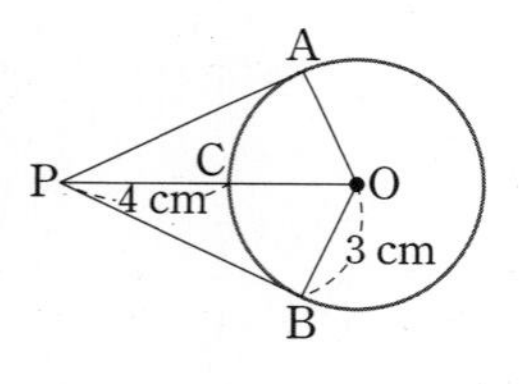

2-2 오른쪽 그림에서 $\overrightarrow{PA}$, $\overrightarrow{PB}$는 원 O의 접선이고 두 점 A, B는 접점이다. $\angle POB=60°$, $\overline{AP}=6\sqrt{3}$ cm일 때, □AOBP의 넓이를 구하시오.

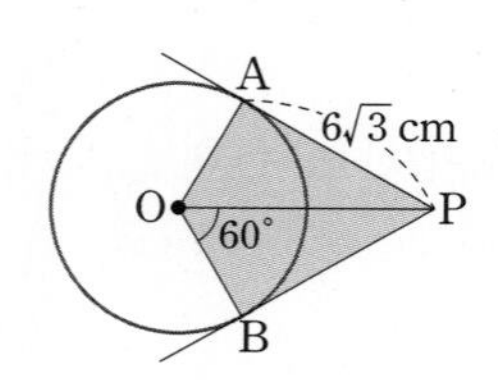

▶ 원의 접선의 성질과 특수한 각을 가진 직각삼각형의 삼각비를 이용하여 문제를 해결한다.

원의 접선의 길이의 응용

3 **오른쪽 그림에서 $\overrightarrow{AD}$, $\overrightarrow{AE}$, $\overline{BC}$는 원 O의 접선이고 세 점 D, E, F는 접점이다. $\overline{AB}=10$ cm, $\overline{AC}=8$ cm, $\overline{BC}=6$ cm일 때, $\overline{BD}$의 길이를 구하시오.**

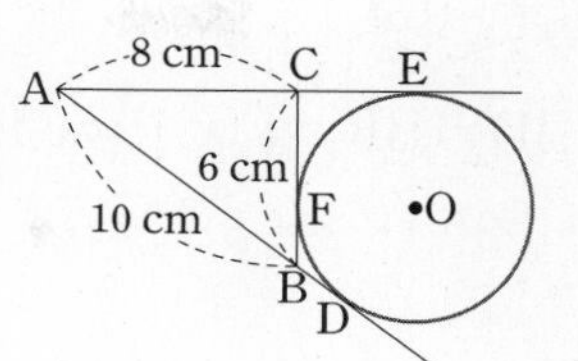

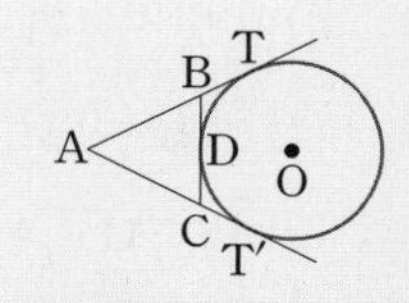

(1) $\overline{AT}=\overline{AT'}$, $\overline{BD}=\overline{BT}$, $\overline{CD}=\overline{CT'}$

(2) ($\triangle ABC$의 둘레의 길이)
$=\overline{AB}+\overline{BC}+\overline{CA}$
$=\overline{AB}+(\overline{BD}+\overline{CD})+\overline{CA}$
$=(\overline{AB}+\overline{BT})+(\overline{CT'}+\overline{CA})$
$=\overline{AT}+\overline{AT'}=2\overline{AT}=2\overline{AT'}$

3-1 오른쪽 그림에서 $\overline{BC}$, $\overrightarrow{AE}$, $\overrightarrow{AF}$는 원 O의 접선이고 세 점 D, E, F는 접점이다. $\overline{AF}=14$ cm일 때, $\triangle ABC$의 둘레의 길이를 구하시오.

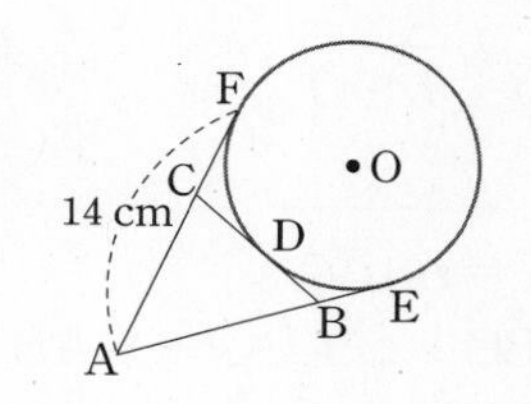

3-2 오른쪽 그림과 같이 $\overrightarrow{PA}$, $\overrightarrow{PB}$, $\overline{DE}$는 원 모양의 호수에 접하는 도로이고 세 지점 A, B, C는 호수의 접점이다. $\triangle PED$의 둘레의 길이가 4 km일 때, P지점에서 B지점까지의 거리를 구하시오.

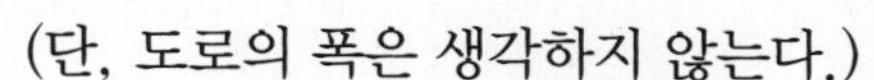
(단, 도로의 폭은 생각하지 않는다.)

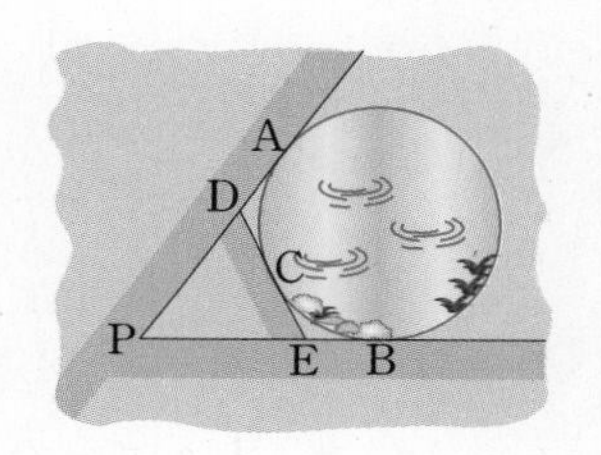

▶ ($\triangle PED$의 둘레의 길이) $=2\overline{PA}=2\overline{PB}$ 임을 이용한다.

반원에서의 접선의 길이

4 **오른쪽 그림에서 $\overline{CD}$는 반원 O의 지름이고 $\overline{AB}$, $\overline{AD}$, $\overline{BC}$는 세 점 P, D, C를 각각 접점으로 하는 접선이다. $\overline{AD}=5$ cm, $\overline{BC}=3$ cm일 때, $\overline{CD}$의 길이를 구하시오.**

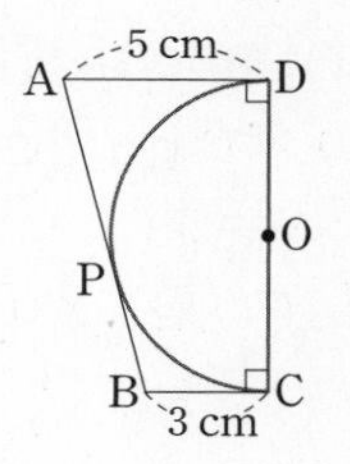

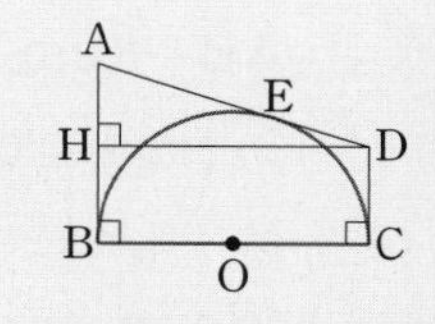

(1) $\overline{AB}=\overline{AE}$, $\overline{DC}=\overline{DE}$이므로 $\overline{AB}+\overline{DC}=\overline{AD}$

(2) 직각삼각형 AHD에서
$\overline{BC}=\overline{HD}$
$=\sqrt{\overline{AD}^2-\overline{AH}^2}$

4-1 오른쪽 그림과 같이 반원 O의 지름의 양 끝 점 A, B에서 그은 접선과 원 위의 점 P에서 그은 접선의 교점을 각각 C, D라 하자. $\overline{AO}=6$ cm, $\overline{BD}=9$ cm일 때, $\overline{AC}$의 길이를 구하시오.

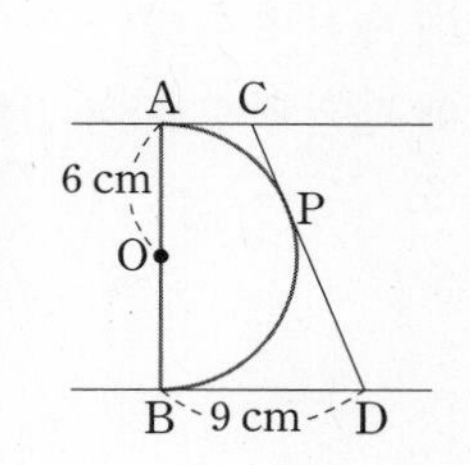

개념 이해

4 삼각형의 내접원

원 O가 $\triangle ABC$에 내접하고 세 점 D, E, F가 접점일 때, 내접원 O의 반지름의 길이를 r라 하면

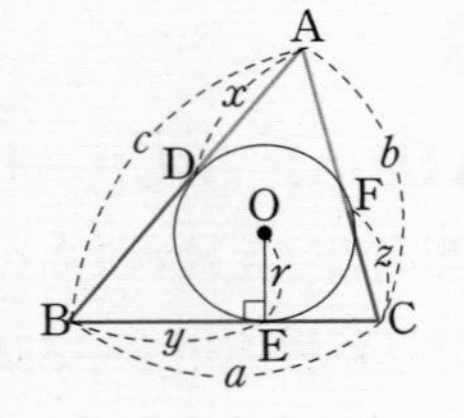

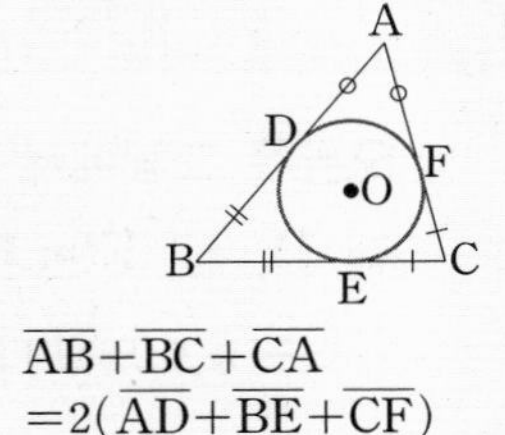

$\overline{AB}+\overline{BC}+\overline{CA}$
$=2(\overline{AD}+\overline{BE}+\overline{CF})$

(1) $\overline{AD}=\overline{AF}=x$, $\overline{BD}=\overline{BE}=y$, $\overline{CE}=\overline{CF}=z$

(2) ($\triangle ABC$의 둘레의 길이)$=a+b+c=2(x+y+z)$

$\overline{AD}=\overline{AF}=x$, $\overline{BD}=\overline{BE}=y$, $\overline{CE}=\overline{CF}=z$이므로

($\triangle ABC$의 둘레의 길이)$=a+b+c$

$=(y+z)+(x+z)+(x+y)$

$=2(x+y+z)$

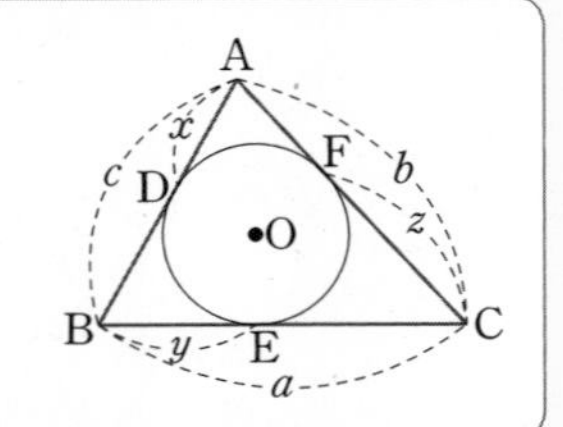

(3) $\triangle ABC=\frac{1}{2}r(a+b+c)$

$\overline{OD}=\overline{OE}=\overline{OF}=r$이므로

$\triangle ABC=\triangle OBC+\triangle OCA+\triangle OAB$

$=\frac{1}{2}ar+\frac{1}{2}br+\frac{1}{2}cr=\frac{1}{2}r(a+b+c)$

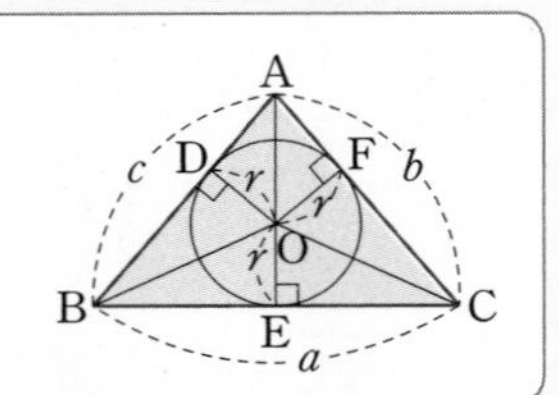

개념확인

1. 오른쪽 그림에서 원 O는 $\triangle ABC$의 내접원이고, 세 점 P, Q, R는 원 O의 접점이다. $\overline{AB}=8$ cm, $\overline{AP}=2$ cm, $\overline{AC}=5$ cm일 때, 다음을 구하시오.

(1) $\overline{BQ}$의 길이　　(2) $\overline{CQ}$의 길이　　(3) $\overline{BC}$의 길이

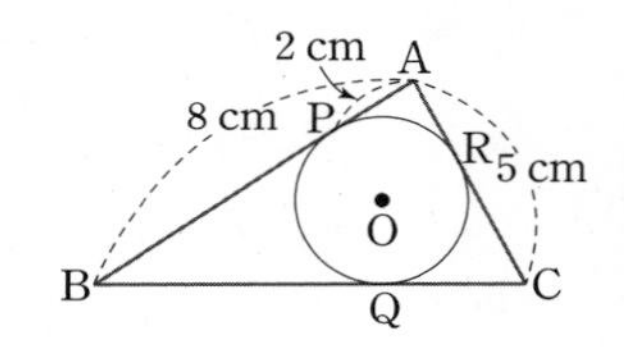

2. 오른쪽 그림에서 원 O는 $\triangle ABC$의 내접원이고, 세 점 P, Q, R는 원 O의 접점이다. $\overline{AB}=12$ cm, $\overline{BC}=13$ cm, $\overline{AC}=9$ cm이고, $\overline{AP}=x$ cm라 할 때, 다음 물음에 답하시오.

(1) $\overline{BQ}$의 길이를 x에 대한 식으로 나타내시오.

(2) $\overline{CQ}$의 길이를 x에 대한 식으로 나타내시오.

(3) x의 값을 구하시오.

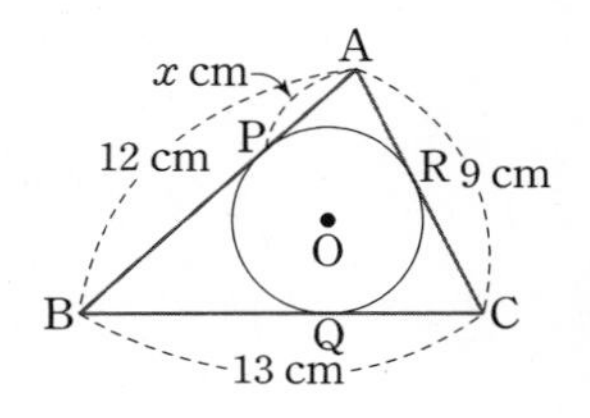

개념 적용

삼각형의 내접원

1 **오른쪽 그림에서 원 O는 △ABC의 내접원이고 세 점 P, Q, R는 접점이다. $\overline{AB}=14$ cm, $\overline{BC}=12$ cm, $\overline{CA}=10$ cm일 때, $\overline{BP}$의 길이를 구하시오.**

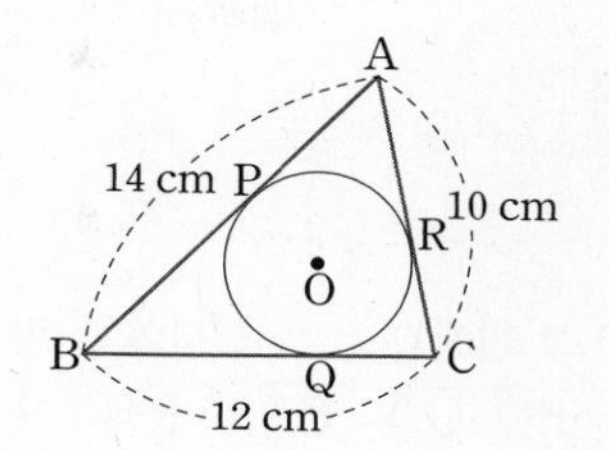

원 O가 △ABC의 내접원이고, 세 점 D, E, F가 접점일 때

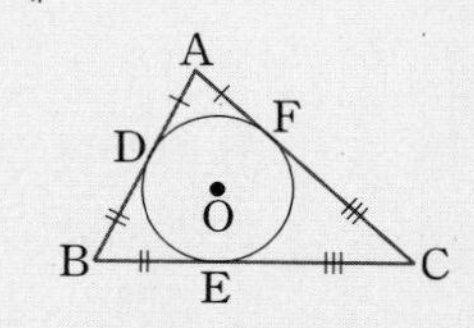

(1) $\overline{AD}=\overline{AF}$, $\overline{BD}=\overline{BE}$, $\overline{CE}=\overline{CF}$

(2) (△ABC의 둘레의 길이) $=2(\overline{AD}+\overline{BE}+\overline{CF})$

1-1 오른쪽 그림에서 원 O는 △ABC의 내접원이고 세 점 D, E, F는 접점이다. $\overline{BD}=8$ cm, $\overline{CF}=6$ cm이고 △ABC의 둘레의 길이가 38 cm일 때, $\overline{AD}$의 길이를 구하시오.

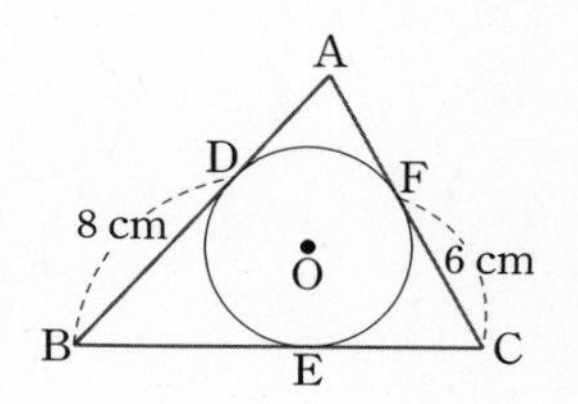

직각삼각형의 내접원

2 **오른쪽 그림에서 원 O는 ∠C=90°인 직각삼각형 ABC의 내접원이고, 세 점 D, E, F는 접점이다. $\overline{AC}=3$ cm, $\overline{BC}=4$ cm일 때, 원 O의 반지름의 길이를 구하시오.**

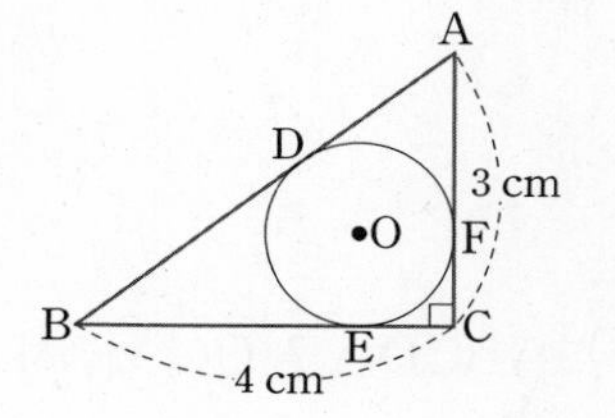

직각삼각형 ABC의 내접원 O의 반지름의 길이를 r라 하면

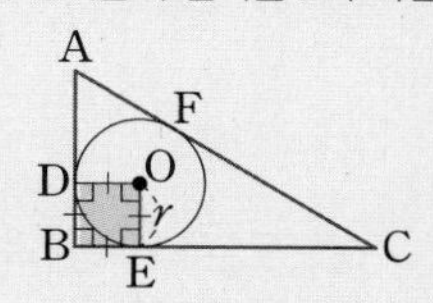

⇨ □DBEO는 한 변의 길이가 r인 정사각형이다.

2-1 오른쪽 그림에서 원 O는 ∠B=90°인 직각삼각형 ABC의 내접원이고, 세 점 D, E, F는 접점이다. $\overline{BE}=2$ cm, $\overline{CE}=10$ cm일 때, $\overline{AD}$의 길이를 구하시오.

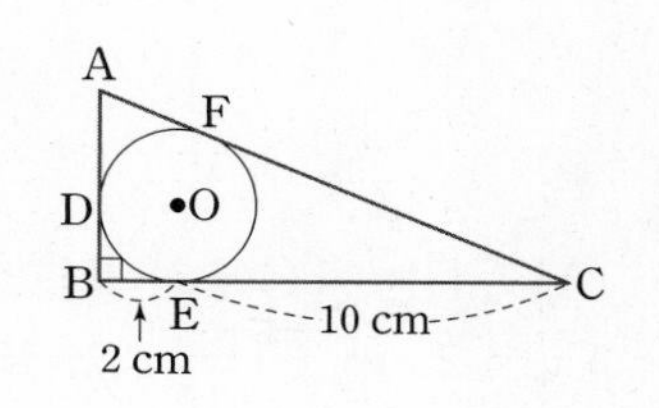

▶ 접선의 길이의 성질을 이용하여 직각삼각형의 변의 길이를 미지수로 나타낸 후, 피타고라스 정리를 이용한다.

개념 이해 5

외접사각형의 성질

(1) 원에 외접하는 사각형의 두 쌍의 대변의 길이의 합은 서로 같다.

➡ $\overline{AB}+\overline{CD}=\overline{AD}+\overline{BC}$

원 밖의 한 점에서 그 원에 그은 두 접선의 길이는 같으므로

$\overline{AP}=\overline{AS}$, $\overline{BP}=\overline{BQ}$, $\overline{CQ}=\overline{CR}$, $\overline{DR}=\overline{DS}$

$\therefore\ \overline{AB}+\overline{CD}=(\overline{AP}+\overline{BP})+(\overline{CR}+\overline{DR})$

$=(\overline{AS}+\overline{BQ})+(\overline{CQ}+\overline{DS})$

$=(\overline{AS}+\overline{DS})+(\overline{BQ}+\overline{CQ})=\overline{AD}+\overline{BC}$

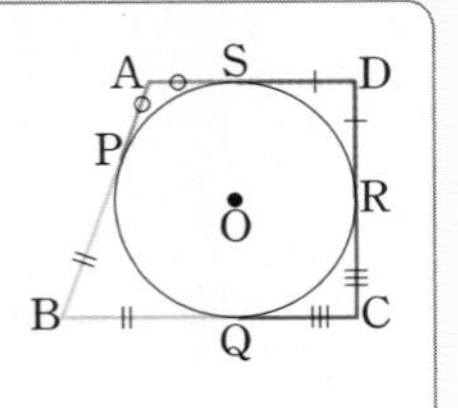

주의

외접사각형의 성질에서 '대변의 길이의 합'을 '이웃하는 변의 길이의 합'으로 혼동하지 않도록 주의한다.

⇨ $\overline{AB}+\overline{BC}\neq\overline{AD}+\overline{CD}$

$\overline{AB}+\overline{AD}\neq\overline{BC}+\overline{CD}$

(2) 두 쌍의 대변의 길이의 합이 서로 같은 사각형은 원에 외접한다.

개념확인

1. 다음 그림에서 □ABCD가 원 O에 외접할 때, x의 값을 구하시오.

(1)

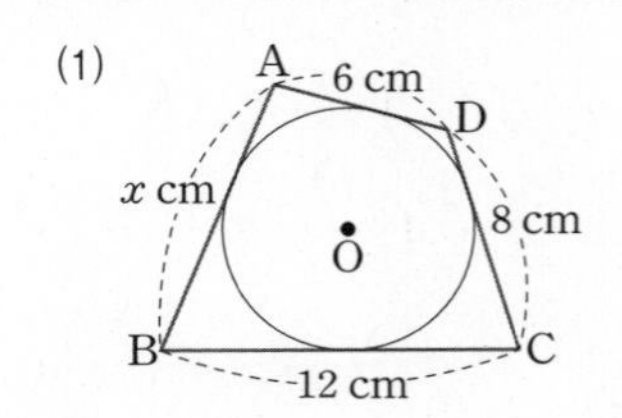

(2) A x cm D, 7 cm, 5 cm, O, B, 9 cm, C

2. 오른쪽 그림과 같이 □ABCD는 원 O에 외접하고 $\overline{AB}=8$ cm, $\overline{CD}=6$ cm일 때, $\overline{AD}+\overline{BC}$의 길이를 구하시오.

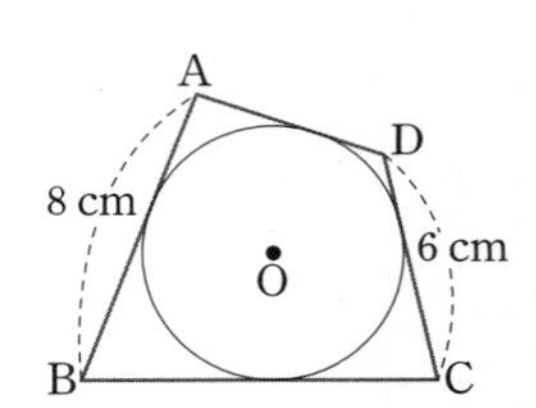

3. 오른쪽 그림과 같이 □ABCD는 원 O에 외접하고 네 점 P, Q, R, S는 접점이다. $\overline{AB}=6$ cm, $\overline{AD}=\overline{CQ}=3$ cm, $\overline{CD}=4$ cm일 때, $\overline{BQ}$의 길이를 구하시오.

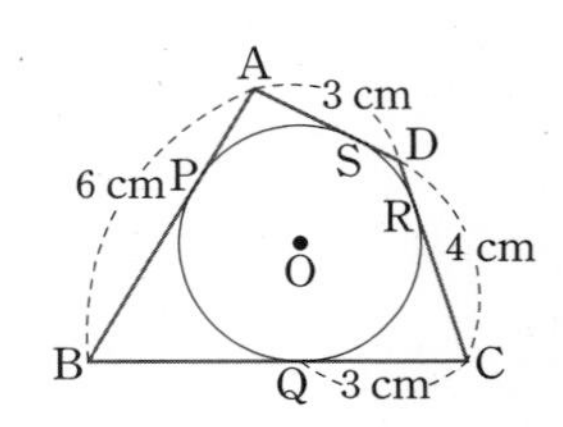

개념 적용

외접사각형의 성질

1 **오른쪽 그림과 같이 □ABCD는 원 O에 외접하고 네 점 E, F, G, H는 접점이다. $\overline{AB}=11$ cm, $\overline{CG}=6$ cm, $\overline{DH}=4$ cm일 때, □ABCD의 둘레의 길이를 구하시오.**

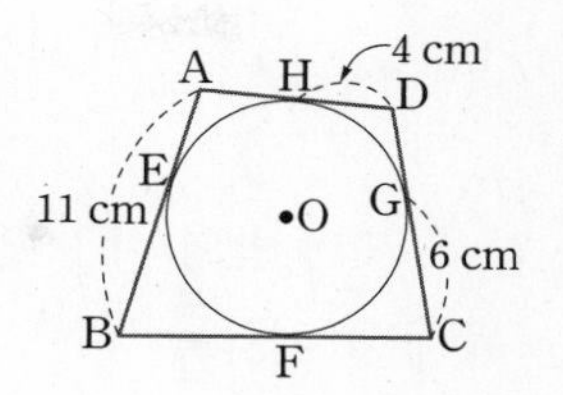

원 O에 외접하는 □ABCD에서

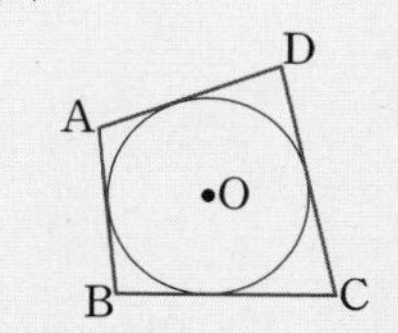

(1) $\overline{AB}+\overline{CD}=\overline{AD}+\overline{BC}$

(2) (□ABCD의 둘레의 길이)
$=2(\overline{AB}+\overline{CD})$
$=2(\overline{AD}+\overline{BC})$

1-1 오른쪽 그림과 같이 □ABCD는 원 O에 외접한다. $\overline{AB}=7$ cm, $\overline{CD}=8$ cm, $\overline{AD}:\overline{BC}=2:3$일 때, $\overline{BC}$의 길이를 구하시오.

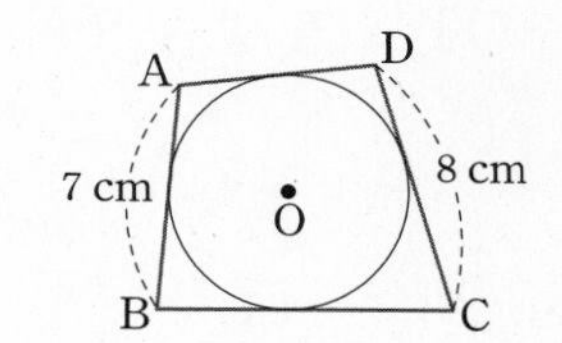

1-2 오른쪽 그림과 같이 원 O에 외접하는 등변사다리꼴 ABCD에서 $\overline{AD}=8$ cm, $\overline{BC}=18$ cm일 때, $\overline{AB}$의 길이를 구하시오.

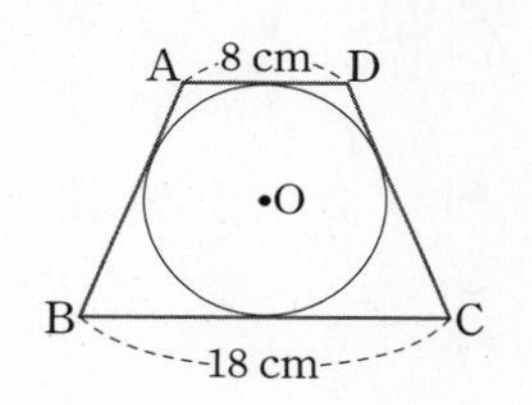

1-3 오른쪽 그림과 같이 $\angle A=\angle B=90°$인 사다리꼴 ABCD가 반지름의 길이가 3 cm인 원 O에 외접한다. $\overline{CD}=9$ cm일 때, □ABCD의 넓이를 구하시오.

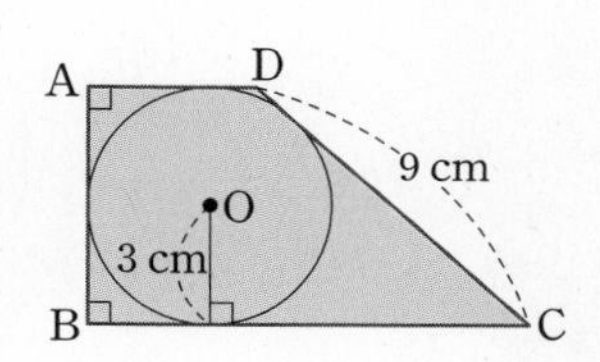

▶ (사다리꼴의 넓이)
$=\frac{1}{2}\times(\overline{AD}+\overline{BC})\times$(높이)

1-4 동현이는 오른쪽 그림과 같이 원 모양의 호수에 접하는 산책로를 따라 분속 60 m의 일정한 속력으로 걸었다. A지점에서 B지점, C지점을 지나 D지점까지 오는 데 50분이 걸리고, B지점에서 C지점까지는 15분이 걸렸다고 할 때, D지점에서 A지점까지의 거리를 구하시오.
(단, 원 모양의 호수에 접하도록 직선으로 걸었다.)

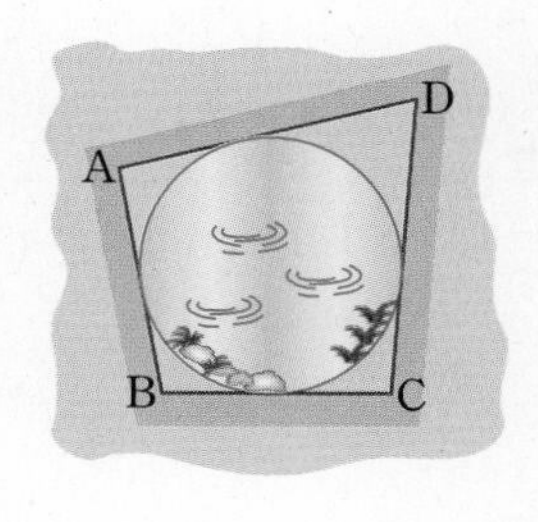

▶ (거리)=(속력)×(시간)임을 이용하여 각 지점 사이의 거리를 구하고, 외접사각형의 성질을 이용한다.

개념 특강

두 원의 공통접선의 길이 구하기

공통접선 : 두 원에 동시에 접하는 직선

기본개념

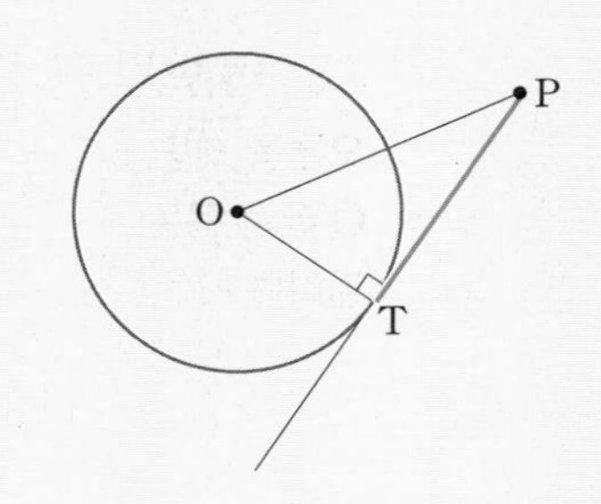

오른쪽 그림과 같이 원 O 밖의 점 P에서 원에 그은 접선이 원과 만나는 점을 T라 할 때, $\overline{PT}$의 길이를 [ ]라 한다.

원의 접선은 원의 중심과 접점을 지나는 직선에 수직이다.

즉, $\overline{OT} \perp \overline{PT}$이므로 $\triangle OTP$는 $\angle OTP = 90°$인 [ ]이다.

따라서 피타고라스 정리에 의하여 $[\ ] = \overline{OT}^2 + \overline{PT}^2$

즉, $\overline{PT}^2 = [\ ] - \overline{OT}^2$이므로 접선의 길이는

$\overline{PT} = \sqrt{[\ ] - \overline{OT}^2}$임을 알 수 있다.

답 접선의 길이, 직각삼각형, $\overline{OP}^2$, $\overline{OP}^2$, $\overline{OP}^2$

개념적용 1. 두 원이 한 점에서 만날 때

오른쪽 그림의 두 원 O, O′에서 공통접선 AB의 길이를 구하시오.

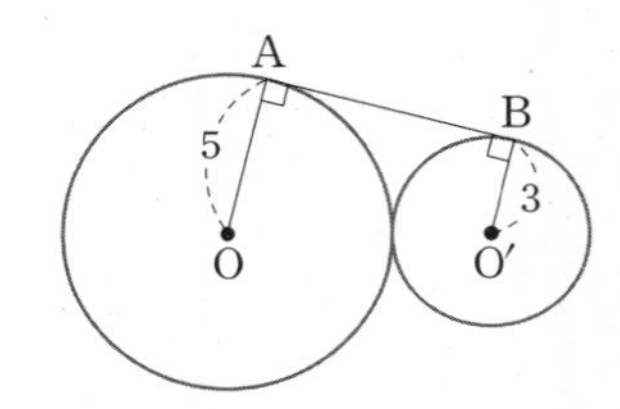

1 직각삼각형 만들기

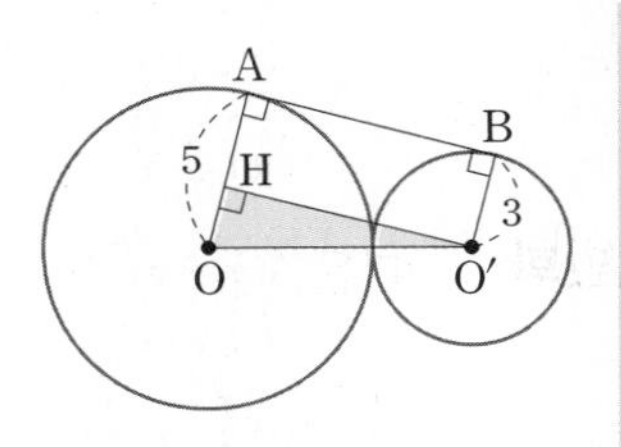

오른쪽 그림과 같이 $\overline{OO'}$을 긋고 점 O′에서 $\overline{OA}$에 내린 수선의 발을 H라 하면

2 세 변을 식으로 나타내기

직각삼각형 OO′H에서 $\overline{HO'} = \overline{AB}$이고,

$\overline{OO'}$=(원 O의 반지름의 길이)+(원 O′의 반지름의 길이)=[ ]+[ ]=[ ],

$\overline{OH}$=(원 O의 반지름의 길이)−(원 O′의 반지름의 길이)=[ ]−[ ]=[ ]

3 피타고라스 정리 적용하기

$\therefore \overline{AB} = \overline{HO'} = \sqrt{\overline{OO'}^2 - \overline{HO}^2} = \sqrt{[\ ]^2 - [\ ]^2}$

$= \sqrt{[\ ]} = [\ ]$

답 5, 3, 8, 5, 3, 2, 8, 2, 60, $2\sqrt{15}$

개념적용 2. 두 원이 만나지 않을 때

Case 1

오른쪽 그림의 두 원 O, O′에서 공통접선 AB의 길이를 구하시오.

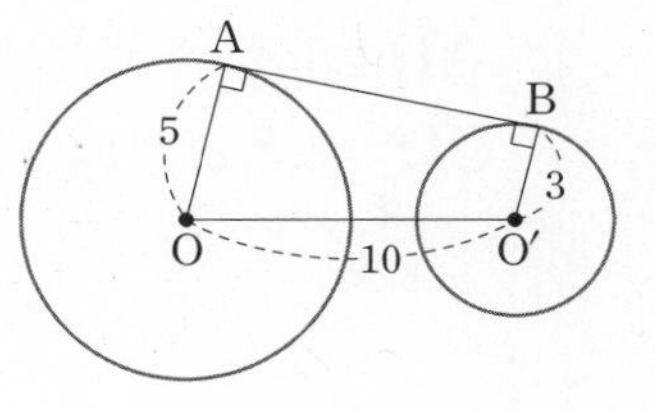

Case 2

오른쪽 그림의 두 원 O, O′에서 공통접선 AB의 길이를 구하시오.

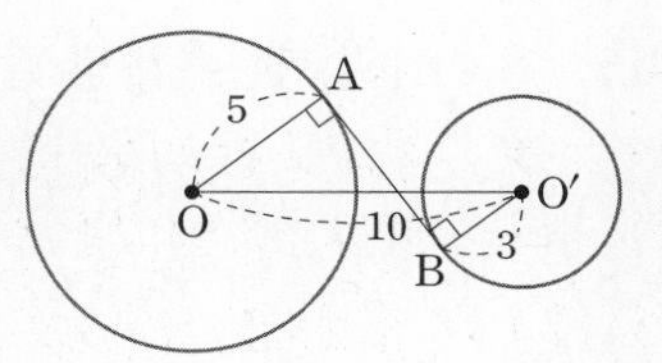

1 직각삼각형 만들기

(Case 1) 위의 그림과 같이 점 O′에서 $\overline{OA}$에 내린 수선의 발을 H라 하면

(Case 2)

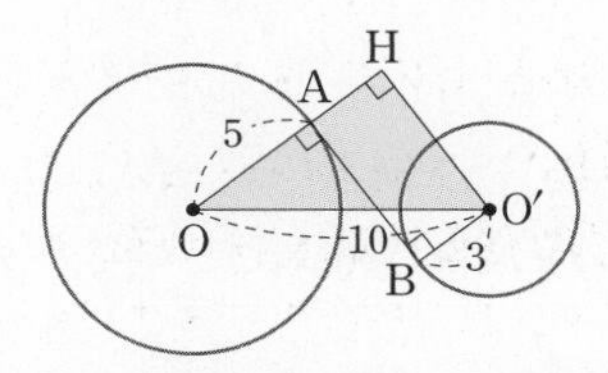

위의 그림과 같이 점 O′에서 $\overline{OA}$의 연장선에 내린 수선의 발을 H라 하면

2 세 변을 식으로 나타내기

(Case 1) 직각삼각형 OO′H에서
$\overline{OO'}=10$, $\overline{HO'}=\overline{AB}$이고,
$\overline{OH}=\square-\square=\square$

(Case 2) 직각삼각형 OO′H에서
$\overline{OO'}=10$이고, $\overline{HO'}=\overline{AB}$이고,
$\overline{OH}=\square+\square=\square$

3 피타고라스 정리 적용하기

(Case 1)
$\therefore\ \overline{AB}=\overline{HO'}=\sqrt{10^2-\square^2}$
$=\sqrt{\square}=\square$

(Case 2)
$\therefore\ \overline{AB}=\overline{HO'}=\sqrt{10^2-\square^2}$
$=\sqrt{\square}=\square$

답 5, 3, 2, 2, 96, $4\sqrt{6}$

답 5, 3, 8, 8, 36, 6

일반화

다음 그림과 같이 원의 중심 O′에서 $\overline{OT}$에 내린 수선의 발을 H라 하면

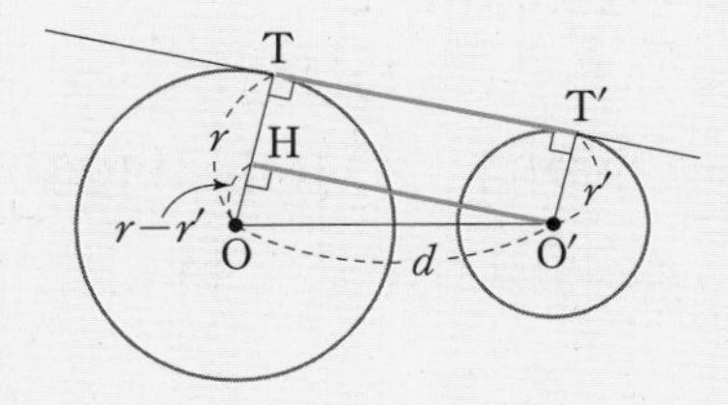

공통접선 TT′의 길이는

$$\overline{TT'}=\overline{HO'}=\sqrt{\overline{OO'}^2-\overline{HO}^2}$$
$$=\sqrt{d^2-(r-r')^2}$$

다음 그림과 같이 원의 중심 O′에서 $\overline{OT}$의 연장선에 내린 수선의 발을 H라 하면

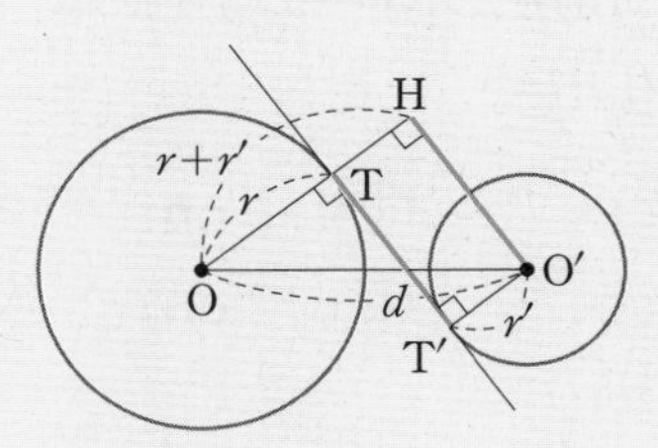

공통접선 TT′의 길이는

$$\overline{TT'}=\overline{HO'}=\sqrt{\overline{OO'}^2-\overline{HO}^2}$$
$$=\sqrt{d^2-(r+r')^2}$$

개념 완성 기본 문제

1 현의 수직이등분선의 이용 (1)

오른쪽 그림과 같이 반지름의 길이가 12 cm인 원 O에서 $\overline{AB}\perp\overline{OH}$이고 $\overline{OH}=8$ cm일 때, $\overline{AB}$의 길이는?

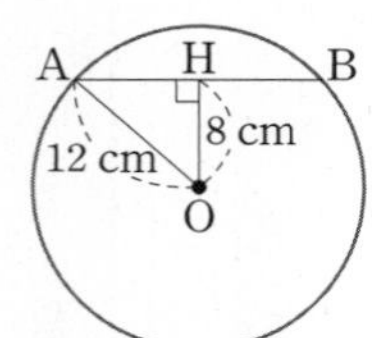

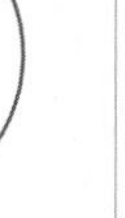

① $4\sqrt{3}$ cm ② $4\sqrt{5}$ cm
③ $8\sqrt{2}$ cm ④ $8\sqrt{3}$ cm
⑤ $8\sqrt{5}$ cm

2 현의 수직이등분선의 이용 (1)

반지름의 길이가 10 cm인 원의 중심에서 길이가 16 cm인 현까지의 거리는?

① 5 cm ② 6 cm ③ 7 cm
④ 8 cm ⑤ 9 cm

3 현의 수직이등분선의 이용 (2)

오른쪽 그림에서 $\overline{CD}$는 원 O의 지름이고 $\overline{AB}\perp\overline{CD}$이다.
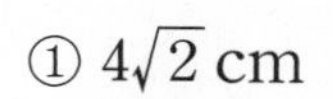
$\overline{CM}=3$ cm, $\overline{DM}=9$ cm일 때, $\overline{AB}$의 길이는?

① $4\sqrt{2}$ cm ② $4\sqrt{3}$ cm
③ $5\sqrt{2}$ cm ④ $6\sqrt{2}$ cm
⑤ $6\sqrt{3}$ cm

4 원의 일부분이 주어진 경우

오른쪽 그림에서 $\widehat{AB}$는 원의 일부분이다. $\overline{AB}\perp\overline{CD}$이고 $\overline{AD}=\overline{BD}=12$ cm, $\overline{CD}=6$ cm일 때, 이 원의 반지름의 길이를 구하시오.

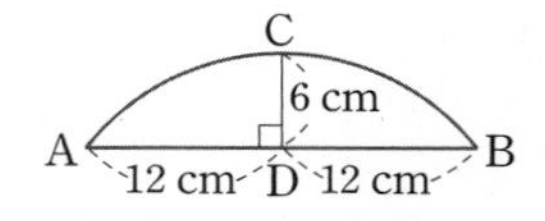

5 현의 길이의 성질

오른쪽 그림과 같은 원 O에서 $\overline{OM}=\overline{ON}=9$ cm이고 $\overline{OA}=15$ cm일 때, $\overline{CD}$의 길이는?

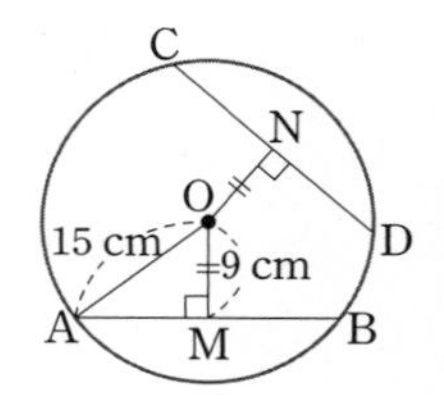

① 18 cm ② 20 cm
③ 22 cm ④ 24 cm
⑤ 26 cm

6 길이가 같은 두 현이 만드는 삼각형

오른쪽 그림의 원 O에서 $\overline{AB}\perp\overline{OM}$, $\overline{AC}\perp\overline{ON}$이고 $\overline{OM}=\overline{ON}$이다. $\angle MON=126°$일 때, $\angle x$의 크기를 구하시오.

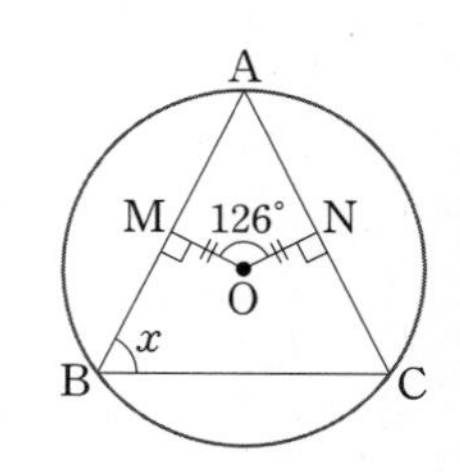

7 원의 접선의 성질

오른쪽 그림에서 $\overrightarrow{PA}$, $\overrightarrow{PB}$는 원 O의 접선이고 두 점 A, B는 접점이다. $\overline{PA}=9$ cm, $\angle AOB=90°$일 때, $\overline{AB}$의 길이를 구하시오.

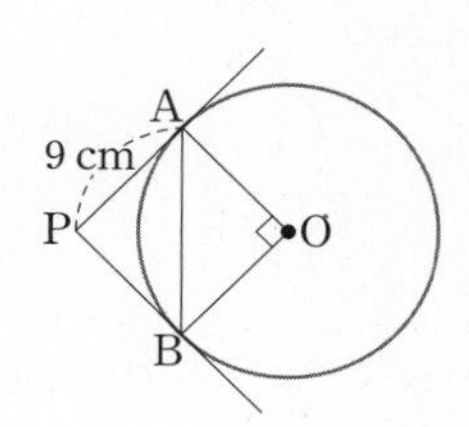

8 원의 접선의 길이의 응용

오른쪽 그림에서 $\overrightarrow{PA}$, $\overrightarrow{PB}$는 원 O의 접선이고 두 점 A, B는 접점이다. $\overline{PA}=6$ cm, $\angle APB=60°$일 때, $\triangle PBA$의 넓이는?

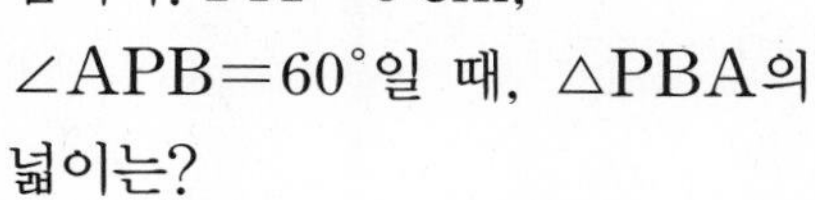

① $4\sqrt{3}$ cm^2 ② 8 cm^2 ③ $6\sqrt{3}$ cm^2
④ 12 cm^2 ⑤ $9\sqrt{3}$ cm^2

9 원의 접선의 길이의 응용

오른쪽 그림에서 $\overrightarrow{AT}$, $\overrightarrow{AT'}$, $\overline{BC}$는 원 O의 접선이고 세 점 T, T′, D는 접점이다. $\overline{AO}=13$ cm, $\overline{OT}=5$ cm일 때, $\triangle ABC$의 둘레의 길이는?

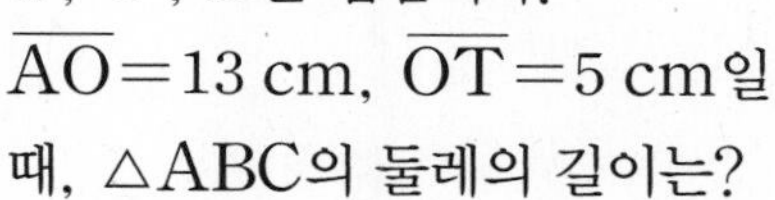

① 18 cm ② 20 cm ③ 22 cm
④ 24 cm ⑤ 26 cm

10 삼각형의 내접원

오른쪽 그림에서 원 O는 $\triangle ABC$의 내접원이고 세 점 D, E, F는 접점이다. $\overline{AC}=9$ cm, $\overline{BC}=7$ cm, $\overline{BD}=3$ cm일 때, $\overline{AD}$의 길이를 구하시오.

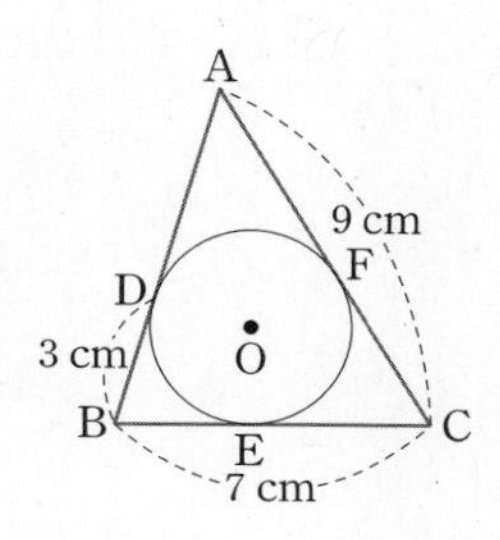

11 외접사각형의 성질

오른쪽 그림과 같이 □ABCD는 원 O에 외접한다. $\overline{AB}=9$ cm, $\overline{AD}=7$ cm일 때, $y-x$의 값은?

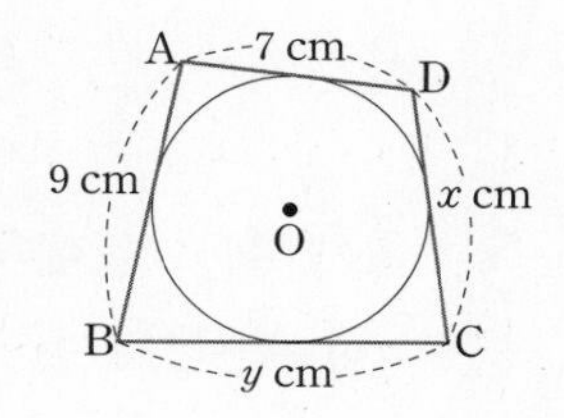

① $\frac{1}{2}$ ② 1
③ $\frac{3}{2}$ ④ 2
⑤ $\frac{5}{2}$

12 외접사각형의 성질

오른쪽 그림과 같이 $\angle A=\angle B=90°$인 사다리꼴 ABCD가 반지름의 길이가 6 cm인 원 O에 외접한다. 네 점 E, F, G, H는 접점이고 $\overline{BC}=15$ cm, $\overline{CD}=13$ cm일 때, $\overline{DH}$의 길이를 구하시오.

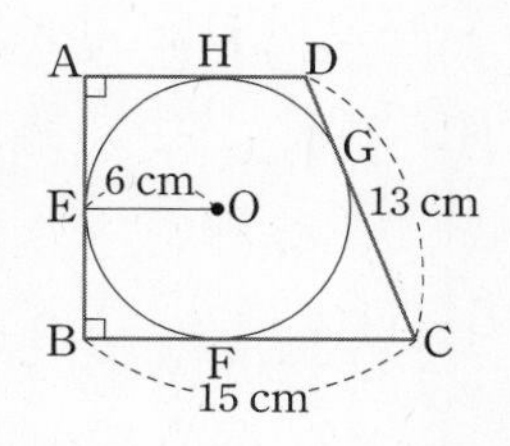

발전 문제

1 오른쪽 그림과 같이 중심이 같은 두 원으로 이루어진 접시에서 $\overline{AB}=20$ cm, $\overline{CD}=14$ cm일 때, $\overline{AC}$의 길이를 구하시오.

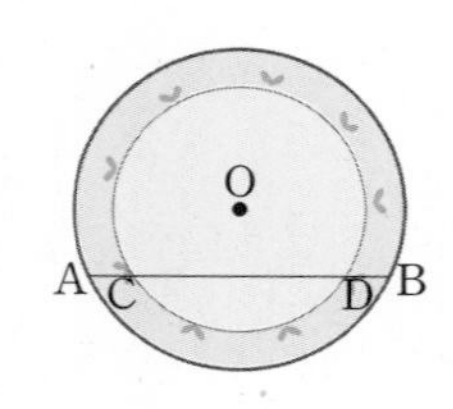

2 오른쪽 그림과 같이 $\triangle ABC$가 원 O에 내접하고 있다. $\overline{OM}\perp\overline{BC}$, $\overline{ON}\perp\overline{AC}$이고 $\overline{OM}=\overline{ON}=3$ cm, $\angle A=60°$일 때, $\overline{AB}$의 길이를 구하시오.

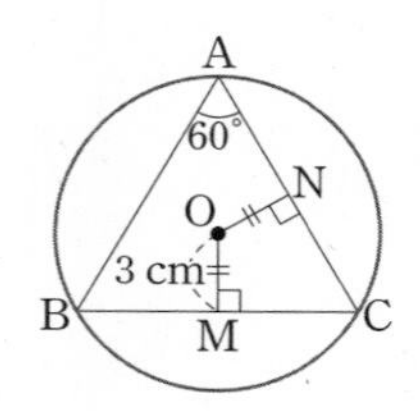

길이가 같은 두 현은 원의 중심으로부터 같은 거리에 있다.

3 오른쪽 그림에서 $\overline{AB}$는 반원 O의 지름이고 $\overline{AD}$, $\overline{BC}$, $\overline{CD}$는 세 점 A, B, P를 각각 접점으로 하는 접선이다. $\overline{AD}=2$ cm, $\overline{BC}=3$ cm일 때, □ABCD의 넓이를 구하시오.

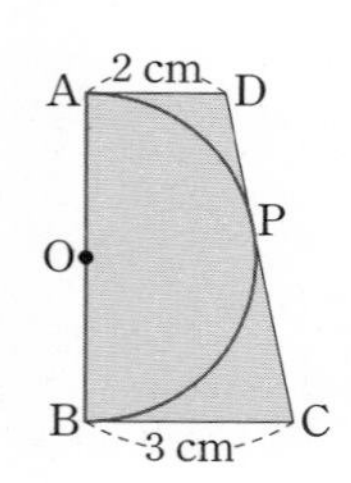

4 오른쪽 그림에서 원 O는 $\angle C=90°$인 직각삼각형 ABC의 내접원이고, 세 점 D, E, F는 접점이다. $\overline{AD}=6$ cm, $\overline{BD}=4$ cm일 때, 원 O의 둘레의 길이를 구하시오.

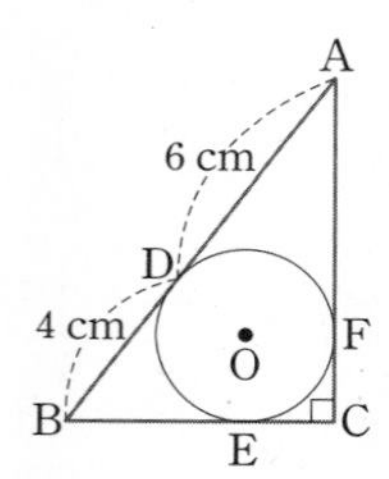

원 밖의 한 점에서 그 원에 그은 두 접선의 길이는 같다.

5 오른쪽 그림과 같이 원 O가 직사각형 ABCD의 세 변과 접하고, $\overline{DE}$가 원 O의 접선이다. $\overline{AB}=8$ cm, $\overline{AD}=12$ cm일 때, $\overline{BE}$의 길이를 구하시오.

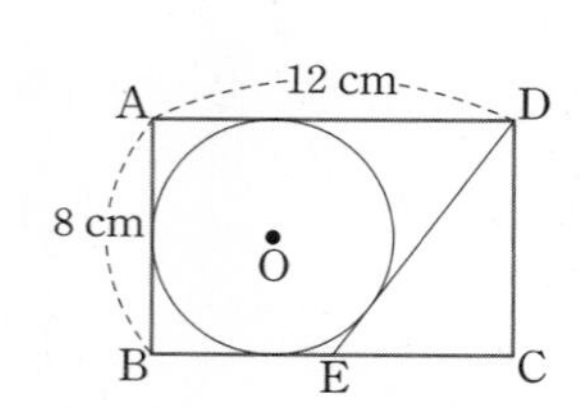

6 서술형

오른쪽 그림에서 원 O는 $\triangle ABC$의 내접원이고 세 점 D, E, F는 접점이다. $\overline{HI}$는 점 G를 접점으로 하는 원 O의 접선이고 $\overline{AB}=8$ cm, $\overline{BC}=9$ cm, $\overline{CA}=5$ cm일 때, $\triangle HBI$의 둘레의 길이를 구하기 위한 풀이 과정을 쓰고 답을 구하시오.

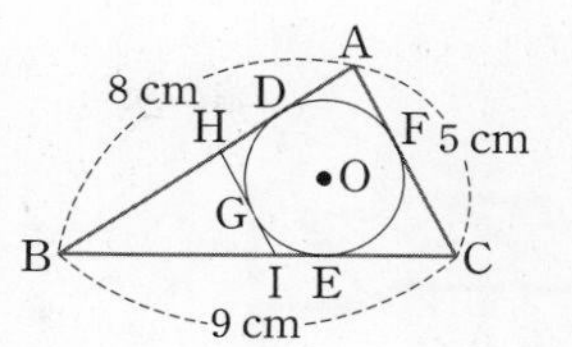

① 단계: $\overline{BD}=x$ cm로 놓고 $\overline{AF}$, $\overline{CF}$의 길이를 x에 대한 식으로 나타내기

$\overline{BE}=\overline{BD}=x$ cm이므로

$\overline{AF}=\overline{AD}=$ ______, $\overline{CF}=\overline{CE}=$ ______

② 단계: x의 값 구하기

$\overline{AC}=\overline{AF}+\overline{CF}$이므로 $5=$ ______ $+$ ______

$5=$ ______ $\therefore x=$ ______

③ 단계: $\triangle HBI$의 둘레의 길이 구하기

($\triangle HBI$의 둘레의 길이)

$=\overline{BH}+\overline{HI}+\overline{BI}=\overline{BH}+(\overline{HG}+\overline{IG})+\overline{BI}$

$=(\overline{BH}+\overline{HD})+($ ______ $+\overline{BI})=\overline{BD}+$ ______

$=$ ______ $\overline{BD}=$ ______

Check List
- $\overline{AF}$, $\overline{CF}$의 길이를 x에 대한 식으로 바르게 나타내었는가?
- $\overline{AC}$의 길이를 이용하여 x의 값을 바르게 구하였는가?
- $\triangle HBI$의 둘레의 길이를 바르게 구하였는가?

7 서술형

오른쪽 그림과 같이 원 O에 외접하는 등변사다리꼴 ABCD에서 $\overline{AD}=5$ cm, $\overline{BC}=9$ cm일 때, 원 O의 반지름의 길이를 구하기 위한 풀이 과정을 쓰고 답을 구하시오.

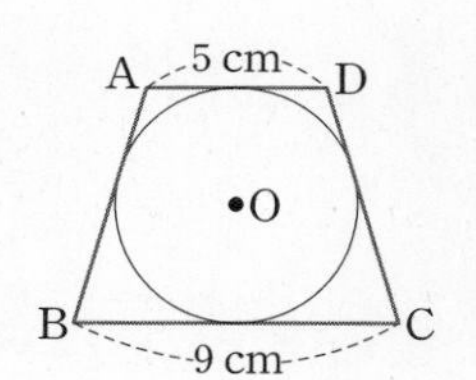

① 단계: $\overline{AB}$의 길이 구하기

______

______

② 단계: 원 O의 반지름의 길이 구하기

______

______

______

______

Check List
- $\overline{AB}$의 길이를 바르게 구하였는가?
- 원 O의 반지름의 길이를 바르게 구하였는가?

2 원주각

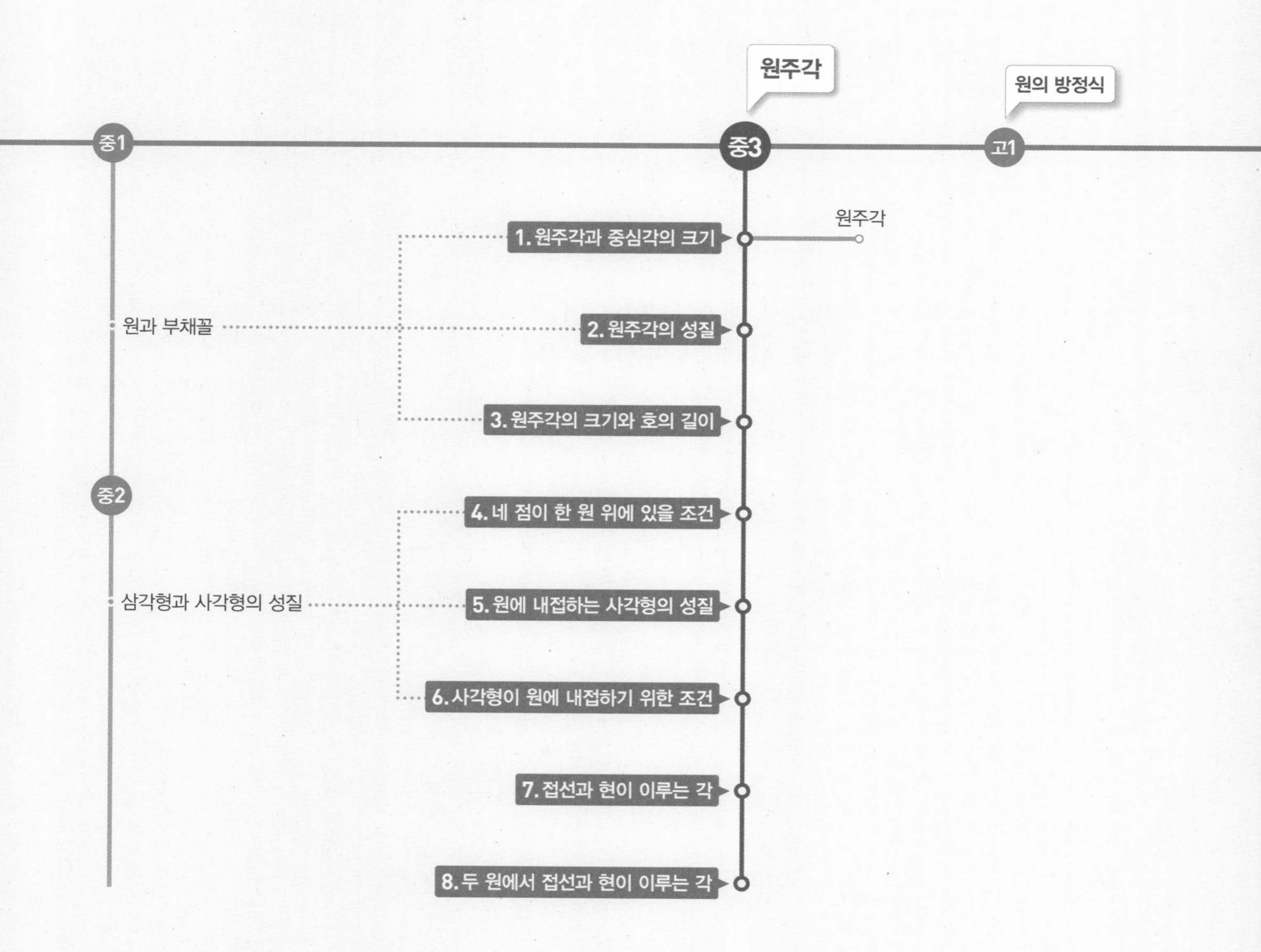

원주각
원의 방정식
중1
중3
고1
원주각
1. 원주각과 중심각의 크기
원과 부채꼴
2. 원주각의 성질
3. 원주각의 크기와 호의 길이
중2
4. 네 점이 한 원 위에 있을 조건
삼각형과 사각형의 성질
5. 원에 내접하는 사각형의 성질
6. 사각형이 원에 내접하기 위한 조건
7. 접선과 현이 이루는 각
8. 두 원에서 접선과 현이 이루는 각

한 호가 만드는 의미있는 각의 관계

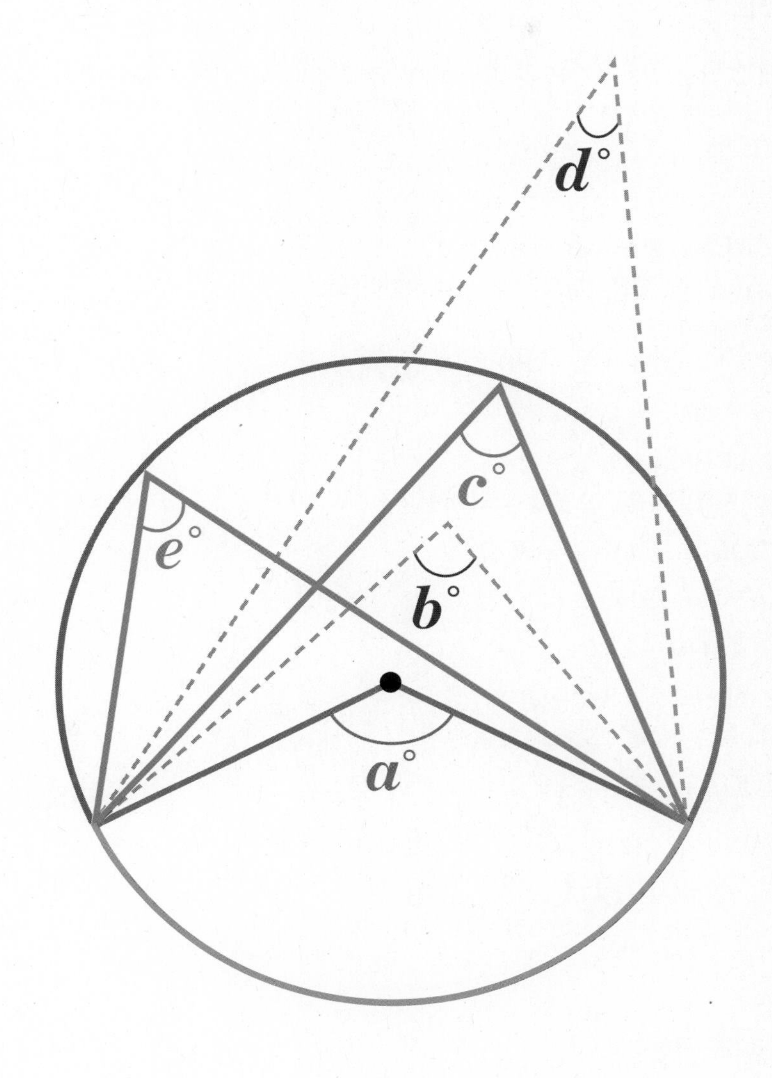

$$a^\circ > b^\circ > c^\circ = e^\circ > d^\circ$$

$$= a^\circ \times \frac{1}{2}$$

개념 이해

1 원주각과 중심각의 크기

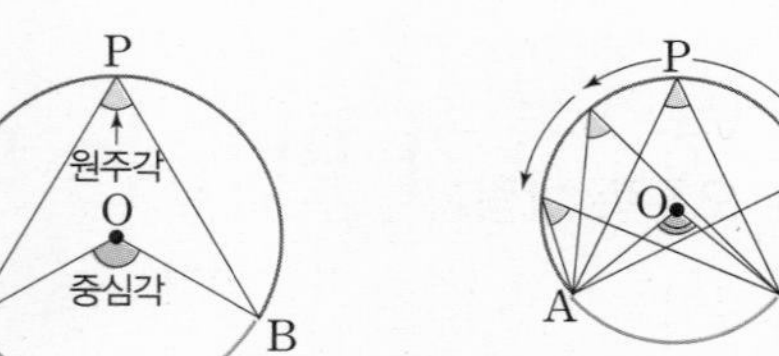

(1) **원주각:** 원 O에서 호 AB 위에 있지 않은 원 위의 한 점 P에 대하여 $\angle APB$를 호 AB에 대한 원주각이라 한다.

참고 호 AB를 원주각 $\angle APB$에 대한 호라고 한다.

⇨ 호 AB에 대한 중심각 $\angle AOB$는 하나이지만 원주각 $\angle APB$는 점 P의 위치에 따라 무수히 많다.

(2) **원주각과 중심각 사이의 관계**

한 원에서 한 호에 대한 원주각의 크기는 그 호에 대한 중심각의 크기의 $\frac{1}{2}$이다.

➡ $\angle APB=\frac{1}{2}\angle AOB$

① **원의 중심 O가 $\angle APB$의 한 변 위에 있는 경우**

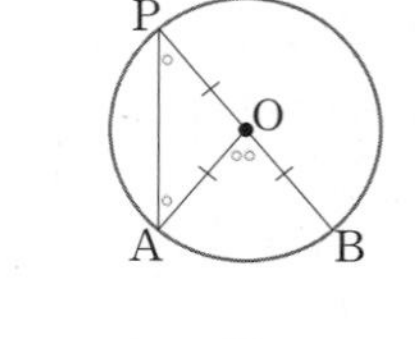

오른쪽 그림에서 $\triangle OPA$는 $\overline{OP}=\overline{OA}$인 이등변삼각형이므로

$\angle OPA=\angle OAP$

$\angle AOB=\angle OPA+\angle OAP=2\angle APB$

$\therefore\ \angle APB=\frac{1}{2}\angle AOB$

② **원의 중심 O가 $\angle APB$의 내부에 있는 경우**

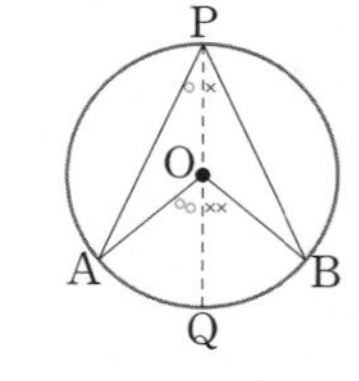

오른쪽 그림과 같이 지름 PQ를 그으면 ①에 의하여

$\angle APQ=\frac{1}{2}\angle AOQ,\ \angle BPQ=\frac{1}{2}\angle BOQ$

$\therefore\ \angle APB=\angle APQ+\angle BPQ$

$=\frac{1}{2}(\angle AOQ+\angle BOQ)=\frac{1}{2}\angle AOB$

③ **원의 중심 O가 $\angle APB$의 외부에 있는 경우**

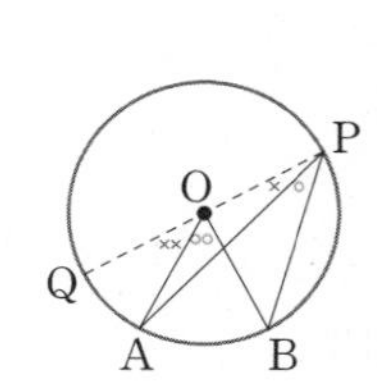

오른쪽 그림과 같이 지름 PQ를 그으면 ①에 의하여

$\angle QPA=\frac{1}{2}\angle QOA,\ \angle QPB=\frac{1}{2}\angle QOB$

$\therefore\ \angle APB=\angle QPB-\angle QPA$

$=\frac{1}{2}(\angle QOB-\angle QOA)=\frac{1}{2}\angle AOB$

개념확인

1. 다음 그림에서 $\angle x$의 크기를 구하시오.

(1)

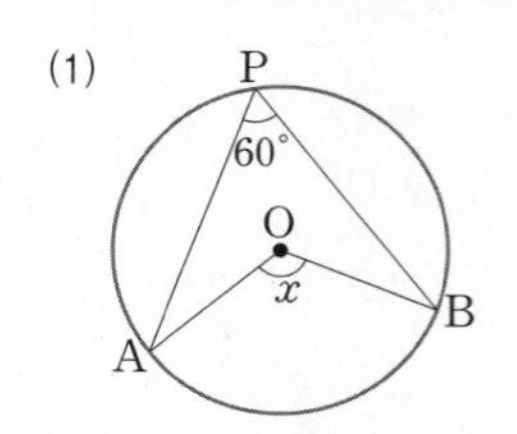

(2)

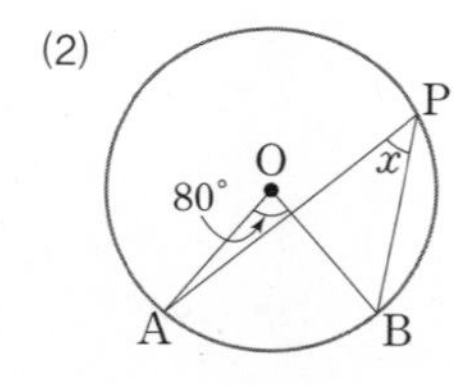

(3)

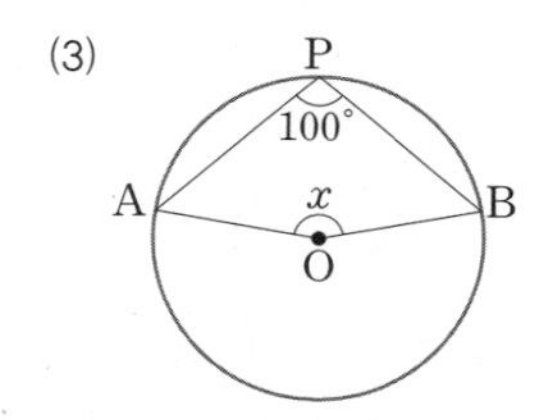

❗ (중심각의 크기)$=2\times$(원주각의 크기), (원주각의 크기)$=\frac{1}{2}\times$(중심각의 크기)

2. 오른쪽 그림에서 $\angle x$, $\angle y$의 크기를 각각 구하시오.

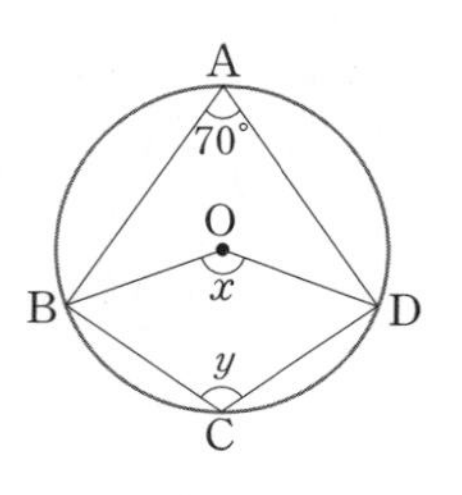

개념 적용

원주각과 중심각의 크기

1 **오른쪽 그림과 같은 원 O에서 $\angle APB=35°$, $\angle BQC=20°$일 때, $\angle x$의 크기를 구하시오.**

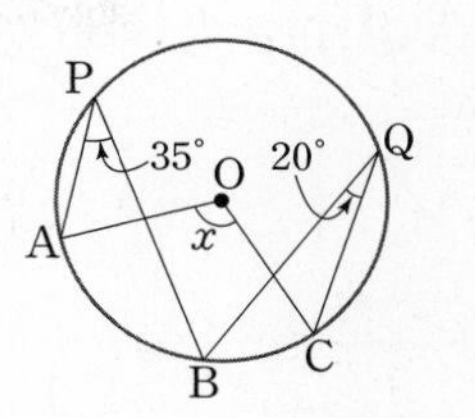

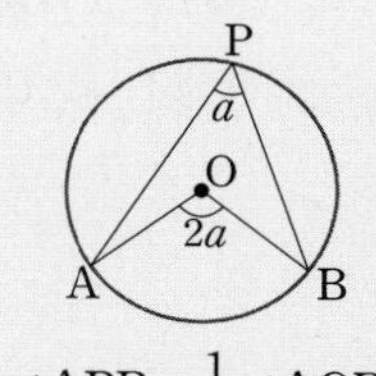

⇨ $\angle APB=\frac{1}{2}\angle AOB$

1-1 무대의 길이가 10 m인 원 모양의 공연장이 있다. 오른쪽 그림과 같이 공연장의 둘레에 있는 P지점에서 무대의 양 끝을 바라본 각의 크기가 30°일 때, 이 공연장의 지름의 길이를 구하시오.

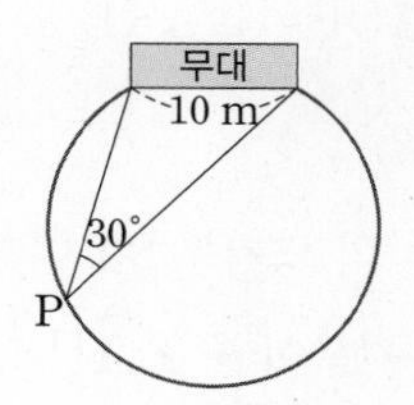

▸ 원의 중심과 무대의 양 끝 점을 선분으로 연결한 후 중심각의 크기를 이용한다.

접선이 주어진 경우 원주각과 중심각의 크기

2 **오른쪽 그림에서 $\overline{PA}$, $\overline{PB}$는 원 O의 접선이고 두 점 A, B는 접점이다. $\angle ACB=62°$일 때, $\angle x$의 크기를 구하시오.**

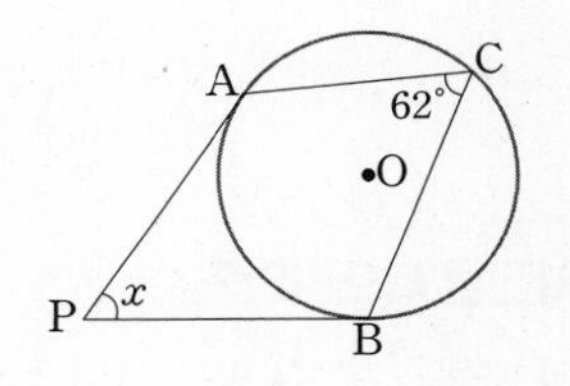

$\overline{PA}$, $\overline{PB}$가 원 O의 접선일 때

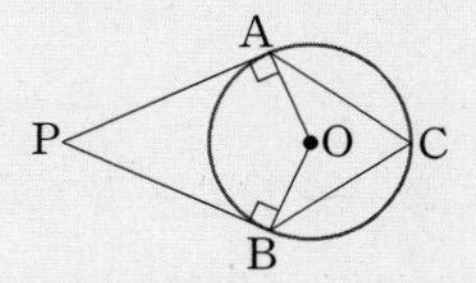

(1) $\angle APB+\angle AOB=180°$

(2) $\angle ACB=\frac{1}{2}\angle AOB=\frac{1}{2}(180°-\angle APB)$

2-1 오른쪽 그림에서 $\overrightarrow{PA}$, $\overrightarrow{PB}$는 원 O의 접선이고 두 점 A, B는 접점이다. $\angle P=48°$일 때, $\angle x$의 크기를 구하시오.

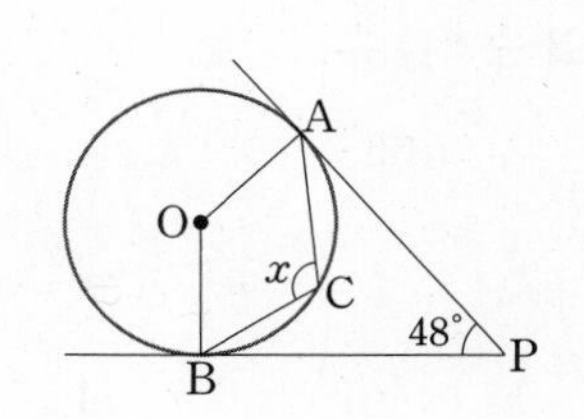

개념 이해

2 원주각의 성질

(1) 한 원에서 한 호에 대한 원주각의 크기는 모두 같다.

➡ $\angle APB = \angle AQB = \angle ARB$

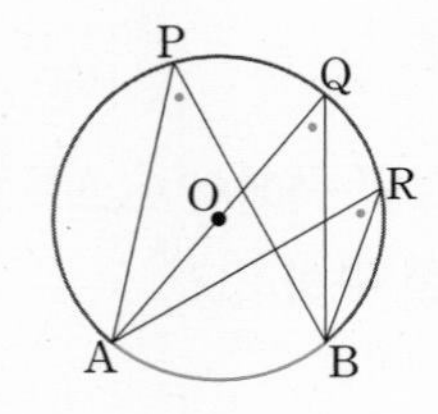

한 원에서 모든 호에 대한 원주각의 크기의 합은 180°이다.

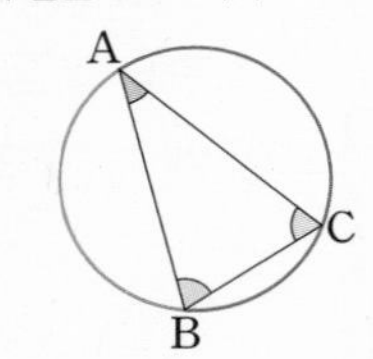

⇨ $\angle ABC + \angle BCA + \angle CAB = 180^\circ$

오른쪽 그림에서 (원주각의 크기)$=\frac{1}{2}\times$(중심각의 크기)이므로

$\angle APB = \frac{1}{2}\angle AOB$, $\angle AQB = \frac{1}{2}\angle AOB$, $\angle ARB = \frac{1}{2}\angle AOB$

$\therefore \angle APB = \angle AQB = \angle ARB$

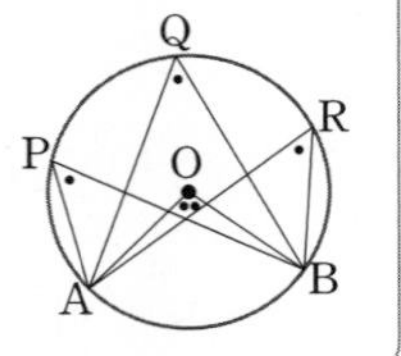

(2) 반원에 대한 원주각의 크기는 90°이다.

➡ $\overline{AB}$가 원 O의 지름이면 $\angle APB = 90^\circ$

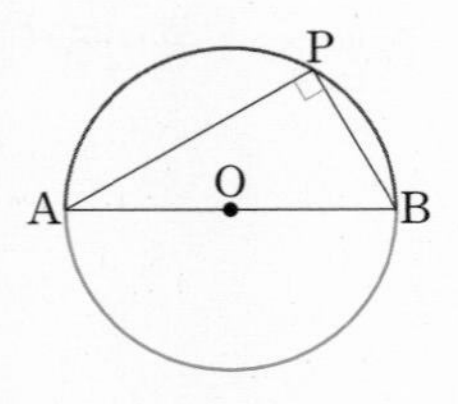

오른쪽 그림과 같이 $\overline{AB}$가 원 O의 지름일 때,
호 AB에 대한 중심각 $\angle AOB$의 크기는 180°이므로
호 AB에 대한 원주각 $\angle APB$의 크기는
$\angle APB = \frac{1}{2}\angle AOB = \frac{1}{2}\times 180^\circ = 90^\circ$

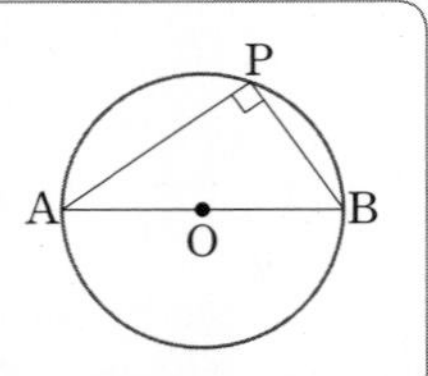

무대의 가로를 꽉 채워서 사진을 찍으려면?

카메라는 렌즈의 종류에 따라 사물을 볼 수 있는 최대 각도가 있다. 예를 들어 35 mm 렌즈가 찍을 수 있는 최대 각도는 62°이다. 35 mm 렌즈를 사용하여 무대의 가로를 사진에 꽉 채워서 찍으려면 어디서 찍어야 할까?
오른쪽 그림과 같이 무대의 양 끝 점을 원 위의 두 점이 되도록 하고 그 호에 대한 중심각의 크기가 $62^\circ \times 2 = 124^\circ$가 되게 하는 원의 중심을 찾아 원을 그리면 이 원의 원주 위의 어느 점에서 카메라를 설치하여 찍든 무대의 가로를 가득 채워서 찍을 수 있게 된다. 왜냐하면 중심각과 원주각의 관계에 의해 원주각의 크기는 항상 62°이기 때문이다.

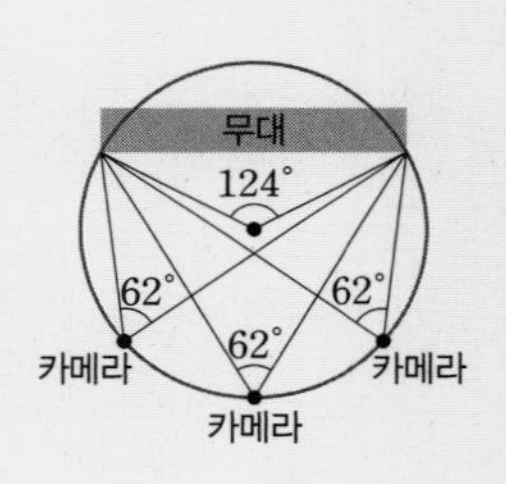

개념확인

1. 다음 그림에서 $\angle x$의 크기를 구하시오.

(1)

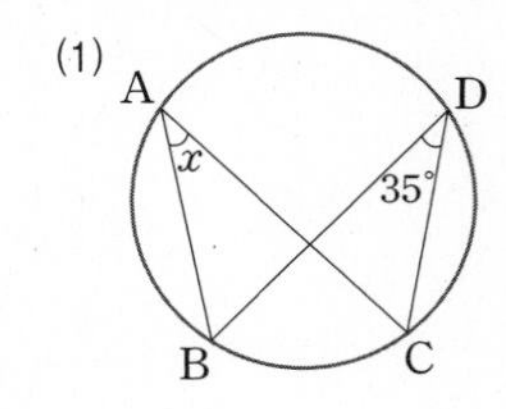

(2)

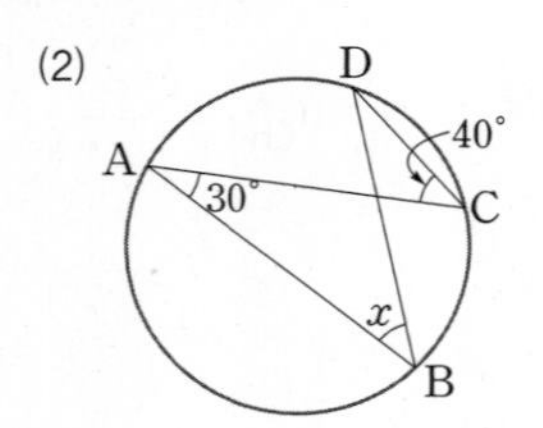

2. 다음 그림에서 $\angle x$의 크기를 구하시오.

(1)

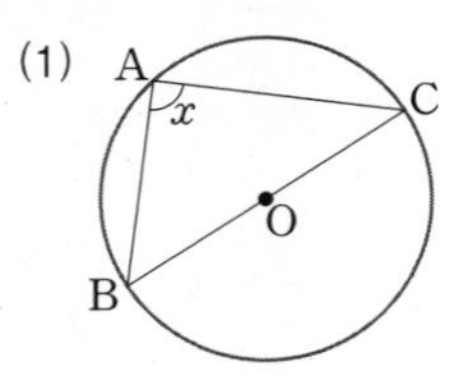

(2)

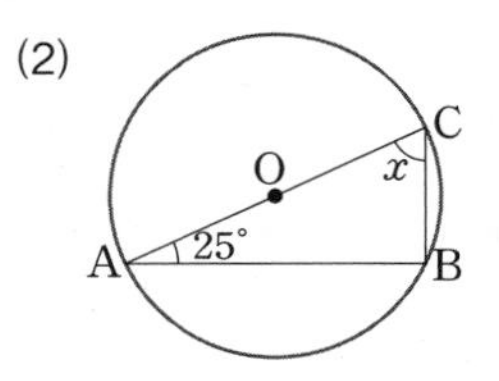

✎ 원주각의 성질 (1)

1 **오른쪽 그림에서 $\angle ADB=35°$, $\angle APB=55°$일 때, $\angle y-\angle x$의 크기를 구하시오.**

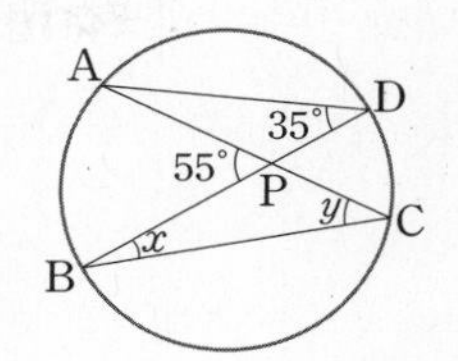

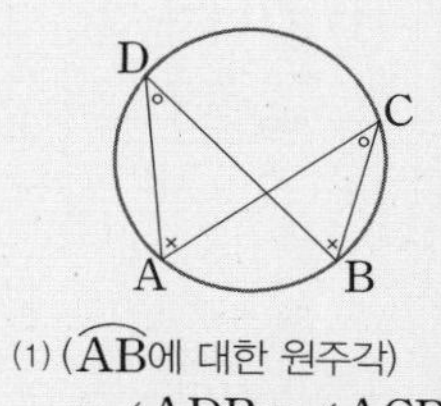

(1) ($\overset{\frown}{AB}$에 대한 원주각)
$=\angle ADB=\angle ACB$
(2) ($\overset{\frown}{CD}$에 대한 원주각)
$=\angle DAC=\angle DBC$

1-1 오른쪽 그림에서 $\angle APB=32°$, $\angle BRC=23°$일 때, $\angle x$의 크기를 구하시오.

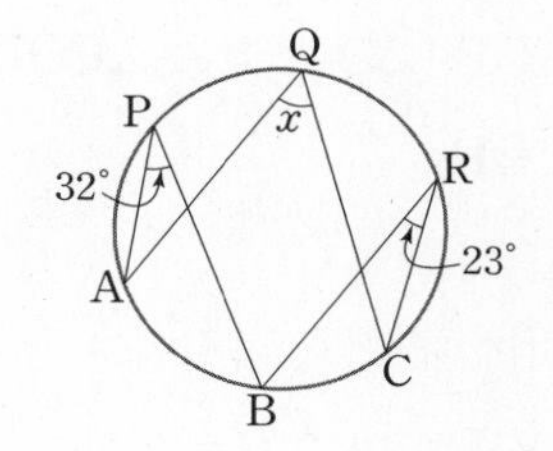

✎ 원주각의 성질 (2)

2 **오른쪽 그림에서 $\overline{AB}$는 원 O의 지름이고 $\angle BAC=30°$일 때, $\angle ADC$의 크기를 구하시오.**

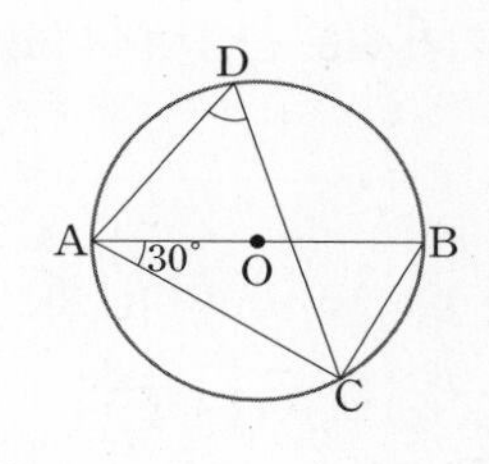

$\overline{AB}$가 원 O의 지름이면

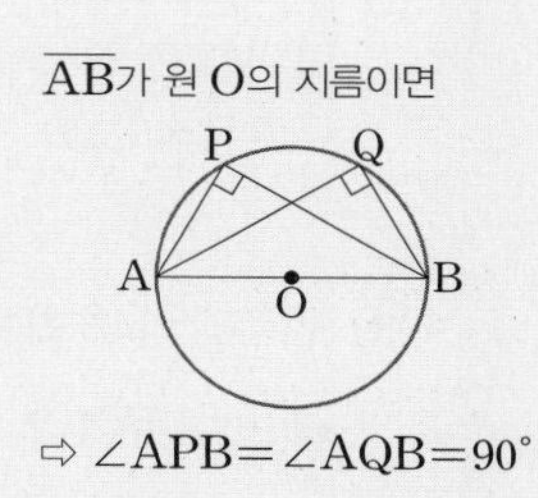

⇨ $\angle APB=\angle AQB=90°$

2-1 다음은 동현이와 선생님의 대화 내용이다. 대화를 읽고 $\angle APR$의 크기를 구하시오.

동현 : 선생님! 오른쪽 그림에서 $\angle APR$의 크기를 구하려고 하는데 잘 모르겠어요.
선생님 : 우선 $\overline{AB}$가 원 O의 지름이라는 사실에 주목해 봐. 가장 먼저 무엇을 해야 할까?
동현 : 두 점 A와 Q를 연결하면 될 것 같아요.
선생님 : 그렇지! 두 점 A와 Q를 연결한 후 반원에 대한 원주각의 크기가 90°임을 이용하면 된단다.

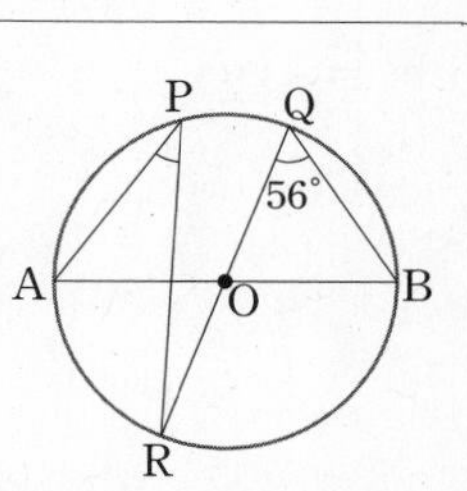

개념 이해 3

원주각의 크기와 호의 길이

한 원 또는 합동인 두 원에서

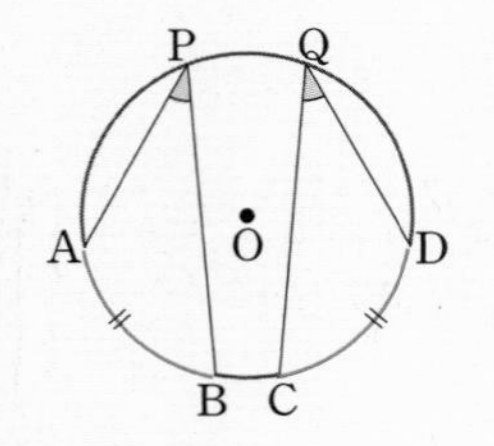

(1) 길이가 같은 호에 대한 원주각의 크기는 같다.

➡ $\widehat{AB}=\widehat{CD}$이면 $\angle APB=\angle CQD$

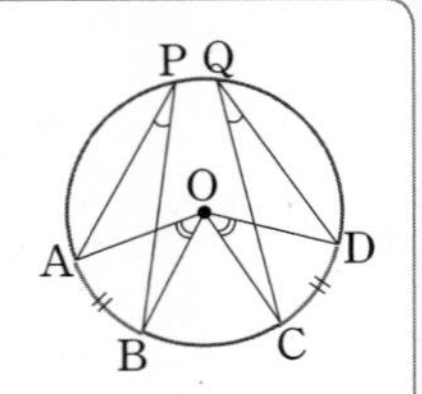

오른쪽 그림과 같은 원 O에서 $\widehat{AB}=\widehat{CD}$이면
한 원에서 길이가 같은 호에 대한 중심각의 크기는 같으므로
$\angle AOB=\angle COD$
이때 원주각의 크기는 중심각의 크기의 $\frac{1}{2}$이므로
$\angle APB=\frac{1}{2}\angle AOB$, $\angle CQD=\frac{1}{2}\angle COD$
$\therefore \angle APB=\angle CQD$

• 중심각의 크기와 호의 길이는 정비례한다.
• 원주각의 크기와 현의 길이는 정비례하지 않는다.

(2) 크기가 같은 원주각에 대한 호의 길이는 같다.

➡ $\angle APB=\angle CQD$이면 $\widehat{AB}=\widehat{CD}$

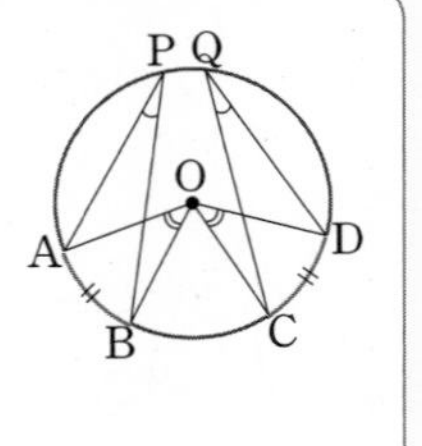

오른쪽 그림과 같은 원 O에서 $\angle APB=\angle CQD$이면
중심각의 크기는 원주각의 크기의 2배이므로
$\angle AOB=2\angle APB$, $\angle COD=2\angle CQD$
$\therefore \angle AOB=\angle COD$
이때 한 원에서 크기가 같은 중심각에 대한 호의 길이는 같으므로
$\widehat{AB}=\widehat{CD}$

(3) 원주각의 크기는 호의 길이에 정비례한다.

➡ $\angle APB : \angle CQD=\widehat{AB} : \widehat{CD}$

• 한 원에서 호의 길이는 그 호에 대한 중심각의 크기에 정비례하므로 호의 길이와 그 호에 대한 원주각의 크기도 정비례한다.

개념확인

1. 다음 그림에서 x의 크기를 구하시오.

(1)

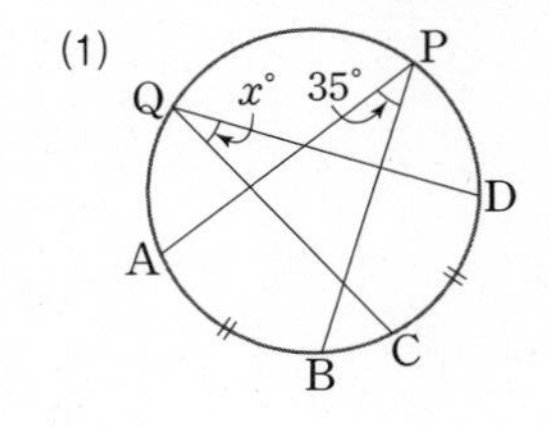

(2)

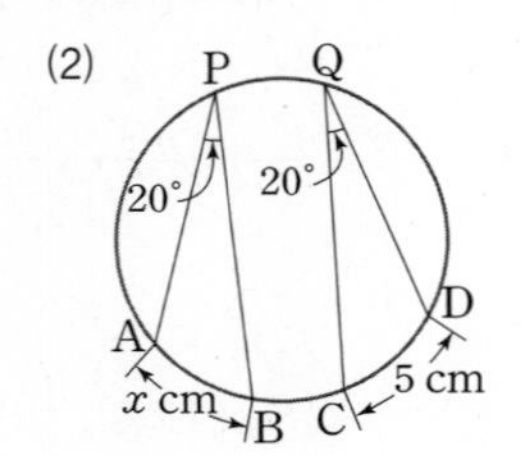

2. 다음 그림에서 x의 크기를 구하시오.

(1)

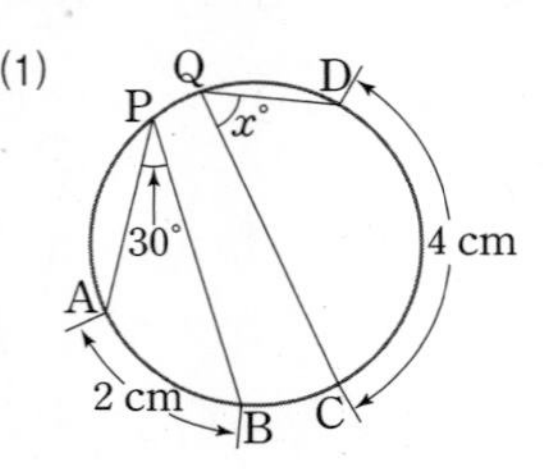

(2)

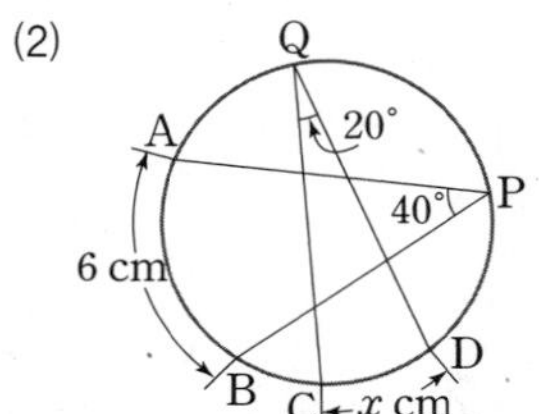

개념 적용

원주각의 크기와 호의 길이 (1)

1 **오른쪽 그림에서 $\widehat{AB}=\widehat{CD}$이고 $\angle ACB=30°$일 때, $\angle APB$의 크기를 구하시오.**

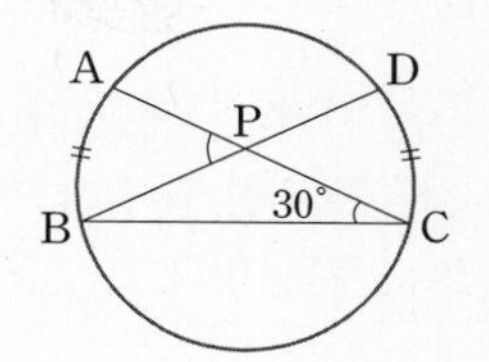

한 원 또는 합동인 두 원에서

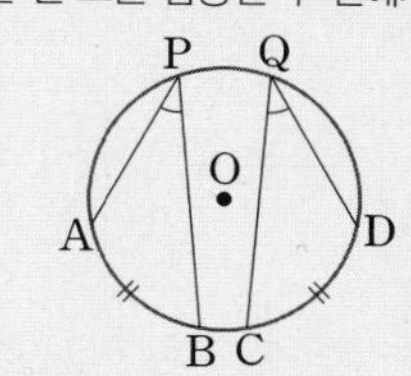

(1) $\widehat{AB}=\widehat{CD}$이면 $\angle APB=\angle CQD$

(2) $\angle APB=\angle CQD$이면 $\widehat{AB}=\widehat{CD}$

1-1 오른쪽 그림에서 $\overline{AB}$는 원 O의 지름이고 $\widehat{BD}=\widehat{CD}$이다. $\angle CAD=32°$일 때, $\angle x$의 크기를 구하시오.

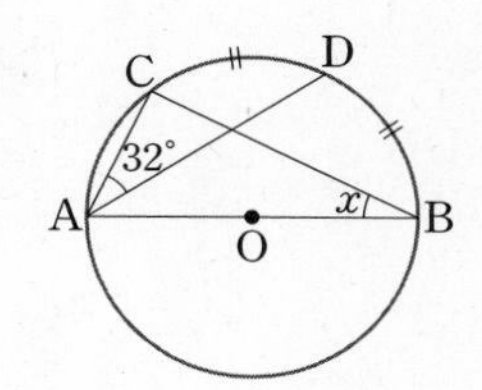

원주각의 크기와 호의 길이 (2)

2 **오른쪽 그림에서 점 P는 두 현 AC, BD의 교점이고 $\widehat{AB}:\widehat{CD}=2:3$이다. $\angle ACB=20°$일 때, $\angle x$의 크기를 구하시오.**

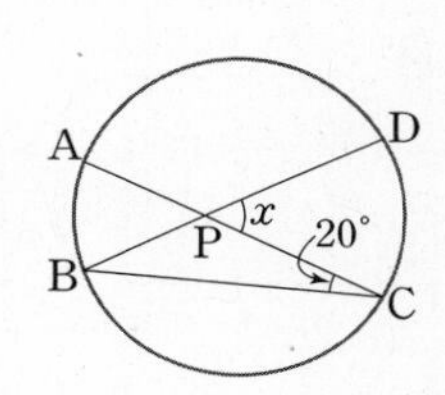

한 원 또는 합동인 두 원에서

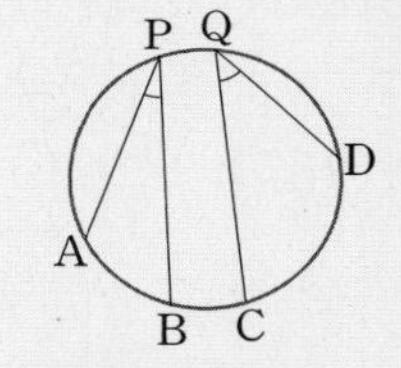

⇨ $\angle APB:\angle CQD=\widehat{AB}:\widehat{CD}$

2-1 오른쪽 그림에서 점 P는 두 현 AC, BD의 교점이고 $\widehat{BC}=7$ cm, $\angle BAC=25°$, $\angle APD=75°$일 때, $\widehat{AD}$의 길이를 구하시오.

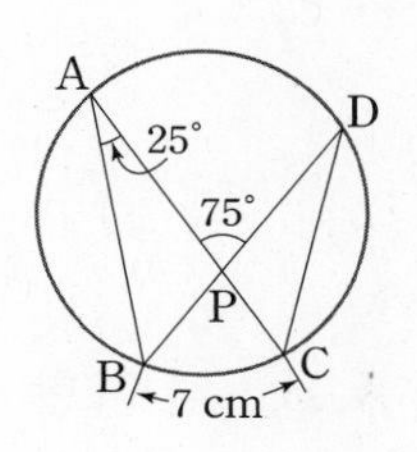

2-2 오른쪽 그림에서 △ABC는 원 O에 내접하고 $\widehat{AB}:\widehat{BC}:\widehat{CA}=2:2:1$일 때, $\angle ABC$의 크기를 구하시오.

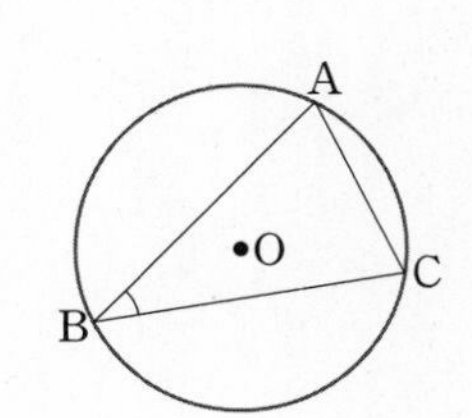

▸ 한 원에서 모든 호에 대한 원주각의 크기의 합은 180°임을 이용한다.

개념 이해

4 네 점이 한 원 위에 있을 조건

두 점 C, D가 직선 AB에 대하여 같은 쪽에 있을 때,

$\angle ACB = \angle ADB$

이면 네 점 A, B, C, D는 한 원 위에 있다.

참고 반대로 네 점 A, B, C, D가 한 원 위에 있으면 $\angle ACB = \angle ADB$(원주각)이다.

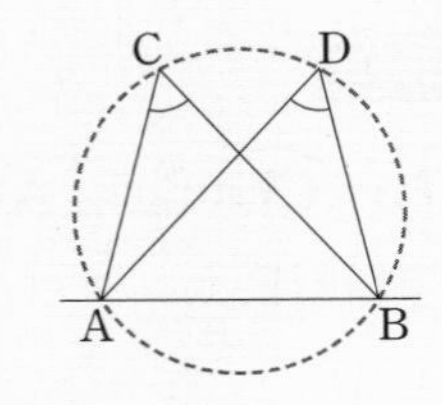

주의 직선 AB에 대하여 두 점 C, D가 다른 쪽에 있으면 네 점 A, B, C, D는 한 원 위에 있다고 할 수 없다.

네 점의 위치에 따른 각의 크기 사이의 관계

세 점 A, B, C가 한 원 위에 있고 직선 AB에 대하여 점 C와 같은 쪽에 점 D가 있을 때

(1) 점 D가 원의 내부에 있는 경우

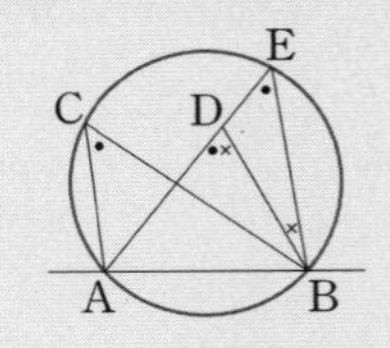

➡ $\angle ACB < \angle ADB$

(2) 점 D가 원 위에 있는 경우

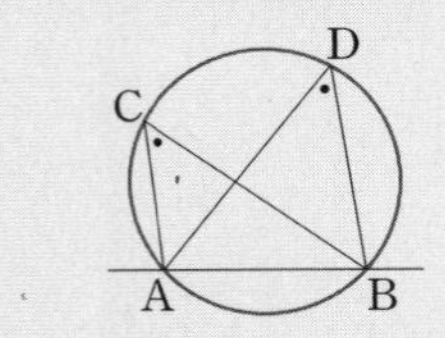

➡ $\angle ACB = \angle ADB$

(3) 점 D가 원의 외부에 있는 경우

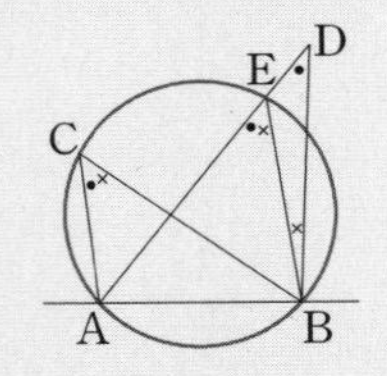

➡ $\angle ACB > \angle ADB$

개념확인

1. 다음 **보기**에서 네 점 A, B, C, D가 한 원 위에 있는 것을 모두 고르시오.

보기

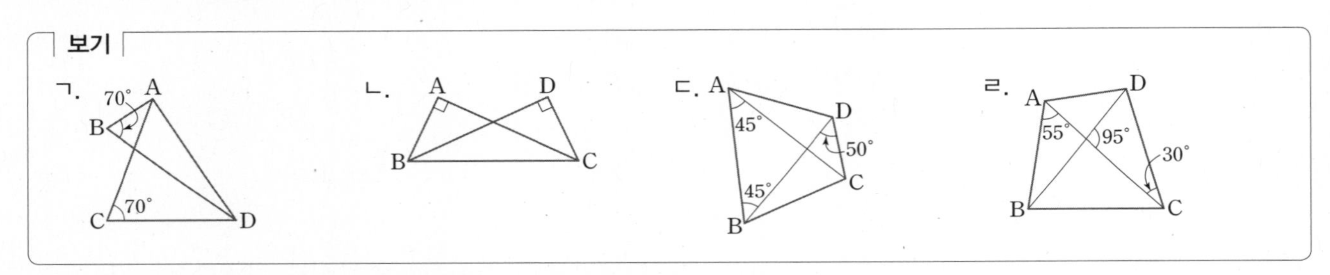

❗ 네 점이 한 원 위에 있는지 알아보려면 한 직선에 대하여 같은 쪽에 있는 두 점으로 만들어진 각의 크기가 같은지 확인한다.

2. 다음 그림에서 네 점 A, B, C, D가 한 원 위에 있을 때, $\angle x$의 크기를 구하시오.

(1)

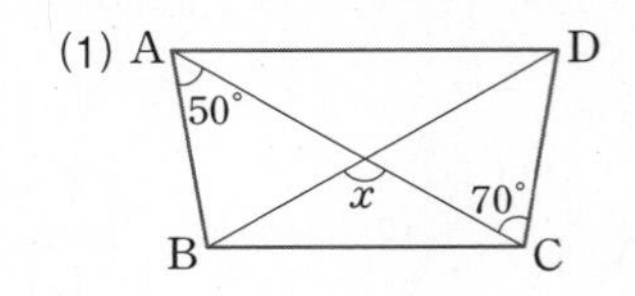

(2)

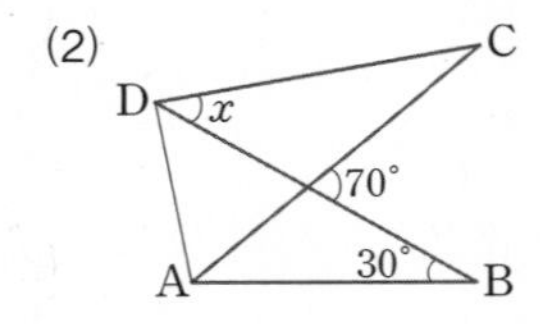

네 점이 한 원 위에 있을 조건

1 다음 중 네 점 A, B, C, D가 한 원 위에 있지 않은 것은?

①
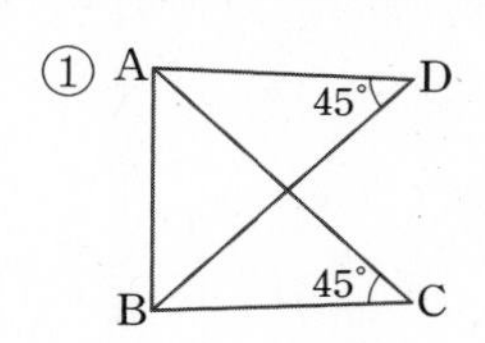

②
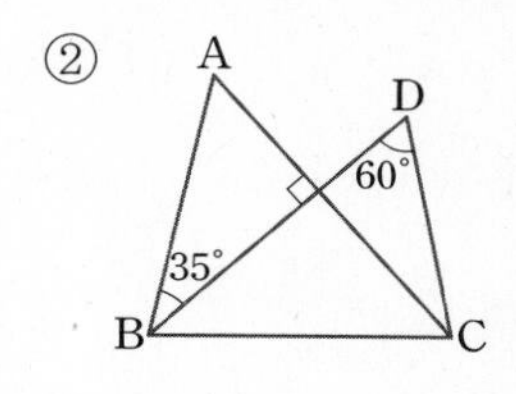

③
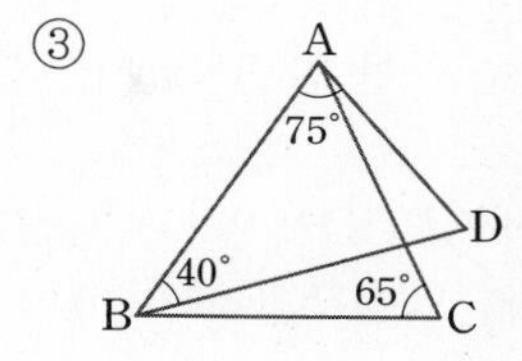

④

⑤

한 선분에 대하여 같은 쪽에 있는 각의 크기가 같을 때,
즉 $\angle ACB = \angle ADB$이면

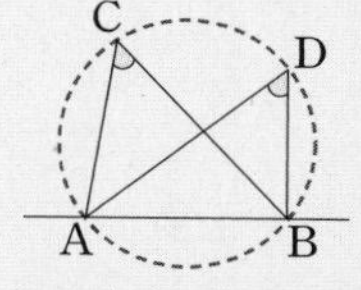

⇨ 네 점 A, B, C, D는 한 원 위에 있다.

1-1 오른쪽 그림에서 $\angle ABD = 30°$, $\angle BDC = 75°$이고 네 점 A, B, C, D가 한 원 위에 있을 때, $\angle x$의 크기를 구하시오.

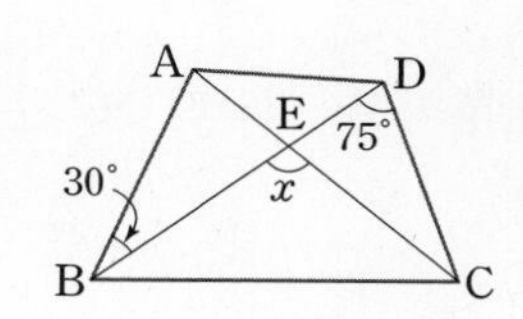

▸ 삼각형의 한 외각의 크기는 그와 이웃하지 않는 나머지 두 내각의 크기와 같다.

1-2 오른쪽 그림에서 $\angle DBC = 60°$, $\angle ACB = 20°$이고 네 점 A, B, C, D가 한 원 위에 있을 때, $\angle x$의 크기를 구하시오.

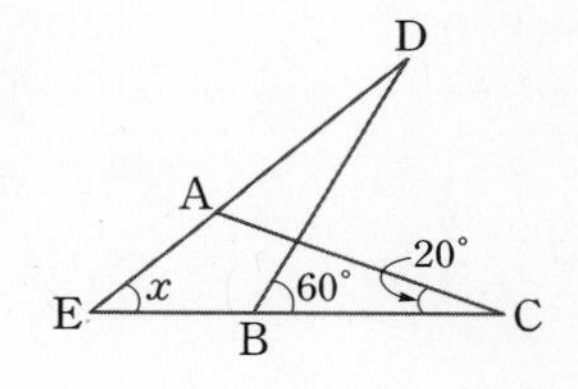

1-3 오른쪽 그림에서 $\angle BAC = 40°$, $\angle DBC = 45°$, $\angle BEC = 100°$이고 네 점 A, B, C, D가 한 원 위에 있을 때, $\angle y - \angle x$의 크기를 구하시오.

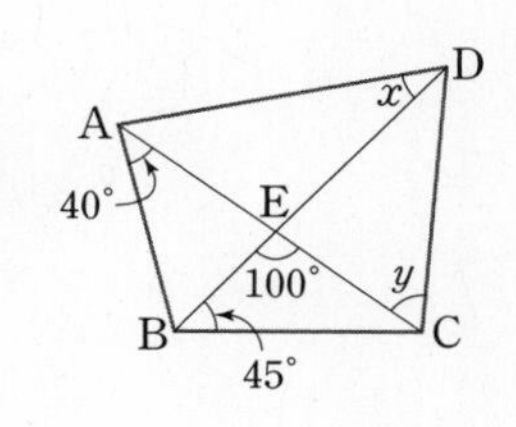

개념 이해 5

원에 내접하는 사각형의 성질

(1) 원에 내접하는 사각형의 한 쌍의 대각의 크기의 합은 180°이다.

➡ $\angle A + \angle C = \angle B + \angle D = 180^\circ$

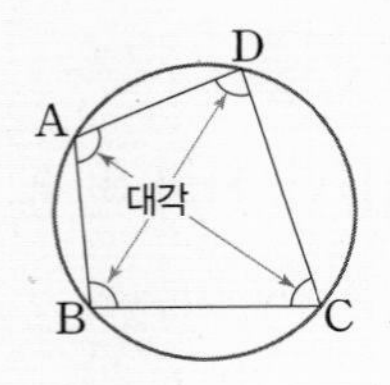

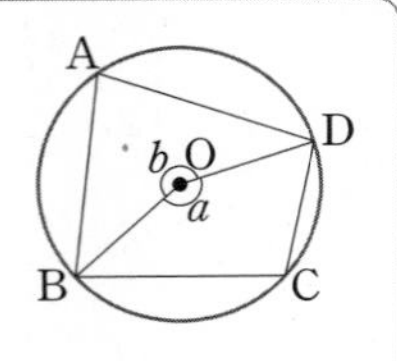

오른쪽 그림과 같이 사각형 ABCD가 원 O에 내접할 때,
호 BCD와 호 BAD에 대한 중심각을 각각 $\angle a$, $\angle b$라 하면
원주각의 크기는 중심각의 크기의 $\frac{1}{2}$이므로

$\angle A = \frac{1}{2}\angle a$, $\angle C = \frac{1}{2}\angle b$

$\therefore \angle A + \angle C = \frac{1}{2}\angle a + \frac{1}{2}\angle b = \frac{1}{2}(\angle a + \angle b) = \frac{1}{2} \times 360^\circ = 180^\circ$

같은 방법으로 하면 $\angle B + \angle D = 180^\circ$
따라서 원에 내접하는 사각형의 한 쌍의 대각의 크기의 합은 180°이다.

(2) 원에 내접하는 사각형의 한 외각의 크기는 그 각에 이웃한 내각의 대각의 크기와 같다.

➡ $\angle A = \angle DCE$

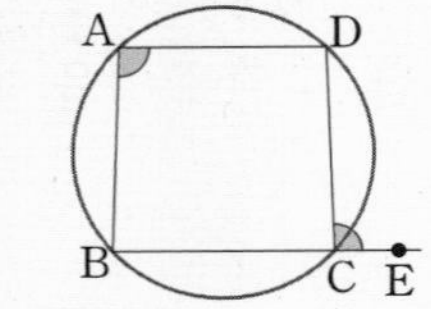

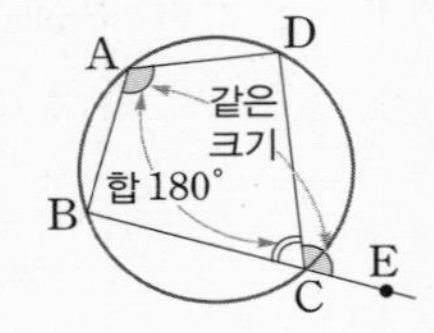

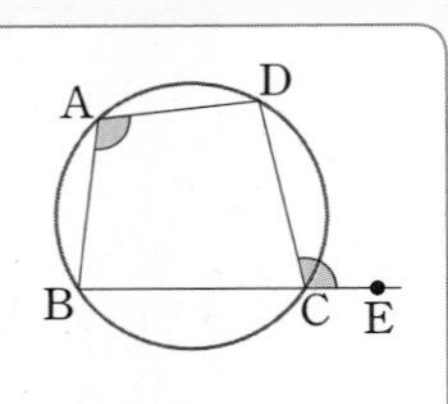

오른쪽 그림과 같이 사각형 ABCD가 원에 내접하면
(1)에 의하여 $\angle A + \angle BCD = 180^\circ$
이때 $\angle BCD + \angle DCE = 180^\circ$이므로 $\angle DCE = \angle A$
따라서 원에 내접하는 사각형의 한 외각의 크기는 그 각에 이웃한 내각의 대각의 크기와 같다.

참고 삼각형은 항상 원에 내접하지만 사각형은 항상 원에 내접하는 것은 아니다.

개념확인

1. 다음 그림에서 □ABCD가 원에 내접할 때, $\angle x$, $\angle y$의 크기를 각각 구하시오.

(1)

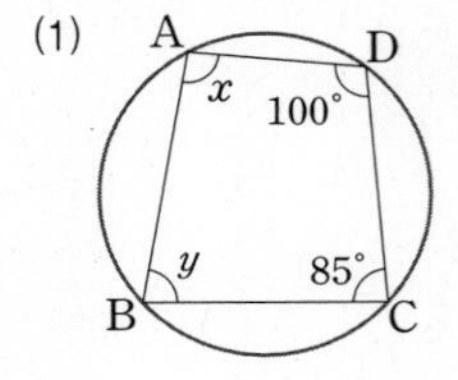

(2)

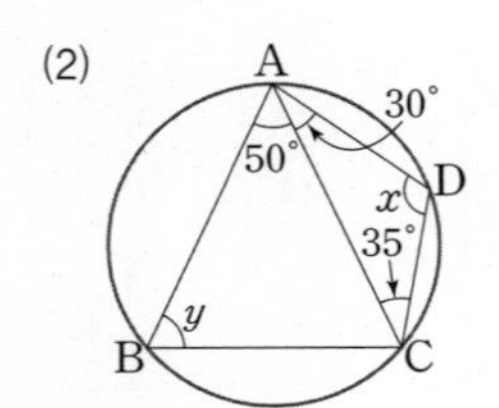

2. 다음 그림에서 □ABCD가 원에 내접할 때, $\angle x$, $\angle y$의 크기를 각각 구하시오.

(1)

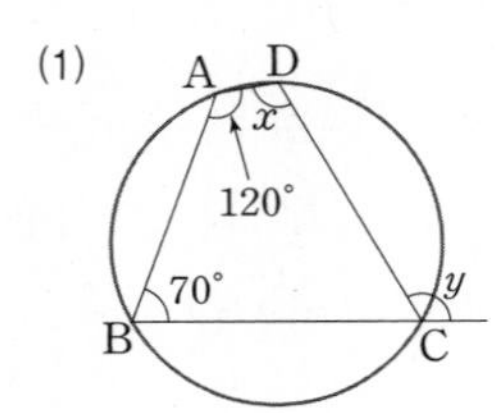

(2)

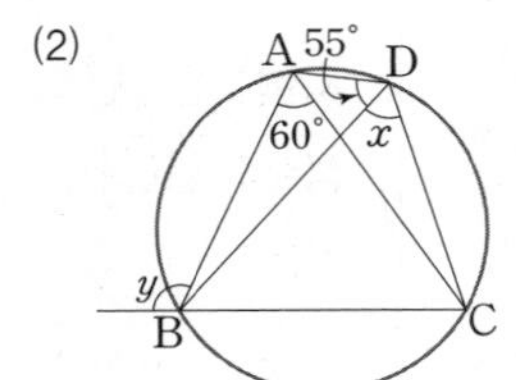

개념 적용

익힘북 38쪽 | 정답과 풀이 24쪽

원에 내접하는 사각형의 성질 (1)

1 **오른쪽 그림과 같이 원에 내접하는 □ABCD에서 ∠ACD=35°, ∠BAC=50°일 때, $\angle x+\angle y$의 크기를 구하시오.**

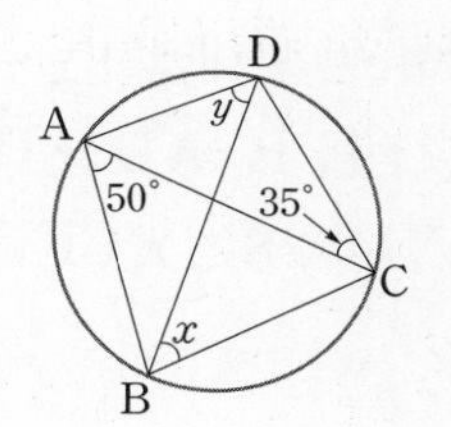

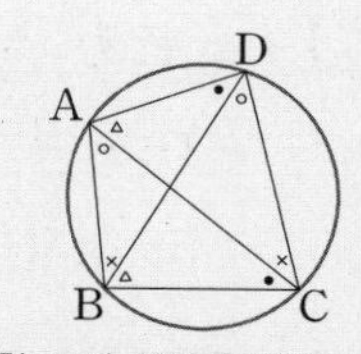

(1) 한 호에 대한 원주각의 크기는 같다.
(2) 원에 내접하는 사각형의 한 쌍의 대각의 크기의 합은 180°이다.

1-1 오른쪽 그림과 같이 원에 내접하는 □ABCD에서 $\overline{AB}=\overline{AC}$이고 ∠BAC=36°일 때, ∠ADC의 크기를 구하시오.

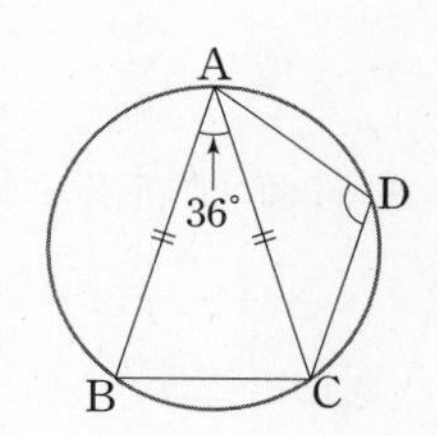

원에 내접하는 사각형의 성질 (2)

2 **오른쪽 그림과 같이 원 O에 내접하는 □ABCD에서 ∠OBC=30°, ∠CAD=20°일 때, ∠DCE의 크기를 구하시오.**

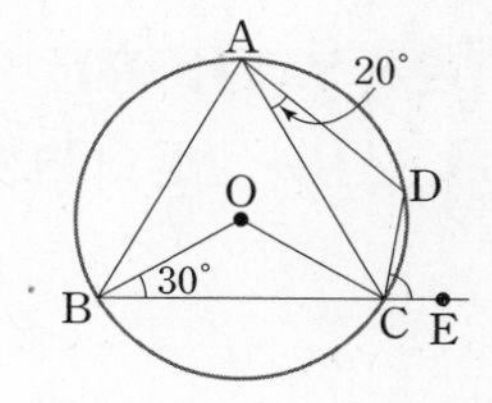

(1) 한 호에 대한 원주각의 크기는 중심각의 크기의 $\frac{1}{2}$이다.
(2) □ABCD가 원에 내접하는 한 외각의 크기는 그 각에 이웃한 내각의 대각의 크기와 같다.

2-1 다음 학생들의 대화를 읽고 오른쪽 그림에 대하여 잘못된 설명을 하고 있는 학생을 고르시오.

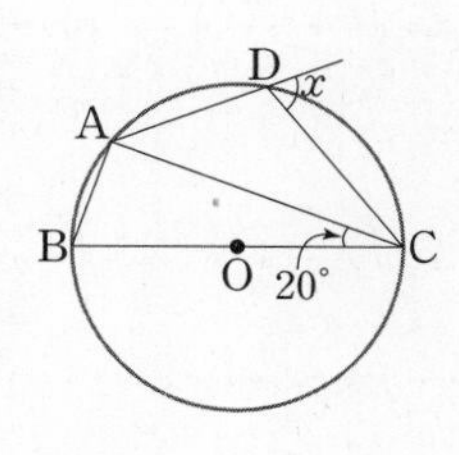

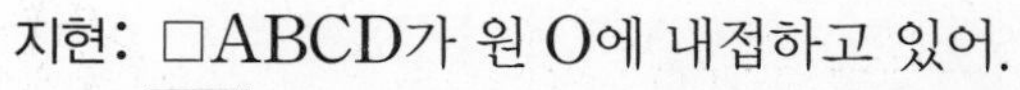

지현: □ABCD가 원 O에 내접하고 있어.
정수: $\overline{BC}$는 원 O의 지름이므로 ∠BAC=90°야.
가은: 그럼 ∠ABC=70°이겠네.
동혁: □ABCD가 원 O에 내접하니까 $\angle x=60°$구나.

개념 적용

원에 내접하는 사각형과 외각의 성질

3 **오른쪽 그림과 같이 원에 내접하는 □ABCD에서 $\overline{AB}$와 $\overline{CD}$의 연장선의 교점을 E, $\overline{AD}$와 $\overline{BC}$의 연장선의 교점을 F라 하자. ∠AED=28°, ∠CFD=46°일 때, ∠x의 크기를 구하시오.**

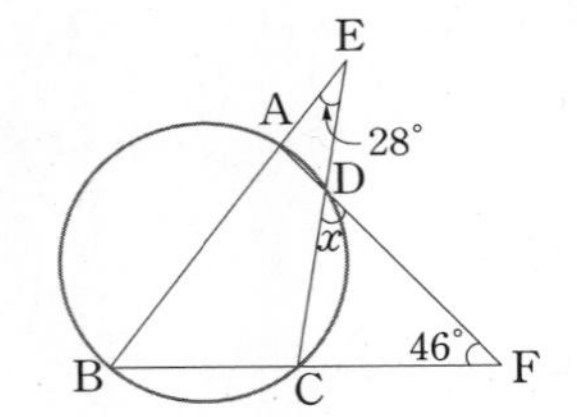

□ABCD가 원에 내접할 때

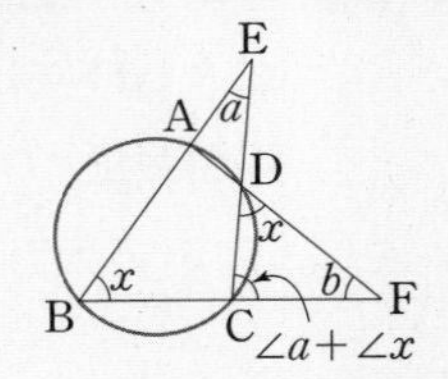

(1) $\angle ABC=\angle CDF=\angle x$
(2) △BCE에서
$\angle ECF=\angle a+\angle x$
(3) △DCF에서
$2\angle x+\angle a+\angle b=180°$

3-1 오른쪽 그림과 같이 원에 내접하는 □ABCD에서 $\overline{AB}$와 $\overline{CD}$의 연장선의 교점을 E, $\overline{AD}$와 $\overline{BC}$의 연장선의 교점을 F라 하자. ∠AED=30°, ∠ABC=55°일 때, ∠x의 크기를 구하시오.

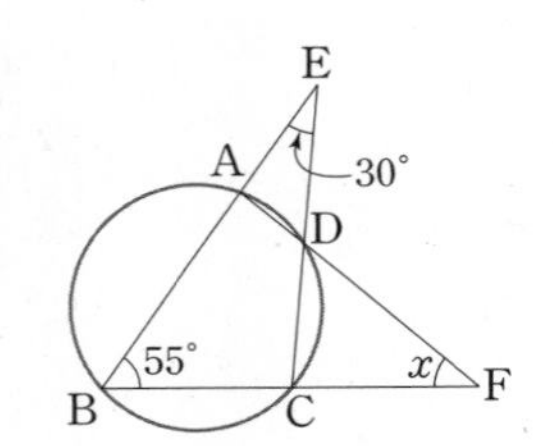

원에 내접하는 다각형

4 **오른쪽 그림과 같이 오각형 ABCDE가 원 O에 내접하고 ∠COD=70°일 때, ∠B+∠E의 크기를 구하시오.**

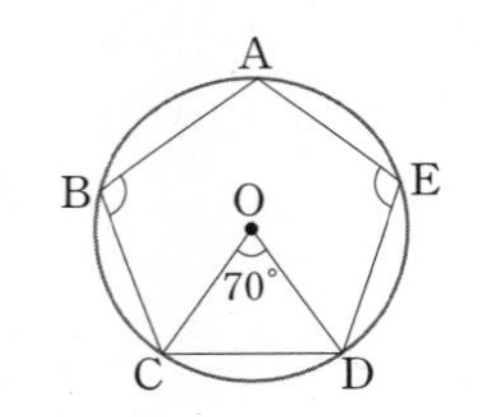

오각형 ABCDE가 원 O에 내접할 때

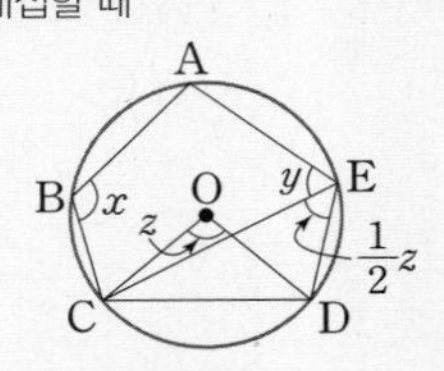

(1) □ABCE에서
$\angle x+\angle y=180°$
(2) $\angle CED=\frac{1}{2}\angle COD$
$=\frac{1}{2}\angle z$

4-1 오른쪽 그림과 같이 오각형 ABCDE가 원 O에 내접하고 ∠BAE=90°, ∠CDE=130°일 때, ∠BOC의 크기를 구하시오.

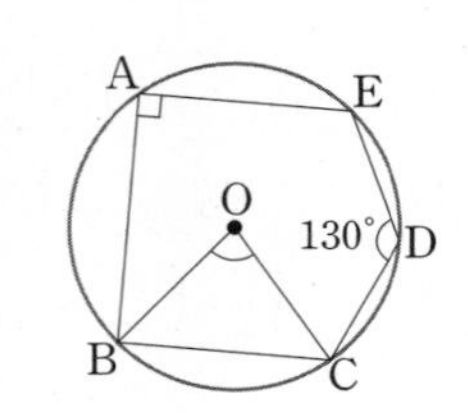

▸ 오각형을 내접하는 사각형과 삼각형으로 나누어 내접하는 다각형의 성질을 이용한다.

개념 이해

6 사각형이 원에 내접하기 위한 조건

(1) 한 쌍의 대각의 크기의 합이 180°인 사각형은 원에 내접한다.

➡ $\angle A+\angle C=\angle B+\angle D=180°$일 때, □ABCD는 원에 내접한다.

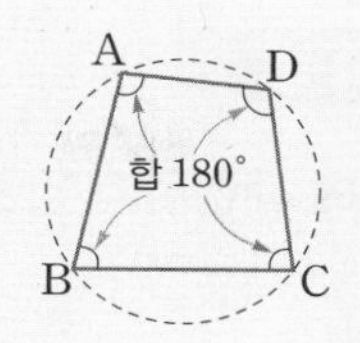

(1) $\angle x+\angle y=180°$
(2) $\angle x=\angle z$이면
□ABCD는 원에 내접한다.

오른쪽 그림과 같은 □ABCD에서 $\angle B+\angle D=180°$라 하자.
세 점 A, B, C를 지나는 원 O 위에 점 E를 잡으면
□ABCE는 원 O에 내접하므로 $\angle B+\angle E=180°$
즉, $\angle D=\angle E$이므로 네 점이 한 원 위에 있을 조건에 의하여
점 D는 원 O 위에 있다.
따라서 한 쌍의 대각의 크기의 합이 180°인 사각형은 원에 내접한다.

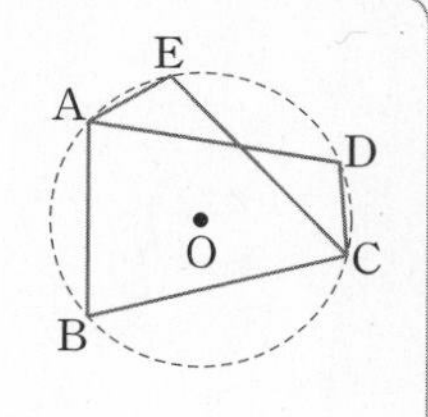

(2) 한 외각의 크기가 그 각에 이웃한 내각의 대각의 크기와 같은 사각형은 원에 내접한다.

➡ $\angle A=\angle DCE$일 때, □ABCD는 원에 내접한다.

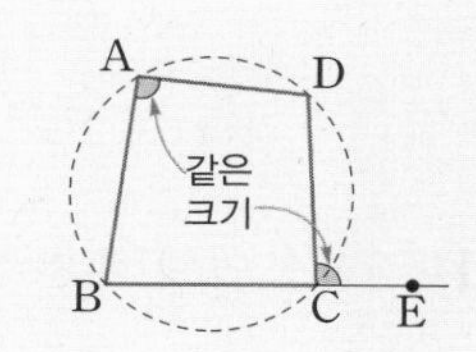

• 외접사각형과 내접사각형의 비교

외접사각형	내접사각형
사각형의 모든 변은 접선이다.	사각형의 모든 내각은 원주각이다.
대변의 길이의 합은 같다.	대각의 크기의 합은 180°이다.

오른쪽 그림과 같은 □ABCD에서 $\angle A=\angle DCE$라 하자.
$\angle BCD+\angle DCE=180°$이므로 $\angle BCD+\angle A=180°$
즉, 한 쌍의 대각의 크기의 합이 180°이므로 □ABCD는 원에 내접한다.
따라서 한 외각의 크기가 그 각에 이웃한 내각의 대각의 크기와 같은 사각형은 원에 내접한다.

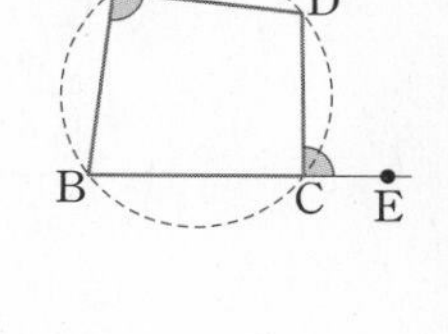

참고 직사각형, 정사각형, 등변사다리꼴은 항상 원에 내접한다.

개념확인

1. 다음 중 □ABCD가 원에 내접하는 것을 모두 고르면? (정답 2개)

①
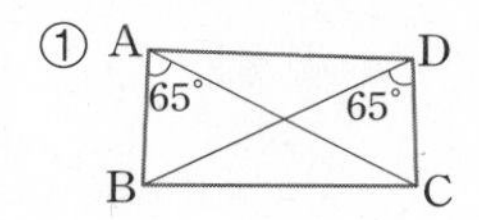

②
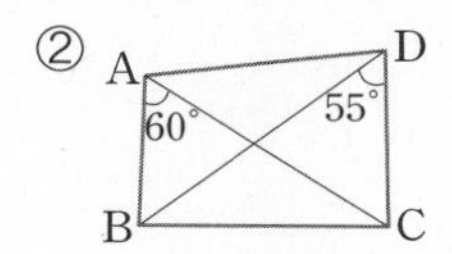

③
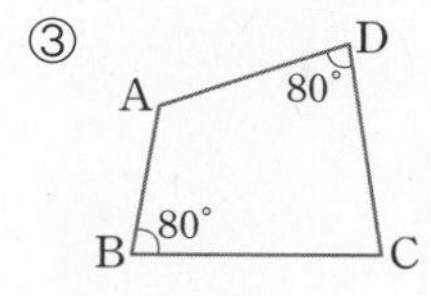

④
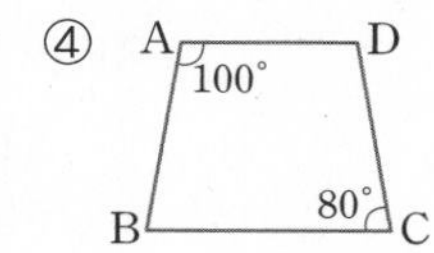

⑤
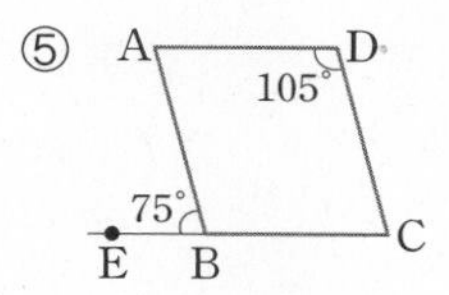

2. 오른쪽 그림에서 □ABCD가 원에 내접하도록 하는 $\angle x$, $\angle y$의 크기를 각각 구하시오.

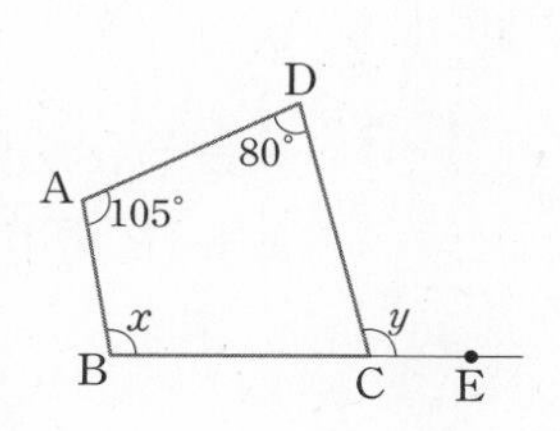

개념 적용

사각형이 원에 내접하기 위한 조건

1 다음 중 □ABCD가 원에 내접하지 않는 것은?

① 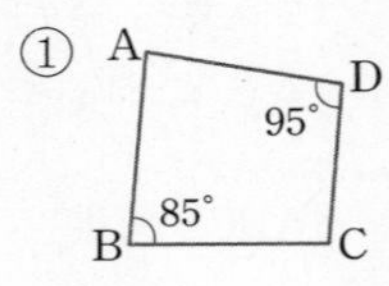

② 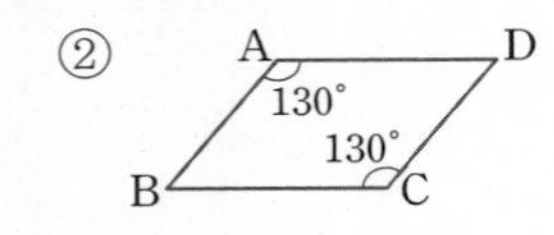

③ 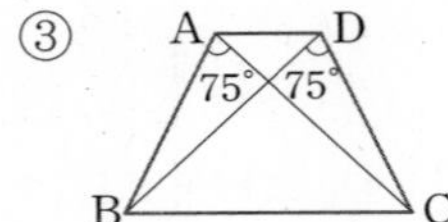
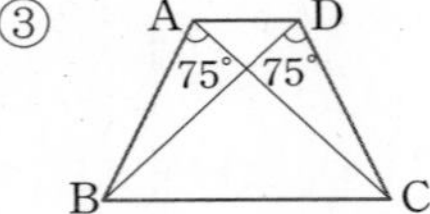

④ 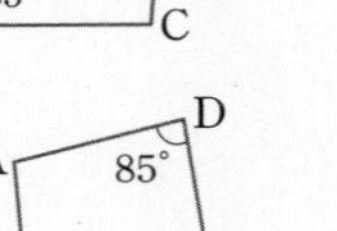

⑤ 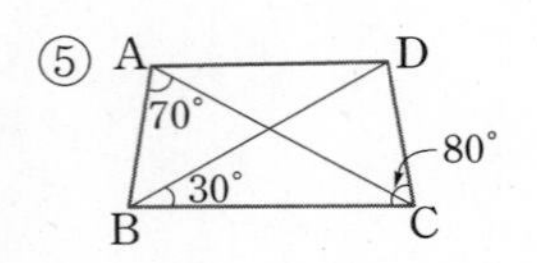

사각형이 원에 내접하기 위한 조건

(1) 한 선분에 대하여 같은 쪽에 있는 각의 크기가 같다.

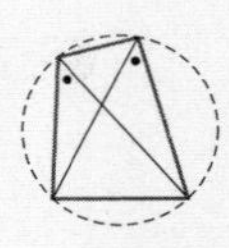

(2) 한 쌍의 대각의 크기의 합이 180°이다.

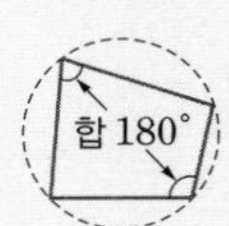

(3) 한 외각의 크기는 그 각에 이웃한 내각의 대각의 크기와 같다.

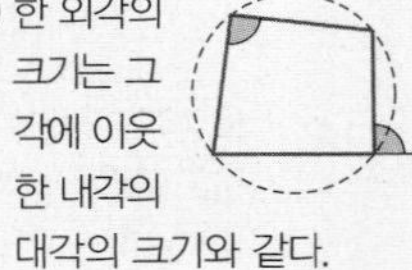

1-1 다음 **보기**에서 □ABCD가 원에 내접하는 것을 모두 고르시오.

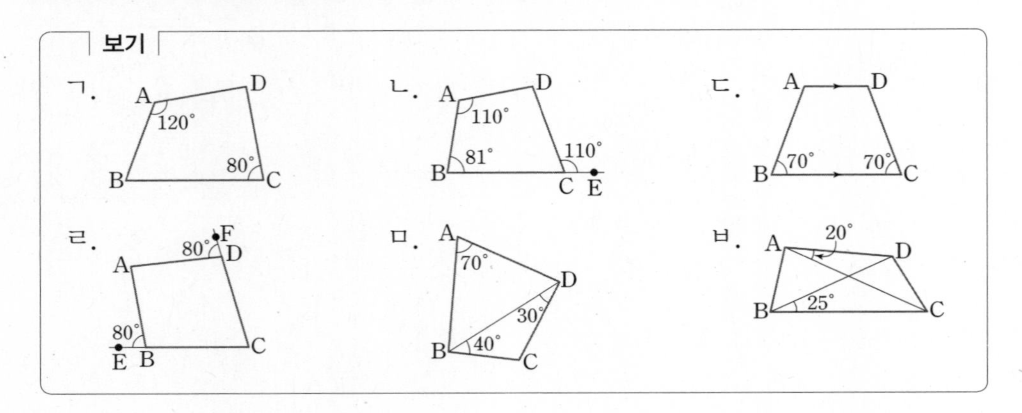

1-2 다음 **보기**에서 항상 원에 내접하는 사각형을 모두 고른 것은?

보기

ㄱ. 마름모　　ㄴ. 직사각형　　ㄷ. 평행사변형
ㄹ. 사다리꼴　　ㅁ. 정사각형　　ㅂ. 등변사다리꼴

① ㄱ, ㄴ　　② ㄱ, ㄷ　　③ ㄴ, ㅁ
④ ㄴ, ㅁ, ㅂ　　⑤ ㄷ, ㄹ, ㅁ

▸ 정사각형, 직사각형, 등변사다리꼴은 대각의 크기의 합이 항상 180°이다.

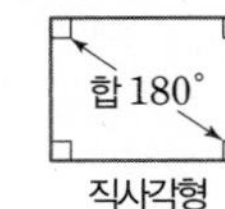

정사각형

1-3 오른쪽 그림에서 □ABCD가 원에 내접하도록 하는 $\angle x$, $\angle y$의 크기를 각각 구하시오.

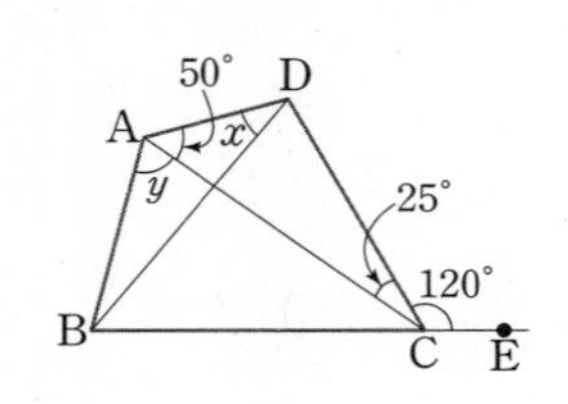

7 접선과 현이 이루는 각

원의 접선과 그 접점을 지나는 현이 이루는 각의 크기는 그 각의 내부에 있는 호에 대한 원주각의 크기와 같다.

➡ $\angle BAT = \angle BCA$

참고 반대로 원 O에서 $\angle BAT = \angle BCA$이면 직선 AT는 원 O의 접선이다.

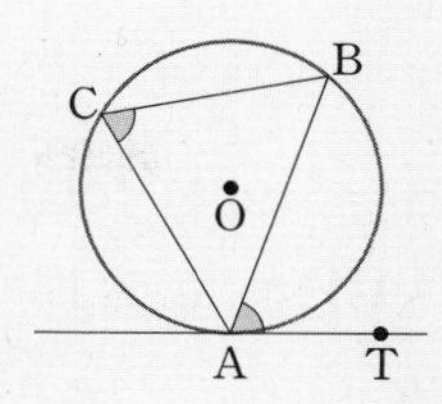

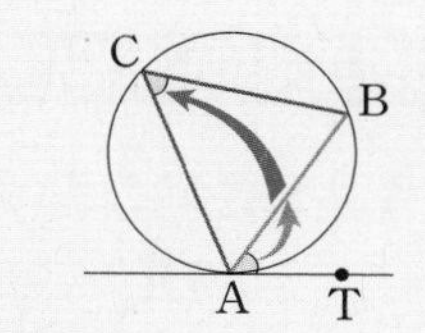

$\overleftrightarrow{AT}$가 원의 접선일 때,
$\angle BAT$와 크기가 같은 각
⇨ $\triangle ABC$에서 현을 이루는 변 AB의 대각
⇨ $\angle BCA$

원의 접선과 현이 이루는 각의 성질 확인

$\angle BAT$가 예각인 경우	$\angle BAT$가 직각인 경우	$\angle BAT$가 둔각인 경우
오른쪽 그림과 같이 지름 AD를 그으면 $\angle DCA = \angle DAT = 90°$ $\therefore \angle BAT$ $= 90° - \angle DAB$ $= 90° - \angle DCB$ $= \angle BCA$ 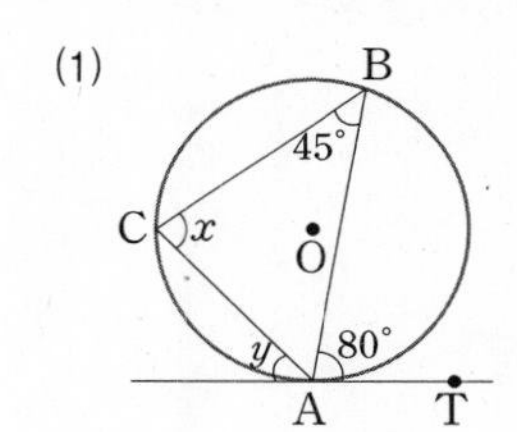	오른쪽 그림과 같이 $\angle BAT = 90°$이면 $\overline{AB}$가 원의 지름이므로 $\angle BCA = 90°$ $\therefore \angle BAT = \angle BCA$ 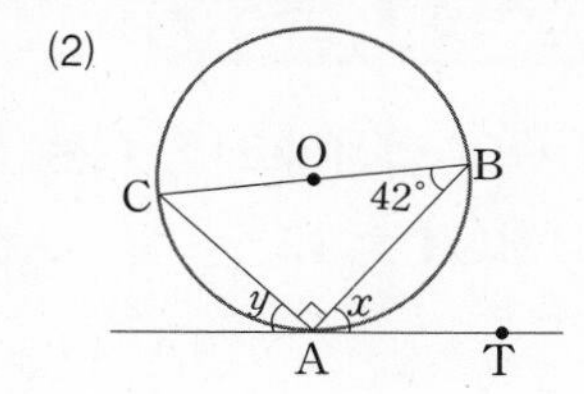	오른쪽 그림과 같이 지름 AD를 그으면 $\angle DCA = \angle DAT = 90°$ $\therefore \angle BAT$ $= \angle BAD + 90°$ $= \angle BCD + 90°$ $= \angle BCA$

개념확인

1. 다음 그림에서 $\overleftrightarrow{AT}$는 원 O의 접선이고 점 A는 접점일 때, $\angle x$, $\angle y$의 크기를 각각 구하시오.

(1)

(2)

2. 오른쪽 그림에서 $\overrightarrow{DA}$는 원의 접선이고 점 A는 접점이다. $\angle CDA = 40°$, $\angle BCA = 84°$일 때, $\angle x + \angle y$의 크기를 구하시오.

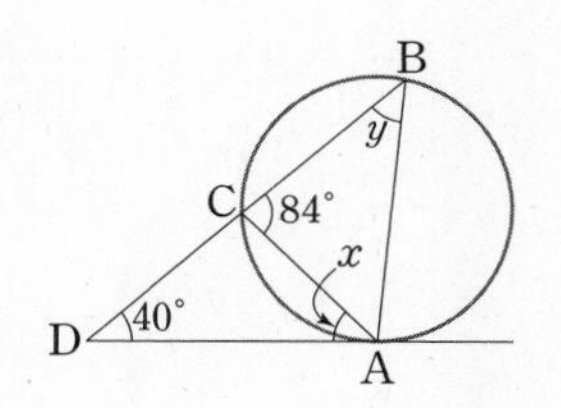

개념 적용

✎ 접선과 현이 이루는 각

1 **오른쪽 그림에서 $\overleftrightarrow{PB}$는 원의 접선이고 점 B는 접점이다. $\angle ADC=84°$, $\angle ABP=36°$일 때, $\angle x$의 크기를 구하시오.**

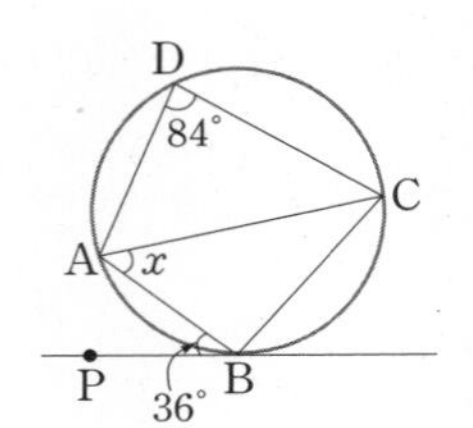

$\overleftrightarrow{AT}$가 원의 접선일 때

$\widehat{AB}$에 대한 원주각

접선과 현이 이루는 각

⇨ (접선과 현이 이루는 각) =($\widehat{AB}$에 대한 원주각)

⇨ $\angle BAT=\angle BCA$

1-1 오른쪽 그림에서 $\overleftrightarrow{AT}$는 원 O의 접선이고 점 A는 접점이다. $\angle CAT=70°$일 때, $\angle x+\angle y$의 크기를 구하시오.

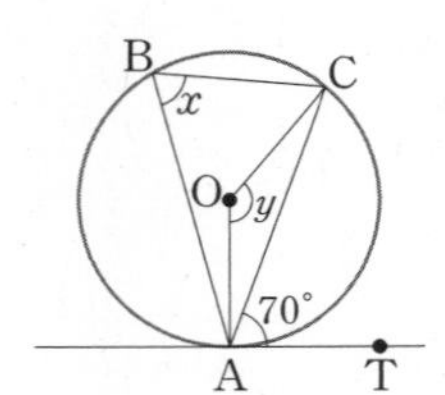

✎ 접선과 현이 이루는 각 – 원의 중심을 지나는 경우

2 **오른쪽 그림에서 $\overrightarrow{PT}$는 원 O의 접선이고 점 C는 접점이다. $\overline{AB}$는 원 O의 지름이고 $\angle BCT=65°$일 때, $\angle x$, $\angle y$의 크기를 각각 구하시오.**

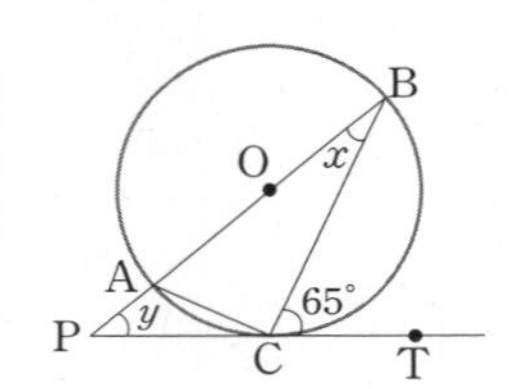

할선이 원의 중심을 지날 때

⇨ $\angle ATB=90°$, $\angle ATP=\angle ABT$

2-1 오른쪽 그림에서 $\overrightarrow{PT}$는 원 O의 접선이고 점 T는 접점이다. $\overline{AB}$는 원 O의 지름이고 $\angle ABT=30°$일 때, $\angle x$의 크기를 구하시오.

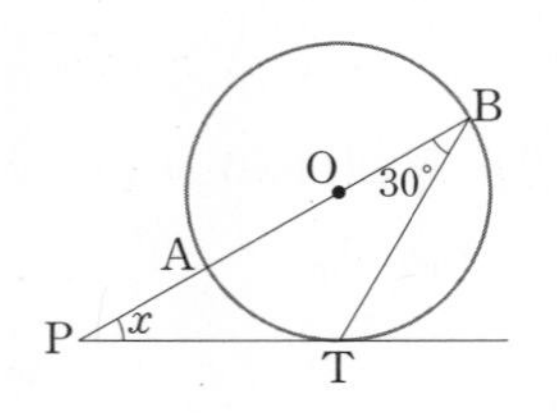

접선과 현이 이루는 각의 활용

3 **오른쪽 그림에서 $\overline{PA}$, $\overline{PB}$는 두 점 A, B를 각각 접점으로 하는 원 O의 접선이다. ∠APB=46°일 때, ∠ACB의 크기를 구하시오.**

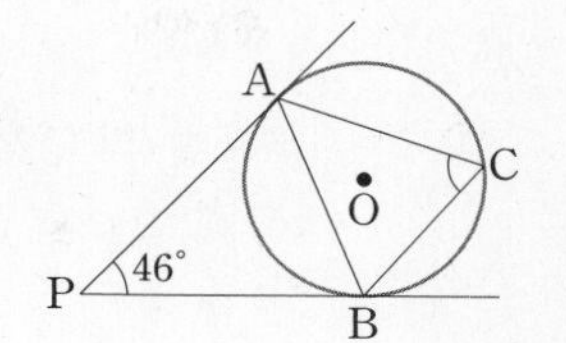

$\overline{PA}$, $\overline{PB}$가 원의 접선일 때

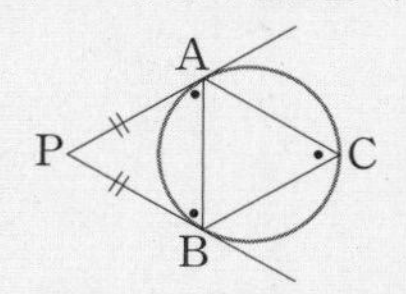

(1) △PAB는 $\overline{PA}=\overline{PB}$인 이등변삼각형이다.
(2) ∠PAB=∠PBA
=∠ACB

3-1 오른쪽 그림에서 $\overline{PA}$, $\overline{PB}$는 각각 두 점 A, B를 접점으로 하는 원의 접선이고 ∠ACB=65°일 때, $\angle y-\angle x$의 크기를 구하시오.

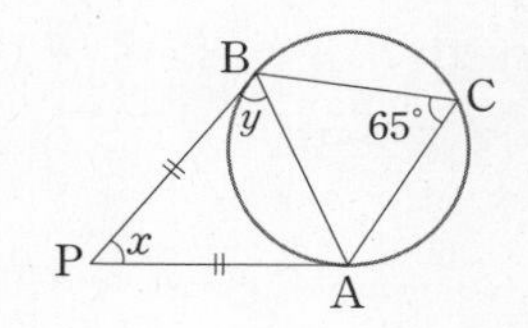

3-2 오른쪽 그림에서 원 O는 △ABC의 내접원이면서 △DEF의 외접원이다. 세 점 D, E, F는 접점이고, ∠EFD=60°, ∠ABC=40°일 때, $\angle x$의 크기를 구하시오.

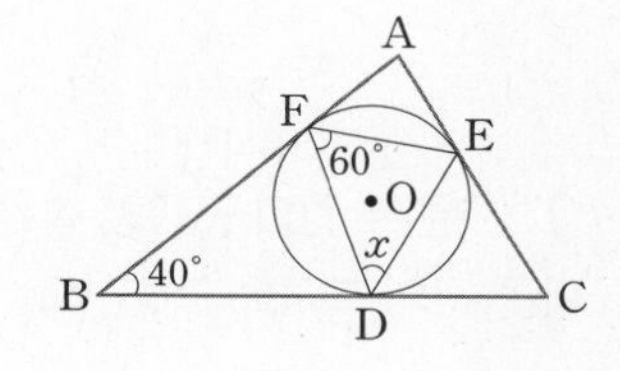

3-3 오른쪽 그림에서 원 O는 세 점 D, E, F에서 접하는 △ABC의 내접원이다. ∠A=55°, ∠B=45°일 때, $\angle x$의 크기를 구하시오.

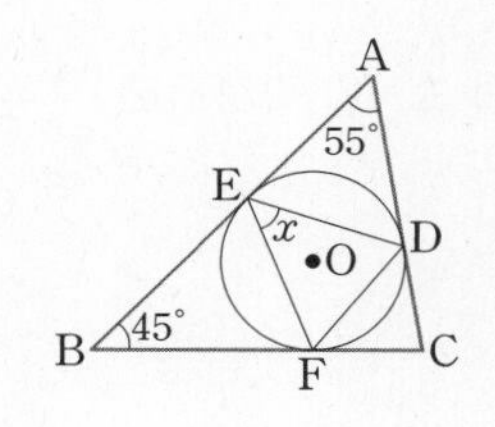

개념 이해 8

두 원에서 접선과 현이 이루는 각

$\overleftrightarrow{PQ}$가 두 원 O, O′의 공통인 접선이고 점 T가 그 접점일 때, 다음의 각 경우에 대하여 $\overline{AB} /\!/ \overline{CD}$가 성립한다.

(1)

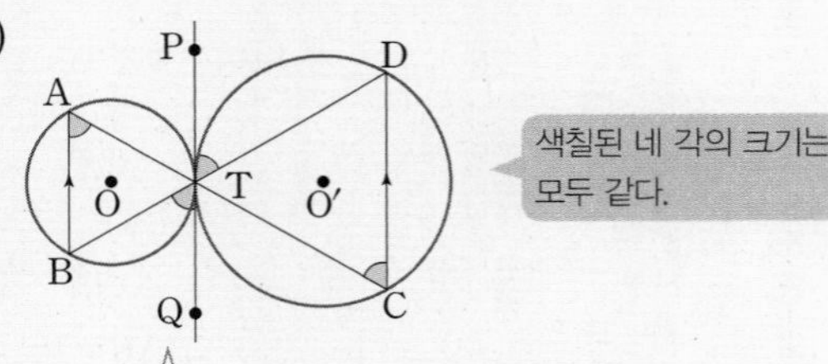

직선 PQ가 두 원 O, O′의 공통인 접선이므로
원 O에서 $\angle BAT = \angle BTQ$
또 $\angle BTQ = \angle DTP$(맞꼭지각)
원 O′에서 $\angle DTP = \angle DCT$
$\therefore \angle BAT = \angle DCT$
따라서 엇각의 크기가 같으므로
$\overline{AB} /\!/ \overline{CD}$

(2)

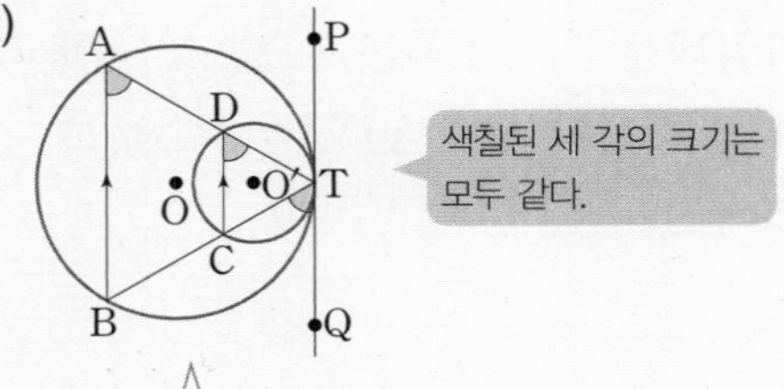

직선 PQ가 두 원 O, O′의 공통인 접선이므로
원 O에서 $\angle BAT = \angle CTQ$
원 O′에서 $\angle CDT = \angle CTQ$
$\therefore \angle BAT = \angle CDT$
따라서 동위각의 크기가 같으므로
$\overline{AB} /\!/ \overline{CD}$

개념확인

1. 오른쪽 그림에서 직선 TT′은 두 원의 공통인 접선이고, 점 P는 접점이다. $\angle BAP = 85°$, $\angle ABP = 35°$일 때, 다음 각의 크기를 구하시오.

(1) $\angle APT$ (2) $\angle CPT'$ (3) $\angle CDP$

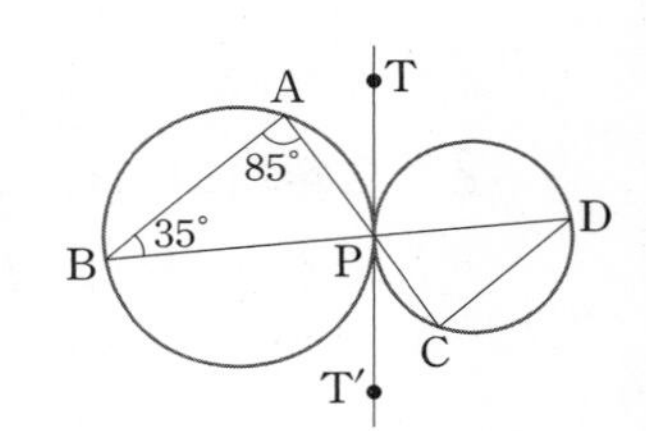

2. 다음 그림에서 $\angle x$의 크기를 구하시오.

(1)

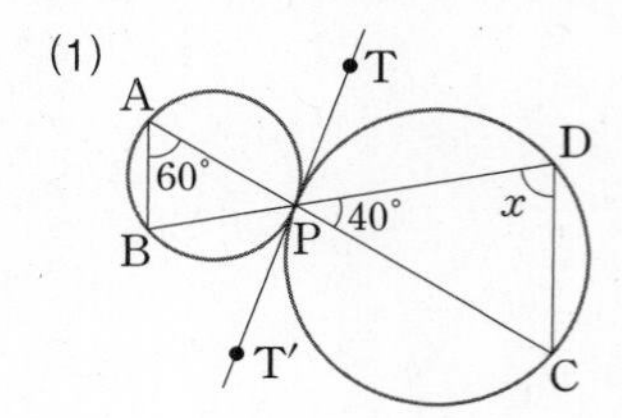

(2)

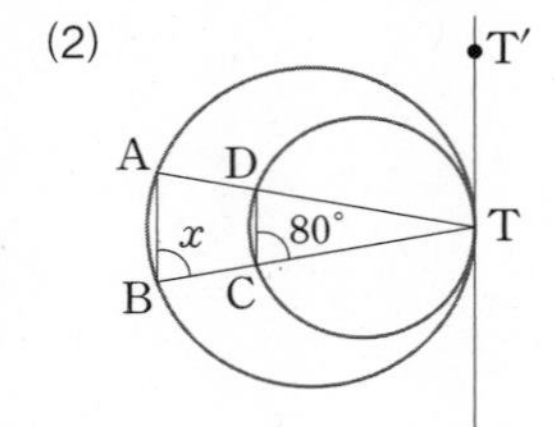

✎두 원에서 접선과 현이 이루는 각

1 오른쪽 그림에서 $\overleftrightarrow{PQ}$는 두 원의 공통인 접선이고 점 T는 접점이다. $\angle BAT=65^\circ$, $\angle TDC=45^\circ$일 때, $\angle x$, $\angle y$의 크기를 각각 구하시오.

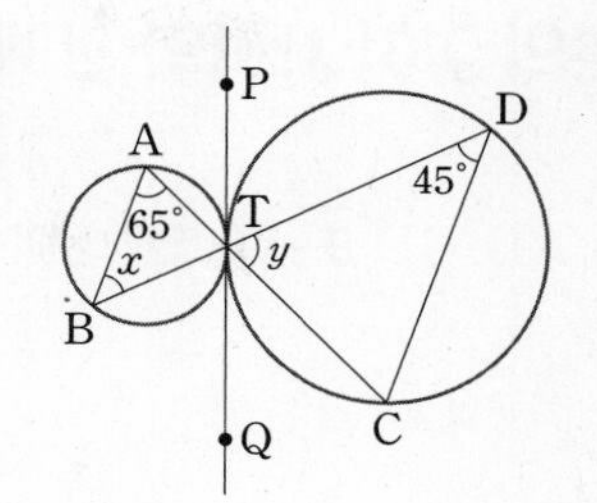

$\overleftrightarrow{PQ}$가 점 T에서 접하는 두 원의 공통인 접선일 때

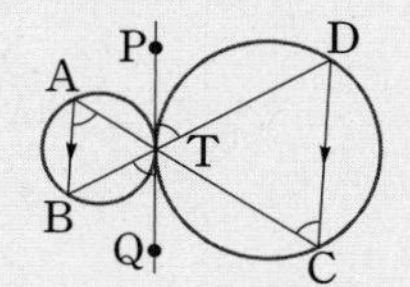

(1) $\angle BAT=\angle BTQ$
$=\angle DTP$
$=\angle DCT$

(2) $\angle BAT=\angle DCT$(엇각)이므로 $\overline{AB}/\!/\overline{CD}$

1-1 오른쪽 그림과 같이 점 T에서 두 원 O, O′에 공통으로 접하는 접선을 $\overleftrightarrow{PQ}$라 하자. $\angle TAB=60^\circ$, $\angle TDC=50^\circ$일 때, 다음 중 옳은 것을 모두 고르면? (정답 2개)

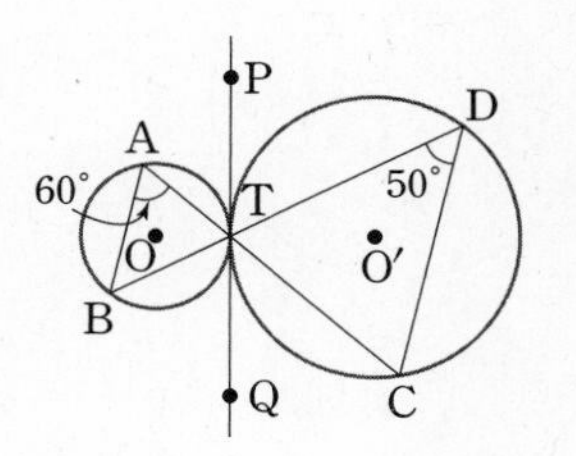

① $\angle DTP=60^\circ$ ② $\angle BAT=\angle CTD$
③ $\angle ABT=60^\circ$ ④ $\angle CTD=70^\circ$
⑤ $\overline{AB}/\!/\overline{PQ}$

1-2 오른쪽 그림과 같이 점 P에서 접하는 두 원 O, O′의 공통인 접선을 $\overleftrightarrow{TT'}$이라고 하자. $\angle BAP=55^\circ$, $\angle CPD=70^\circ$일 때, $\angle x$의 크기를 구하시오.

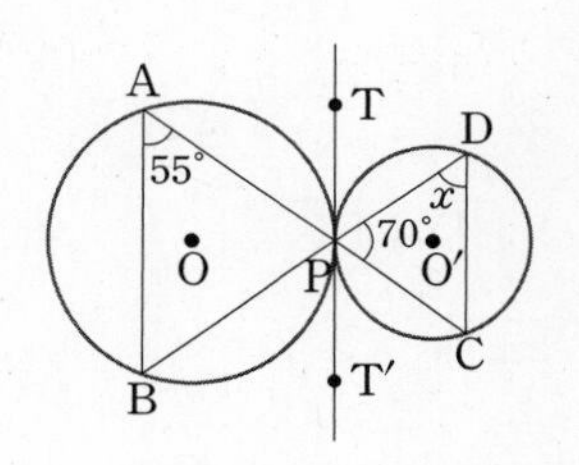

1-3 오른쪽 그림에서 $\overleftrightarrow{PQ}$는 두 원의 공통인 접선이고 점 T는 접점이다. $\angle ABT=75^\circ$, $\angle CDT=45^\circ$일 때, $\angle x$의 크기를 구하시오.

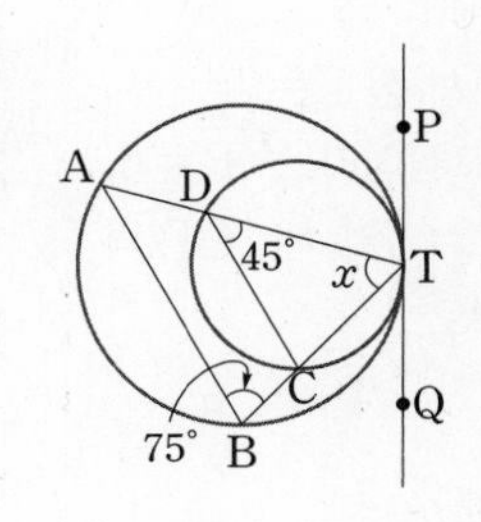

▸ $\overleftrightarrow{PQ}$가 두 원의 공통인 접선이므로 $\angle BAT=\angle BTQ=\angle CDT$임을 이용한다.

원과 비례의 응용

원에서 선분의 길이 사이의 관계

한 원에서 두 현 AB, CD 또는 그 연장선이 만나는 점을 P라 하면 다음이 성립한다.

$$\overline{PA}\times\overline{PB}=\overline{PC}\times\overline{PD}$$

1 교점 P가 원의 내부에 있을 때

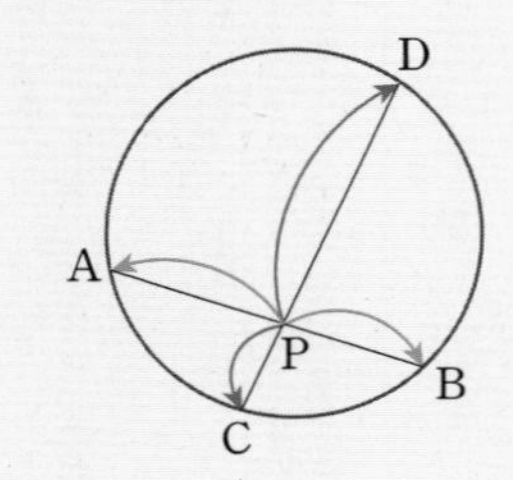

오른쪽 그림과 같이
$\overline{AC}$, $\overline{DB}$를 그으면
$\triangle$PAC와 $\triangle$PDB에서
$\angle$PAC= ☐
($\widehat{BC}$에 대한 원주각)
$\angle$PCA= ☐ ($\widehat{AD}$에 대한 원주각)
$\therefore$ $\triangle$PAC $\backsim$ ☐ (AA 닮음)
따라서 $\overline{PA}:\overline{PD}=\overline{PC}:$ ☐이므로
$\overline{PA}\times$ ☐ $=\overline{PC}\times\overline{PD}$

답 $\angle$PDB, $\angle$PBD, $\triangle$PDB, $\overline{PB}$, $\overline{PB}$

2 교점 P가 원의 외부에 있을 때

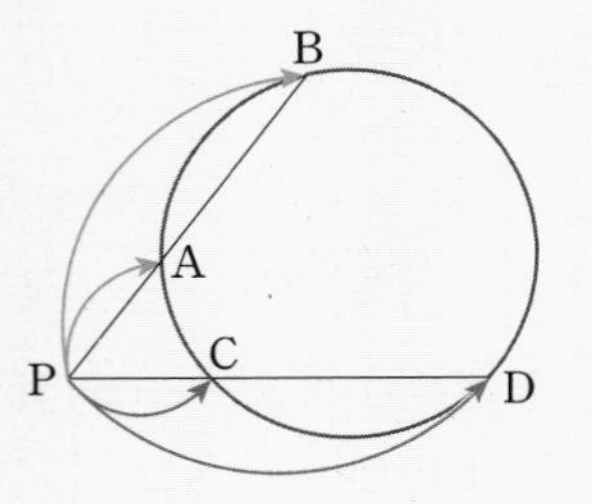

오른쪽 그림과 같이
$\overline{AD}$, $\overline{CB}$를 그으면
$\triangle$PAD와 $\triangle$PCB에서
$\angle$PDA= ☐
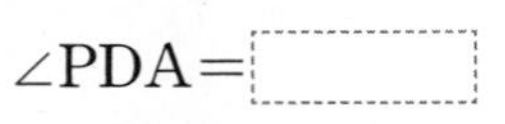
($\widehat{AC}$에 대한 원주각)
$\angle$P는 공통
$\therefore$ $\triangle$PAD $\backsim$ ☐ (AA 닮음)
따라서 $\overline{PA}:\overline{PC}=$ ☐ $:\overline{PB}$이므로
$\overline{PA}\times\overline{PB}=\overline{PC}\times$ ☐

답 $\angle$PBC, $\triangle$PCB, $\overline{PD}$, $\overline{PD}$

1 오른쪽 그림에서 점 P는 두 현 AB, CD의 교점이다. $\overline{AP}=6$, $\overline{PB}=5$, $\overline{CP}=3$일 때, $\overline{CD}$의 길이를 구하시오.

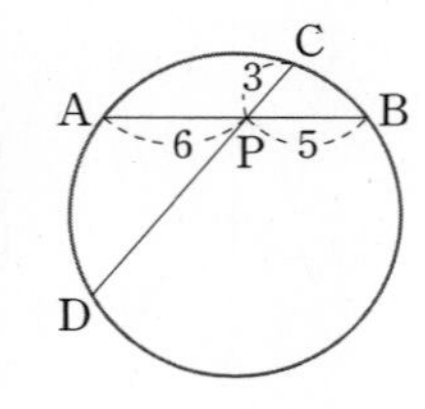

답 10

2 오른쪽 그림에서 점 P는 두 현 AB, CD의 연장선의 교점이다. $\overline{AB}=3$, $\overline{PC}=4$, $\overline{CD}=6$일 때, $\overline{PA}$의 길이를 구하시오.

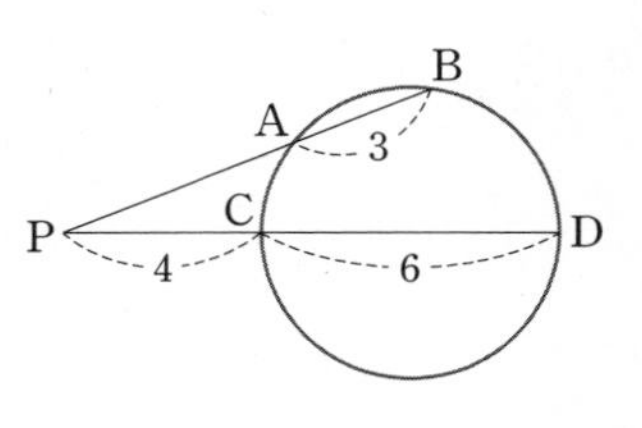

답 5

원에서 할선과 접선 사이의 관계

원 밖의 한 점 P에서 그은 접선과 할선이 원과 만나는 점을 각각 T, A, B라 하면 다음이 성립한다.

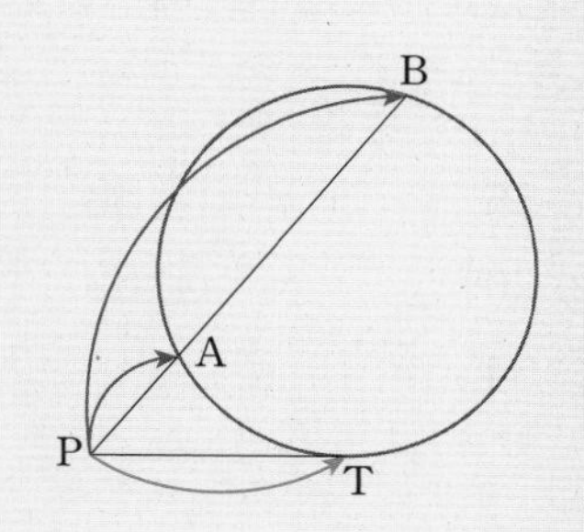

$$\overline{PT}^2=\overline{PA}\times\overline{PB}$$

반대로 $\overline{PT}^2=\overline{PA}\times\overline{PB}$이면 $\overline{PT}$는 세 점 A, B, T를 지나는 원의 접선이다.

|참고|

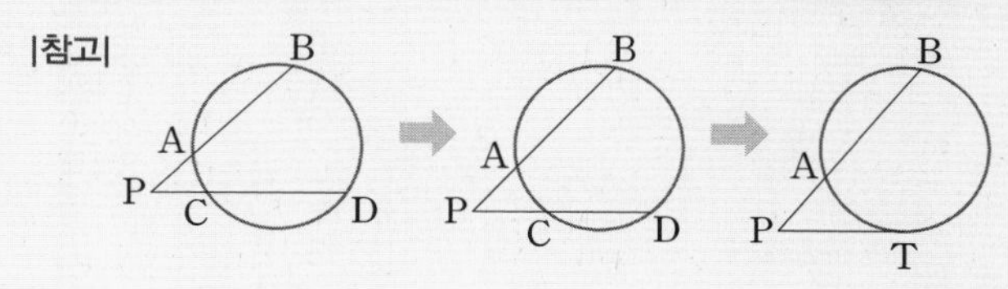

$\overline{PD}$가 $\overline{PT}$에 가까워지면 $\overline{PC}\times\overline{PD}$의 값이 $\overline{PT}^2$에 가까워진다.

오른쪽 그림과 같이 $\overline{AT}$, $\overline{BT}$를 그으면

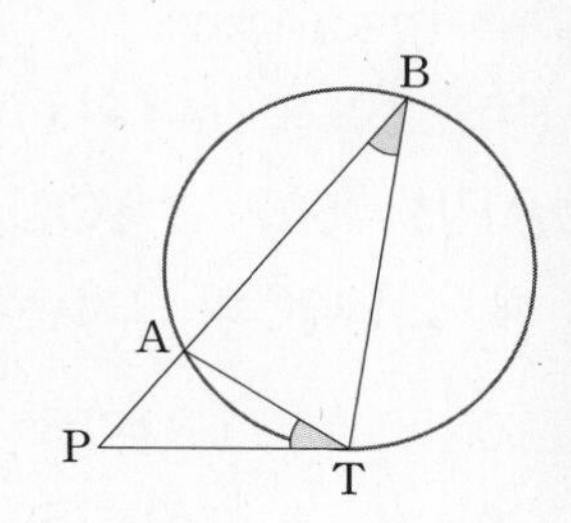

△PTA와 △PBT에서

∠PTA= ☐ (접선과 현이 이루는 각), ∠P는 공통이므로

△PTA ∽ ☐ (AA 닮음)

따라서 $\overline{PA}:\overline{PT}=\overline{PT}:$ ☐ 이므로

$\overline{PT}^2=\overline{PA}\times$ ☐

답 ∠PBT, △PBT, $\overline{PB}$, $\overline{PB}$

1 오른쪽 그림에서 $\overline{PT}$는 원의 접선이고 점 T는 접점이다. $\overline{PT}=12$, $\overline{AB}=10$일 때, $\overline{PA}$의 길이를 구하시오.

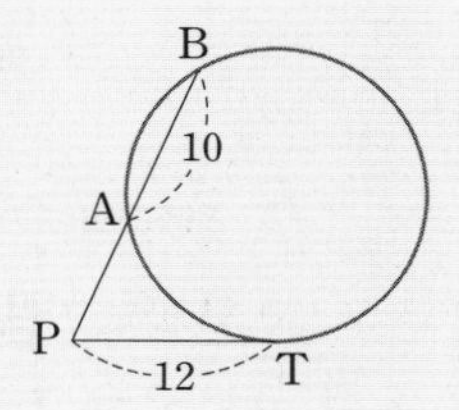

$\overline{PA}=x$라 하면

$12^2=x\times(x+$ ☐ $)$

x^2+ ☐ $x-$ ☐ $=0$

$(x+$ ☐ $)(x-$ ☐ $)=0$

$\therefore x=$ ☐ $(\because x>0)$

따라서 $\overline{PA}$의 길이는 ☐ 이다.

답 10, 10, 144, 18, 8, 8, 8

2 오른쪽 그림에서 $\overline{PT}$는 원 O의 접선이고 점 T는 접점이다. $\overline{AB}$는 원 O의 지름이고, $\overline{PA}=2$, $\overline{PT}=4$일 때, 원 O의 반지름의 길이를 구하시오.

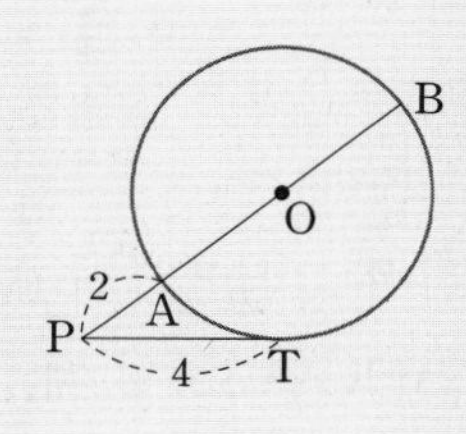

원 O의 반지름의 길이를 r라 하면

$4^2=2\times(2+$ ☐ $)$

$4r=$ ☐

$\therefore r=$ ☐

따라서 원 O의 반지름의 길이는 ☐ 이다.

답 $2r$, 12, 3, 3

개념 완성 기본 문제

1 원주각과 중심각의 크기

오른쪽 그림과 같은 원 O에서 $\angle OBC=32^\circ$일 때, $\angle x$의 크기는?

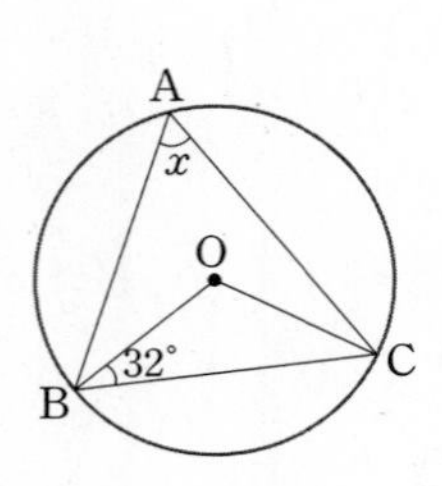

① 56°　② 58°　③ 60°　④ 62°　⑤ 64°

2 원주각과 중심각의 크기

오른쪽 그림과 같은 원 O에서 $\angle APB=50^\circ$, $\angle AOC=140^\circ$일 때, $\angle BQC$의 크기는?

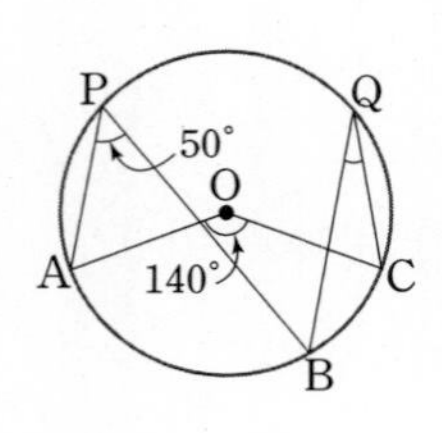

① 10°　② 15°　③ 20°　④ 25°　⑤ 30°

3 원주각의 성질 (1)

오른쪽 그림에서 $\angle ABD=57^\circ$, $\angle BDC=35^\circ$일 때, $\angle BPC$의 크기는?

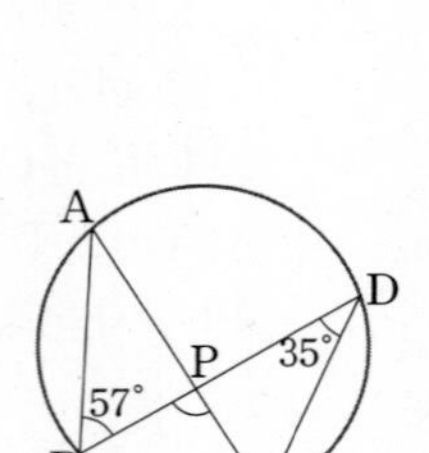

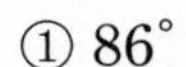

① 86°　② 88°　③ 90°　④ 92°　⑤ 94°

4 원주각의 성질 (2)

오른쪽 그림에서 $\overline{AC}$는 원 O의 지름이고 $\angle BAC=52^\circ$, $\angle DBC=60^\circ$일 때, $\angle x+\angle y$의 크기는?

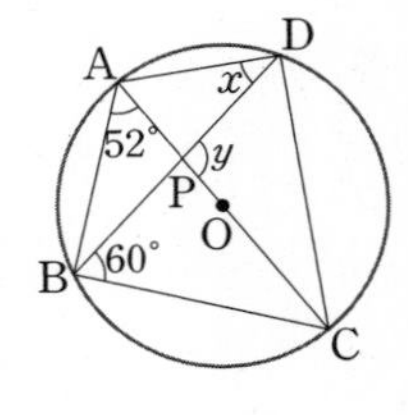

① 128°　② 130°　③ 132°　④ 134°　⑤ 136°

5 원주각의 크기와 호의 길이 (1)

오른쪽 그림에서 $\widehat{AB}=\widehat{BC}$이고 $\angle ABD=58^\circ$, $\angle BDC=34^\circ$일 때, $\angle CAD$의 크기를 구하시오.

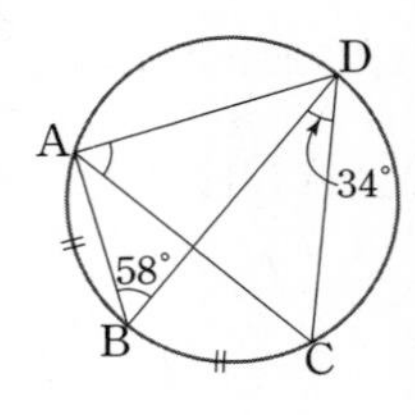

6 원주각의 크기와 호의 길이 (2)

오른쪽 그림에서 $\overline{AB}$는 원 O의 지름이고 $\widehat{PA}:\widehat{PB}=4:5$이다. 이때 $\angle PAB$의 크기를 구하시오.

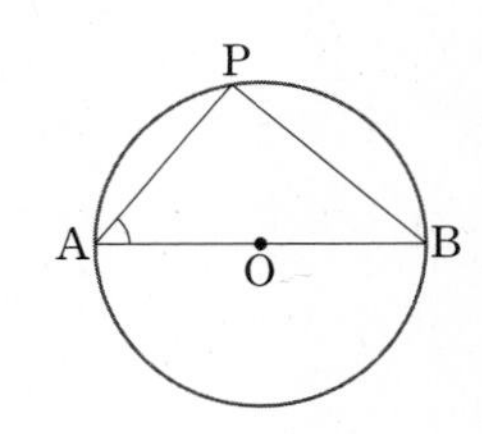

7 원주각의 크기와 호의 길이 (2)

오른쪽 그림과 같이 10개의 관람차가 일정한 간격으로 설치된 원 모양의 놀이 기구가 있다. $\angle x + \angle y$의 크기를 구하시오. (단, 관람차는 원 위의 한 점이라 생각한다.)

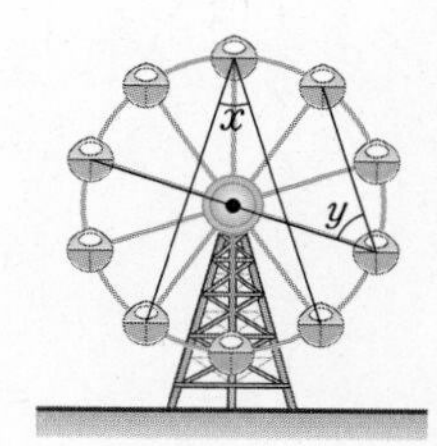

8 원주각의 크기와 호의 길이 (2)

오른쪽 그림에서 $\widehat{AB}$, $\widehat{CD}$의 길이가 각각 원주의 $\frac{1}{4}$, $\frac{1}{9}$일 때, $\angle APB$의 크기를 구하시오.

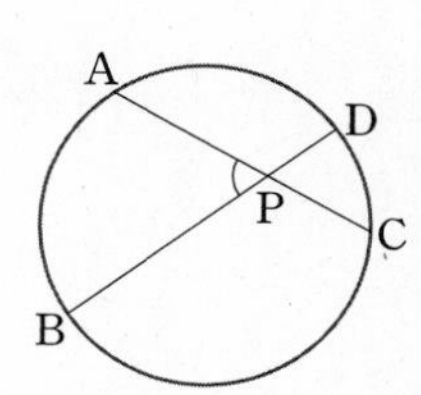

9 네 점이 한 원 위에 있을 조건

오른쪽 그림에서 $\angle DAC = 20°$, $\angle DCB = 88°$이고 네 점 A, B, C, D가 한 원 위에 있을 때, $\angle x$의 크기는?

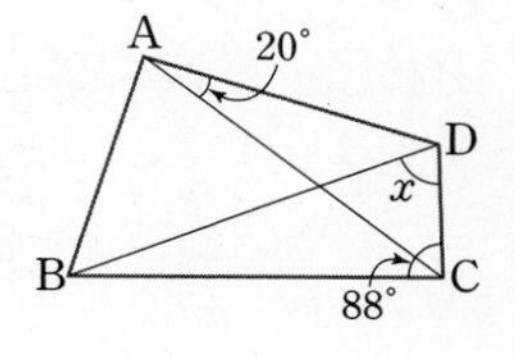

① 68° ② 70° ③ 72° ④ 74° ⑤ 76°

10 네 점이 한 원 위에 있을 조건

다음 중 네 점 A, B, C, D가 한 원 위에 있는 것은?

①
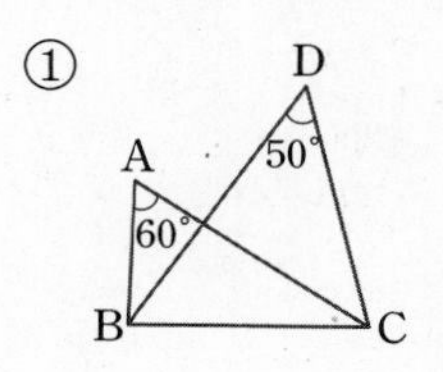

②
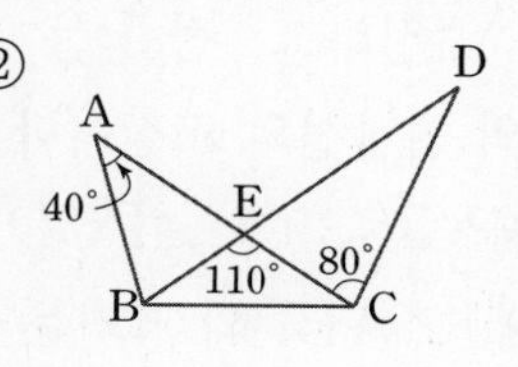

③
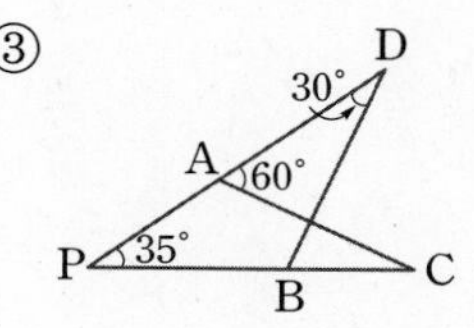

④
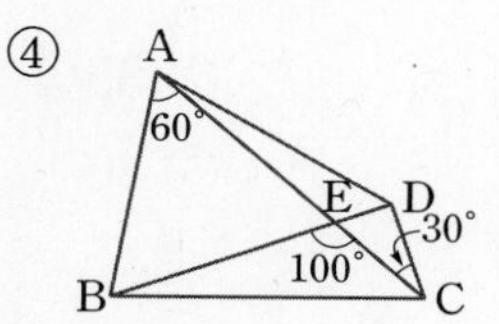

⑤
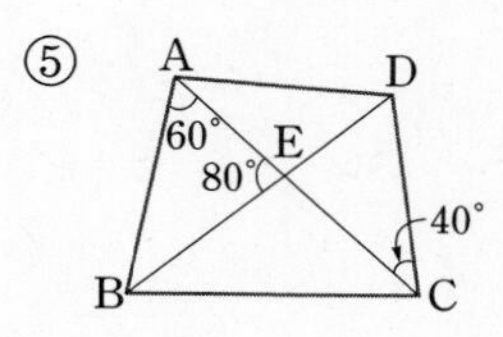

11 원에 내접하는 사각형의 성질 (1)

오른쪽 그림에서 □ABCD는 원 O에 내접하고 $\angle BAD = 70°$, $\angle OBC = 50°$일 때, $\angle x - \angle y$의 크기는?

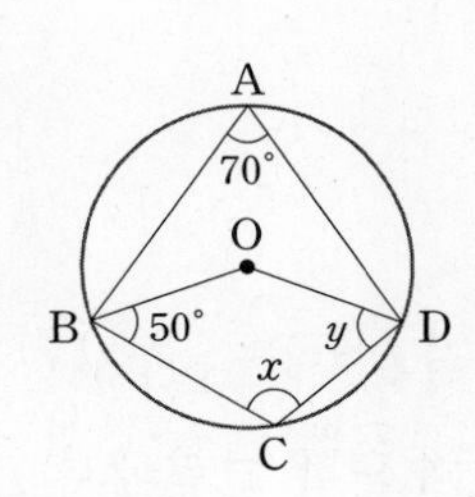

① 35° ② 40°
③ 45° ④ 50°
⑤ 55°

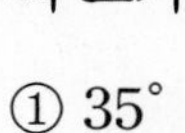

12 원에 내접하는 사각형과 외각의 성질

오른쪽 그림에서 □ABCD는 원에 내접하고, 점 P는 $\overline{AD}$와 $\overline{BC}$의 연장선의 교점이다. $\angle DPC=30^\circ$, $\angle PCD=80^\circ$일 때, $\angle ABP$의 크기는?

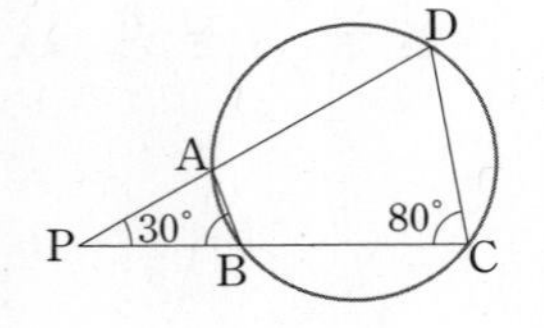

① 60° ② 65° ③ 70°
④ 75° ⑤ 80°

13 원에 내접하는 다각형

오른쪽 그림과 같이 원에 내접하는 육각형 ABCDEF에서 $\angle BCD=110^\circ$, $\angle DEF=125^\circ$일 때, $\angle BAF$의 크기는?

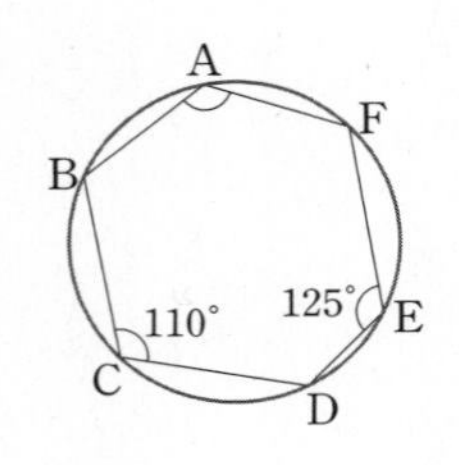

① 110° ② 115°
③ 120° ④ 125°
⑤ 130°

14 접선과 현이 이루는 각

오른쪽 그림에서 $\overleftrightarrow{AT}$는 원 O의 접선이고 점 A는 접점이다. $\angle ABC=70^\circ$, $\angle BAC=35^\circ$일 때, $\angle x$의 크기는?

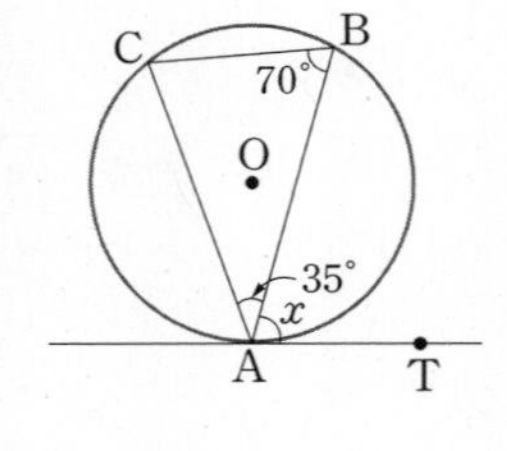

① 55° ② 60°
③ 65° ④ 70°
⑤ 75°

15 사각형이 원에 내접하기 위한 조건

다음 중 □ABCD가 원에 내접하지 않는 것은?

①
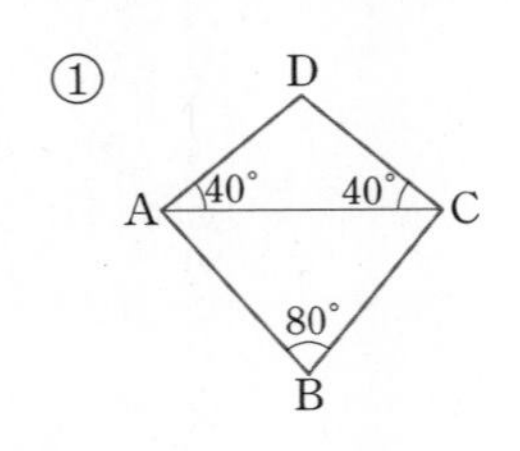

②
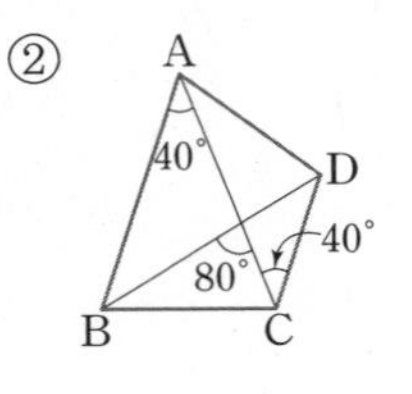

③

④
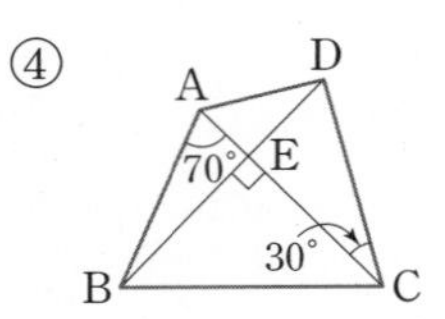

⑤
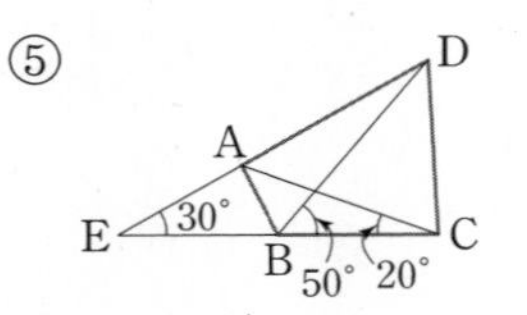

16 접선과 현이 이루는 각 – 원의 중심을 지나는 경우

오른쪽 그림에서 $\overleftrightarrow{TT'}$은 원 O의 접선이고 $\overline{AD}$는 원 O의 중심을 지난다. 점 B는 접점이고, $\angle BCD=120^\circ$일 때, $\angle x$의 크기는?

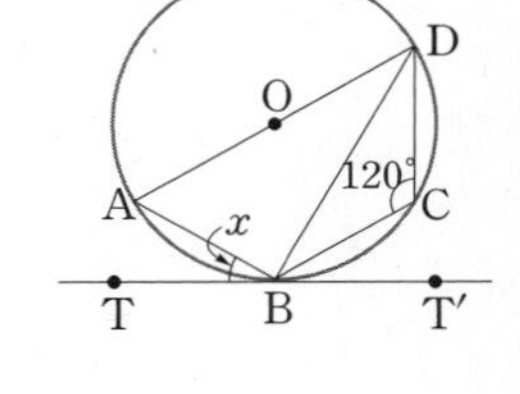

① 25 ② 30° ③ 35°
④ 40° ⑤ 45°

개념 완성

발전 문제

1 오른쪽 그림과 같이 두 개의 등대가 설치된 해안에 원 모양의 위험 지역이 설정되어 있다. 두 등대 사이의 거리가 40 m이고, 위험 지역의 경계에 있는 한 지점 A에서 두 등대를 바라본 각의 크기가 30°일 때, 위험 지역을 나타내는 원의 넓이를 구하시오.
(단, 두 등대는 원 위의 하나의 점이라 생각한다.)

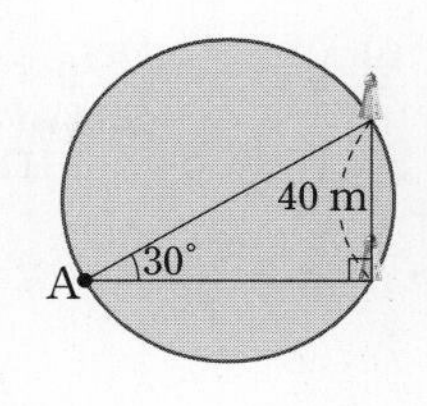

2 오른쪽 그림과 같이 두 현 AD, BC의 연장선의 교점을 P, 두 현 AC, BD의 교점을 Q라 하자. $\angle APB=30^\circ$, $\angle DQC=80^\circ$일 때, $\angle x$의 크기를 구하시오.

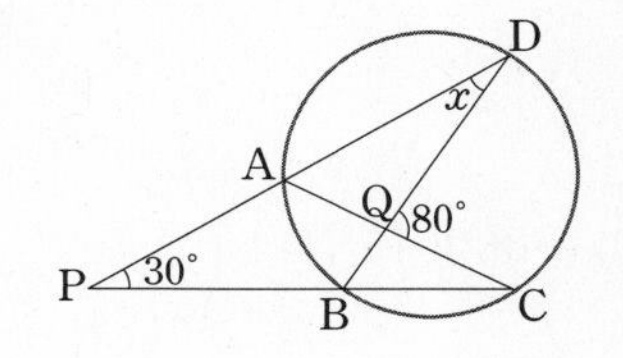

3 오른쪽 그림에서 $\overline{AB}$는 원 O의 지름이고 $\angle APB=64^\circ$일 때, $\angle COD$의 크기를 구하시오.

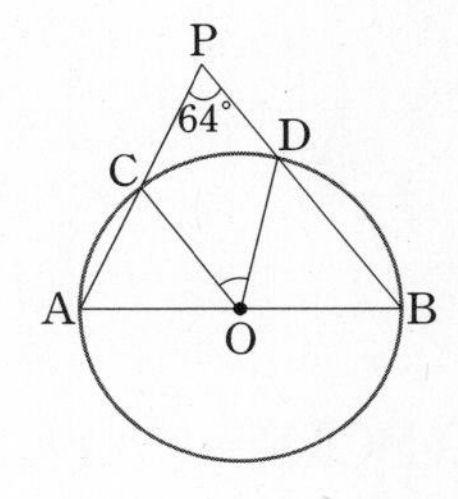

4 오른쪽 그림에서 점 H는 $\triangle ABC$의 세 꼭짓점에서 각각의 대변에 내린 수선의 교점이다. 다음 사각형 중 원에 내접하지 <u>않는</u> 것은?

① □ABEF ② □ADHF
③ □ADEF ④ □DBCF
⑤ □HECF

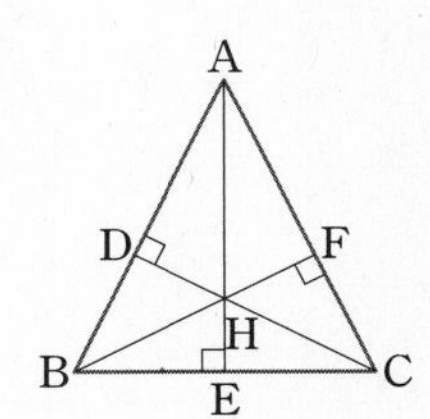

5 오른쪽 그림과 같이 두 원 O, O′이 두 점 P, Q에서 만나고 $\angle BAP=85^\circ$, $\angle ABQ=80^\circ$일 때, $\angle x$의 크기는?

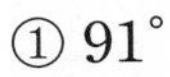

① 91° ② 92° ③ 93°
④ 94° ⑤ 95°

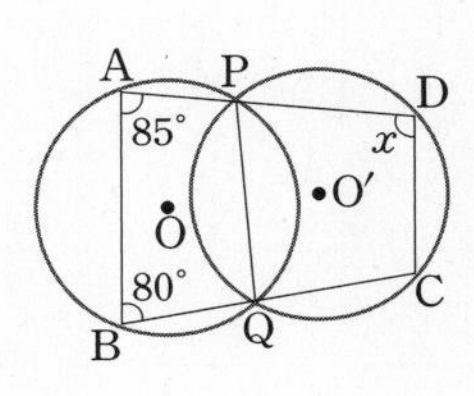

6 서술형

오른쪽 그림과 같이 반지름의 길이가 6 cm인 원 O에 내접하는 △ABC에서 $\overline{BC}=9$ cm일 때, $\tan A$의 값을 구하기 위한 풀이 과정을 쓰고 답을 구하시오.

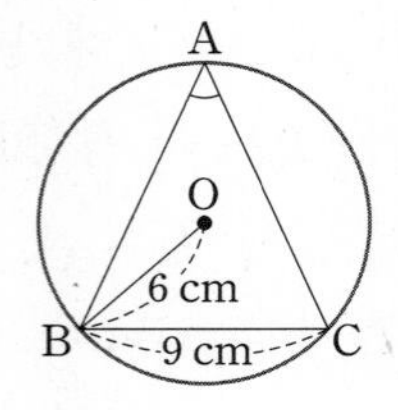

► Check List
- ∠A′CB의 크기를 바르게 구하였는가?
- $\overline{A'C}$의 길이를 바르게 구하였는가?
- $\tan A$의 값을 바르게 구하였는가?

① 단계: ∠A′CB의 크기 구하기

오른쪽 그림과 같이 $\overline{BO}$의 연장선이 원 O와 만나는 점을 A′이라 하면 $\overline{A'B}$는 원 O의 ______ 이므로

∠A′CB= ______

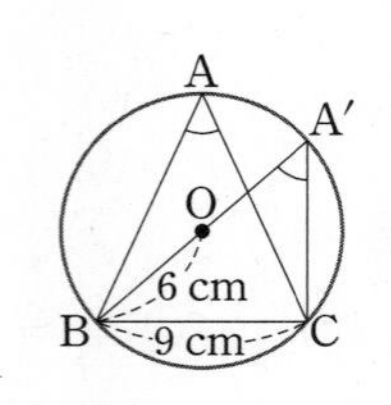

② 단계: $\overline{A'C}$의 길이 구하기

$\overline{A'B}=2\overline{OB}=$ ____________ (cm)이므로

△A′BC에서 $\overline{A'C}=$ ____________ (cm)

③ 단계: $\tan A$의 값 구하기

$\tan A=\tan A'=\dfrac{\overline{BC}}{\overline{A'C}}=$ ____________

7 서술형

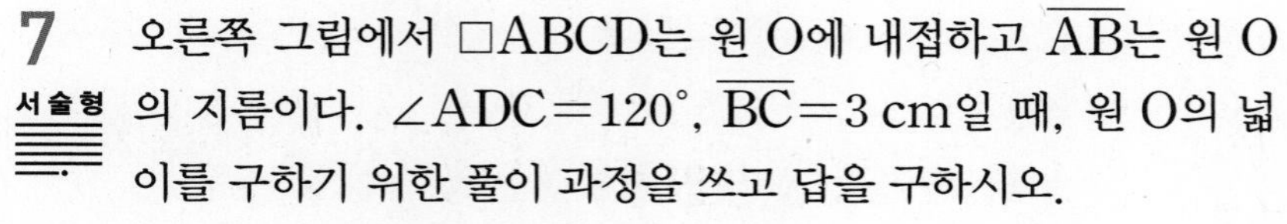

오른쪽 그림에서 □ABCD는 원 O에 내접하고 $\overline{AB}$는 원 O의 지름이다. ∠ADC=120°, $\overline{BC}=3$ cm일 때, 원 O의 넓이를 구하기 위한 풀이 과정을 쓰고 답을 구하시오.

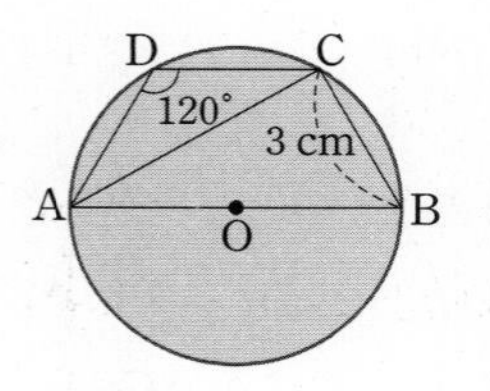

► Check List
- ∠ABC의 크기를 바르게 구하였는가?
- $\overline{AB}$의 길이를 바르게 구하였는가?
- 원 O의 넓이를 바르게 구하였는가?

① 단계: ∠ABC의 크기 구하기

② 단계: $\overline{AB}$의 길이 구하기

③ 단계: 원 O의 넓이 구하기

1 대푯값과 산포도

1 대푯값과 평균
2 중앙값
3 최빈값
4 산포도와 편차
5 분산과 표준편차

2 상관관계

1 산점도와 상관관계

통계

1 대푯값과 산포도

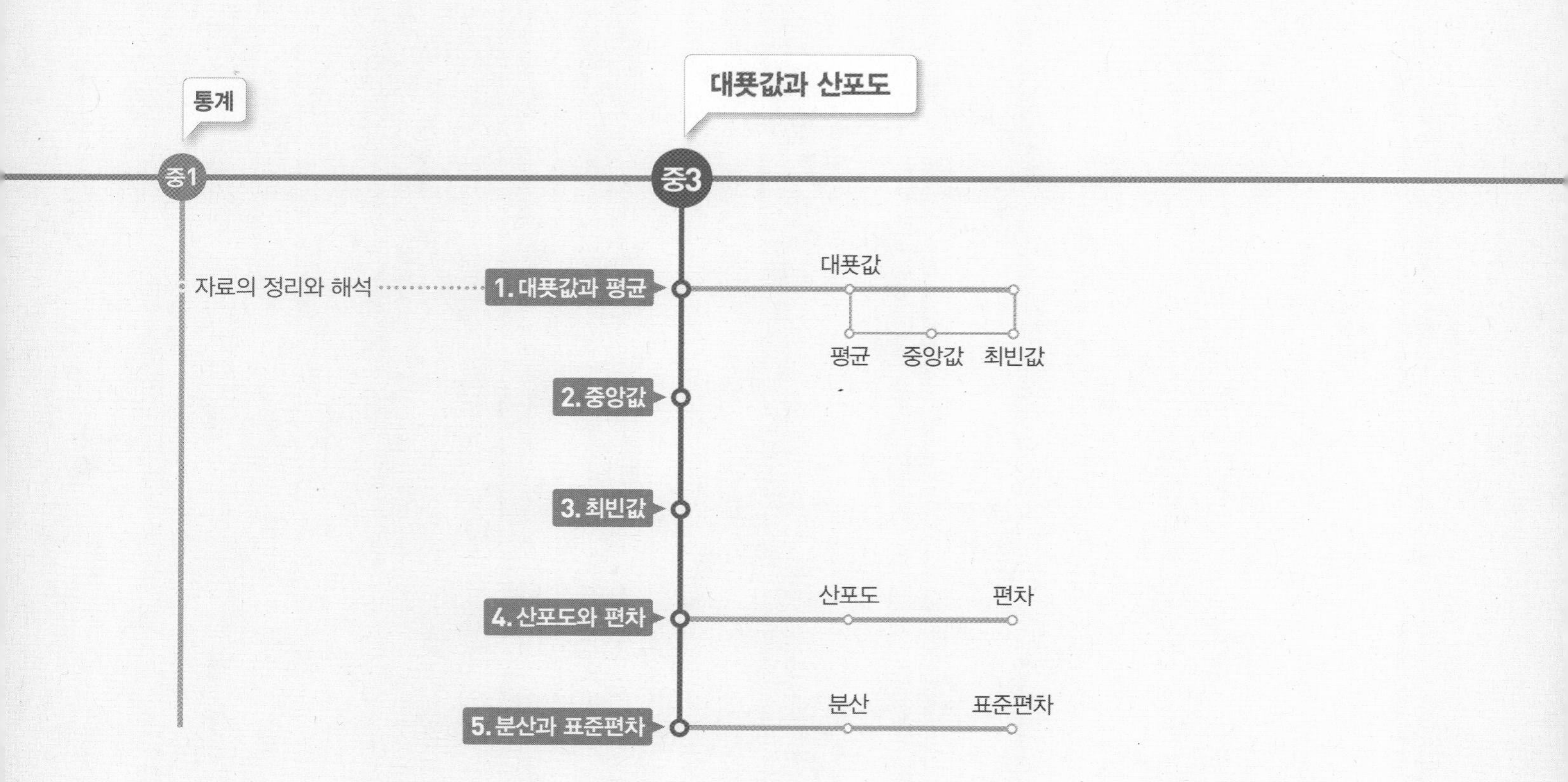

통계
대푯값과 산포도
중1
중3
자료의 정리와 해석
1. 대푯값과 평균
대푯값
평균
중앙값
최빈값
2. 중앙값
3. 최빈값
4. 산포도와 편차
산포도
편차
5. 분산과 표준편차
분산
표준편차

진실을 보는 눈 – 평균의 함정

지민이의 국·영·수 평균 점수

90점

성민이의 국·영·수 평균 점수

90점

평균 점수가 같으므로
지민이와 성민이의 수학 점수도 비슷할 것이다.

과연 그럴까?

지민이의 성적

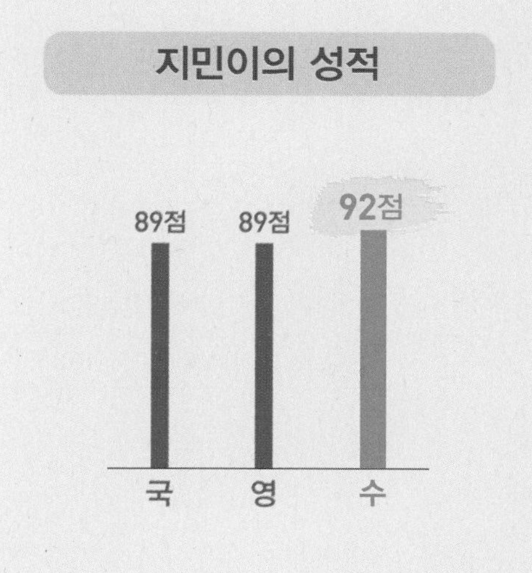

성민이의 성적

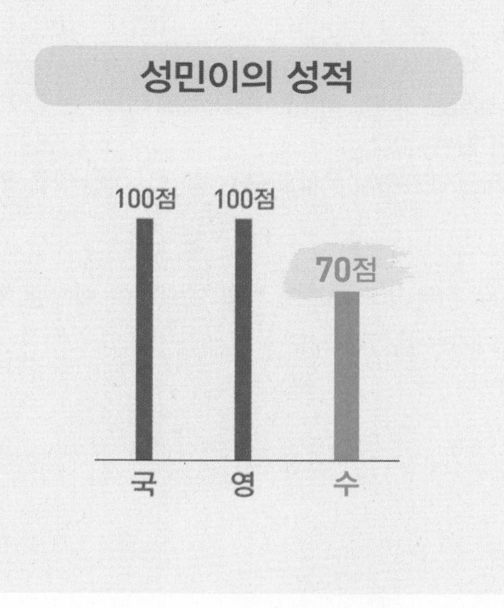

평균은 전체를 대표하는 값일 뿐이다.

개념 이해 1

대푯값과 평균

(1) **대푯값:** 자료의 중심 경향을 하나의 수로 나타내어 자료 전체의 특징을 대표하는 값

➡ 대푯값에는 평균, 중앙값, 최빈값 등이 있다.

• 대푯값 중에서 평균이 가장 많이 사용된다.

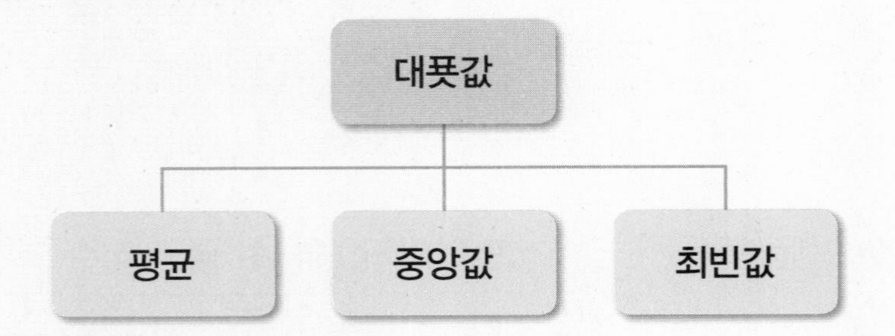

(2) **평균:** 전체 변량의 총합을 변량의 개수로 나눈 값

➡ $(\text{평균})=\dfrac{(\text{변량의 총합})}{(\text{변량의 개수})}$

• n개의 변량 $x_1, x_2, x_3, \cdots, x_n$에 대하여
$(\text{평균})=\dfrac{x_1+x_2+x_3+\cdots+x_n}{n}$

평균이 아닌 대푯값은 왜 필요할까?

대푯값은 어떤 자료를 대표하는 값으로 그 자료의 경향을 잘 나타내는 값이다. 가장 흔하게 사용하는 대푯값은 평균이지만 모든 자료에서 평균을 대푯값으로 정하는 것이 합리적인 것은 아니다.
예를 들어 10번의 실험을 통해 얻은 값이 다음과 같을 때,

0　8　8　8　8　8　8　8　8　8

이 실험의 평균값인 7.2가 이 실험을 대표하는 값일까? 모두 8이 나왔는데 한 번의 실험값만 0이었다면 그 실험이 잘못되었을 가능성이 크다.
또 다른 예로

0　0　0　0　0　10　10　10　10　10

위와 같은 경우의 평균은 5이다. 하지만 이 자료를 대표하는 값이 5라고 할 수 있을까? 이러한 경우 평균은 자료에 대해 제대로 설명할 수 없으므로 대푯값이 될 수 없다.
이처럼 평균이 자료를 대표하지 못할 때에는 평균이 아닌 다른 적절한 대푯값을 선택해야 한다.

개념확인

1. 오른쪽 표는 진욱이네 가족의 키를 조사하여 나타낸 것이다. 진욱이네 가족의 키의 평균을 구하시오.

가족	아빠	엄마	진욱	여동생
키(cm)	180	162	176	142

개념 적용

평균의 뜻과 성질

1 다음 표는 소영이네 반 학생 5명의 수학 점수를 조사하여 나타낸 것이다. 학생 5명의 평균 점수가 70점일 때, 소영이의 수학 점수를 구하시오.

학생	민정	석민	소영	태은	동주
수학 점수(점)	63	78		72	76

전체 변량의 총합을 변량의 개수로 나눈 값을 평균이라 한다.

⇨ $(\text{평균})=\frac{(\text{변량의 총합})}{(\text{변량의 개수})}$

⇨ (변량의 총합)
　=(평균)×(변량의 개수)

1-1 4개의 변량 A, B, C, D의 평균이 10일 때, 5개의 변량 A, B, C, D, 20의 평균은?

① 10　② 11　③ 12
④ 13　⑤ 14

1-2 다음 자료는 진이네 반 학생 10명의 일주일 동안의 독서 시간을 조사하여 나타낸 것이다. 독서 시간의 평균이 6시간일 때, x의 값은?

> 9　2　7　4　x　5　6　7　4　9

① 4　② 5　③ 6
④ 7　⑤ 8

▸ $(\text{평균})=\frac{(\text{변량의 총합})}{(\text{변량의 개수})}$

1-3 솔민이네 반 학생 30명의 몸무게의 평균은 50 kg이다. 한 학생이 전학을 간 후 몸무게의 평균이 49.5 kg일 때, 전학 간 학생의 몸무게를 구하시오.

▸ 전학을 간 학생을 빼면 솔민이네 반 학생 수는 1명이 줄고, 몸무게의 총합도 전학을 간 학생의 몸무게만큼 줄어든다.

개념 이해

2 중앙값

(1) 중앙값: 자료를 작은 값부터 크기순으로 나열할 때, 중앙에 위치하는 값

(2) 중앙값 구하기

중앙값은 자료를 작은 값부터 크기순으로 나열할 때

① 자료의 개수가 홀수이면 한가운데에 놓이는 값이 중앙값이다.

② 자료의 개수가 짝수이면 한가운데에 놓이는 두 값의 평균이 중앙값이다.

예 • 2, 4, 6, 8, 10 ➡ 자료의 개수가 홀수이므로 중앙값은 한가운데에 놓인 값인 6이다.

• 1, 3, 5, 7, 9, 11 ➡ 자료의 개수가 짝수이므로 중앙값은 한가운데에 놓인 5와 7의 평균인 $\frac{5+7}{2}=6$이다.

• 자료의 개수가 n개일 때, 중앙값
① n이 홀수
⇨ $\frac{n+1}{2}$번째 변량
② n이 짝수
⇨ $\frac{n}{2}$번째 변량과 $\left(\frac{n}{2}+1\right)$번째 변량의 평균

평균과 중앙값의 비교

	평균	중앙값
장점	모든 자료의 값을 포함하여 계산한다.	자료의 값 중 매우 크거나 매우 작은 값이 있는 경우에 자료의 특징을 가장 잘 대표할 수 있다.
단점	자료의 값 중 매우 크거나 매우 작은 값이 있는 경우 그 값의 영향을 받는다. 예 자료가 1, 2, 3, 3, 3, 72일 때, 대부분의 값이 3이지만 평균은 14가 되어 커진다.	특징이 다른 두 자료의 중앙값이 같을 수 있다. 예 두 자료 1, 2, 5, 7, 8과 2, 3, 5, 10, 36은 서로 다르지만 중앙값은 5로 같다.

개념확인

1. 다음은 주어진 자료의 중앙값을 구하는 과정이다. □ 안에 알맞은 수를 써넣으시오.

(1) 22, 57, 7, 6, 20, 18, 12

> 자료를 작은 값부터 크기순으로 나열하면 6, 7, 12, 18, 20, 22, 57이다.
> 이때 자료의 개수는 홀수이므로 중앙값은 □이다.

(2) 150, 115, 110, 830, 175, 125

> 자료를 작은 값부터 크기순으로 나열하면 110, 115, 125, 150, 175, 830이다.
> 이때 자료의 개수는 짝수이므로 중앙값은 중앙에 있는 두 값인 □와 □의 평균인 □이다.

❗ 중앙값은 자료를 작은 값부터 차례대로 나열할 때, 중앙에 위치하는 값이므로 중앙값을 구하려면 먼저 자료를 크기순으로 나열해야 한다.

2. 다음 자료는 현우네 반 학생 8명의 영어 성적을 조사하여 나타낸 것이다. 이 자료의 중앙값을 구하시오.

(단위 : 점)

73 85 68 81 71 85 79 92

❗ 자료를 크기순으로 나열할 때, 값이 같은 변량이라도 각각 별개로 생각한다.
예 다음 자료를 작은 값부터 크기순으로 나열하면
2, 4, 5, 7, 5, 3 ⇨ 2, 3, 4, 5, 7 (×)
⇨ 2, 3, 4, 5, 5, 7 (○)

중앙값의 뜻과 성질

1 다음 자료는 진희네 반 두 모둠의 수학 수행평가 점수를 조사하여 나타낸 것이다. A 모둠의 중앙값을 x점, B 모둠의 중앙값을 y점이라 할 때, $x+y$의 값을 구하시오.

(단위 : 점)

[A 모둠] 5, 6, 4, 10, 8, 7, 8, 6
[B 모둠] 7, 5, 10, 7, 9, 6, 10, 8, 9

중앙값은 자료를 작은 값부터 크기순으로 나열하였을 때
① 자료의 개수가 홀수이면 중앙에 있는 값
② 자료의 개수가 짝수이면 중앙에 있는 두 값의 평균

1-1 다음 자료는 학생 8명이 1분 동안 성공한 줄넘기 이단뛰기 횟수를 조사하여 나타낸 것이다. 줄넘기 이단뛰기 횟수의 평균이 15회일 때, 다음을 구하시오.

(단위 : 회)

13 16 20 15 x 8 19 12

(1) x의 값
(2) 줄넘기 이단뛰기 횟수의 중앙값

▶ (평균)$=\frac{\text{(변량의 총합)}}{\text{(변량의 개수)}}$

중앙값이 주어질 때, 변량 구하기

2 다음 자료는 작은 값부터 크기순으로 나열되어 있다. 6개의 변량들의 중앙값이 10일 때, x의 값을 구하시오.

5 8 9 x 13 14

중앙값이 주어질 때
① 자료를 작은 값에서부터 크기순으로 나열한다.
② 주어진 중앙값을 이용하여 변량 x가 몇 번째 놓이는지 파악한 후 x의 값을 구한다.

2-1 4개의 변량 68, 47, x, 53의 중앙값이 56일 때, x의 값을 구하시오.

▶ 자료를 크기순으로 나열하고 x가 몇 번째에 위치하는지 생각해 본다.

개념 이해 3

최빈값

(1) **최빈값:** 자료의 값 중에서 가장 많이 나타난 값, 즉 도수가 가장 큰 값

(2) **최빈값 구하기**

① 도수가 가장 큰 값이 한 개 이상 있으면 그 값이 모두 최빈값이다.

② 각 자료의 값의 도수가 모두 같으면 최빈값은 없다.

예 • 1, 2, 2, 2, 3, 4, 4 ➡ 최빈값은 2이다.
• 1, 2, 3, 3, 4, 4, 5, 6 ➡ 최빈값은 3과 4이다.
• 1, 2, 3, 4, 5, 6, 7 ➡ 최빈값은 없다.

참고 최빈값은 선호도를 조사할 때 주로 사용되고, 좋아하는 과일이나 좋아하는 취미 생활처럼 숫자로 나타내지 못하는 자료의 경우에도 구할 수 있다.

• 최빈값은 한 개일 수도, 여러 개일 수도, 없을 수도 있다.
• 자료의 개수가 많은 경우에 최빈값이 대푯값으로 적절하다.

개념확인

1. 다음 자료는 학생 10명이 사용하는 USB의 용량을 조사하여 나타낸 것이다. □ 안에 알맞은 수를 써넣으시오.

(단위 : GB)

256 16 128 32 256 16 64 32 16 128

➡ 32 GB, 128 GB, 256 GB의 도수는 □명, 16 GB의 도수는 □명, 64 GB의 도수는 □명이므로 USB 용량의 최빈값은 □ GB이다.

2. 다음 자료의 최빈값을 구하시오.

(1) 29, 26, 28, 24, 28, 33, 28, 26, 33

(2) 5, 15, 10, 20, 35, 55

(3) 12, 21, 7, 12, 23, 7, 35, 17

(4) 야구, 축구, 농구, 탁구, 축구, 태권도, 농구, 축구

개념 적용

최빈값의 뜻과 성질

1 **오른쪽 표는 진수네 반 학생 30명의 가장 좋아하는 취미 생활을 조사하여 나타낸 것이다. 취미 생활의 최빈값은?**

취미 생활	학생 수(명)
독서	9
여행	8
음악 감상	7
컴퓨터 게임	3
보드 게임	3
합계	30

① 독서 ② 여행
③ 음악 감상 ④ 컴퓨터 게임
⑤ 보드 게임

최빈값
⇨ 자료의 값 중에서 가장 많이 나타난 값
⇨ 도수가 가장 큰 값

1-1 다음 자료는 학생 14명의 몸무게를 조사하여 나타낸 것이다. 몸무게의 최빈값을 구하시오.

(단위 : kg)

46 55 52 55 50 51 54
53 47 55 48 52 47 52

평균, 중앙값, 최빈값

2 **오른쪽 그래프는 학생 15명의 턱걸이 횟수를 조사하여 나타낸 막대그래프이다. 턱걸이 횟수의 평균을 a회, 중앙값을 b회, 최빈값을 c회라 할 때, $a+b+c$의 값을 구하시오.**

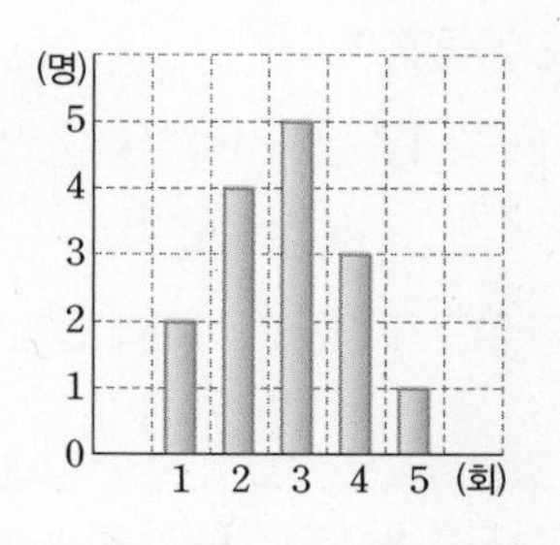

$(\text{평균})=\dfrac{(\text{변량의 총합})}{(\text{변량의 개수})}$

2-1 다음 자료는 상혁이가 7회에 걸쳐 실시한 턱걸이 횟수를 조사하여 나타낸 것이다. 턱걸이 횟수의 평균과 최빈값이 같을 때, 중앙값을 구하시오.

(단위 : 회)

13 10 13 14 x 17 13

개념 이해 4

산포도와 편차

(1) **산포도:** 자료가 흩어져 있는 정도를 하나의 수로 나타낸 값

① 변량들이 대푯값에 가까이 모여 있으면 산포도가 작고, 대푯값으로부터 멀리 떨어져 있으면 산포도가 크다.

② 산포도로 분산과 표준편차가 가장 많이 사용된다.

• 서로 다른 두 자료에서 대푯값만으로는 두 자료의 특징을 다 비교할 수 없으므로 산포도를 이용하여 두 자료의 변량들이 흩어져 있는 정도를 파악한다.

(2) **편차:** 어떤 자료의 각 변량에서 평균을 뺀 값

➡ (편차)=(변량)−(평균)

① 편차의 총합은 항상 0이다.

② 평균보다 큰 변량의 편차는 양수이고, 평균보다 작은 변량의 편차는 음수이다.

• 편차의 절댓값이 클수록 변량은 평균으로부터 멀리 떨어져 있고, 편차의 절댓값이 작을수록 변량은 평균 가까이 있다.

편차의 합은 항상 0이다.
n개의 자료의 변량을 각각 $x_1, x_2, x_3, \cdots, x_n$이라 하고 평균을 M이라 하면
$M=\frac{x_1+x_2+x_3+\cdots+x_n}{n}$
양변에 n을 곱하면 $Mn=x_1+x_2+x_3+\cdots+x_n$ …… ㉠
이때 편차는 각각 $x_1-M, x_2-M, x_3-M, \cdots, x_n-M$이므로 편차의 합은
$(x_1-M)+(x_2-M)+(x_3-M)+\cdots+(x_n-M)$
$=(x_1+x_2+x_3+\cdots+x_n)-Mn$
$=Mn-Mn=0$
따라서 어떤 자료를 택하더라도 편차의 합은 항상 0이다.

평균이 같으면 분포 상태도 같을까?

오른쪽 그림은 두 사격 선수가 과녁을 향해 5회씩 총을 쏘아 맞힌 점수이다.
이때 평균은 A: $\frac{7+8+8+8+9}{5}=8$(점), B: $\frac{6+7+8+9+10}{5}=8$(점)으로 두 선수의 평균은 8점으로 같지만 A 선수의 점수가 평균 가까이에 몰려 있으므로 B 선수보다 분포 상태가 더 고르다.
이와 같이 평균과 같은 대푯값만으로는 자료의 분포 상태를 충분히 알 수 없으므로 자료들이 대푯값 주위에 어떻게 흩어져 있는지를 알아보기 위한 것이 산포도이다.

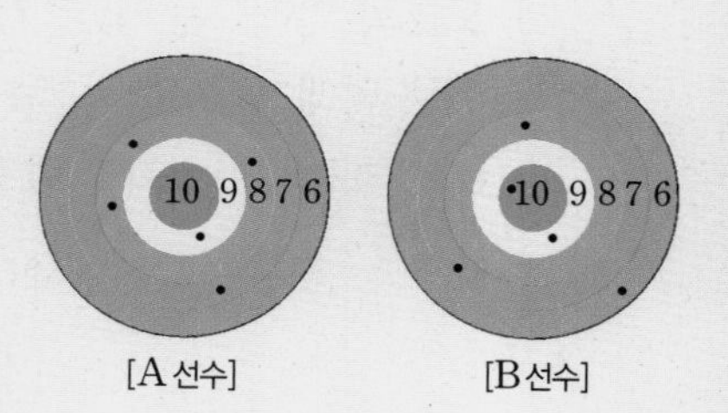

[A 선수] [B 선수]

개념확인

1. 다음 표는 학생 5명의 수학 성적을 조사하여 나타낸 것이다. 물음에 답하시오.

학생	A	B	C	D	E
수학 성적(점)	74	93	85	69	84
편차(점)					

(1) 학생 5명의 수학 성적의 평균을 구하시오.
(2) 표의 빈칸에 알맞은 수를 써넣으시오.
(3) 편차의 총합을 구하시오.

2. 다음 자료는 어느 반 학생 6명의 1분 동안의 윗몸일으키기 횟수에 대한 편차를 조사하여 나타낸 것이다. $a+b$의 값을 구하시오.

(단위 : 회)

-3 8 a 9 -4 b

❗ 편차의 총합은 항상 0이다.

개념 적용

편차의 뜻과 성질

1 **아래 표는 학생 6명이 1년 동안 실시한 봉사 활동 횟수에 대한 편차를 조사하여 나타낸 것이다. 다음 물음에 답하시오.**

학생	A	B	C	D	E	F
편차(회)	1	0	-1	3	x	-2

(1) x의 값을 구하시오.

(2) 봉사 활동 횟수의 평균이 21회일 때, 학생 E의 봉사 활동 횟수를 구하시오.

• 편차의 총합은 항상 0이다.
• (편차)=(변량)−(평균)
⇨ (변량)=(편차)+(평균)

1-1 오른쪽 표는 농구 선수 5명의 한 경기에서의 득점을 조사하여 나타낸 것이다. 농구 선수 C의 편차를 구하시오.

농구 선수	A	B	C	D	E
득점(점)	14	12	8	26	15

1-2 다음 표는 소희네 반 학생 5명의 수학 성적에 대한 편차를 조사하여 나타낸 것이다. 소희의 수학 성적이 70점일 때, 학생 5명의 수학 성적의 평균을 구하시오.

학생	소희	재민	지우	건식	주영
편차(점)	x	5	-2	-1	3

▶ (평균)=(변량)−(편차)

1-3 다음 표는 학생 6명의 몸무게와 편차를 각각 조사하여 나타낸 것이다. $x+y$의 값을 구하시오.

학생	A	B	C	D	E	F
몸무게(kg)	48	x	41	45	51	50
편차(kg)	0	y	-7	-3	3	2

개념 이해

5 분산과 표준편차

(1) **분산:** 각 편차의 제곱의 합을 전체 변량의 개수로 나눈 값, 즉 편차의 제곱의 평균

➡ $(\text{분산})=\dfrac{\{(\text{편차})^2\text{의 총합}\}}{(\text{변량의 개수})}$

(2) **표준편차:** 분산의 음이 아닌 제곱근

➡ $(\text{표준편차})=\sqrt{(\text{분산})}$

참고 • 분산과 표준편차가 작을수록 변량들이 평균 가까이에 모여 있다. 따라서 분산과 표준편차가 작을수록 자료의 분포 상태가 고르다고 할 수 있다.
• 표준편차는 주어진 변량과 같은 단위를 갖는다.

• 산포도를 구할 때, 편차의 총합은 항상 0이므로 편차의 제곱의 평균인 분산을 이용한다.
• 각 변량이 평균에서 멀리 떨어져 있을수록 분산과 표준편차의 값은 커지고, 각 변량이 평균에 가까이 있을수록 분산과 표준편차의 값은 작아진다.

표준편차를 구하는 순서

5개의 변량 5, 4, 7, 6, 8의 표준편차를 구해 보자.

① 평균 구하기 ➡ $\dfrac{5+4+7+6+8}{5}=6$

② 편차 구하기 ➡ 각 변량의 편차는 -1, -2, 1, 0, 2

③ $(\text{편차})^2$의 총합 구하기 ➡ $(-1)^2+(-2)^2+1^2+0^2+2^2=10$

④ 분산 구하기 ➡ $(\text{분산})=\dfrac{\{(\text{편차})^2\text{의 총합}\}}{(\text{변량의 개수})}=\dfrac{10}{5}=2$

⑤ 표준편차 구하기 ➡ $(\text{표준편차})=\sqrt{(\text{분산})}=\sqrt{2}$

표준편차는 왜 구할까?

표준편차는 분산에 $\sqrt{\ }$를 씌운 값으로 굳이 표준편차를 계산할 필요가 있는 걸까 싶다. 하지만 분산은 편차의 제곱의 평균이므로 그 수가 커지는 단점이 있다. 따라서 부풀려진 값을 작게 만들기 위해 분산의 음이 아닌 제곱근을 도입하여 표준편차라고 한 것이다.
또한 분산의 음이 아닌 제곱근을 구함으로써 변량과 표준편차의 단위도 같게 할 수 있다.

개념확인

1. 오른쪽 표는 학생 5명의 턱걸이 횟수를 조사하여 나타낸 것이다. 다음 물음에 답하시오.

(1) 평균을 구하시오.
(2) 표의 빈칸에 알맞은 수를 써넣으시오.
(3) 분산을 구하시오.
(4) 표준편차를 구하시오.

학생	A	B	C	D	E	합계
턱걸이 횟수(회)	10	4	6	7	3	30
편차(회)						
$(\text{편차})^2$						

❗ 편차와 표준편차는 주어진 변량과 같은 단위를 쓰고, 분산은 단위를 붙이지 않는다.

2. 오른쪽 표는 민석이가 5회에 걸쳐 치른 영어 시험 성적에 대한 편차를 조사하여 나타낸 것이다. 영어 시험 성적의 표준편차를 구하시오.

회	1회	2회	3회	4회	5회
편차(점)	1	-3	3	0	-1

분산 또는 표준편차의 뜻과 성질

1 **다음 자료는 달걀 6개의 무게를 조사하여 나타낸 것이다. 달걀 무게의 분산과 표준편차를 각각 구하시오.**

(단위 : g)

78 81 84 74 83 80

(1) $(\text{분산})=\dfrac{\{(\text{편차})^2\text{의 총합}\}}{(\text{변량의 개수})}$

(2) $(\text{표준편차})=\sqrt{(\text{분산})}$

1-1 다음 표는 어느 모둠 학생 6명의 키에 대한 편차를 조사하여 나타낸 것이다. 키의 표준편차를 구하시오.

학생	A	B	C	D	E	F
편차(cm)	−3	2	3	0		−4

변화된 변량의 평균과 표준편차

2 **3개의 변량 a, b, c의 평균이 6이고, 분산이 16일 때, 변량 $2a$, $2b$, $2c$의 평균과 표준편차를 각각 구하시오.**

n개의 변량 x_1, x_2, x_3, $\cdots$, x_n의 평균이 m, 분산이 v, 표준편차가 s일 때, ax_1+b, ax_2+b, ax_3+b, $\cdots$, ax_n+b에 대하여

(1) 평균은 $am+b$

(2) 분산은 a^2v

(3) 표준편차는 $|a|s$

2-1 5개의 변량 a, b, c, d, e의 평균이 5이고 표준편차가 2일 때, 5개의 변량 $a+3$, $b+3$, $c+3$, $d+3$, $e+3$의 평균과 표준편차를 각각 구하시오.

분산 또는 표준편차가 주어질 때, 식의 값

3 **오른쪽 표는 학생 5명의 영어 성적에 대한 편차를 조사하여 나타낸 것이다. 영어 성적의 분산이 2.8일 때, xy의 값을 구하시오.**

학생	A	B	C	D	E
편차(점)	2	x	-2	1	y

분산 또는 표준편차가 주어질 때, 식의 값을 구할 때
① 편차의 총합은 항상 0임을 이용하여 두 미지수의 합을 구한다.
② (분산)$=\frac{\{(\text{편차})^2\text{의 총합}\}}{(\text{변량의 개수})}$임을 이용하여 각 미지수의 제곱의 합을 구한다.
③ 곱셈 공식을 이용하여 식의 값을 구한다.

3-1 5개의 변량의 편차가 각각 -1, -3, a, 2, b이고 표준편차가 $\sqrt{6}$일 때, ab의 값은?

① -6 ② -3 ③ -1
④ 3 ⑤ 6

3-2 5개의 변량 4, x, 8, 10, y의 평균이 7이고 분산이 4일 때, x^2+y^2의 값을 구하시오.

▶ 주어진 자료의 평균과 분산을 식으로 나타내고 이를 이용하여 식의 값을 구한다.

3-3 다음 표는 한결이가 지난 1월부터 5월까지 매달 도서관에 간 횟수를 조사하여 나타낸 것이다. 평균이 5회이고 분산이 10일 때, ab의 값은?

월	1	2	3	4	5
횟수(회)	2	a	8	b	9

① 2 ② 3 ③ 4
④ 5 ⑤ 6

자료의 분석

4 **다음 표는 아영이네 반 학생들의 국어, 수학, 사회 성적의 평균과 표준편차를 조사하여 나타낸 것이다. 세 과목 중 성적의 분포 상태가 가장 고른 과목을 말하시오.**

과목	국어	수학	사회
평균(점)	81	76	78
표준편차(점)	2.1	2.6	1.7

분산과 표준편차가 작을수록 변량들이 평균 가까이에 모여 있다.
⇨ 분산과 표준편차가 작을수록 자료의 분포 상태가 더 고르다.

4-1 다음 표는 학생 수가 모두 같은 A, B, C, D, E 다섯 학급의 수학 성적의 평균과 표준편차를 조사하여 나타낸 것이다. 다섯 학급 중 수학 성적이 가장 고른 학급을 말하시오.

학급	A	B	C	D	E
평균(점)	78	85	83	79	81
표준편차(점)	2.6	2.3	2.4	2.1	2.5

4-2 아래 표는 태연이네 학교 4개 반 학생들의 수학 성적의 평균과 표준편차를 나타낸 것이다. 다음 설명 중 옳은 것을 모두 고르면? (정답 2개)

반	1	2	3	4
평균(점)	77	75	80	76
표준편차(점)	4.6	7.2	3.9	4.7

① 산포도는 3반이 가장 작다
② 편차의 총합은 4반이 가장 크다.
③ 3반 학생들은 모두 75점 이상이다.
④ 2반의 성적이 1반의 성적보다 평균 주위에 몰려 있다.
⑤ 최고 득점자가 어느 반에 있는지는 위의 자료만으로는 알 수가 없다.

기본 문제

1 평균의 뜻과 성질

다음 자료의 평균이 16일 때, 상수 a의 값은?

$a-5 \quad a+4 \quad a+6 \quad 2a-1$

① 6 ② 8 ③ 10
④ 12 ⑤ 14

2 평균의 뜻과 성질

여진이네 반 학생 25명의 몸무게의 평균은 55 kg이다. 한 학생이 전학을 간 후 몸무게의 평균이 54.5 kg일 때, 전학 간 학생의 몸무게는?

① 65 kg ② 65.5 kg ③ 66 kg
④ 66.5 kg ⑤ 67 kg

3 중앙값의 뜻과 성질

다음 두 자료 A, B 중에서 중앙값이 더 큰 것을 말하시오.

[자료 A] 2, 4, 5, 10, 4, 3
[자료 B] 4, 3, 2, 5, 9, 11, 8

4 중앙값이 주어질 때, 변량 구하기

5개의 변량을 크기순으로 나열하면 2, 4, 5, 7, x이고, 이 변량들의 평균과 중앙값이 같다고 할 때, x의 값은?

① 6 ② 7 ③ 8
④ 9 ⑤ 10

5 최빈값의 뜻과 성질

다음 자료는 학생 12명의 실내화 사이즈를 조사하여 나타낸 것이다. 이 자료의 최빈값의 합을 구하시오.

(단위 : mm)

260 230 235 245 250 245
255 265 275 270 265 240

6 평균, 중앙값, 최빈값

다음 표는 청소년 로봇 동아리 회원 10명의 나이를 조사하여 나타낸 것이다. 회원 10명의 나이의 평균을 a세, 중앙값을 b세, 최빈값을 c세라 할 때, $a+b-c$의 값을 구하시오.

나이(세)	11	12	13	14	15	16
회원 수(명)	1	1	1	2	4	1

7 편차의 뜻과 성질

다음 표는 노트북 5대의 무게에 대한 편차를 조사하여 나타낸 것인데, 일부가 훼손되었다. 무게의 평균이 3 kg일 때, 노트북 E의 무게를 구하시오.

노트북	A	B	C	D	E
편차(kg)	1.2	-1	1.5	-0.8	

8 분산 또는 표준편차의 뜻과 성질

5개의 변량 6, 8, 11, 9, x의 평균이 9일 때, 분산은?

① 2.8 ② 3.0 ③ 3.2
④ 3.4 ⑤ 3.6

9 분산 또는 표준편차의 뜻과 성질

아래 표는 학생 4명의 미술 실기 점수의 편차를 조사하여 나타낸 것이다. 다음 설명 중 옳은 것은?

학생	A	B	C	D
편차(점)	4	-3		-1

① A 학생의 점수가 가장 낮다.
② 중앙값은 C 학생의 점수와 같다.
③ B 학생의 점수와 D 학생의 점수의 차는 2점이다.
④ 분산은 4.5이다.
⑤ 이 자료만으로 평균을 구할 수 있다.

10 변화된 변량의 평균과 표준편차

4개의 변량 a, b, c, d의 평균이 21이고 표준편차가 3일 때, 4개의 변량 $a+2$, $b+2$, $c+2$, $d+2$의 표준편차를 구하시오.

11 분산 또는 표준편차가 주어질 때, 식의 값

5개의 변량 8, x, 10, y, 12의 평균이 10이고, 표준편차가 $\sqrt{2}$일 때, x^2+y^2의 값을 구하시오.

12 자료의 분석

다음 표는 학생 수가 모두 같은 A, B, C, D, E 다섯 학급의 키에 대한 평균과 표준편차를 조사하여 나타낸 것이다. 다음을 구하시오.

학급	A	B	C	D	E
평균(cm)	171	166	165	168	172
표준편차(cm)	7.1	7.6	7.3	6.2	6.9

(1) 키가 가장 큰 학급
(2) 키가 가장 고른 학급

발전 문제

(변량의 총합)
=(평균)×(변량의 개수)

1 석진이의 4회에 걸친 수학 시험의 평균 점수가 89점이고, 5번째 수학 시험 후에 5회까지의 평균 점수가 90점이 되었을 때, 5번째 수학 시험의 점수를 구하시오.

2 어떤 동아리 학생 8명의 수학 성적을 크기순으로 나열할 때, 4번째 학생의 점수는 76점이고, 수학 성적의 중앙값은 78점이라 한다. 이 동아리에 수학 성적이 82점인 학생이 들어왔을 때, 9명의 수학 성적의 중앙값을 구하시오.

3 다음 자료는 수경이네 반 학생 6명의 1분 동안의 윗몸일으키기 횟수를 조사하여 나타낸 것이다. 윗몸일으키기 횟수의 평균과 최빈값이 같을 때, x의 값을 구하시오.

(단위 : 회)

40　37　38　29　x　46

자료의 개수가 짝수이면 중앙에 있는 두 값의 평균이 중앙값이다.

4 오른쪽 그림은 지은이네 반 학생 30명이 지난 1년간 받은 병원 진료 횟수를 조사하여 나타낸 막대그래프인데 일부가 찢어져 보이지 않는다. 이 자료의 평균이 2.9회일 때, 중앙값과 최빈값을 각각 구하시오.

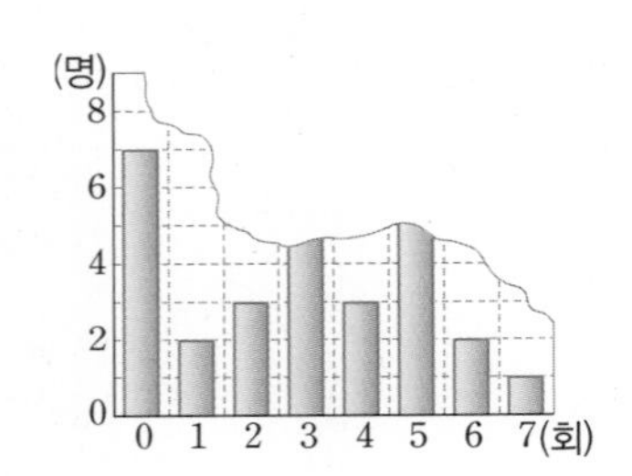

조건 (가), (나)를 이용하여 a_1, a_2, a_3과 b_1, b_2, b_3, b_4의 식을 각각 구한 후 7개의 수의 평균과 분산을 구하는 식에 대입한다.

5 다음 조건을 모두 만족하는 7개의 수 a_1, a_2, a_3, b_1, b_2, b_3, b_4의 분산을 구하시오.

조건
(가) 세 수 a_1, a_2, a_3의 평균은 10, 분산은 3이다.
(나) 네 수 b_1, b_2, b_3, b_4의 평균은 10, 분산은 4이다.

6 10개의 변량 x_1, x_2, $\cdots$, x_{10}의 합이 40이고, 각 변량의 제곱의 합이 250일 때, x_1, x_2, $\cdots$, x_{10}의 표준편차를 구하시오.

7 서술형

오른쪽 자료는 A, B 두 모둠의 과학 실험 성적을 조사하여 나타낸 것이다. 두 모둠 중 어느 모둠의 성적이 더 고른지 구하기 위한 풀이 과정을 쓰고 답을 구하시오.

(단위 : 점)

[A 모둠] 5, 6, 6, 9, 9
[B 모둠] 5, 5, 7, 8, 10

① 단계: A 모둠 성적의 분산 구하기

A 모둠에서 (평균)= ______________

편차는 각각 ______________ 이므로

(분산)= ______________

② 단계: B 모둠 성적의 분산 구하기

B 모둠에서 (평균)$=\frac{5+5+7+8+10}{5}=\frac{35}{5}=7$(점)

편차는 각각 ______________ 이므로

(분산)= ______________

③ 단계: 두 모둠 중 성적이 더 고른 모둠 구하기

A 모둠의 분산이 B 모둠의 분산보다 더 ______________

성적이 더 고른 모둠은 ________ 모둠이다.

► Check List
- A모둠의 평균을 구한 후, 편차를 이용하여 분산을 바르게 구하였는가?
- B모둠의 평균을 구한 후, 편차를 이용하여 분산을 바르게 구하였는가?
- 두 모둠의 분산을 비교하여 어느 모둠의 성적이 더 고른지 바르게 구하였는가?

8 서술형

다음 표는 학생 6명의 몸무게에 대한 편차를 조사하여 나타낸 것이다. 몸무게의 표준편차를 구하기 위한 풀이 과정을 쓰고 답을 구하시오.

학생	A	B	C	D	E	F
편차(kg)	2	x	-6	3	-1	5

① 단계: x의 값 구하기

② 단계: 분산 구하기

③ 단계: 표준편차 구하기

► Check List
- x의 값을 바르게 구하였는가?
- 분산을 바르게 구하였는가?
- 표준편차를 바르게 구하였는가?

2 상관관계

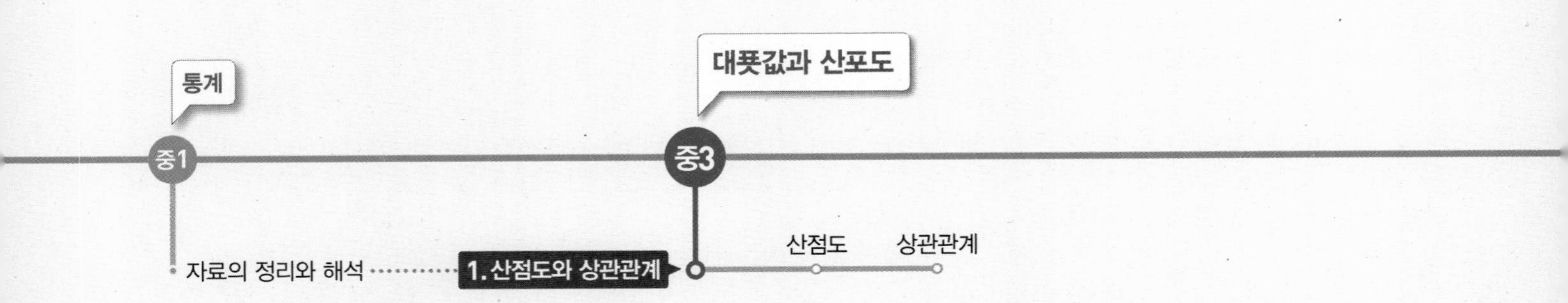

도대체 무슨 상관이야?

상관관계 ➡ 두 대상이 서로 상관이 있다고 추측되는 관계

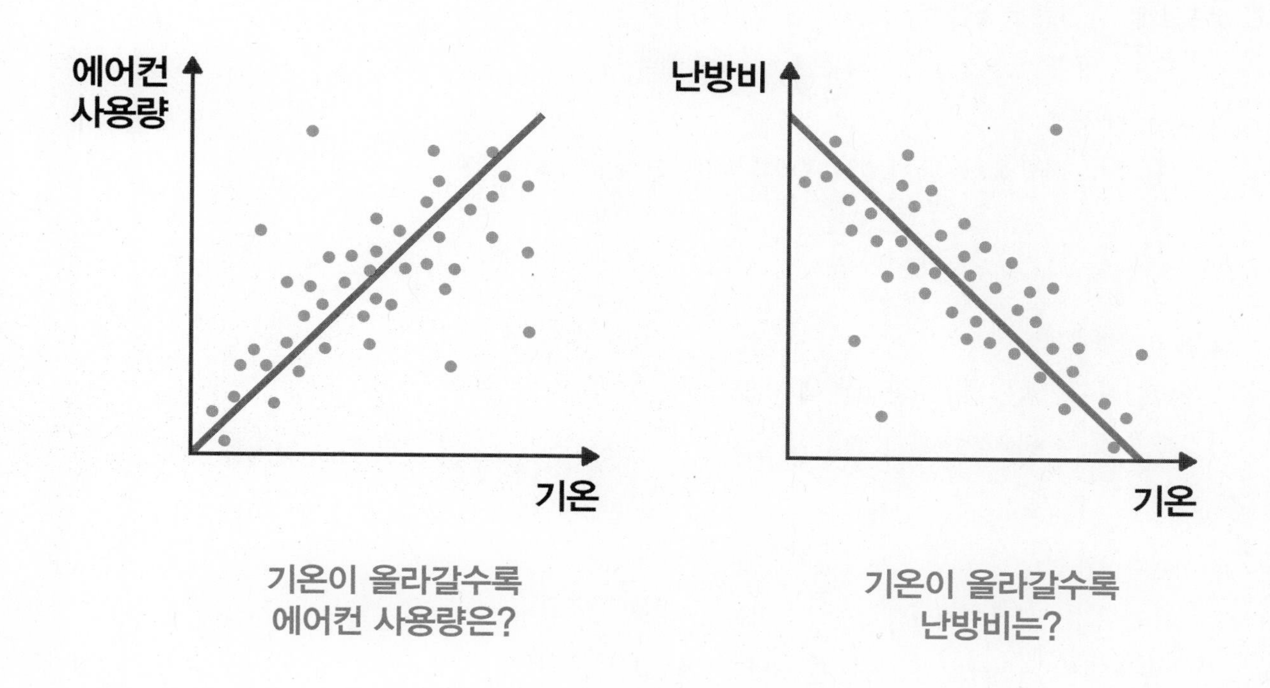

기온이 올라갈수록
에어컨 사용량은?

기온이 올라갈수록
난방비는?

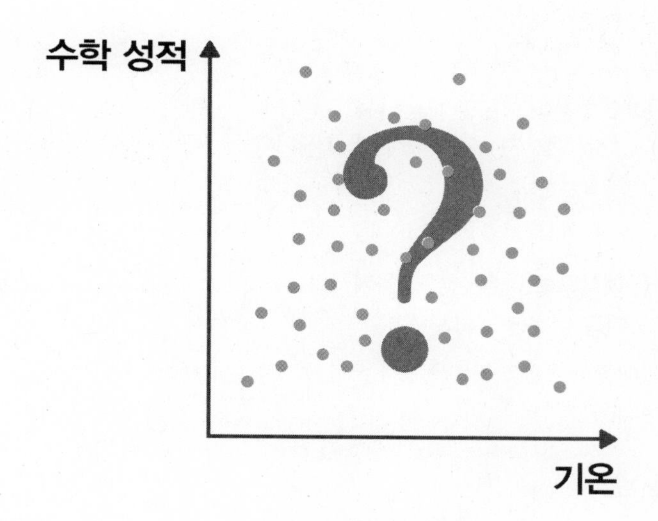

기온이 올라갈수록
수학 성적은?

개념 이해 1

산점도와 상관관계

(1) 산점도: 두 변량 x, y의 순서쌍 (x, y)를 좌표평면 위에 나타낸 그림

참고 산점도를 이용하면 두 변량 사이의 관계를 좀 더 쉽게 알 수 있다.

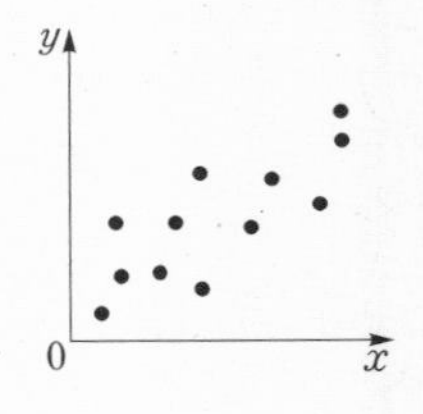

(2) 상관관계: 두 변량 x, y에 대하여 x의 값이 변함에 따라 y의 값이 변하는 경향이 있을 때, 이 두 변량 x, y 사이의 관계를 상관관계라 한다.

① 양의 상관관계

x의 값이 증가함에 따라 y의 값도 대체로 증가하는 경향이 있는 관계

② 음의 상관관계

x의 값이 증가함에 따라 y의 값은 대체로 감소하는 경향이 있는 관계

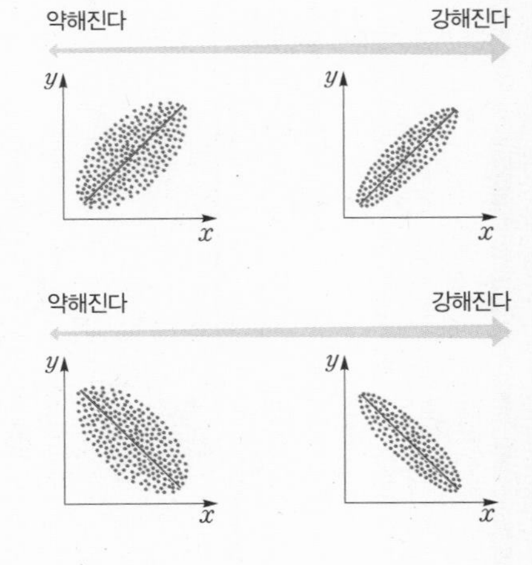

③ 상관관계가 없다.

x의 값이 증가함에 따라 y의 값이 증가하는지 감소하는지 분명하지 않을 경우 두 변량 x, y 사이에는 상관관계가 없다고 한다.

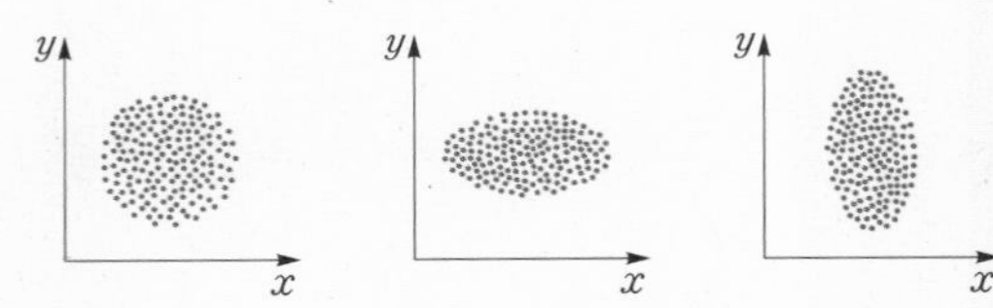

상관관계는 인과관계가 아니다.

상관관계는 두 변량 사이에 관련성이 있다고 추측이 되는 관계를 말하고, 인과관계는 원인에 따른 결과 관계를 말한다.
두 변량이 강한 상관관계를 갖는다고 해도 전문적인 지식에 의해 두 변량 사이의 직접적인 관계가 성립하지 않는 경우에는 인과관계가 있다고 말하지 않는다.

개념확인

1. 오른쪽 표는 같은 반 학생 5명을 대상으로 미술 성적과 음악 성적을 조사하여 나타낸 것이다. 다음 물음에 답하시오.

과목 \ 학생	A	B	C	D	E
미술(점)	60	50	100	90	70
음악(점)	50	70	80	60	70

(1) 음악 성적과 미술 성적에 대한 산점도를 오른쪽 좌표평면 위에 그리시오.

(2) 미술 성적에 비해 음악 성적이 높은 학생을 말하시오.

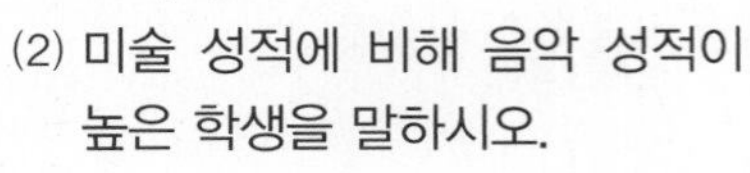

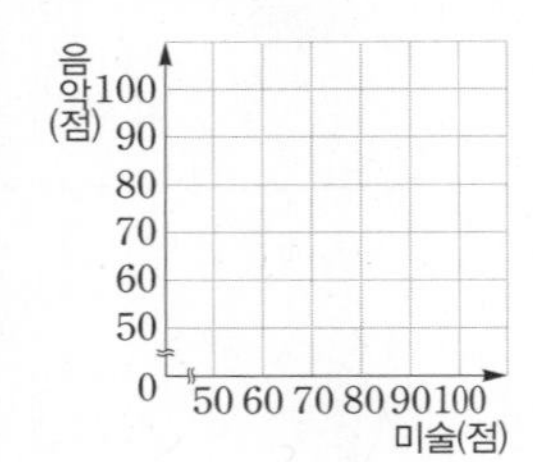

2. 다음 산점도에서 x, y 사이에 어떤 상관관계가 있는지 말하시오.

(1)

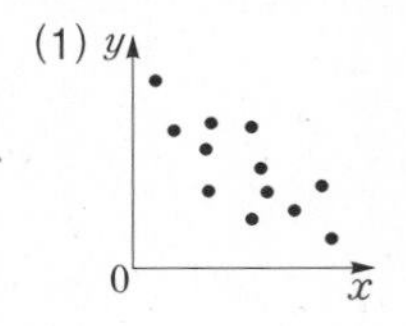

(2)

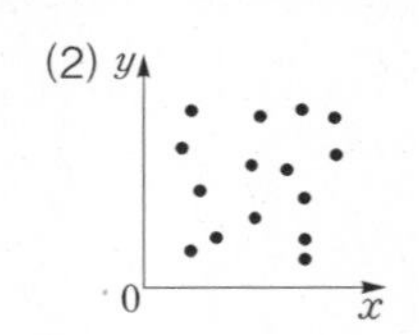

(3)

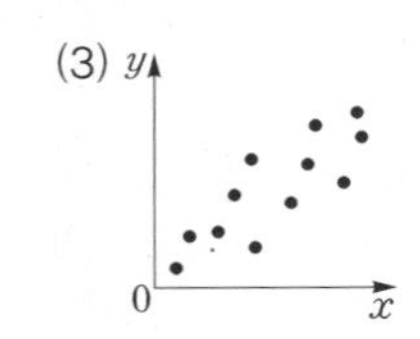

개념 적용

산점도의 이해 (1)

1 **오른쪽 그림은 어느 학교 학생들의 중간고사 성적과 기말고사 성적에 대한 산점도이다. A, B, C, D, E 5명의 학생 중 중간고사 성적에 비해 기말고사 성적이 가장 많이 향상된 학생을 말하시오.**

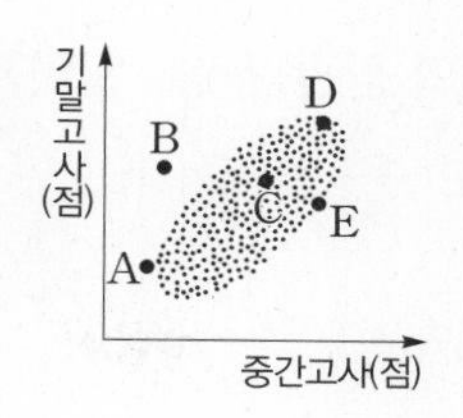

대각선을 기준으로 두 변량의 크기를 비교할 수 있다.

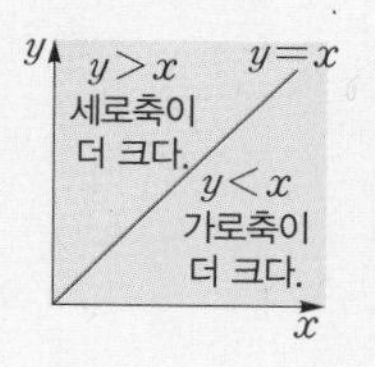

1-1 오른쪽 그림은 어느 반 학생들의 입학 성적과 졸업 성적에 대한 산점도이다. 다음 중 옳지 않은 것을 모두 고르면? (정답 2개)

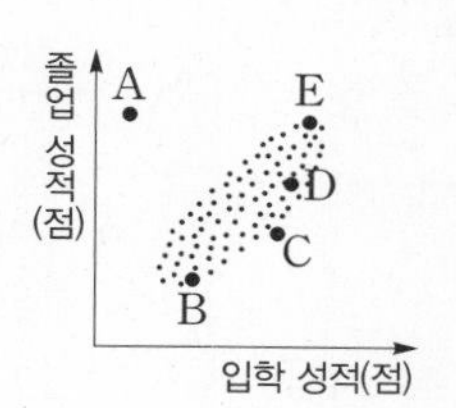

① A는 졸업 성적이 입학 성적보다 높다.
② B는 입학 성적과 졸업 성적이 모두 높다.
③ C는 입학 성적이 졸업 성적보다 낮다.
④ E는 입학 성적과 졸업 성적이 모두 높다.
⑤ A는 입학 성적과 졸업 성적의 차이가 가장 크다.

산점도의 이해 (2)

2 **오른쪽 그림은 어느 반 학생 15명의 국어 성적과 수학 성적에 대한 산점도이다. 다음 물음에 답하시오.**

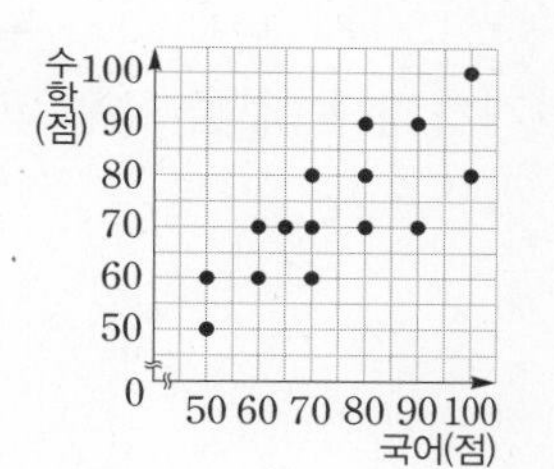

(1) 두 과목의 성적이 같은 학생 수를 구하시오.
(2) 수학 성적이 국어 성적보다 높은 학생 수를 구하시오.
(3) 국어 성적이 90점 이상인 학생들의 수학 성적의 평균을 구하시오.
(4) 국어 성적과 수학 성적이 모두 60점 이하인 학생은 전체의 몇 %인지 구하시오.

가로, 세로선을 기준으로 두 변량의 크기를 비교할 수 있다.

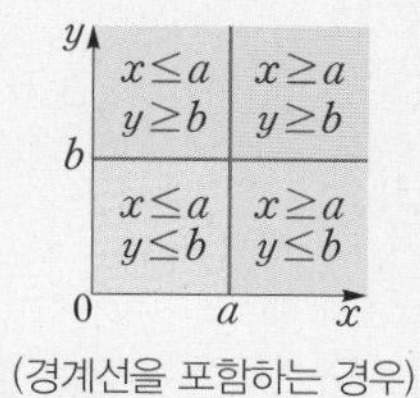

(경계선을 포함하는 경우)

2-1 오른쪽 그림은 어느 반 학생 20명의 매달 저축액과 지출액에 대한 산점도이다. 다음 물음에 답하시오.

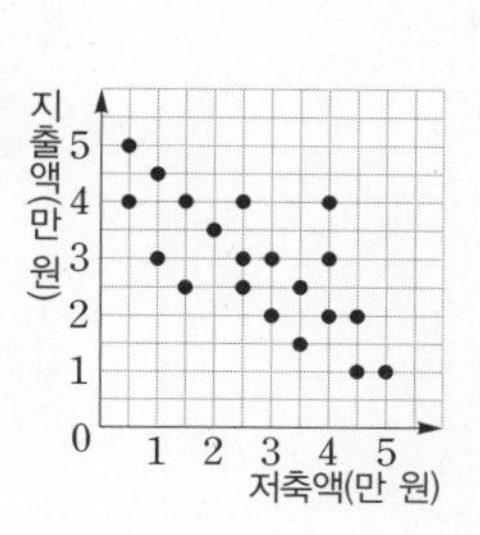

(1) 저축액이 2만원보다 적은 학생은 전체의 몇 %인지 구하시오.
(2) 지출보다 저축을 더 많이 한 학생 수를 구하시오.

상관관계

3 **다음 두 변량 사이의 상관관계를 알맞게 나타낸 산점도를 보기에서 고르시오.**

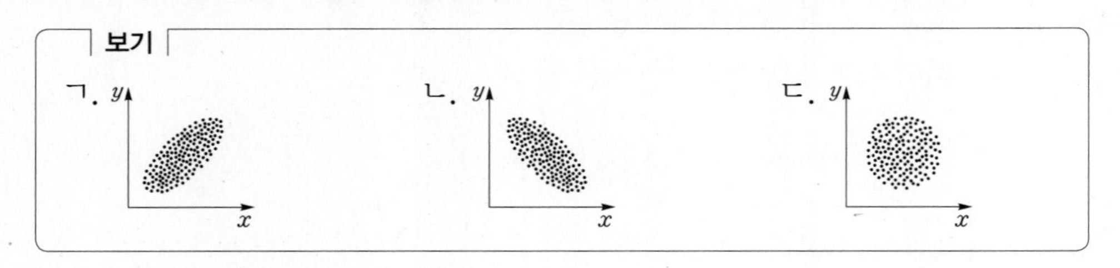

(1) 하루 중 낮의 길이와 밤의 길이

(2) 필통의 가격과 수학 성적

(3) 사용한 전력량과 전기 요금

산점도의 대략적인 기울기로 상관관계를 알 수 있다.
① 기울기가 양: 양의 상관관계
② 기울기가 음: 음의 상관관계

3-1 다음 **보기**를 보고 물음에 답하시오.

보기

ㄱ. 지능 지수와 허리 둘레의 길이 ㄴ. 가방의 무게와 성적
ㄷ. 보석의 크기와 그 가격 ㄹ. 사람의 키와 몸무게
ㅁ. 물 섭취량과 소변량 ㅂ. 수학 성적과 체력검사 성적
ㅅ. 산의 높이와 정상의 기온 ㅇ. 도로 위 차의 속력과 차의 대수

(1) 대체로 양의 상관관계가 있는 것을 모두 고르시오.

(2) 대체로 음의 상관관계가 있는 것을 모두 고르시오.

(3) 대체로 상관관계가 없는 것을 모두 고르시오.

3-2 어느 중학교 학생들의 키와 발의 크기를 조사하였더니 키가 클수록 발의 크기도 컸다고 한다. 다음 중 키와 발의 크기에 대한 산점도로 알맞은 것은?

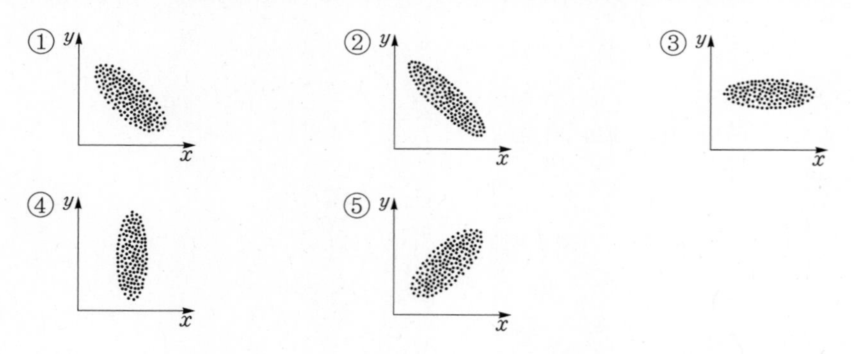

개념 완성 # 기본 문제

1 산점도의 이해 (1)

오른쪽 그림은 민수네 반 학생들의 영어 성적과 수학 성적에 대한 산점도이다. 다음 설명 중 옳은 것은?

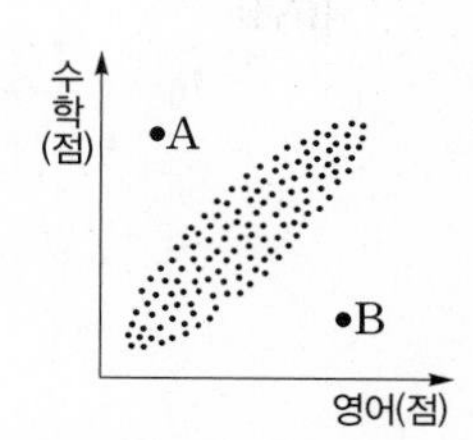

① A는 영어 성적과 수학 성적이 모두 우수한 편이다.
② A는 수학 성적에 비해 영어 성적이 높은 편이다.
③ 영어 성적과 수학 성적 사이에는 음의 상관관계가 있다.
④ B는 영어 성적과 수학 성적이 모두 낮은 편이다.
⑤ B는 영어 성적에 비해 수학 성적이 낮은 편이다.

2 산점도의 이해 (1)

오른쪽 그림은 어느 학교 학생들의 키와 걸음 너비에 대한 산점도이다. 다음 중 옳은 것을 모두 고르면? (정답 2개)

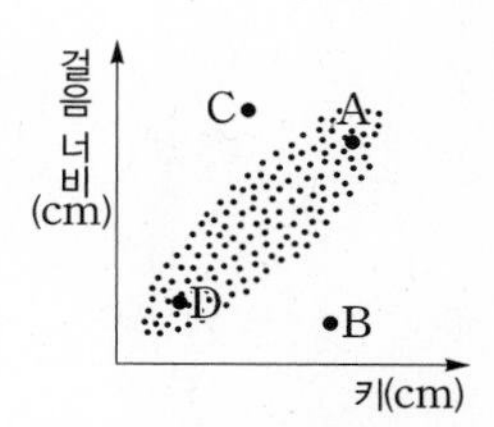

① A, B, C, D 학생 중 키가 가장 작은 학생은 B이다.
② A, B, C, D 학생 중 걸음 너비가 가장 큰 학생은 A이다.
③ C는 키에 비해 걸음 너비가 큰 편이다.
④ D는 B보다 걸음 너비가 크다.
⑤ 키와 걸음 너비 사이에는 음의 상관관계가 있다.

[03~05] 오른쪽 그림은 어느 반 학생 16명의 국어 성적과 영어 성적에 대한 산점도이다. 다음을 구하시오.

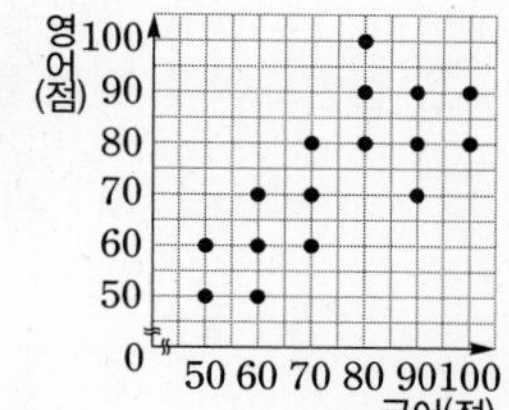

3 산점도의 이해 (2)

국어 성적이 영어 성적보다 높은 학생 수는?

① 5명 ② 6명 ③ 7명
④ 8명 ⑤ 9명

4 산점도의 이해 (2)

국어 성적과 영어 성적이 모두 60점 이하인 학생 수는?

① 1명 ② 2명 ③ 3명
④ 4명 ⑤ 5명

5 산점도의 이해 (2)

국어 성적이 70점인 학생의 영어 성적의 평균은?

① 40점 ② 50점 ③ 60점
④ 70점 ⑤ 80점

6 상관관계

다음 중 양의 상관관계가 있는 것은?

① 지능 지수와 키
② 배추의 생산량과 가격
③ 차량 운행 시간과 연료 소비량
④ 시력과 심장박동 수
⑤ 운동량과 비만도

개념 완성

발전 문제

[01~05] 오른쪽 그림은 수진이네 반 학생 10명의 수학 성적과 과학 성적에 대한 산점도이다. 다음 물음에 답하시오.

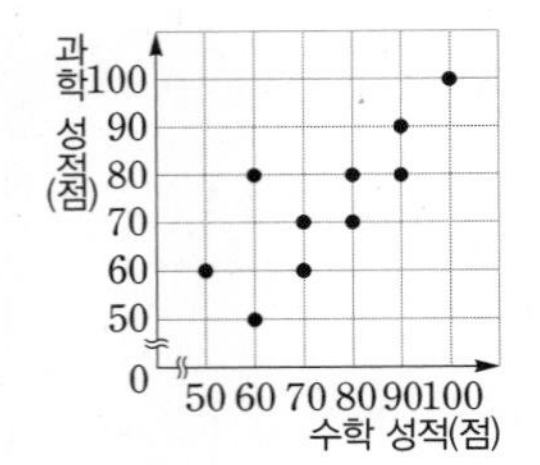

1 수학 성적과 과학 성적이 같은 학생 수는?

① 1명 ② 2명 ③ 3명 ④ 4명 ⑤ 5명

2 수학 성적이 과학 성적보다 좋은 학생 수는?

① 2명 ② 3명 ③ 4명 ④ 5명 ⑤ 6명

3 수학 성적과 과학 성적이 모두 80점 이상인 학생 수는?

① 2명 ② 3명 ③ 4명 ④ 5명 ⑤ 6명

4 수학 성적과 과학 성적이 10점 이상 차이가 나는 학생 수는?

① 2명 ② 3명 ③ 4명 ④ 5명 ⑤ 6명

|(수학 성적)−(과학 성적)|이 10 이상인 학생을 찾는다.

5 수학 성적과 과학 성적의 합이 150점 이상인 학생은 전체의 몇 %인가?

① 20 % ② 30 % ③ 40 % ④ 50 % ⑤ 60 %

6 다음 중 겨울철 기온과 난방용 도시가스 사용량의 상관관계를 나타낸 산점도는?

①
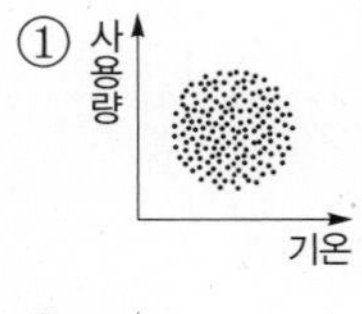

②
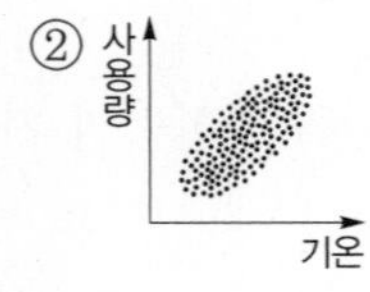

③
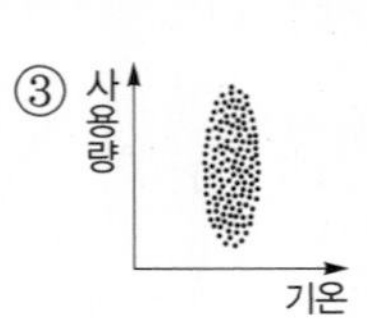

④
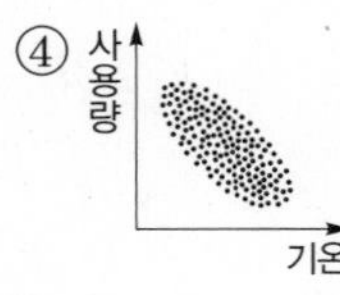

⑤
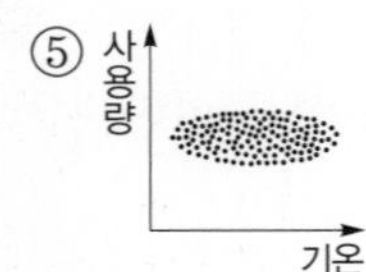

7 서술형

오른쪽 그림은 어느 반 학생 20명의 미술 실기 점수와 이론 점수에 대한 산점도이다. 이론 점수와 실기 점수의 합으로 등수를 정할 때, 상위 30 %에 들려면 점수의 합이 최소한 몇 점 이상이어야 하는지 구하기 위한 풀이 과정을 쓰고 답을 구하시오.

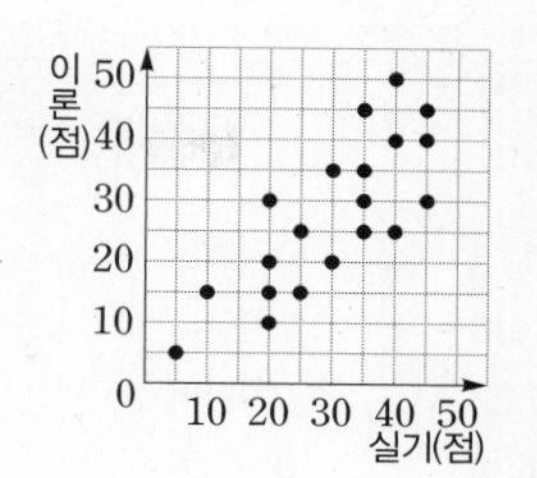

► Check List
- 상위 30 %인 학생 수를 바르게 구하였는가?
- 점수의 합이 높은 순서대로 바르게 나열하였는가?
- 최소한 몇 점 이상이어야 하는지 바르게 구하였는가?

① 단계: 상위 30 %인 학생 수 구하기
상위 30 %에 해당되는 학생 수는 ______

② 단계: ①에서 구한 학생 수에서 점수의 합이 높은 순서대로 나열하기
점수의 합이 높은 순서대로 ______등까지 나열하면
______점인 학생은 ______명, ______점인 학생은 ______명,
______점인 학생은 ______명, ______점인 학생은 ______명이다.

③ 단계: 상위 30 %에 들려면 최소한 몇 점 이상이어야 하는지 구하기
따라서 상위 30 %에 들려면 점수의 합이 최소한 ______점 이상이어야 한다.

8 서술형

오른쪽 그림은 어느 반 학생 20명의 영어 능력 시험의 듣기 점수와 말하기 점수에 대한 산점도이다. 듣기와 말하기 점수가 20점 이상 차이가 나는 학생은 전체의 몇 %인지 구하기 위한 풀이 과정을 쓰고 답을 구하시오.

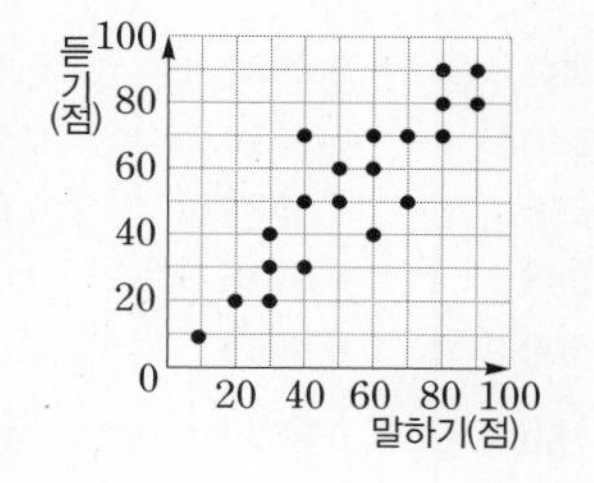

► Check List
- 듣기와 말하기 점수가 20점 이상 차이가 나는 학생 수를 바르게 구하였는가?
- 전체의 몇 %인지 바르게 구하였는가?

① 단계: 듣기와 말하기 점수가 20점 이상 차이가 나는 학생 수 구하기

____

____

② 단계: 전체의 몇 %인지 구하기

____

____

삼각비의 표

각도	사인(sin)	코사인(cos)	탄젠트(tan)	각도	사인(sin)	코사인(cos)	탄젠트(tan)
0°	0	1	0				
1°	0.0175	0.9998	0.0175	46°	0.7193	0.6947	1.0355
2°	0.0349	0.9994	0.0349	47°	0.7314	0.6820	1.0724
3°	0.0523	0.9986	0.0524	48°	0.7431	0.6691	1.1106
4°	0.0698	0.9976	0.0699	49°	0.7547	0.6561	1.1504
5°	0.0872	0.9962	0.0875	50°	0.7660	0.6428	1.1918
6°	0.1045	0.9945	0.1051	51°	0.7771	0.6293	1.2349
7°	0.1219	0.9925	0.1228	52°	0.7880	0.6157	1.2799
8°	0.1392	0.9903	0.1405	53°	0.7986	0.6018	1.3270
9°	0.1564	0.9877	0.1584	54°	0.8090	0.5878	1.3764
10°	0.1736	0.9848	0.1763	55°	0.8192	0.5736	1.4281
11°	0.1908	0.9816	0.1944	56°	0.8290	0.5592	1.4826
12°	0.2079	0.9781	0.2126	57°	0.8387	0.5446	1.5399
13°	0.2250	0.9744	0.2309	58°	0.8480	0.5299	1.6003
14°	0.2419	0.9703	0.2493	59°	0.8572	0.5150	1.6643
15°	0.2588	0.9659	0.2679	60°	0.8660	0.5000	1.7321
16°	0.2756	0.9613	0.2867	61°	0.8746	0.4848	1.8040
17°	0.2924	0.9563	0.3057	62°	0.8829	0.4695	1.8807
18°	0.3090	0.9511	0.3249	63°	0.8910	0.4540	1.9626
19°	0.3256	0.9455	0.3443	64°	0.8988	0.4384	2.0503
20°	0.3420	0.9397	0.3640	65°	0.9063	0.4226	2.1445
21°	0.3584	0.9336	0.3839	66°	0.9135	0.4067	2.2460
22°	0.3746	0.9272	0.4040	67°	0.9205	0.3907	2.3559
23°	0.3907	0.9205	0.4245	68°	0.9272	0.3746	2.4751
24°	0.4067	0.9135	0.4452	69°	0.9336	0.3584	2.6051
25°	0.4226	0.9063	0.4663	70°	0.9397	0.3420	2.7475
26°	0.4384	0.8988	0.4877	71°	0.9455	0.3256	2.9042
27°	0.4540	0.8910	0.5095	72°	0.9511	0.3090	3.0777
28°	0.4695	0.8829	0.5317	73°	0.9563	0.2924	3.2709
29°	0.4848	0.8746	0.5543	74°	0.9613	0.2756	3.4874
30°	0.5000	0.8660	0.5774	75°	0.9659	0.2588	3.7321
31°	0.5150	0.8572	0.6009	76°	0.9703	0.2419	4.0108
32°	0.5299	0.8480	0.6249	77°	0.9744	0.2250	4.3315
33°	0.5446	0.8387	0.6494	78°	0.9781	0.2079	4.7046
34°	0.5592	0.8290	0.6745	79°	0.9816	0.1908	5.1446
35°	0.5736	0.8192	0.7002	80°	0.9848	0.1736	5.6713
36°	0.5878	0.8090	0.7265	81°	0.9877	0.1564	6.3138
37°	0.6018	0.7986	0.7536	82°	0.9903	0.1392	7.1154
38°	0.6157	0.7880	0.7813	83°	0.9925	0.1219	8.1443
39°	0.6293	0.7771	0.8098	84°	0.9945	0.1045	9.5144
40°	0.6428	0.7660	0.8391	85°	0.9962	0.0872	11.4301
41°	0.6561	0.7547	0.8693	86°	0.9976	0.0698	14.3007
42°	0.6691	0.7431	0.9004	87°	0.9986	0.0523	19.0811
43°	0.6820	0.7314	0.9325	88°	0.9994	0.0349	28.6363
44°	0.6947	0.7193	0.9657	89°	0.9998	0.0175	57.2900
45°	0.7071	0.7071	1.0000	90°	1.0000	0.0000	

디딤돌수학 개념기본 중학 3-2

펴낸날 [초판 1쇄] 2022년 1월 1일 [초판 3쇄] 2023년 3월 20일
펴낸이 이기열
펴낸곳 (주)디딤돌 교육
주소 (03972) 서울특별시 마포구 월드컵북로 122 청원선와이즈타워
대표전화 02-3142-9000
구입문의 02-322-8451
내용문의 02-336-7918
팩시밀리 02-335-6038
홈페이지 www.didimdol.co.kr
등록번호 제10-718호
구입한 후에는 철회되지 않으며 잘못 인쇄된 책은 바꾸어 드립니다.

[2291260]

수학은 개념이다!

디딤돌수학

개념기본

중3-2 익힘북

중학 수학은 개념의 연결과 확장이다.

디딤돌

차례

I 삼각비

1 삼각비 4
2 삼각비의 활용 13
대단원 마무리 22

II 원의 성질

1 원과 직선 25
2 원주각 35
대단원 마무리 47

III 통계

1 대푯값과 산포도 50
2 상관관계 58
대단원 마무리 61

● 삼각비의 표 63

1 삼각비

개념적용익힘

삼각비의 값

개념북 11쪽

1 ●○○

오른쪽 그림과 같은 직각삼각형 ABC에 대하여 다음 중 옳은 것은?

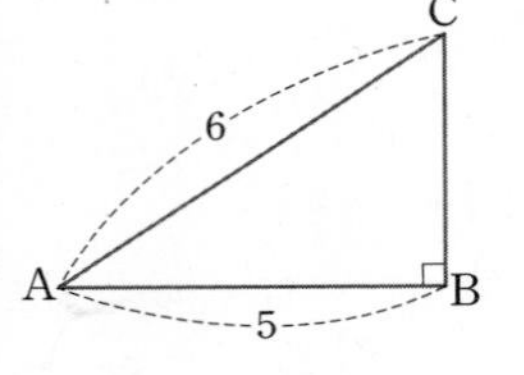

① $\sin A=\frac{5}{6}$

② $\cos A=\frac{\sqrt{11}}{6}$ ③ $\sin C=\frac{\sqrt{11}}{5}$

④ $\cos C=\frac{\sqrt{11}}{6}$ ⑤ $\tan C=\frac{\sqrt{11}}{5}$

2 ●●○

오른쪽 그림과 같은 직각삼각형 ABC에서 $\sin A$와 $\tan C$의 값을 각각 구하시오.

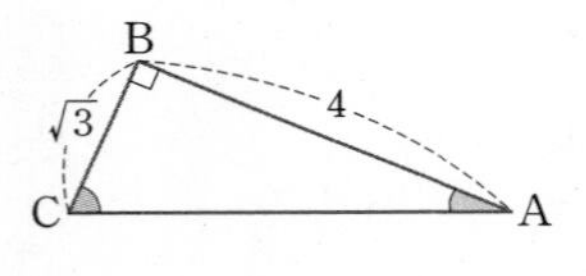

3 ●●○

오른쪽 그림과 같이 $\angle B=90^\circ$인 직각삼각형 ABC에서 $\tan A\times\cos C$의 값을 구하시오.

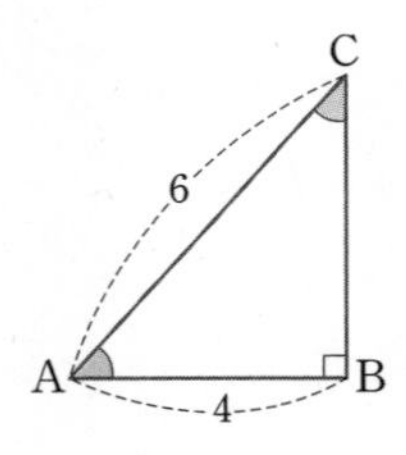

4 ●●○

오른쪽 그림과 같이 $\angle A=90^\circ$인 직각삼각형 ABC에서 $\overline{AB}=\overline{AC}=3$일 때, $\sin B+\cos C$의 값을 구하시오.

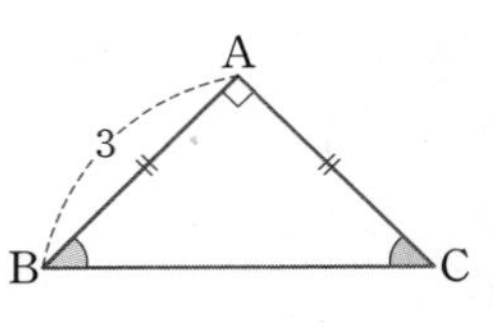

5 ●●●

오른쪽 그림과 같이 $\angle C=90^\circ$인 직각삼각형 ABC에서 $\overline{AB}=17$, $\overline{AD}=10$, $\overline{DC}=6$일 때, 다음을 구하시오.

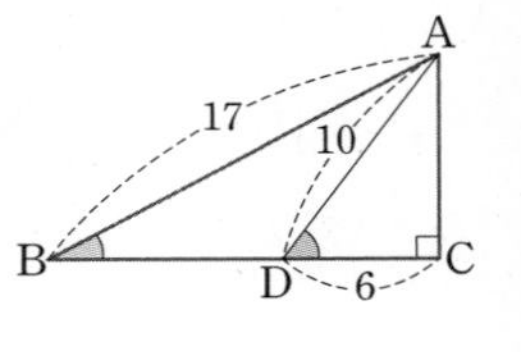

(1) $\overline{AC}$, $\overline{BC}$의 길이

(2) $\tan B\div\sin D$의 값

6 ●●●

다음 그림의 두 직각삼각형 ABC, DEF에서 $\angle A=\angle D=39^\circ$이지만 지혜는 $\triangle DEF$가 $\triangle ABC$보다 크기 때문에 $\sin D$의 값이 $\sin A$의 값보다 크다고 말하였다. 지혜의 말이 옳은지 말하시오.

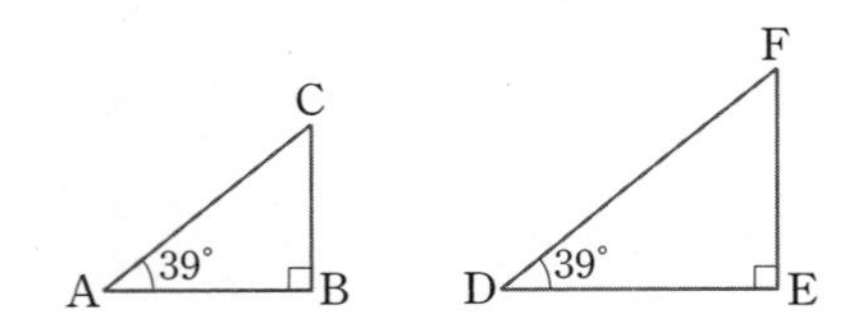

삼각비의 값이 주어질 때, 변의 길이

개념북 11쪽

7 ●●○

오른쪽 그림과 같이 $\angle C=90^\circ$인 직각삼각형 ABC에서 $\overline{BC}=5$이고 $\cos B=\frac{5}{9}$일 때, $\overline{AC}$의 길이를 구하시오.

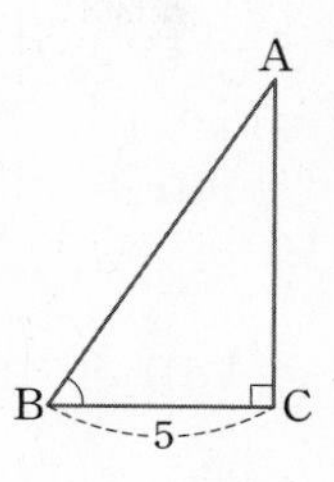

8 ●●○

오른쪽 그림과 같이 $\angle C=90^\circ$인 직각삼각형 ABC에서 $\overline{AB}=12$ cm이고 $\sin A=\frac{2}{3}$일 때, $\overline{AC}$의 길이를 구하시오.

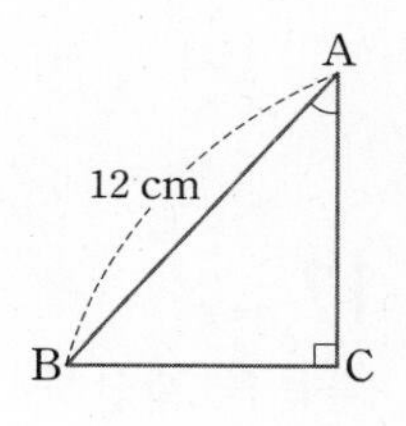

9 ●●●

오른쪽 그림과 같은 직각삼각형 ABC에서 $\overline{AB}=6$, $\sin A=\frac{\sqrt{2}}{2}$일 때, $\triangle ABC$의 넓이는?

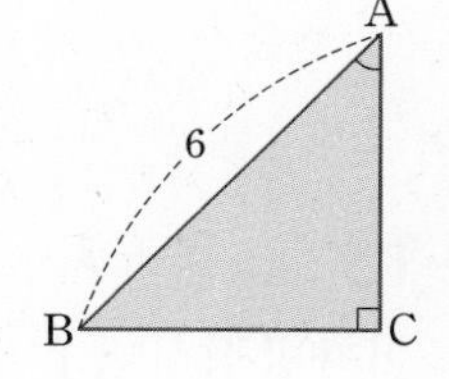

① 6　② 7
③ 8　④ 9
⑤ 10

한 삼각비의 값이 주어질 때, 다른 삼각비의 값

개념북 12쪽

10 ●●○

$\angle B=90^\circ$인 직각삼각형 ABC에서 $\sin A=\frac{\sqrt{2}}{3}$일 때, $\cos A$의 값을 구하시오.

11 ●●○

$\angle B=90^\circ$인 직각삼각형 ABC에서 $\tan A=\frac{1}{2}$일 때, $\sin A+\cos C$의 값을 구하시오.

12 ●●●

$\angle C=90^\circ$인 직각삼각형 ABC에서 $\sin A$와 $\cos A$의 값이 같을 때, $\tan A$의 값을 구하시오.

직각삼각형의 닮음과 삼각비

개념북 12쪽

13 ●●○

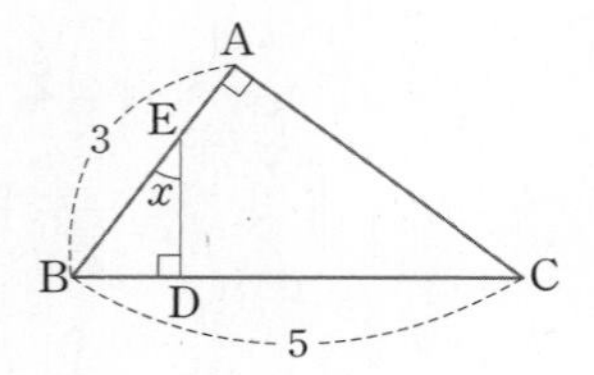

오른쪽 그림과 같이 $\angle A=90^\circ$인 직각삼각형 ABC에서 $\overline{ED}\perp\overline{BC}$이고 $\overline{AB}=3$, $\overline{BC}=5$일 때, $\tan x$의 값을 구하시오.

14 ●●●

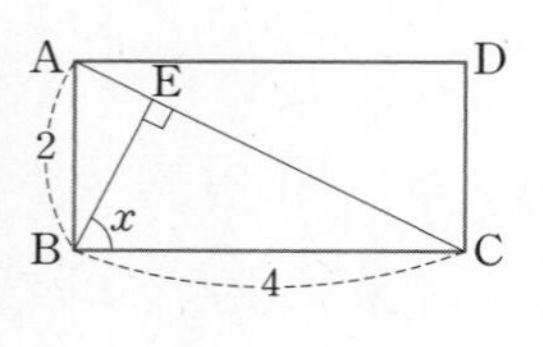

오른쪽 그림과 같은 직사각형 ABCD에서 $\overline{AB}=2$, $\overline{BC}=4$이고, $\overline{BE}\perp\overline{AC}$일 때, $\sin x$의 값을 구하시오.

15 ●●●

오른쪽 그림과 같이 $\angle C=90^\circ$인 직각삼각형 ABC에서 $\overline{BC}=3$, $\overline{AC}=4$, $\overline{AB}\perp\overline{DE}$일 때, $\cos x+\sin y$의 값은?

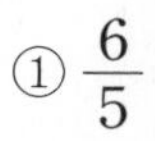

① $\frac{6}{5}$　② $\frac{7}{5}$　③ $\frac{8}{5}$　④ $\frac{9}{5}$　⑤ 2

특수한 각의 삼각비의 값

개념북 14쪽

16 ●○○

다음 중 옳지 않은 것은?

① $\sin 45^\circ+\cos 45^\circ=\sqrt{2}$
② $\sin 30^\circ-\cos 60^\circ=0$
③ $\tan 30^\circ\times\tan 60^\circ=1$
④ $\tan 45^\circ\times\sin 60^\circ=\frac{\sqrt{3}}{2}$
⑤ $\cos^2 30^\circ\div\tan^2 60^\circ=\frac{1}{2}$

17 ●●○

다음을 계산하시오.

$$(\tan 45^\circ-\sin 60^\circ)\times(2\sin 45^\circ\times\cos 45^\circ+\cos 30^\circ)$$

18 ●●●

이차방정식 $ax^2-3x+1=0$의 한 근이 $\cos 60^\circ$일 때, 상수 a의 값을 구하시오.

특수한 각의 삼각비의 값이 주어질 때, 각의 크기 구하기 개념북 14쪽

19 ●○○

오른쪽 그림과 같이 $\angle C=90^\circ$인 직각삼각형 ABC에서 $\overline{AB}=2\sqrt{3}$ cm, $\overline{AC}=3$ cm일 때, $\angle A$의 크기는?

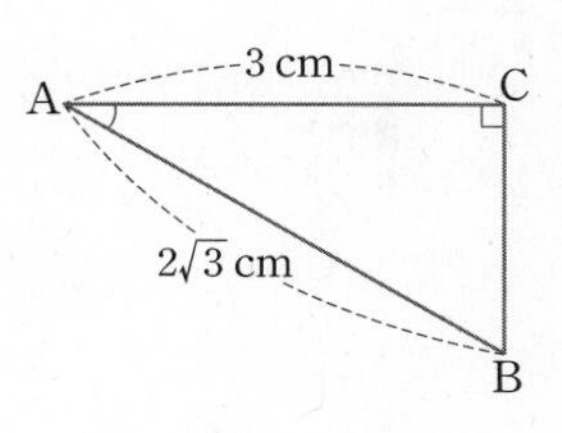

① 20° ② 30° ③ 40°
④ 50° ⑤ 60°

20 ●●○

$\cos(2x-30^\circ)=\frac{1}{2}$을 만족하는 x의 크기를 구하시오. (단, $15^\circ<x<60^\circ$)

21 ●●●

$\tan(2x-60^\circ)=\frac{\sqrt{3}}{3}$일 때, $\sin x$의 값을 구하시오. (단, $30^\circ<x<75^\circ$)

특수한 각의 삼각비의 값을 이용하여 변의 길이 구하기 개념북 15쪽

22 ●●○

오른쪽 그림과 같은 $\triangle ABC$에서 $\overline{AD}\perp\overline{BC}$이고, $\overline{AB}=6$, $\angle B=\angle CAD=30^\circ$일 때, x, y의 값을 각각 구하시오.

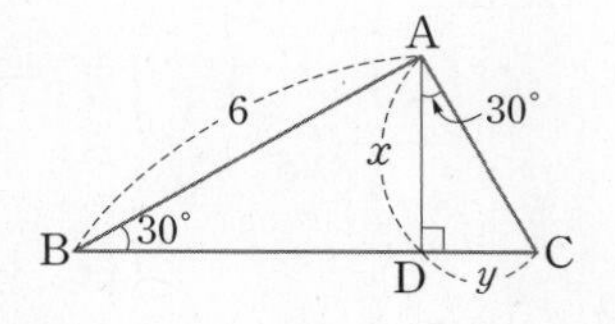

23 ●●○

오른쪽 그림과 같이 $\triangle ABC$와 $\triangle ACD$는 각각 $\angle BAC=90^\circ$, $\angle D=90^\circ$인 직각삼각형이다. $\angle ACB=30^\circ$, $\angle DAC=45^\circ$이고 $\overline{BC}=20$일 때, $\overline{AD}$의 길이를 구하시오.

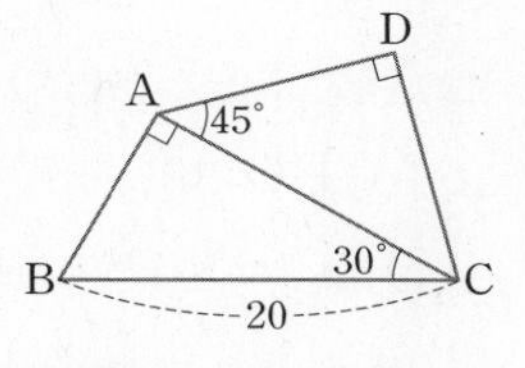

24 ●●○

오른쪽 그림과 같이 $\triangle ABC$와 $\triangle BCD$는 각각 $\angle ABC=90^\circ$, $\angle BCD=90^\circ$인 직각삼각형이다. $\angle A=60^\circ$, $\angle D=45^\circ$이고 $\overline{AB}=2\sqrt{3}$일 때, $\overline{BD}$의 길이를 구하시오.

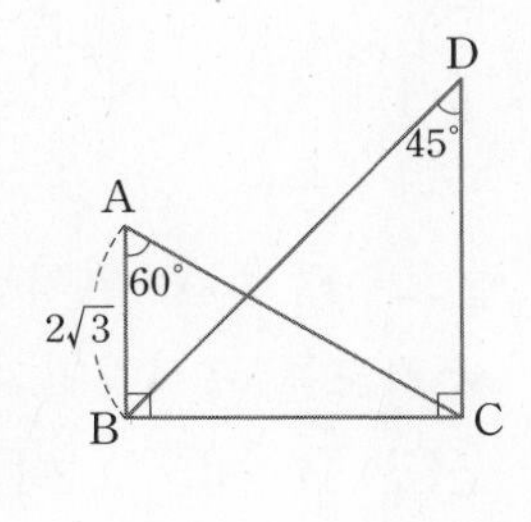

25 ●●○

오른쪽 그림에서 $\overline{AH}\perp\overline{CH}$이고, $\angle A=30°$, $\angle CBH=60°$, $\overline{BH}=2$ cm 일 때, $\overline{AC}$의 길이는?

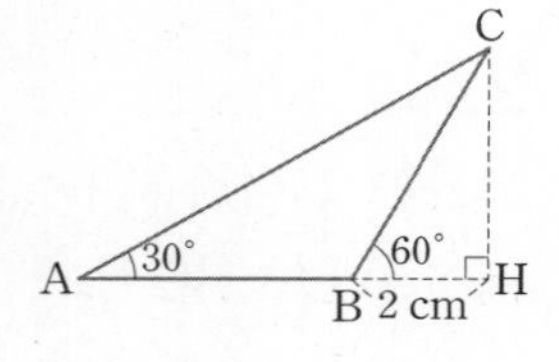

① $2\sqrt{3}$ cm ② $3\sqrt{3}$ cm ③ 6 cm
④ $4\sqrt{3}$ cm ⑤ $5\sqrt{3}$ cm

26 ●●●

오른쪽 그림과 같이 $\triangle ABC$와 $\triangle BCD$는 각각 $\angle ACB=30°$, $\angle DBC=45°$인 직각삼각형이다. $\overline{EF}\perp\overline{BC}$이고, $\overline{BC}=10$ cm일 때, $\overline{EF}$의 길이를 구하시오.

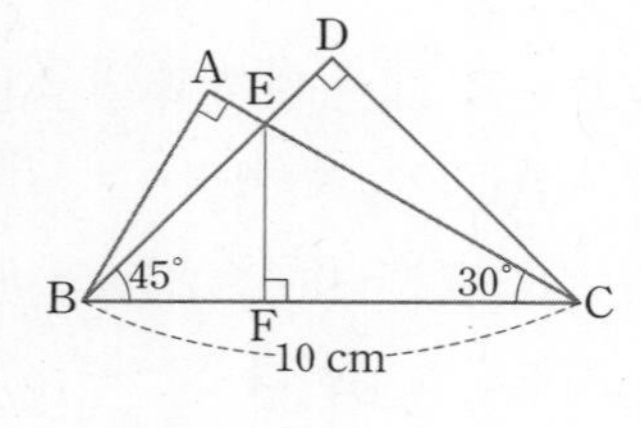

27 ●●●

오른쪽 그림과 같이 어느 건물 꼭대기에 설치되어 있는 대형 광고판의 높이를 알아보기 위하여 건물로부터 7 m 떨어진 A 지점에서 각도를 측정하였다. $\angle CAB=45°$, $\angle DAC=15°$일 때, $\overline{CD}$의 길이를 구하시오.

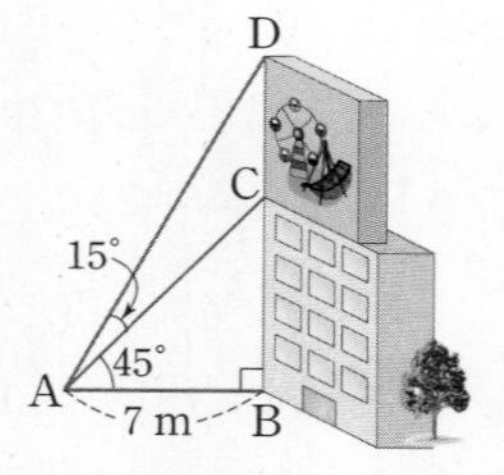

직선의 기울기와 삼각비

개념북 15쪽

28 ●●○

오른쪽 그림과 같이 y절편이 2이고, x축의 양의 방향과 이루는 각의 크기가 60°인 직선을 그래프로 하는 일차함수의 식은?

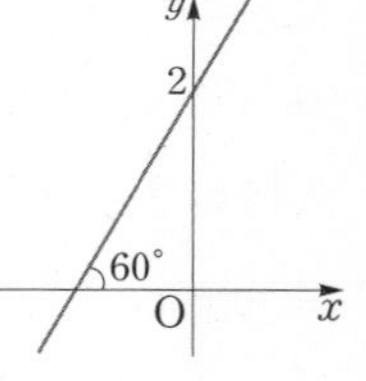

① $y=-\sqrt{3}x-2$ ② $y=-\frac{\sqrt{3}}{3}x+2$
③ $y=x+2$ ④ $y=\frac{\sqrt{3}}{3}x-2$
⑤ $y=\sqrt{3}x+2$

29 ●●○

오른쪽 그림과 같이 일차방정식 $\sqrt{3}x-3y+7=0$의 그래프가 x축의 양의 방향과 이루는 각의 크기를 a라 할 때, a의 크기를 구하시오.

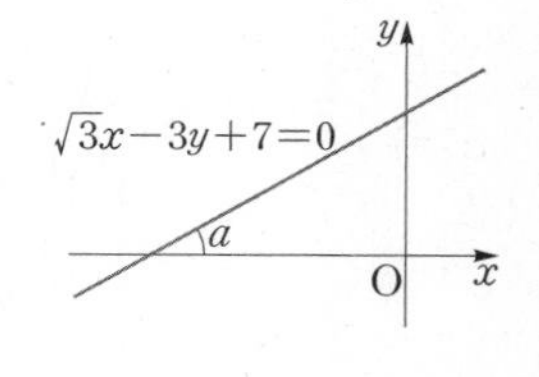

30 ●●●

오른쪽 그림과 같이 y절편이 -3이고, x축의 양의 방향과 이루는 각의 크기가 $\angle a$인 직선이 있다. $\sin a=\frac{\sqrt{3}}{2}$일 때, 이 직선의 방정식을 구하시오.

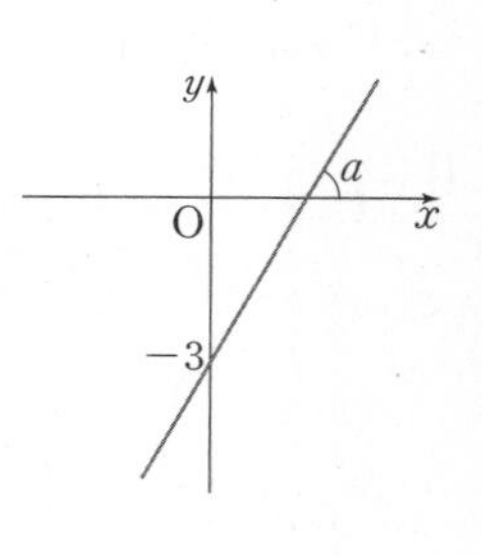

임의의 예각의 삼각비의 값

개념북 17쪽

31

오른쪽 그림과 같이 반지름의 길이가 1인 사분원에 대하여 다음 중 옳지 않은 것은?

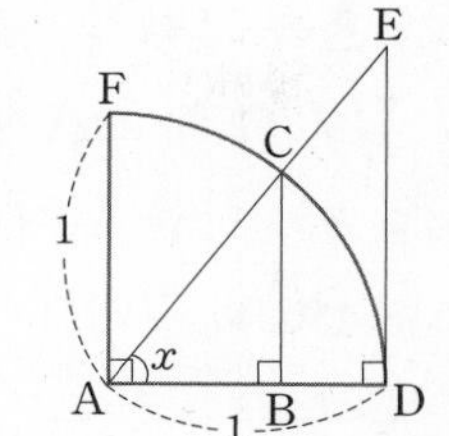

① $\sin x=\overline{BC}$
② $\cos x=\overline{AB}$
③ $\tan x=\overline{DE}$
④ $\angle x$의 크기가 작아지면 $\sin x$, $\cos x$, $\tan x$의 값은 모두 작아진다.
⑤ $\angle x$의 크기가 커지면 $\sin x$, $\tan x$의 값은 커지고 $\cos x$의 값은 작아진다.

32

오른쪽 그림과 같이 반지름의 길이가 1인 사분원에서 삼각비의 값을 변의 길이로 나타낸 것 중 옳지 않은 것은?

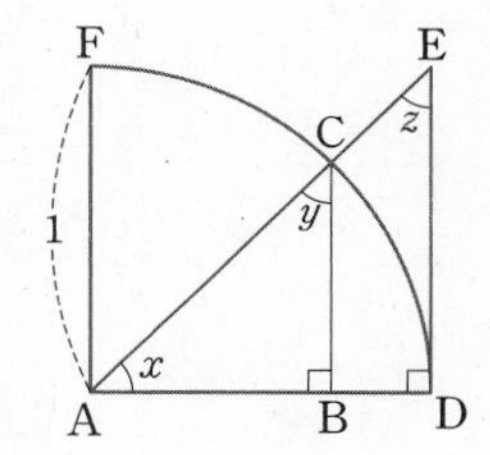

① $\sin x=\overline{BC}$ ② $\sin y=\overline{AB}$
③ $\cos x=\overline{AB}$ ④ $\cos y=\overline{BC}$
⑤ $\tan z=\overline{DE}$

33

오른쪽 그림과 같이 반지름의 길이가 1인 사분원에서 $\tan 52^\circ+\sin 38^\circ+\cos 38^\circ$의 값을 구하시오.

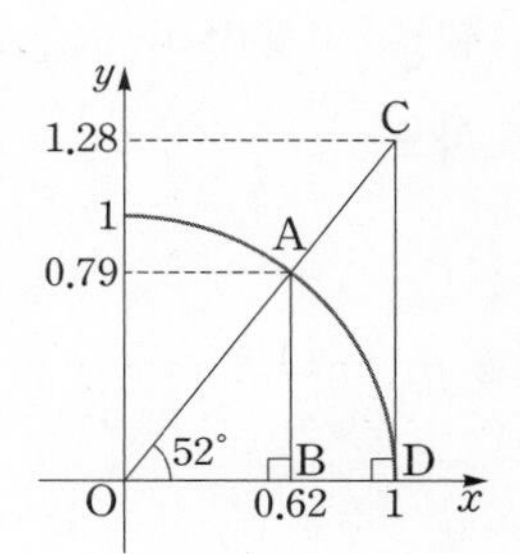

0°, 90°의 삼각비의 값

개념북 17쪽

34

$\tan 0^\circ+\sin 0^\circ+\cos 0^\circ\times\sin 90^\circ$의 값은?

① 0 ② $\frac{1}{2}$ ③ 1
④ $\frac{3}{2}$ ⑤ 2

35

다음 **보기** 중 삼각비의 값이 1인 것을 모두 고른 것은?

보기

ㄱ. $\sin 0^\circ$ ㄴ. $\cos 0^\circ$ ㄷ. $\tan 0^\circ$
ㄹ. $\sin 90^\circ$ ㅁ. $\cos 90^\circ$ ㅂ. $\tan 45^\circ$

① ㄱ, ㄴ, ㄷ ② ㄱ, ㄴ, ㄹ ③ ㄱ, ㄹ, ㅂ
④ ㄴ, ㄷ, ㅁ ⑤ ㄴ, ㄹ, ㅂ

36

다음을 계산하시오.

(1) $\cos 90^\circ+\cos 60^\circ\times\tan 0^\circ-\sin 0^\circ\times\cos 45^\circ$
(2) $\tan 45^\circ\times\sin 90^\circ+\cos 0^\circ\div\sin 30^\circ$

삼각비의 표 이해하기

개념북 19쪽

37 ●○○

다음 삼각비의 표를 이용하여 $\angle x+\angle y$의 크기를 구하시오.

$\sin x=0.2419$, $\tan y=0.2867$

각도	사인(sin)	코사인(cos)	탄젠트(tan)
14°	0.2419	0.9703	0.2493
15°	0.2588	0.9659	0.2679
16°	0.2756	0.9613	0.2867

38 ●●○

오른쪽 그림의 직각삼각형 ABC에서 $\overline{AC}=10000$, $\overline{BC}=7314$일 때, 다음 삼각비의 표를 이용하여 $\angle x$의 크기를 구하시오.

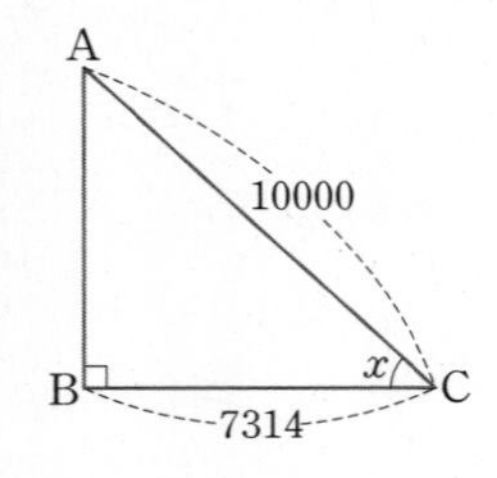

각도	사인(sin)	코사인(cos)	탄젠트(tan)
41°	0.6561	0.7547	0.8693
42°	0.6691	0.7431	0.9004
43°	0.6820	0.7314	0.9325

39 ●●○

다음 삼각비의 표를 이용하여 물음에 답하시오.

각도	사인(sin)	코사인(cos)	탄젠트(tan)
39°	0.6293	0.7771	0.8098
40°	0.6428	0.7660	0.8391
41°	0.6561	0.7547	0.8693

(1) $\cos 39°+\tan 41°$의 값을 구하시오.

(2) $\sin x=0.6428$, $\cos y=0.7547$일 때, $\angle x+\angle y$의 크기를 구하시오.

삼각비의 표를 이용하여 삼각형의 변의 길이 구하기

개념북 19쪽

40 ●●○

오른쪽 그림과 같은 직각삼각형 ABC에서 $\angle A=38°$, $\overline{AC}=100$일 때, 다음 삼각비의 표를 이용하여 $\overline{BC}$의 길이를 구하시오.

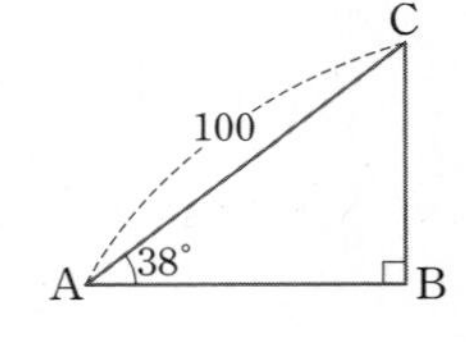

각도	사인(sin)	코사인(cos)	탄젠트(tan)
51°	0.7771	0.6293	1.2349
52°	0.7880	0.6157	1.2799
53°	0.7986	0.6018	1.3270

41 ●●○

오른쪽 그림의 직각삼각형 ABC에서 $\angle B=48°$, $\overline{AB}=100$일 때, 다음 삼각비의 표를 이용하여 x, y의 값을 각각 구하시오.

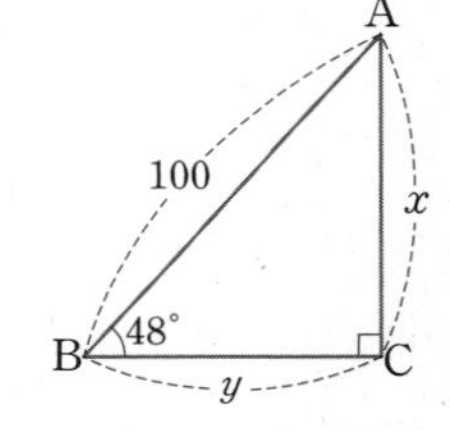

각도	사인(sin)	코사인(cos)	탄젠트(tan)
42°	0.6691	0.7431	0.9004
44°	0.6947	0.7193	0.9657
46°	0.7193	0.6947	1.0355
48°	0.7431	0.6691	1.1106

42 ●●●

오른쪽 그림과 같이 반지름의 길이가 1인 사분원에서 다음 삼각비의 표를 이용하여 $\overline{BC}$의 길이를 구하시오.

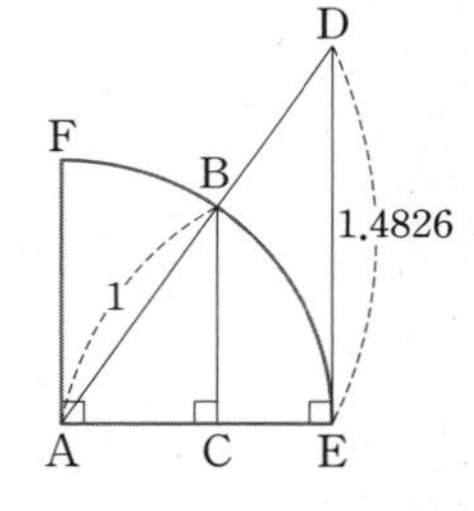

각도	사인(sin)	코사인(cos)	탄젠트(tan)
54°	0.8090	0.5878	1.3764
55°	0.8192	0.5736	1.4281
56°	0.8290	0.5592	1.4826

개념완성익힘

1

오른쪽 그림과 같은 직각삼각형 ABC에 대하여 다음 중 옳지 않은 것은?

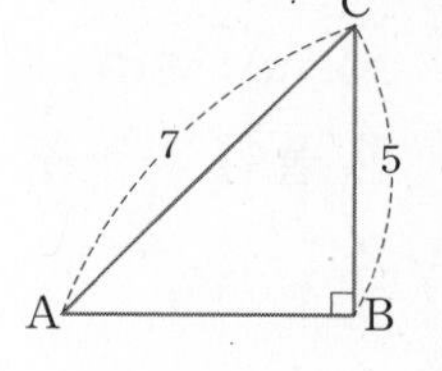

① $\sin A=\frac{5}{7}$

② $\cos A=\frac{2\sqrt{6}}{7}$　③ $\tan A=\frac{5\sqrt{6}}{12}$

④ $\sin C=\frac{7\sqrt{6}}{12}$　⑤ $\tan C=\frac{2\sqrt{6}}{5}$

2

$\tan A=\sqrt{2}$일 때, $\sin A\times\cos A$의 값은? (단, $0°<\angle A<90°$)

① $\frac{\sqrt{2}}{3}$　② $\frac{1}{2}$　③ $\frac{\sqrt{3}}{3}$

④ $\frac{\sqrt{2}}{2}$　⑤ $\frac{\sqrt{3}}{2}$

3

$\sin A : \cos A=\sqrt{3} : 1$일 때, $\tan A$의 값은? (단, $0°<\angle A<90°$)

① $\frac{1}{2}$　② $\frac{\sqrt{3}}{3}$　③ 1

④ $\sqrt{2}$　⑤ $\sqrt{3}$

4

오른쪽 그림에서 $\triangle ABC$와 $\triangle DBC$는 $\angle ABC=90°$, $\angle BDC=90°$인 직각삼각형이다. $\overline{AB}=10$이고, $\angle ACB=30°$, $\angle DBC=45°$일 때, $\overline{BD}$의 길이를 구하시오.

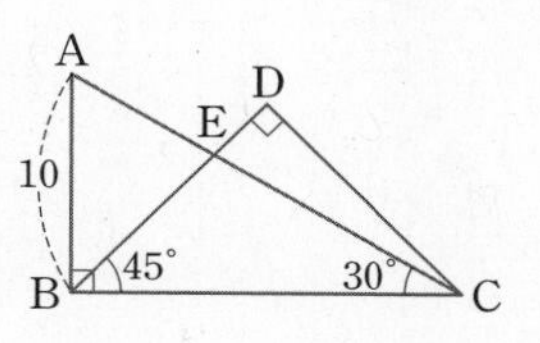

5

오른쪽 그림과 같이 x절편이 -4이고, x축의 양의 방향과 이루는 각의 크기가 $60°$인 직선을 그래프로 하는 일차함수의 식은?

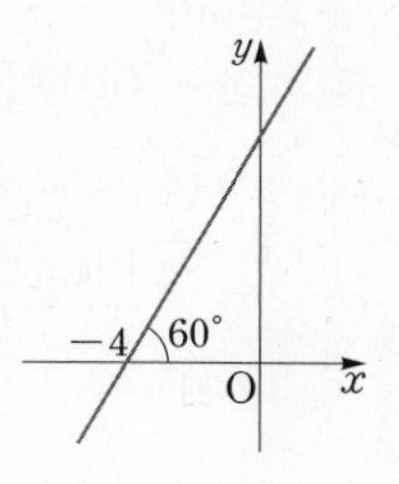

① $y=\frac{\sqrt{3}}{3}x-4$

② $y=\frac{\sqrt{3}}{3}x+2\sqrt{3}$　③ $y=\sqrt{3}x-2\sqrt{3}$

④ $y=\sqrt{3}x+4$　⑤ $y=\sqrt{3}x+4\sqrt{3}$

6

오른쪽 그림과 같은 직각삼각형 ABC에서 $\overline{AB}=20$, $\angle B=14°$일 때, 다음 삼각비의 표를 이용하여 $x+y$의 값을 구하시오.

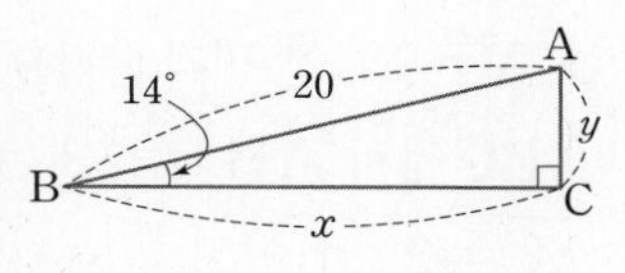

각도	사인(sin)	코사인(cos)	탄젠트(tan)
13°	0.2250	0.9744	0.2309
14°	0.2419	0.9703	0.2493
15°	0.2588	0.9659	0.2679

7

$\tan(2x-15^\circ)=1$일 때,
$2\tan 2x \times \sin(x+15^\circ)$의 값은?

(단, $10^\circ < x < 50^\circ$)

① $\frac{\sqrt{3}}{2}$ ② $\frac{\sqrt{6}}{2}$ ③ $\sqrt{2}$
④ $\sqrt{6}$ ⑤ $2\sqrt{6}$

8 실력UP

$0^\circ < x < 90^\circ$일 때, 다음 식을 간단히 하시오.

$$\sqrt{(\cos x+1)^2}-\sqrt{(\sin x-1)^2}$$

9

오른쪽 그림과 같이 $\angle A=90^\circ$인 직각삼각형 ABC에서 $\overline{AB}=2\sqrt{3}$ cm, $\overline{AC}=2$ cm이고, $\overline{AH}\perp\overline{BC}$이다. $\angle BAH=x$, $\angle CAH=y$라 할 때, $\cos x \times \cos y$의 값을 구하시오.

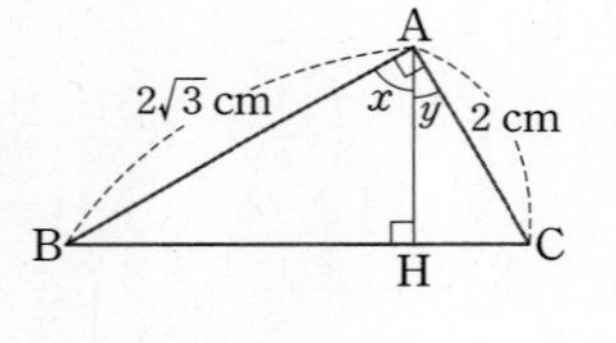

서술형

10

오른쪽 그림과 같은 직육면체에서 $\angle BHF=x$라 할 때, $\cos x \times \sin x$의 값을 구하기 위한 풀이 과정을 쓰고 답을 구하시오.

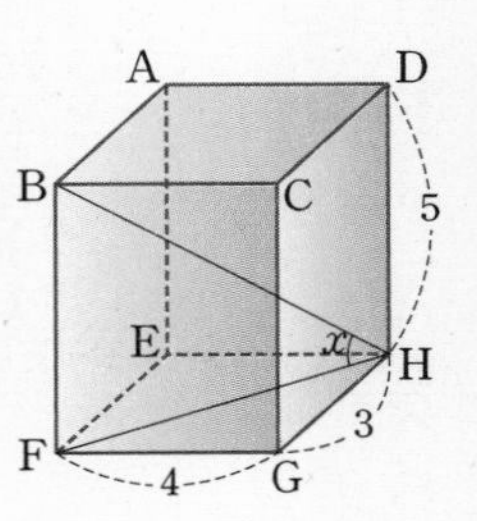

11

오른쪽 그림과 같이 반지름의 길이가 1인 사분원에서 $\angle AOB=30^\circ$이고, 점 A에서 $\overline{OB}$에 내린 수선의 발을 H라 할 때, 색칠한 부분의 넓이를 구하기 위한 풀이 과정을 쓰고 답을 구하시오.

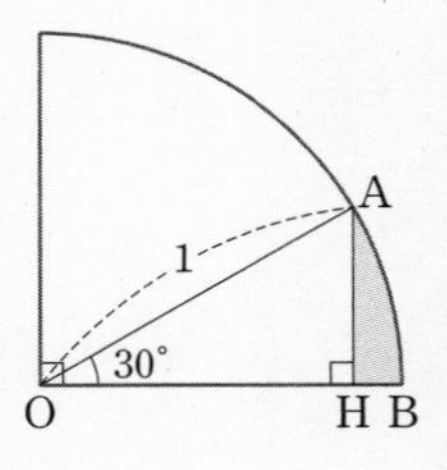

12

오른쪽 그림과 같이 $\angle B=90^\circ$인 직각삼각형 ABD에서 $\overline{AC}=\overline{CD}$이고 $\angle BAC=60^\circ$, $\overline{AB}=8$ cm일 때, $\tan 75^\circ$의 값을 구하기 위한 풀이 과정을 쓰고 답을 구하시오.

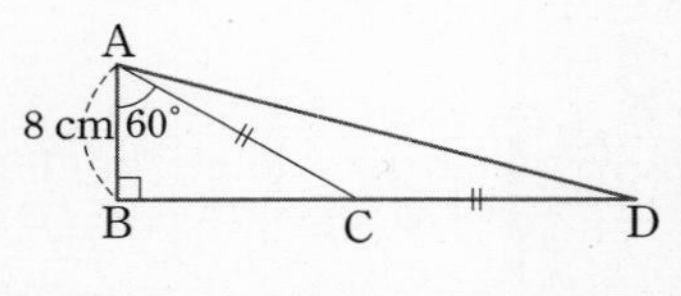

2 삼각비의 활용

개념적용익힘

직각삼각형의 변의 길이

개념북 29쪽

1 ●○○

오른쪽 그림과 같은 직각삼각형 ABC에서 $\overline{AC}=7$, $\angle B=63^\circ$일 때, 다음 중 $\overline{AB}$의 길이를 나타낸 것은?

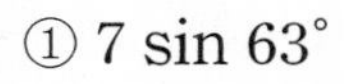

① $7\sin 63^\circ$ ② $7\cos 63^\circ$
③ $7\tan 63^\circ$ ④ $\dfrac{7}{\sin 63^\circ}$
⑤ $\dfrac{7}{\tan 63^\circ}$

2 ●●○

오른쪽 그림과 같이 지면에 수직으로 서있던 전봇대가 부러졌다. 전봇대의 부러진 부분과 지면이 이루는 각의 크기가 30°일 때, 부러지기 전의 전봇대의 높이를 구하시오.

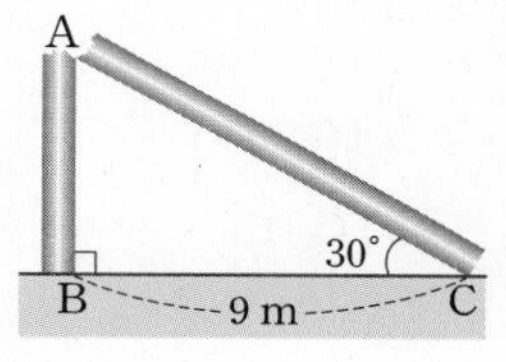

3 ●●○

오른쪽 그림과 같이 눈높이가 1.7 m인 기룡이가 나무로부터 20 m 떨어진 지점에서 나무의 꼭대기를 올려다본 각의 크기가 35°일 때, 나무의 높이인 $\overline{BD}$의 길이를 구하시오. (단, $\sin 35^\circ=0.57$, $\cos 35^\circ=0.82$, $\tan 35^\circ=0.70$으로 계산한다.)

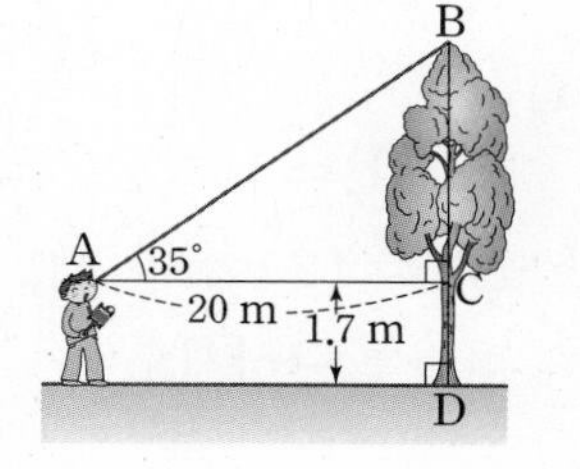

일반 삼각형의 변의 길이 (1)

개념북 31쪽

4 ●○○

오른쪽 그림과 같은 △ABC에서 $\angle B=45^\circ$이고 $\overline{AB}=4$ cm, $\overline{BC}=5\sqrt{2}$ cm일 때, $\overline{AC}$의 길이를 구하시오.

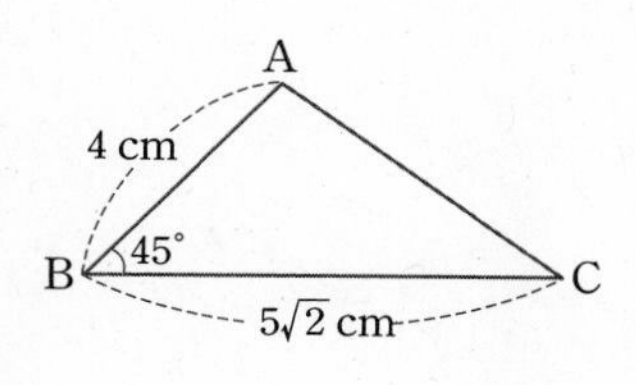

5 ●●○

오른쪽 그림은 저수지의 두 지점 B, C 사이의 거리를 구하기 위해 지면 위의 한 지점 A에서 측량한 결과이다. 두 지점 B, C 사이의 거리를 구하시오.

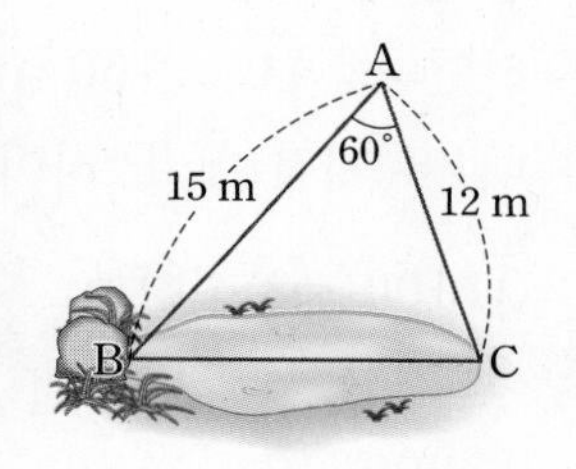

6 ●●●

오른쪽 그림과 같이 배가 어떤 섬의 P 지점에서 동쪽 정방향으로 20 km 떨어진 지점을 지나 남쪽 60° 방향으로 30 km만큼 움직였다. 이때 이 배가 섬의 P 지점으로부터 떨어진 거리는?

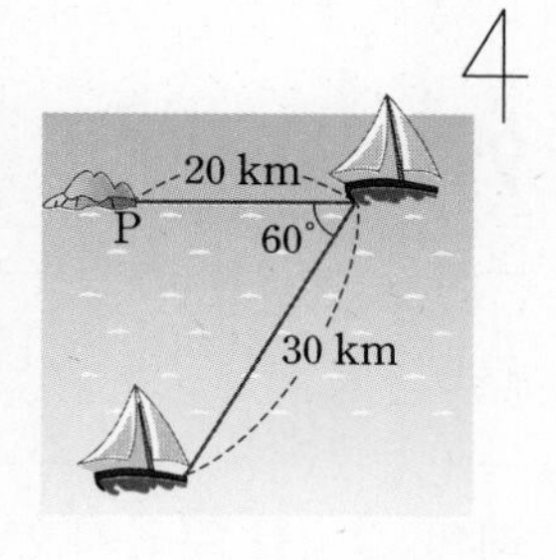

① $10\sqrt{5}$ km ② $10\sqrt{6}$ km ③ $10\sqrt{7}$ km
④ $20\sqrt{2}$ km ⑤ 30 km

일반 삼각형의 변의 길이 (2)

개념북 31쪽

7 ●●○

오른쪽 그림과 같은 △ABC에서 ∠B=75°, ∠C=45°이고 $\overline{BC}=9\sqrt{2}$ cm일 때, $\overline{AB}$의 길이를 구하시오.

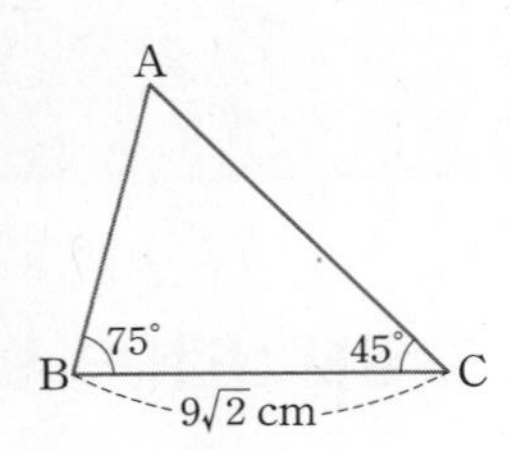

8 ●●○

직선으로 흐르는 강을 사이에 둔 두 지점 A와 B 사이의 거리를 구하기 위하여 B 지점과 같은 쪽의 강가에 C 지점을 정하였다. $\overline{AC}=100$ m이고, ∠B=30°, ∠C=45°일 때, 두 지점 A, B 사이의 거리는?

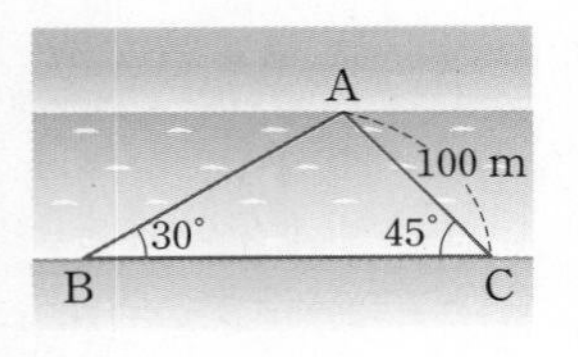

① $100(\sqrt{3}-1)$ m ② $100\sqrt{2}$ m
③ $200(\sqrt{3}-1)$ m ④ $100(\sqrt{3}+1)$ m
⑤ $200(\sqrt{3}+1)$ m

9 ●●●

오른쪽 그림과 같은 △ABC에서 $\overline{AB}=4$ cm이고 ∠B=75°, ∠C=45°일 때, △ABC의 둘레의 길이를 구하시오.

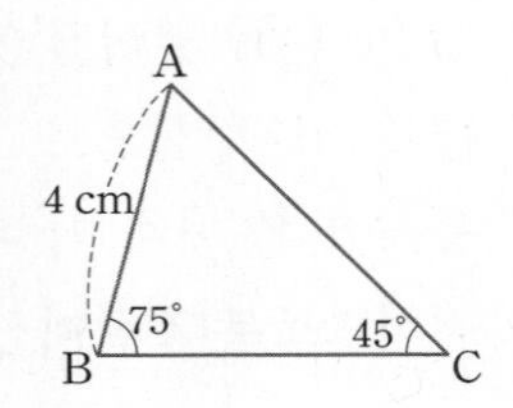

모두 예각이 주어졌을 때, 삼각형의 높이

개념북 33쪽

10 ●●○

오른쪽 그림과 같이 △ABC의 점 A에서 $\overline{BC}$에 내린 수선의 발을 H라 하자. ∠B=30°, ∠C=45°, $\overline{BC}=6$일 때, $\overline{AH}$의 길이를 구하시오.

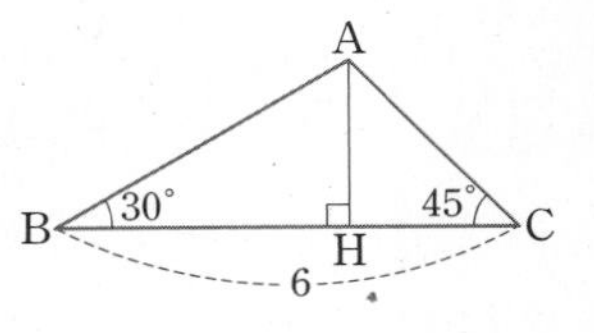

11 ●●●

오른쪽 그림과 같이 첨성대를 사이에 두고 나란히 있는 지면 위의 두 지점 B, C에서 첨성대의 꼭대기 A 지점을 올려다본 각의 크기가 각각 60°, 45°이고, B 지점과 C 지점 사이의 거리가 $(9+3\sqrt{3})$ m일 때, 첨성대의 높이는?

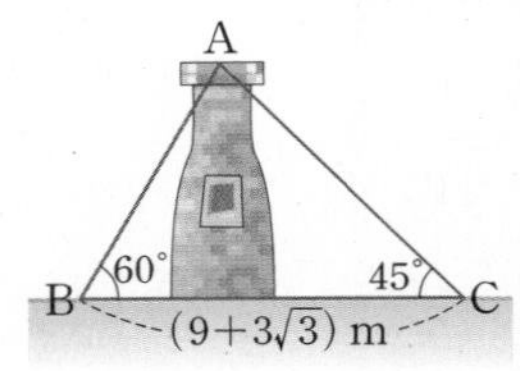

① 9 m ② 12 m ③ $9\sqrt{2}$ m
④ $9\sqrt{3}$ m ⑤ $12\sqrt{2}$ m

12 ●●●

오른쪽 그림과 같은 △ABC에서 ∠B=45°, ∠C=60°, $\overline{BC}=12$ cm일 때, △ABC의 넓이를 구하시오.

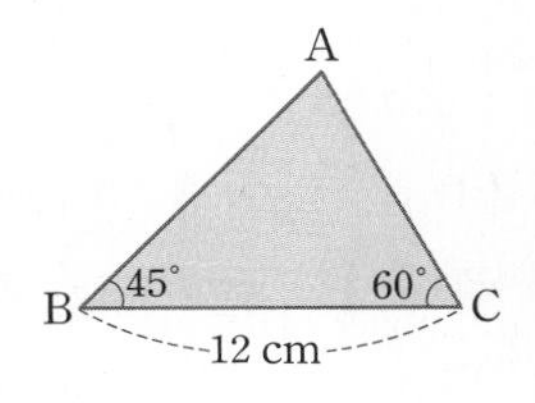

둔각이 주어졌을 때, 삼각형의 높이

개념북 33쪽

13

오른쪽 그림과 같이 14 m 떨어진 두 지점 B, C에서 나무의 꼭대기를 올려다본 각의 크기가 각각 45°, 30°일 때, 나무의 높이인 $\overline{AH}$의 길이를 구하시오.

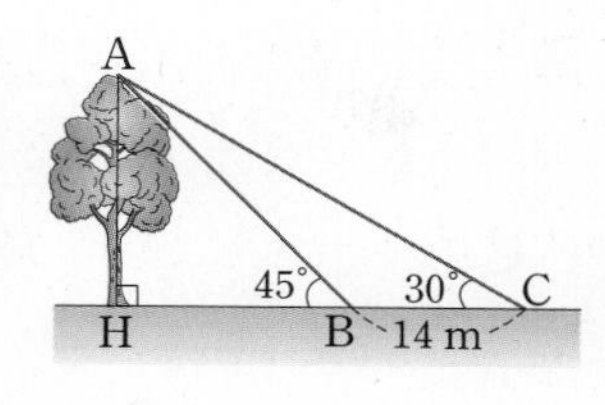

14

오른쪽 그림과 같이 $\overline{BC}=32$ cm, $\angle B=30°$, $\angle ACB=120°$인 $\triangle ABC$의 꼭짓점 A에서 $\overline{BC}$의 연장선에 내린 수선의 발을 H라 할 때, $\overline{AH}$의 길이를 구하시오.

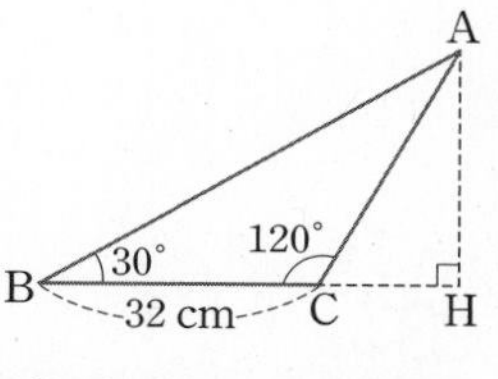

15

오른쪽 그림과 같이 하늘에 떠 있는 열기구의 높이를 구하려고 A 지점과 A 지점에서 열기구 쪽으로 20 m 떨어진 B 지점에서 열기구를 올려다본 각의 크기를 측정하였더니 각각 65°, 75°이었다. 이때 열기구의 높이인 $\overline{CH}$의 길이는?

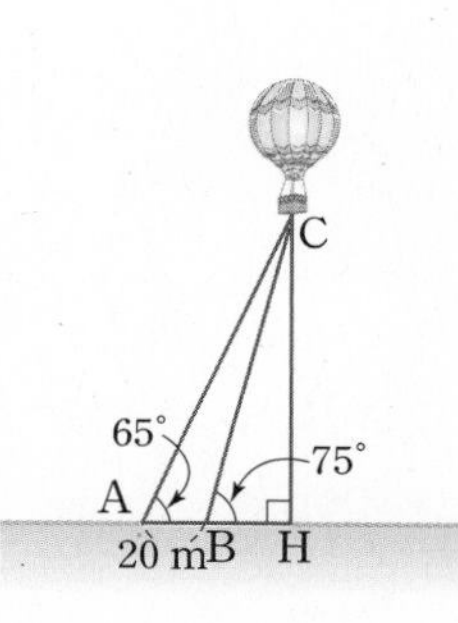

① $\dfrac{5}{\tan 15° + \tan 25°}$ m

② $\dfrac{20}{\tan 25° - \tan 15°}$ m

③ $\dfrac{20}{\tan 15° + \tan 25°}$ m

④ $\dfrac{\tan 15° + \tan 25°}{20}$ m

⑤ $\dfrac{\tan 25° - \tan 15°}{20}$ m

예각이 주어졌을 때, 삼각형의 넓이

개념북 35쪽

16

오른쪽 그림과 같이 $\overline{AB}=10$ cm, $\overline{BC}=6\sqrt{3}$ cm인 $\triangle ABC$의 넓이가 $15\sqrt{3}$ cm²일 때, $\angle x$의 크기는? (단, $0° < \angle x < 90°$)

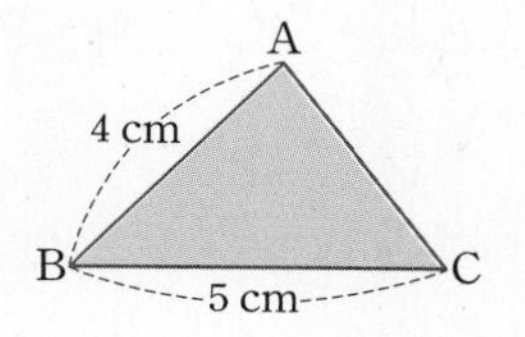

① 20° ② 25° ③ 30°
④ 35° ⑤ 40°

17

오른쪽 그림과 같은 $\triangle ABC$에서 $\overline{AB}=4$ cm, $\overline{BC}=5$ cm이고, $\cos B=\dfrac{\sqrt{2}}{2}$일 때, $\triangle ABC$의 넓이는? (단, $0° < \angle B < 90°$)

① $2\sqrt{2}$ cm² ② $3\sqrt{2}$ cm² ③ $4\sqrt{2}$ cm²
④ $5\sqrt{2}$ cm² ⑤ $6\sqrt{2}$ cm²

18

오른쪽 그림과 같이 $\overline{AB}=\overline{AC}$인 이등변삼각형 ABC에서 $\overline{AB}=5\sqrt{3}$ cm, $\angle B=75°$일 때, $\triangle ABC$의 넓이는?

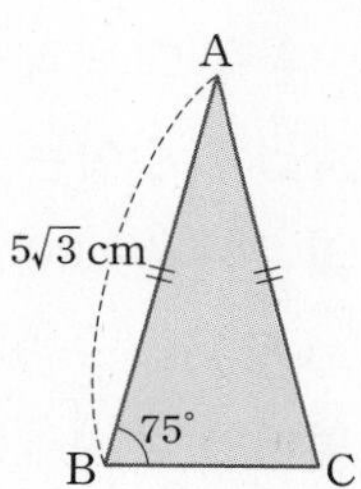

① $\dfrac{25}{2}$ cm² ② $\dfrac{75}{4}$ cm²
③ $\dfrac{75\sqrt{2}}{4}$ cm² ④ $\dfrac{75\sqrt{3}}{4}$ cm²
⑤ $\dfrac{75}{2}$ cm²

19 ●●○

오른쪽 그림과 같은 $\triangle ABC$에서 $\overline{AB}=10$ cm, $\overline{AC}=12$ cm이고, $\angle A=60^\circ$이다. 점 G가 $\triangle ABC$의 무게중심일 때, $\triangle GBC$의 넓이를 구하시오.

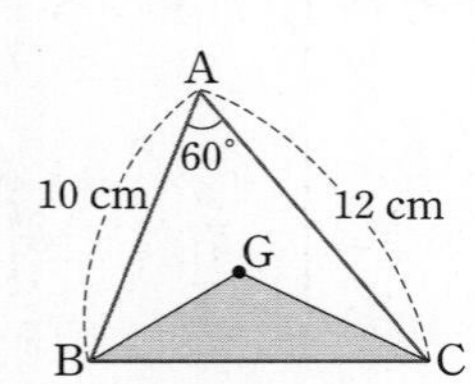

20 ●●●

오른쪽 그림에서 $\overline{AB}=3$ cm, $\overline{BC}=4$ cm, $\angle B=60^\circ$이고 $\overline{AE}/\!/\overline{DC}$일 때, $\square ABED$의 넓이는?

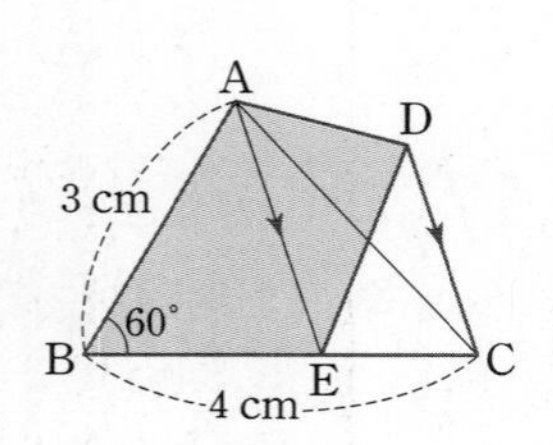

① $\sqrt{3}$ cm^2　② $2\sqrt{2}$ cm^2
③ $2\sqrt{3}$ cm^2　④ $3\sqrt{2}$ cm^2
⑤ $3\sqrt{3}$ cm^2

21 ●●●

오른쪽 그림과 같이 $\triangle ABC$에서 $\overline{AB}$의 길이는 20 % 줄이고 $\overline{BC}$의 길이는 20 % 늘여서 새로운 $\triangle A'BC'$을 만들 때, $\triangle ABC$의 넓이와 $\triangle A'BC'$의 넓이의 비를 가장 간단한 자연수의 비로 나타내시오.

(단, $0^\circ<\angle B<90^\circ$)

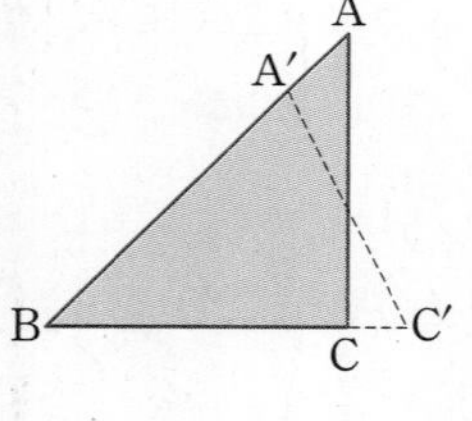

둔각이 주어졌을 때, 삼각형의 넓이

개념북 35쪽

22 ●●○

오른쪽 그림과 같은 $\triangle ABC$에서 $\overline{BC}=6$ cm, $\overline{AC}=8$ cm, $\angle C=135^\circ$일 때, $\triangle ABC$의 넓이는?

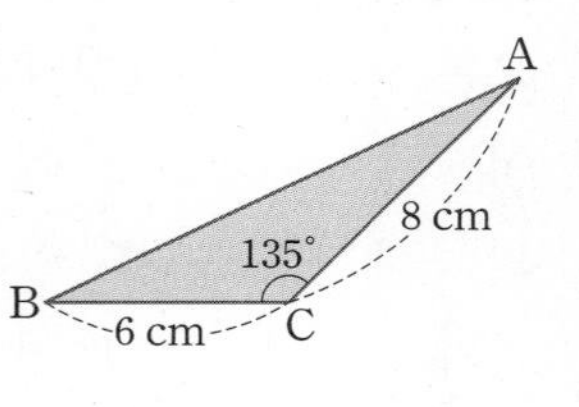

① $6\sqrt{2}$ cm^2　② $6\sqrt{3}$ cm^2　③ 12 cm^2
④ $12\sqrt{2}$ cm^2　⑤ $12\sqrt{3}$ cm^2

23 ●●○

오른쪽 그림과 같이 $\overline{AB}=4$ cm, $\overline{BC}=7$ cm인 $\triangle ABC$의 넓이가 $7\sqrt{2}$ cm^{2}일 때, $\angle B$의 크기를 구하시오.

(단, $\angle B>90^\circ$)

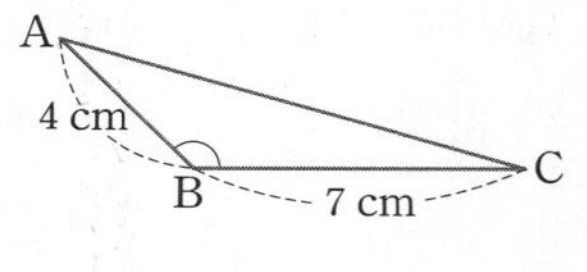

24 ●●○

오른쪽 그림에서 점 I는 $\triangle ABC$의 내심이고, $\angle A=60^\circ$, $\overline{BI}=8$ cm, $\overline{CI}=5$ cm일 때, $\triangle IBC$의 넓이를 구하시오.

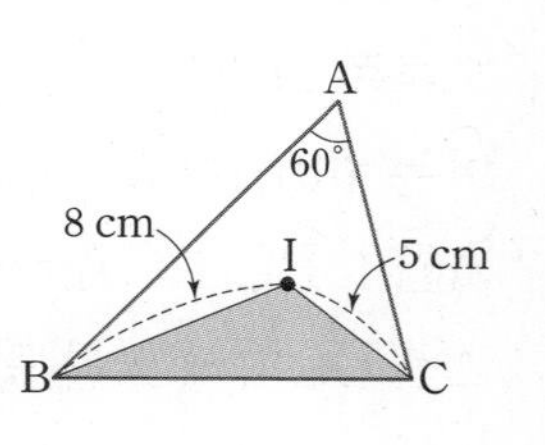

25 ●●●

오른쪽 그림과 같이 반지름의 길이가 6 cm인 반원에서 $\angle AOB=120°$일 때, 색칠한 부분의 넓이를 구하시오.

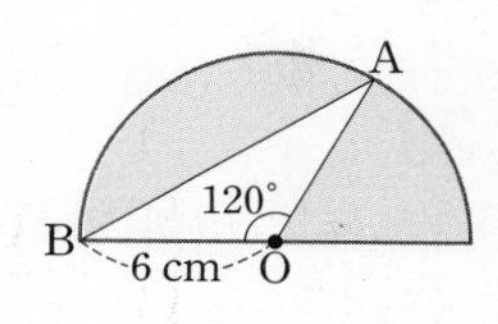

26 ●●●

폭이 3 cm로 일정한 종이를 오른쪽 그림과 같이 $\overline{AC}$를 접는 선으로 하여 접었다.
$\overline{AC}=6$ cm일 때, $\triangle ABC$의 넓이는?

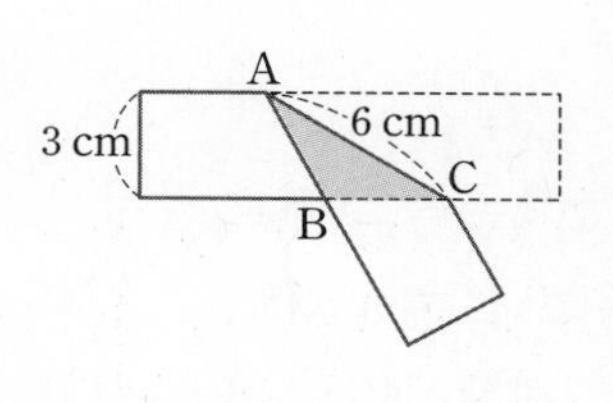

① 3 cm^2　② $3\sqrt{2}\text{ cm}^2$　③ $3\sqrt{3}\text{ cm}^2$
④ 6 cm^2　⑤ $6\sqrt{2}\text{ cm}^2$

27 ●●●

오른쪽 그림의 원 O에서 반지름의 길이는 4 cm이고
$\overset{\frown}{AB}:\overset{\frown}{BC}:\overset{\frown}{CA}=3:4:5$일 때,
$\triangle ABC$의 넓이를 구하시오.

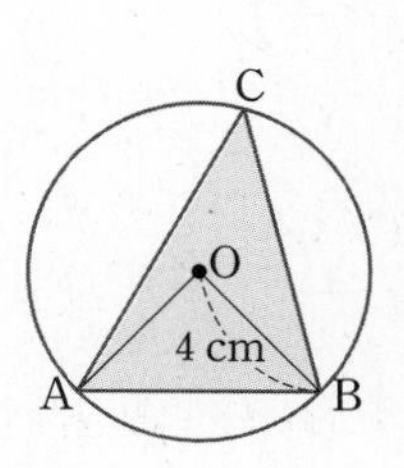

원에 내접하는 정다각형의 넓이

개념북 36쪽

28 ●●○

오른쪽 그림과 같이 반지름의 길이가 10 cm인 원 O에 내접하는 정육각형의 넓이를 구하시오.

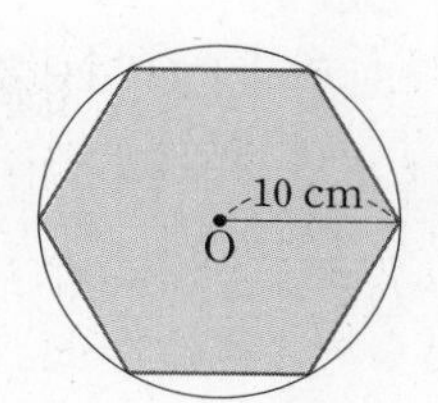

29 ●●○

오른쪽 그림과 같이 반지름의 길이가 14 cm인 원 O에 내접하는 정팔각형의 넓이를 구하시오.

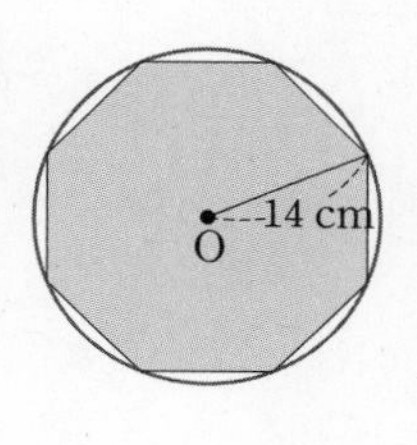

다각형의 넓이

개념북 36쪽

30 ●●○

오른쪽 그림과 같은 □ABCD의 넓이는?

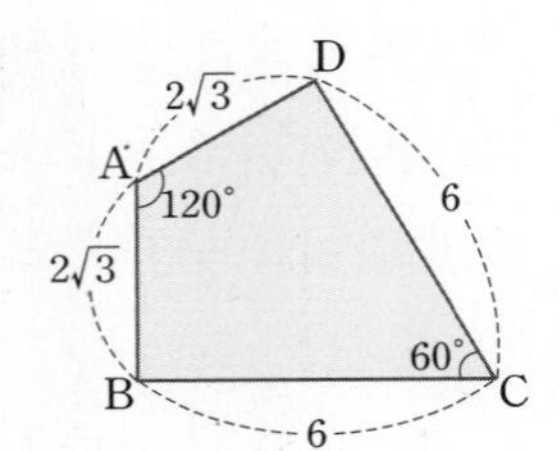

① $6\sqrt{2}$ ② $8\sqrt{3}$
③ $10\sqrt{3}$ ④ $12\sqrt{2}$
⑤ $12\sqrt{3}$

31 ●●○

오른쪽 그림과 같이 $\overline{BC}=8$ cm, $\overline{CD}=6$ cm이고, $\angle BAC=90°$, $\angle ACB=\angle ACD=30°$일 때, □ABCD의 넓이를 구하시오.

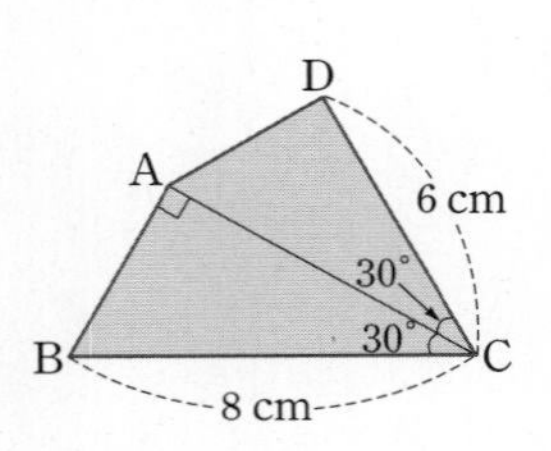

32 ●●●

오른쪽 그림과 같이 한 변의 길이가 $2\sqrt{3}$인 정사각형 ABCD를 점 A를 중심으로 30°만큼 회전시켜 정사각형 AB′C′D′을 만들었다. 이때 두 정사각형이 겹치는 부분의 넓이를 구하시오.

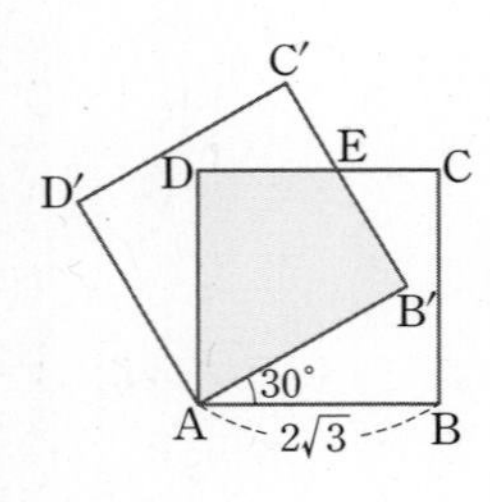

평행사변형의 넓이

개념북 38쪽

33 ●○○

오른쪽 그림과 같이 $\overline{AB}=4$ cm이고 $\angle A=135°$인 평행사변형 ABCD의 넓이가 $10\sqrt{2}$ cm^{2}일 때, $\overline{AD}$의 길이를 구하시오.

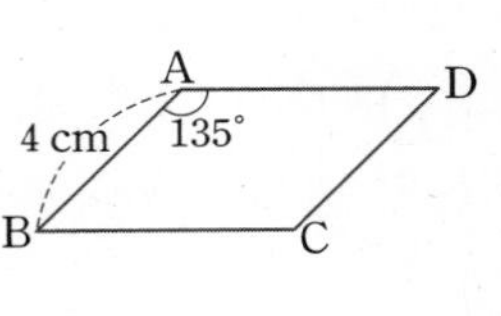

34 ●●○

오른쪽 그림과 같이 $\overline{AB}=5$ cm, $\overline{AD}=6$ cm인 평행사변형 ABCD의 넓이가 15 cm^{2}일 때, ∠B의 크기는? (단, $0° < \angle B < 90°$)

① 20° ② 25° ③ 30°
④ 35° ⑤ 40°

35 ●●○

오른쪽 그림과 같은 평행사변형 ABCD에서 $\overline{AB}=2$ cm, $\overline{AD}=3$ cm이고, $\angle ABC=60°$일 때, △ABP의 넓이를 구하시오.

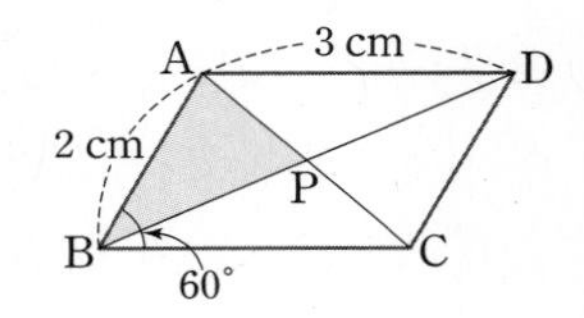

36 ●●●

오른쪽 그림과 같은 평행사변형 ABCD의 넓이가 30 cm^2 이고, $\overline{AB}:\overline{BC}=3:5$, $\angle B=30^\circ$일 때, □ABCD의 둘레의 길이는?

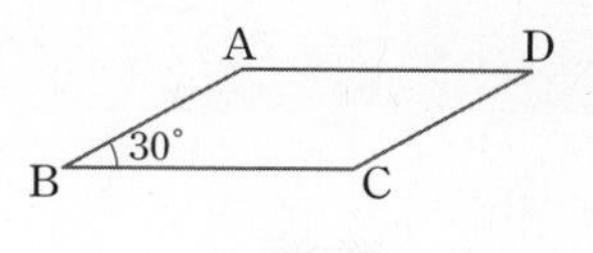

① 16 cm ② 20 cm ③ 24 cm
④ 28 cm ⑤ 32 cm

37 ●●●

오른쪽 그림과 같은 평행사변형 ABCD에서 $\angle B=60^\circ$, $\overline{BC}=20$ cm, $\overline{CD}=16$ cm 이다. 두 점 M, N이 각각 $\overline{BC}$, $\overline{CD}$의 중점일 때, 색칠한 부분의 넓이를 구하시오.

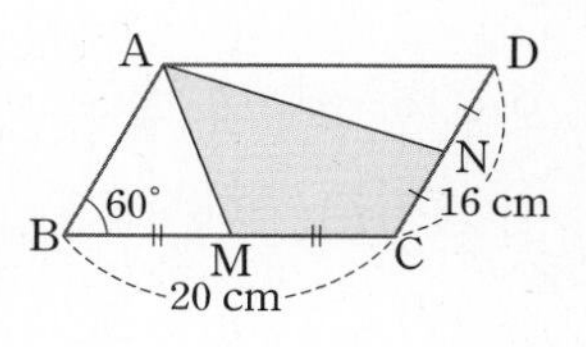

38 ●●●

폭이 각각 5 cm, 4 cm로 일정한 두 종이테이프가 오른쪽 그림과 같이 겹쳐져 있을 때, 겹쳐진 부분의 넓이를 구하시오.

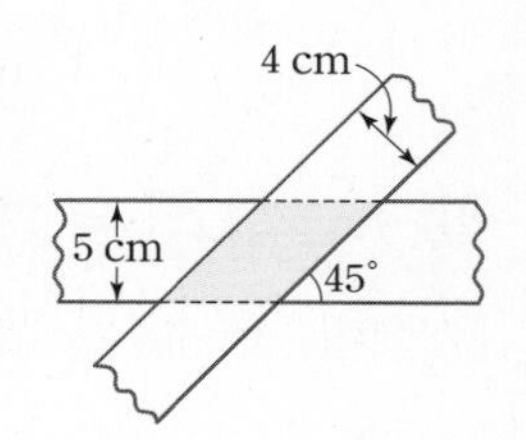

사각형의 넓이

개념북 39쪽

39 ●●○

오른쪽 그림의 □ABCD에서 두 대각선이 이루는 예각의 크기가 60°이고 $\overline{AC}=12$ cm, $\overline{BD}=13$ cm일 때, □ABCD의 넓이는?

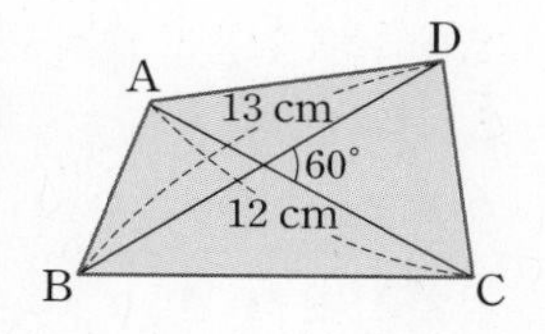

① 42 cm^2 ② $39\sqrt{2}$ cm^2 ③ $42\sqrt{2}$ cm^2
④ $36\sqrt{3}$ cm^2 ⑤ $39\sqrt{3}$ cm^2

40 ●●○

오른쪽 그림과 같이 $\overline{BD}=20$ cm이고 두 대각선이 이루는 각의 크기가 120°인

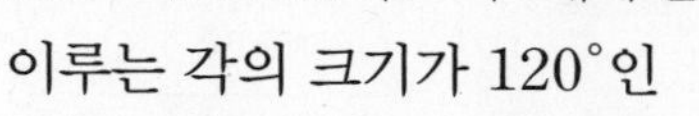

□ABCD의 넓이가 $90\sqrt{3}$ cm^2일 때, $\overline{AC}$의 길이를 구하시오.

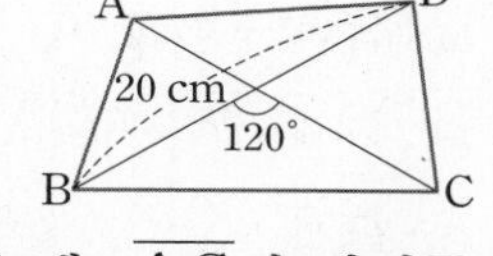

41 ●●○

오른쪽 그림과 같이 $\overline{AC}=14$ cm, $\overline{BD}=10$ cm 인 □ABCD의 넓이가 $35\sqrt{2}$ cm^2일 때, 두 대각선이 이루는 각 중에서 예각의 크기를 구하시오.

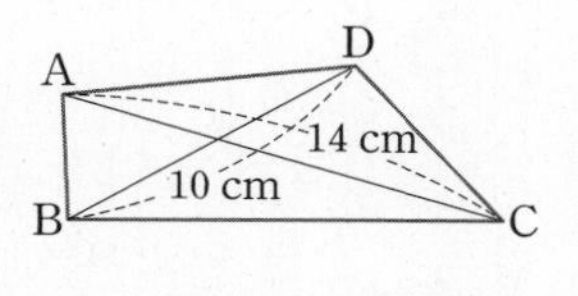

개념완성익힘

1

오른쪽 그림과 같이 $\angle B=90^\circ$인 직각삼각형 ABC에서 $\angle A=42^\circ$, $\overline{AC}=5$일 때, $x+y$의 값은? (단, $\sin 48^\circ=0.74$, $\cos 48^\circ=0.67$, $\tan 48^\circ=1.11$로 계산한다.)

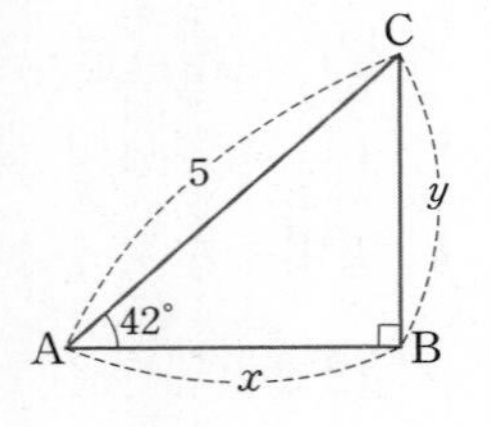

① 6.64 ② 6.82 ③ 6.94
④ 7.05 ⑤ 7.25

2

오른쪽 그림과 같은 △ABC에서 $\angle C=45^\circ$이고 $\overline{AC}=6$, $\overline{BC}=4\sqrt{2}$일 때, $\overline{AB}$의 길이는?

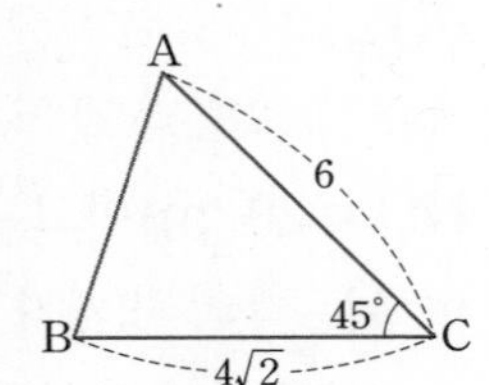

① $\sqrt{5}$ ② $2\sqrt{2}$
③ $2\sqrt{3}$ ④ $3\sqrt{2}$
⑤ $2\sqrt{5}$

3

오른쪽 그림과 같이 100 m 떨어진 두 지점 B, C에서 건물의 꼭대기를 올려다본 각의 크기가 각각 28°, 58°이었다. 건물의 높이가 h m일 때, 다음 중 h의 값을 구하는 식으로 알맞은 것은?

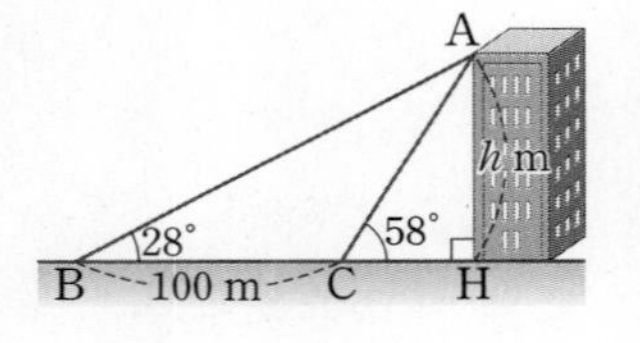

① $100=h\tan 62^\circ-h\tan 32^\circ$
② $100=h\tan 62^\circ+h\tan 32^\circ$
③ $100=h\tan 58^\circ-h\tan 28^\circ$
④ $100=h\tan 58^\circ+h\tan 28^\circ$
⑤ $100=h\cos 28^\circ-h\cos 58^\circ$

4

오른쪽 그림과 같이 $\overline{AC}=6$, $\overline{BC}=3$인 △ABC의 넓이가 $\frac{9\sqrt{2}}{2}$일 때, ∠C의 크기를 구하시오. (단, $\angle C>90^\circ$)

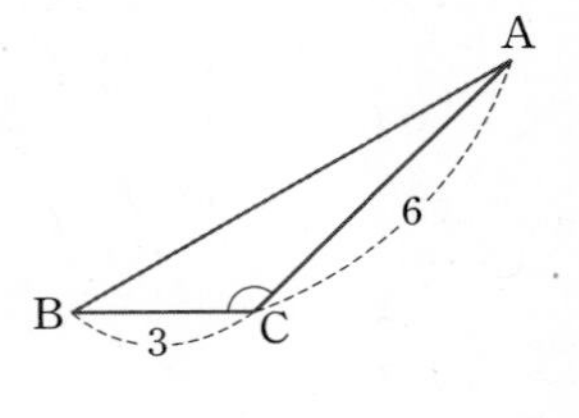

5

오른쪽 그림과 같은 □ABCD의 넓이를 구하시오.

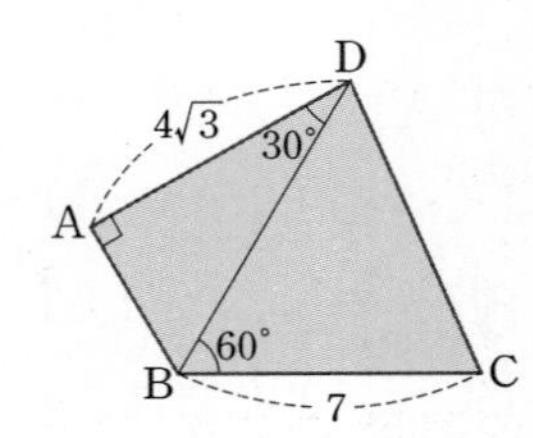

6 실력UP

오른쪽 그림과 같은 △ABC에서 $\overline{BC}=12$ cm이고, $\angle B=45^\circ$, $\angle C=30^\circ$일 때, △ABC의 넓이는?

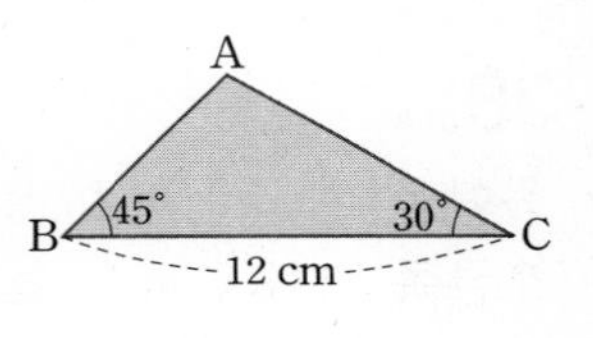

① $18(\sqrt{3}-1)\ \text{cm}^2$ ② $18(\sqrt{2}+1)\ \text{cm}^2$
③ $18(\sqrt{3}+1)\ \text{cm}^2$ ④ $36(\sqrt{2}-1)\ \text{cm}^2$
⑤ $36(\sqrt{3}-1)\ \text{cm}^2$

7

오른쪽 그림과 같은 등변사다리꼴 ABCD에서 $\overline{BD}=4$이고 두 대각선이 이루는 각의 크기가 135°일 때, □ABCD의 넓이를 구하시오.

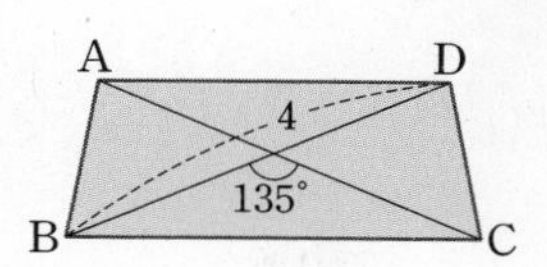

8

오른쪽 그림과 같이 높이가 10 m인 건물의 옥상에서 나무를 올려다본 각의 크기와 내려다본 각의 크기가 각각 60°, 30°일 때, 나무의 높이를 구하시오.

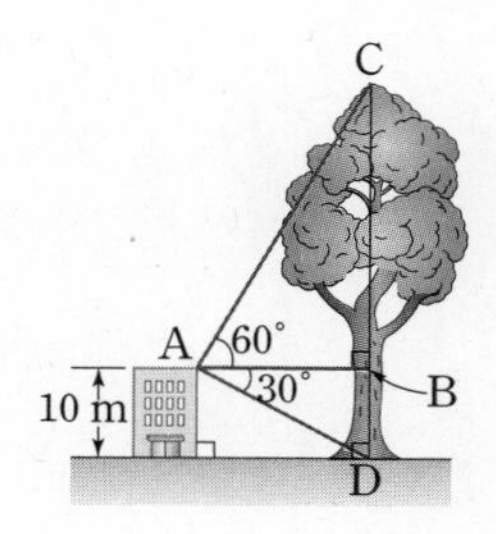

9 실력UP

오른쪽 그림과 같은 △ABC에서 $\overline{AB}=4\sqrt{3}$ cm, $\overline{AC}=6$ cm, $\angle BAC=90^\circ$이고, $\angle CAD=2\angle BAD$일 때, $\overline{AD}$의 길이를 구하시오.

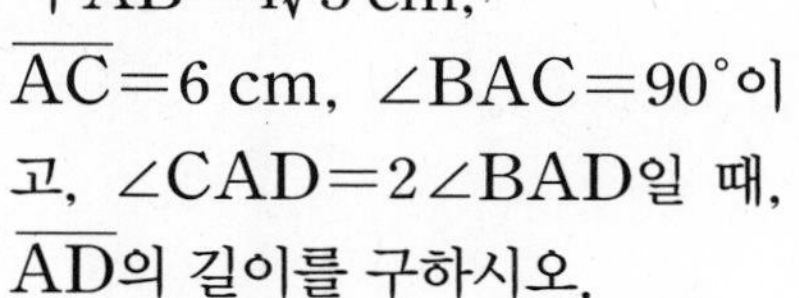

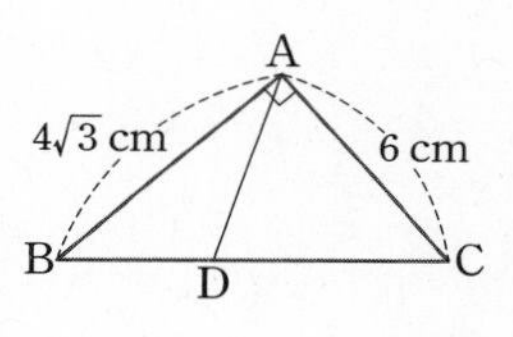

10

오른쪽 그림과 같이 지면으로부터 높이가 80 m인 건물의 꼭대기에서 건물을 향해 직선 방향으로 오고 있는 영주를 처음 내려다본 각의 크기는 30°이고, 1분 후에 영주를 다시 내려다본 각의 크기는 45°이다. 1분 동안 영주가 움직인 거리를 구하시오.

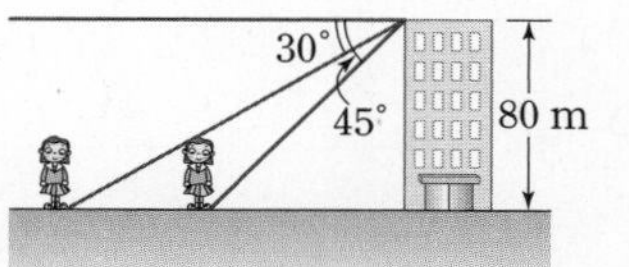

서술형

11

오른쪽 그림과 같이 호수의 두 지점 A, C 사이의 거리를 구하기 위해 측량하였더니 $\angle B=45^\circ$, $\angle C=105^\circ$, $\overline{BC}=3\sqrt{2}$ m이었다. $\overline{AC}$의 길이를 구하기 위한 풀이 과정을 쓰고 답을 구하시오.

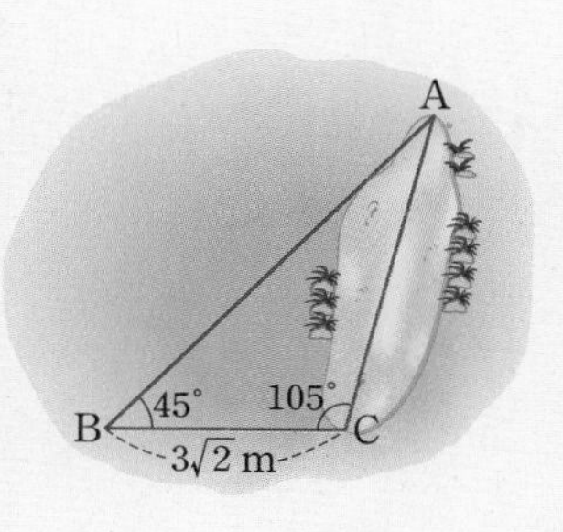

12

오른쪽 그림과 같은 △ABC에서 $\angle B=30^\circ$, $\angle C=45^\circ$, $\overline{BC}=8$ cm이고 $\overline{AH}\perp\overline{BC}$일 때, $\overline{AH}$의 길이를 구하기 위한 풀이 과정을 쓰고 답을 구하시오.

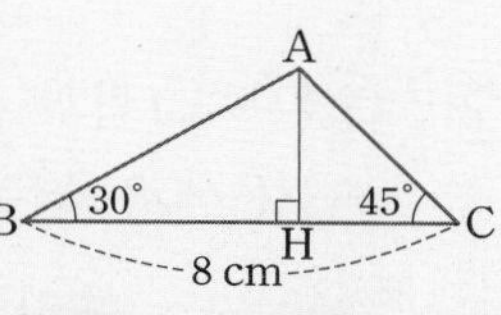

13

오른쪽 그림과 같은 평행사변형 ABCD에서 $\overline{AB}=8$ cm, $\overline{AD}=10$ cm이고, $\angle BAD : \angle ADC=2 : 1$이다. $\overline{BC}$의 중점을 M이라 할 때, △AMC의 넓이를 구하기 위한 풀이 과정을 쓰고 답을 구하시오.

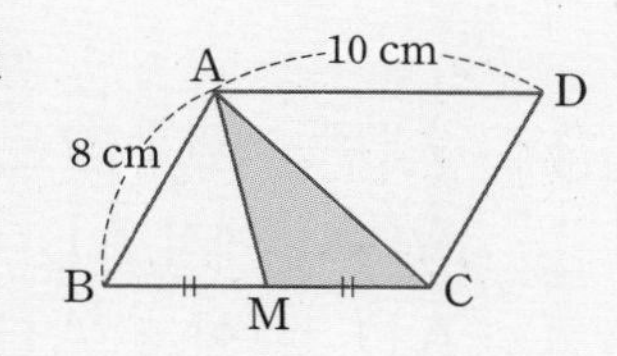

대단원 마무리

I. 삼각비

1 오른쪽 그림과 같은 직각삼각형 ABC에서 $\sin A+\cos A$의 값은?

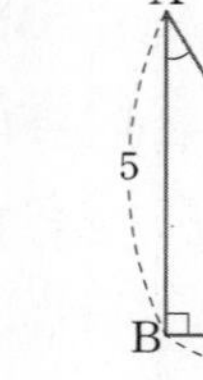

① $\frac{\sqrt{17}}{34}$　② $\frac{\sqrt{17}}{17}$　③ $\frac{2\sqrt{34}}{17}$　④ $\frac{4\sqrt{34}}{17}$　⑤ $\frac{6\sqrt{34}}{17}$

2 오른쪽 그림과 같은 직각삼각형 ABC에서 $\overline{AC}=8$, $\cos A=\frac{3}{4}$일 때, $\triangle ABC$의 넓이는?

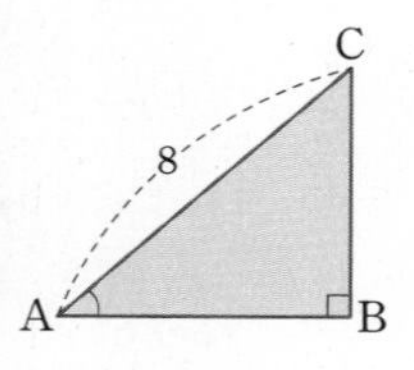

① $5\sqrt{6}$　② $5\sqrt{7}$　③ $6\sqrt{5}$　④ $7\sqrt{5}$　⑤ $6\sqrt{7}$

3 오른쪽 그림과 같은 직사각형 ABCD에서 $\overline{AB}=3$, $\overline{AD}=4$이고 $\overline{AH}\perp\overline{BD}$일 때, $\sin x\times\tan x$의 값은?

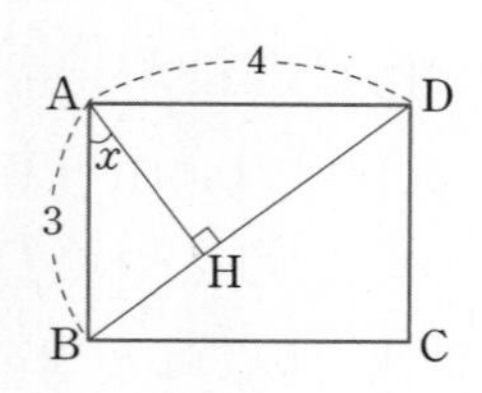

① $\frac{1}{5}$　② $\frac{7}{20}$　③ $\frac{9}{20}$　④ $\frac{11}{20}$　⑤ $\frac{7}{10}$

4 $\sin(2x-10^\circ)=\frac{\sqrt{3}}{2}$일 때, $\tan(x+10^\circ)$의 값은? (단, $5^\circ<x<50^\circ$)

① $\frac{\sqrt{3}}{3}$　② $\frac{\sqrt{3}}{2}$　③ 1　④ $\sqrt{3}$　⑤ 2

5 오른쪽 그림과 같이 반지름의 길이가 1인 사분원에서 $\cos 57^\circ+\tan 57^\circ$의 값을 구하시오.

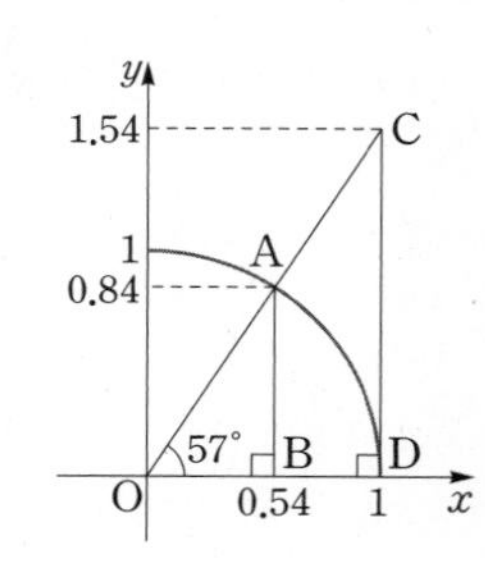

6 다음을 계산하면?

$$(\sin 90^\circ+\cos 0^\circ)\times\sin 30^\circ+\tan 60^\circ\times\cos 90^\circ$$

① 0　② 1　③ $\sqrt{2}$　④ $\sqrt{3}$　⑤ 2

7 $0° < A < 90°$일 때, 다음 식을 간단히 하면?

$$\sqrt{(\cos A+1)^2}+\sqrt{(\cos A-1)^2}$$

① -2　② 0　③ 2
④ $2\cos A$　⑤ $2\cos A-1$

8 오른쪽 그림과 같은 직각삼각형 ABC에서 $\overline{AC}=5$, $\angle A=51°$일 때, 다음 삼각비의 표를 이용하여 $x+y$의 값을 구하시오.

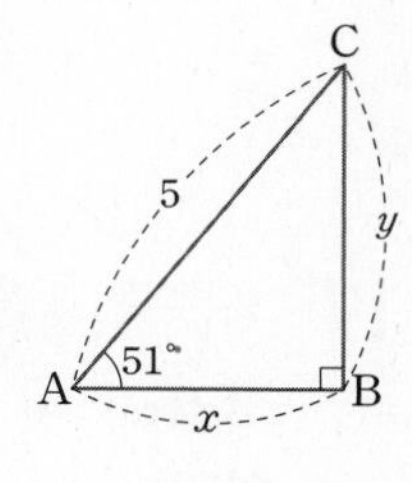

각도	사인(sin)	코사인(cos)	탄젠트(tan)
51°	0.7771	0.6293	1.2349
52°	0.7880	0.6157	1.2799
53°	0.7986	0.6018	1.3270

9 오른쪽 그림과 같은 직각삼각형 ABC에서 $\angle C=40°$, $\overline{AB}=7$일 때, 다음 중 $\overline{AC}$의 길이를 나타낸 것은?

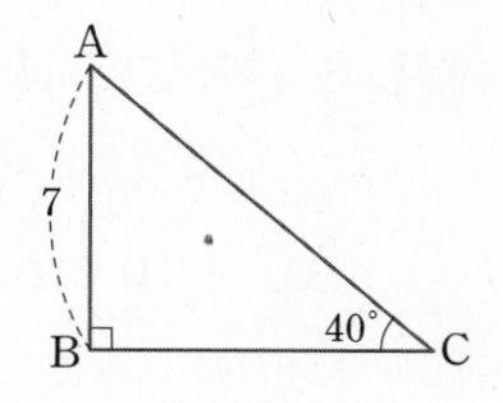

① $7\sin 40°$　② $7\cos 40°$　③ $7\tan 50°$
④ $\dfrac{7}{\sin 40°}$　⑤ $\dfrac{7}{\tan 50°}$

서술형

10 오른쪽 그림과 같이 지면에 수직으로 서있던 나무가 바람에 부러졌다. 나무의 부러진 부분과 지면이 이루는 각의 크기가 30°일 때, 부러지기 전의 나무의 높이를 구하기 위한 풀이 과정을 쓰고 답을 구하시오.

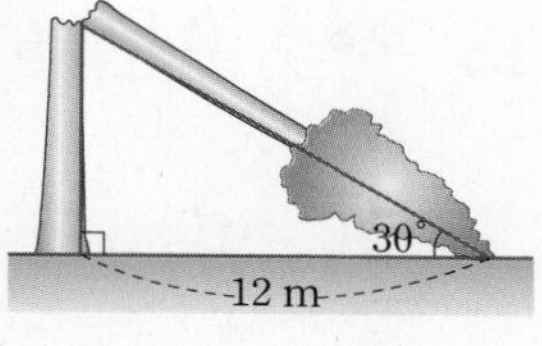

11 산의 높이를 측정하기 위하여 오른쪽 그림과 같이 수평면 위에 $\overline{AB}=200$ m가 되도록 두 지점 A, B를 정하였다. 산의 높이인 $\overline{CH}$의 길이는?

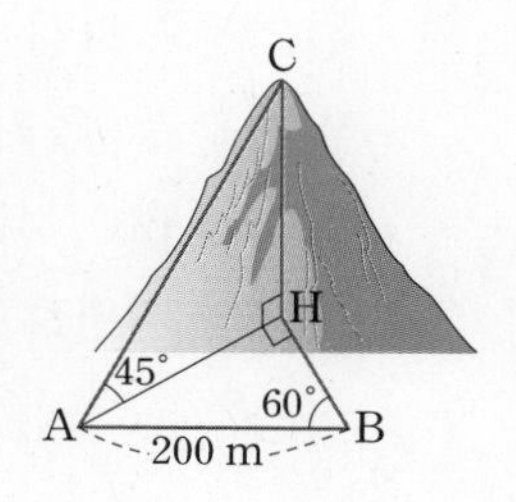

① $50\sqrt{3}$ m　② 100 m　③ $100\sqrt{2}$ m
④ $100\sqrt{3}$ m　⑤ $100\sqrt{6}$ m

12 오른쪽 그림의 $\triangle ABC$에서 $\overline{AC}=10$, $\overline{BC}=7\sqrt{3}$, $\angle C=30°$일 때, $\overline{AB}$의 길이는?

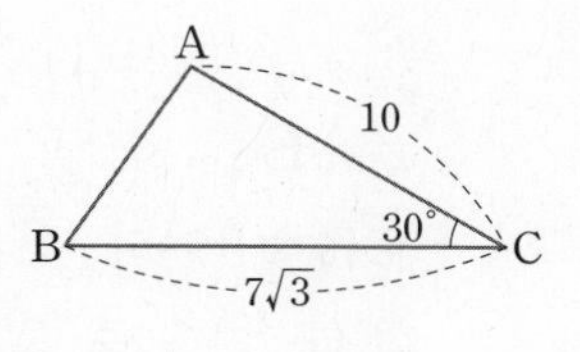

① 6　② $\sqrt{37}$　③ $\sqrt{38}$
④ $\sqrt{39}$　⑤ $2\sqrt{10}$

13 오른쪽 그림과 같은 $\triangle ABC$에서 $\angle B=30^\circ$, $\angle C=105^\circ$, $\overline{BC}=14\text{ cm}$일 때, $\overline{AC}$의 길이는?

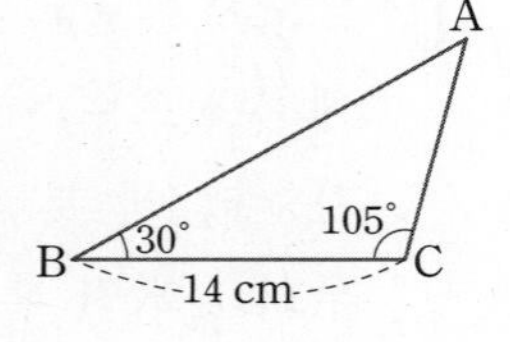

① $6\sqrt{2}\text{ cm}$　② $5\sqrt{3}\text{ cm}$　③ $7\sqrt{2}\text{ cm}$
④ $6\sqrt{3}\text{ cm}$　⑤ $7\sqrt{3}\text{ cm}$

14 오른쪽 그림과 같이 지면 위의 두 지점 B, C에서 열기구를 올려다본 각의 크기가 60°, 45°일 때, 열기구의 지면으로부터의 높이는?

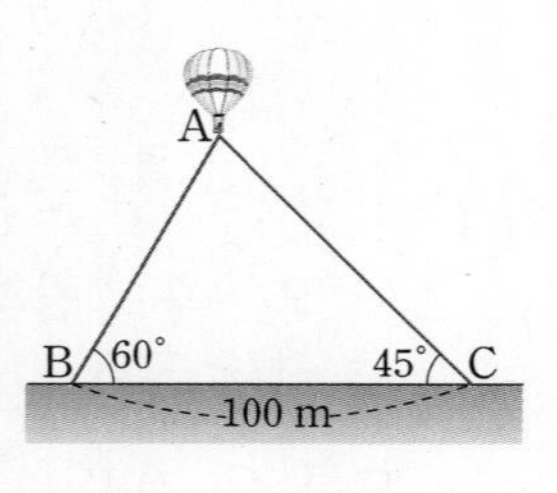

① $50(\sqrt{3}-1)\text{ m}$　② $50(\sqrt{3}+1)\text{ m}$
③ $50(3-\sqrt{3})\text{ m}$　④ $50(3+\sqrt{3})\text{ m}$
⑤ $100(\sqrt{3}-1)\text{ m}$

15 오른쪽 그림의 $\triangle ABC$에서 $\angle A=30^\circ$, $\angle ABC=135^\circ$, $\overline{AB}=8$이다. $\overline{CH}=h$라 할 때, 다음 중 옳지 않은 것은?

① $\angle ACH=60^\circ$　② $\overline{AH}=\sqrt{3}h$
③ $\angle BCH=45^\circ$　④ $\overline{BH}=h$
⑤ $\overline{CH}=4(\sqrt{3}-1)$

16 오른쪽 그림과 같은 $\triangle ABC$에서 $\overline{AB}=16\text{ cm}$, $\overline{BC}=10\text{ cm}$, $\angle B=30^\circ$이고, 점 G는 무게중심일 때, $\triangle AGC$의 넓이는?

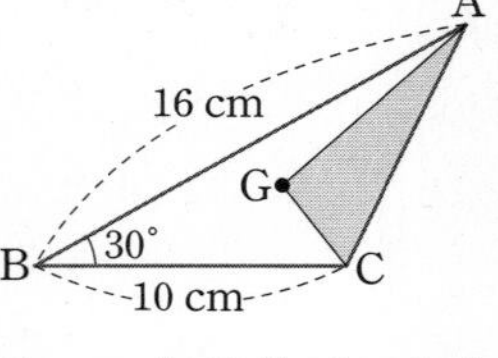

① $\frac{40}{3}\text{ cm}^2$　② 17 cm^2　③ 20 cm^2
④ $\frac{80}{3}\text{ cm}^2$　⑤ 30 cm^2

17 오른쪽 그림과 같이 한 변의 길이가 10 cm인 정육각형의 넓이는?

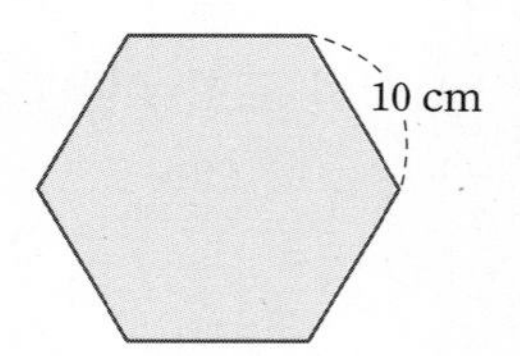

① $75\sqrt{2}\text{ cm}^2$
② $75\sqrt{3}\text{ cm}^2$
③ $120\sqrt{3}\text{ cm}^2$
④ $150\sqrt{2}\text{ cm}^2$
⑤ $150\sqrt{3}\text{ cm}^2$

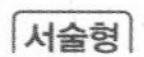

18 오른쪽 그림과 같은 □ABCD에서 $\overline{AC}=10\text{ cm}$,
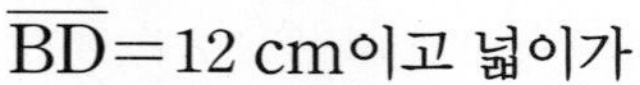
$\overline{BD}=12\text{ cm}$이고 넓이가 $30\sqrt{3}\text{ cm}^2$일 때, $\angle x$의 크기를 구하기 위한 풀이 과정을 쓰고 답을 구하시오.
(단, $90^\circ<\angle x<180^\circ$)

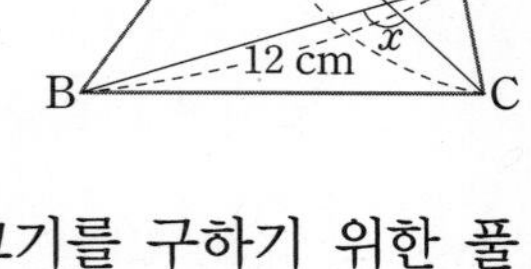

1 원과 직선

개념적용익힘

현의 수직이등분선의 이용 (1)

개념북 53쪽

1 ●○○

다음 그림에서 x의 값을 구하시오.

(1)

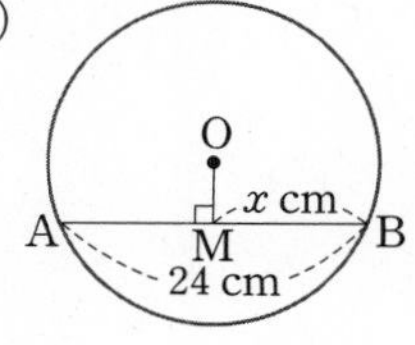

(2)

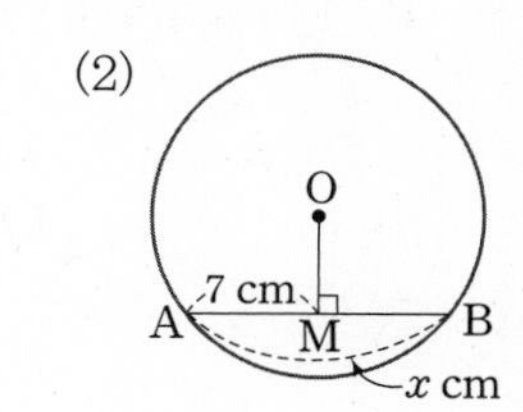

2 ●○○

오른쪽 그림과 같은 원 O에서 $\overline{AB}\perp\overline{OM}$이고, $\overline{OA}=6$ cm, $\overline{MB}=4$ cm일 때, 다음을 구하시오.

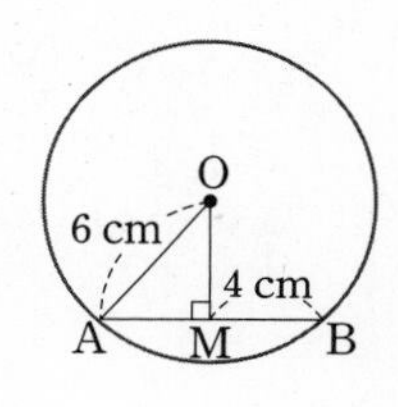

(1) $\overline{AM}$의 길이

(2) $\overline{OM}$의 길이

3 ●●○

원의 중심에서 3 cm 떨어져 있는 현의 길이가 8 cm일 때, 이 원의 반지름의 길이를 구하시오.

4 ●●○

오른쪽 그림에서 $\overline{AB}$는 원 O의 지름이고 $\overline{CD}\perp\overline{HO}$이다. $\overline{AB}=26$ cm, $\overline{CD}=24$ cm일 때, $\overline{HO}$의 길이를 구하시오.

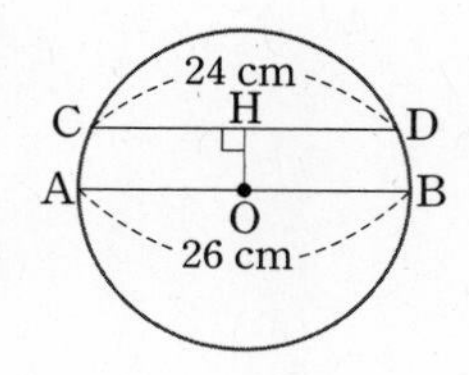

5 ●●●

오른쪽 그림에서 $\overline{CM}$은 원 O의 중심을 지나고, $\overline{AB}\perp\overline{CM}$이다. $\angle AOC=120°$, $\overline{AB}=8\sqrt{3}$ cm일 때, $\overline{OA}$의 길이를 구하시오.

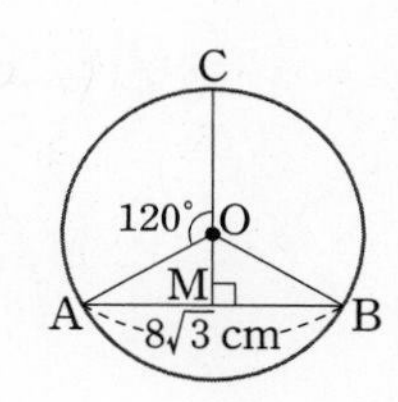

6 ●●●

오른쪽 그림과 같은 원 O에서 $\overline{AC}\perp\overline{BC}$이고 $\overline{AC}=6$ cm, $\overline{BC}=4$ cm일 때, 원 O의 둘레의 길이를 구하시오.

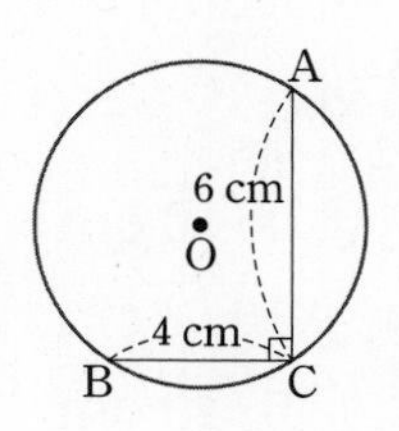

현의 수직이등분선 이용 (2)

개념북 53쪽

7 ●●○

오른쪽 그림과 같은 원 O에서 $\overline{OC}\perp\overline{AB}$, $\overline{OD}=\overline{DC}$이고 $\overline{OA}=12$ cm일 때, $\overline{AB}$의 길이를 구하시오.

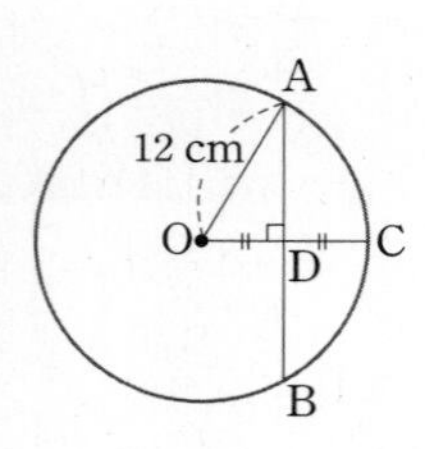

8 ●●○

오른쪽 그림과 같은 원 O에서 $\overline{AB}\perp\overline{CO}$이고 $\overline{AO}=9$ cm, $\overline{CH}=3$ cm일 때, $\overline{AB}$의 길이를 구하시오.

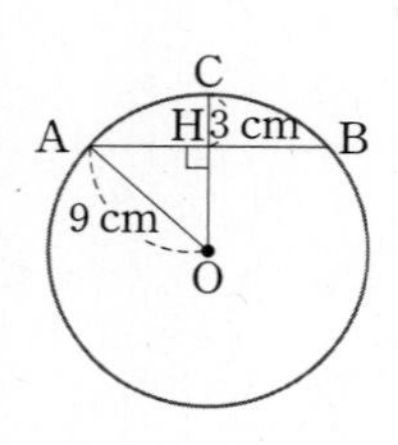

9 ●●○

오른쪽 그림과 같이 반지름의 길이가 10 cm인 원 O에서 $\overline{AB}\perp\overline{OC}$이고 $\overline{OH}=3$ cm일 때, $\overline{BC}$의 길이는?

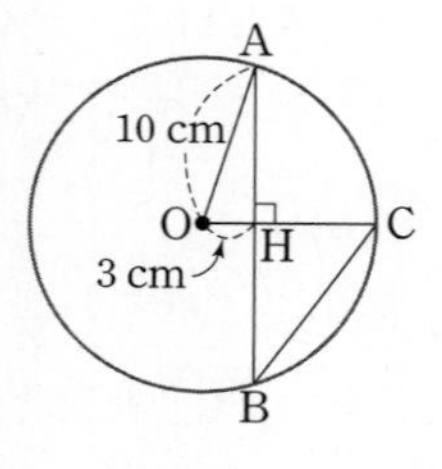

① $4\sqrt{10}$ cm ② $2\sqrt{35}$ cm
③ $10\sqrt{2}$ cm ④ 15 cm
⑤ $5\sqrt{10}$ cm

10 ●●○

오른쪽 그림에서 $\overline{AB}$는 원 O의 지름이고 점 H는 $\overline{AB}$와 $\overline{CD}$의 교점이다. $\overline{AB}\perp\overline{CD}$이고, $\overline{AB}=24$ cm, $\overline{HB}=8$ cm일 때, $\overline{CD}$의 길이를 구하시오.

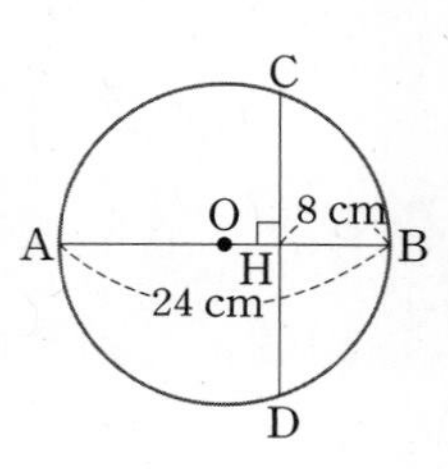

11 ●●●

오른쪽 그림과 같은 원 O에서 $\overline{AB}\perp\overline{CO}$이고 $\overline{AP}=6$ cm, $\overline{CP}=3$ cm일 때, 원 O의 반지름의 길이를 구하시오.

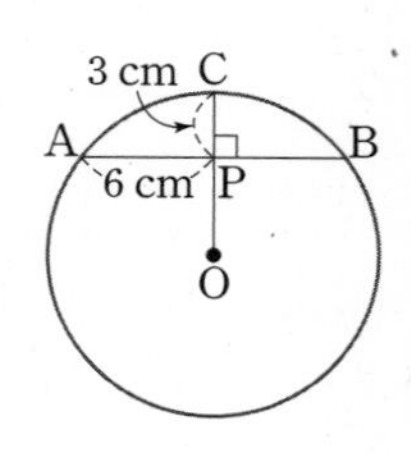

12 ●●●

오른쪽 그림과 같은 원 O에서 $\overline{AB}\perp\overline{OC}$이고 $\overline{AC}=10$ cm, $\overline{CD}=6$ cm일 때, 원 O의 반지름의 길이를 구하시오.

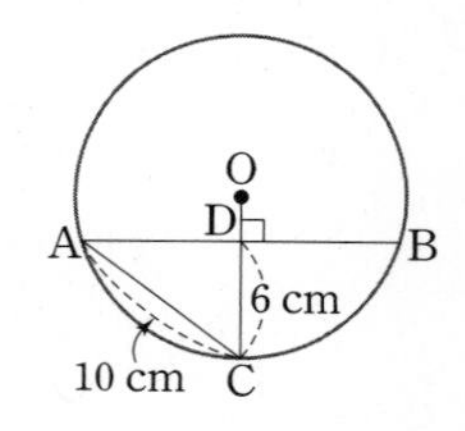

원의 일부분이 주어진 경우

개념북 54쪽

13 ●●○

오른쪽 그림에서 $\overset{\frown}{AB}$는 원의 일부분이다. $\overline{CD}$가 $\overline{AB}$를 수직이등분하고 $\overline{AB}=8$ cm, $\overline{CD}=2$ cm일 때, 이 원의 반지름의 길이를 구하시오.

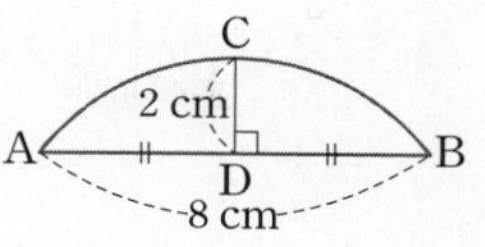

14 ●●○

오른쪽 그림에서 $\overset{\frown}{AB}$는 반지름의 길이가 4 cm인 원의 일부분이다. $\overline{AB}=4\sqrt{3}$ cm이고 $\overline{AB}\perp\overline{CM}$, $\overline{AM}=\overline{BM}$일 때, $\overline{CM}$의 길이를 구하시오.

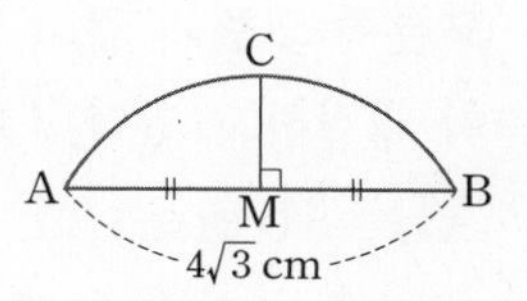

15 ●●●

오른쪽 그림에서 $\overset{\frown}{AB}$는 반지름의 길이가 8 cm인 원의 일부분이다. $\overline{AM}=\overline{BM}$, $\overline{AB}\perp\overline{MP}$이고 $\overline{MP}=2$ cm일 때, $\triangle APB$의 넓이를 구하시오.

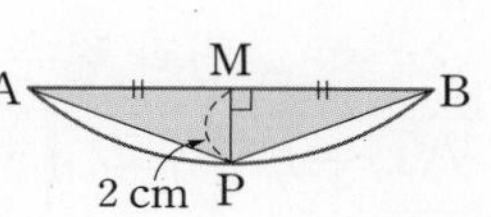

원의 일부분을 접은 경우

개념북 54쪽

16 ●●○

오른쪽 그림과 같이 반지름의 길이가 12 cm인 원 O의 원주 위의 한 점이 원의 중심 O에 겹쳐지도록 $\overline{AB}$를 접는 선으로 하여 접었을 때, $\overline{AB}$의 길이를 구하시오.

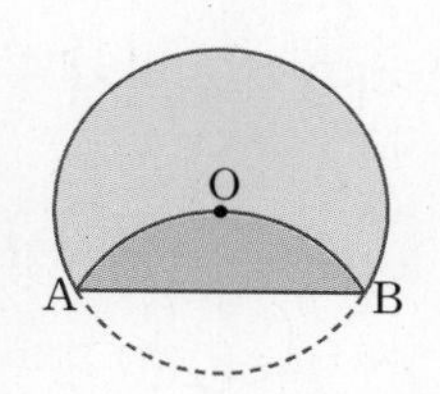

17 ●●○

오른쪽 그림과 같이 반지름의 길이가 10 cm인 원 모양의 종이를 $\overline{AB}$를 접는 선으로 하여 호 AB가 원의 중심 O를 지나도록 접었을 때, $\overline{AB}$의 길이를 구하시오.

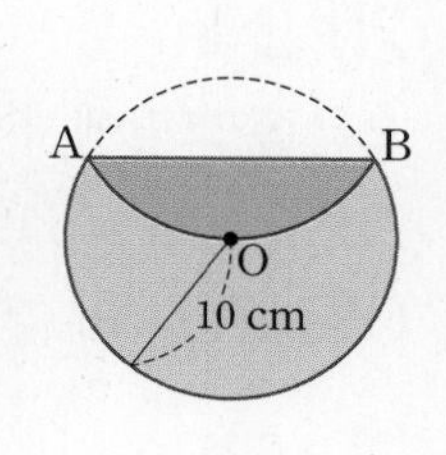

18 ●●●

오른쪽 그림과 같이 원 O의 원주 위의 한 점이 원의 중심 O에 겹쳐지도록 접었더니 접힌 현의 길이가 12 cm이었다. 이때 원 O의 반지름의 길이를 구하시오.

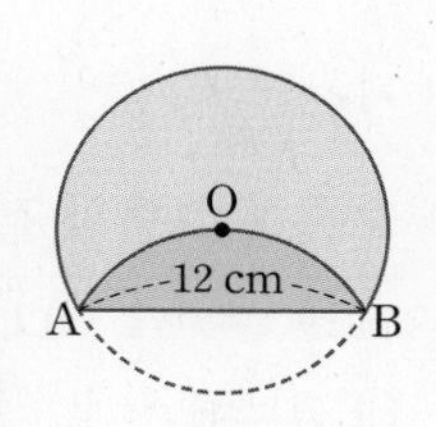

현의 길이의 성질

개념북 56쪽

19 ●○○

다음 그림에서 x의 값을 구하시오.

(1)

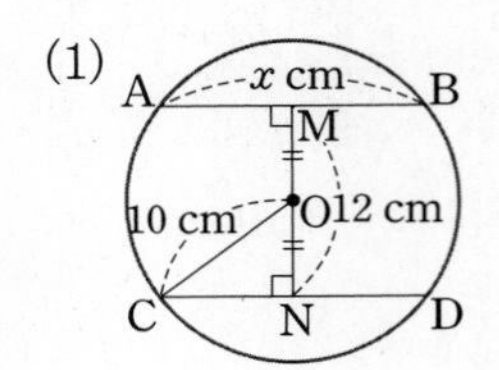

(2)

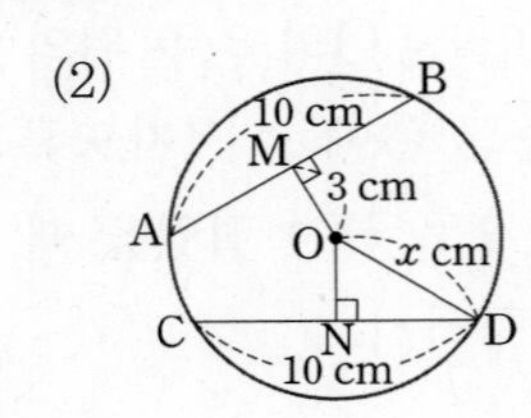

20 ●●○

오른쪽 그림에서 $\overline{OC}=5$ cm, $\overline{AB}=\overline{CD}=6$ cm일 때, $\overline{OM}+\overline{ON}$의 길이는?

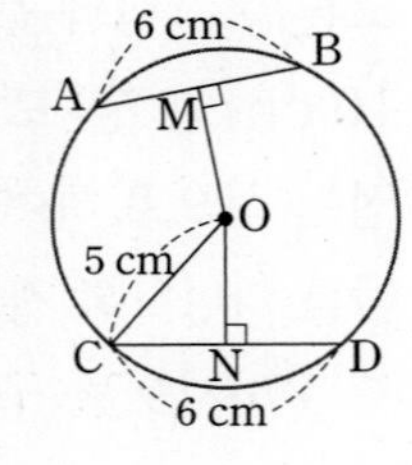

① 5 cm ② 6 cm ③ 7 cm ④ 8 cm ⑤ 9 cm

21 ●●●

오른쪽 그림과 같은 원 O에서 $\overline{AB}\perp\overline{OM}$, $\overline{AB}=\overline{CD}$이고 $\overline{OM}=6$ cm, $\overline{OD}=10$ cm일 때, $\triangle$OCD의 넓이를 구하시오.

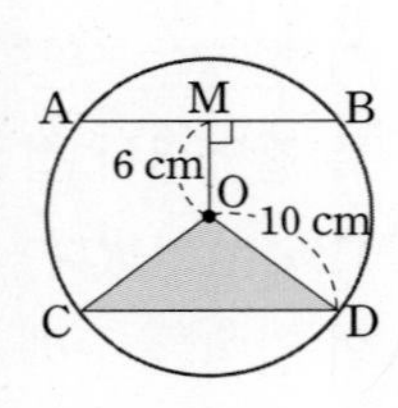

길이가 같은 두 현이 만드는 삼각형

개념북 56쪽

22 ●○○

다음 그림에서 $\angle x$의 크기를 구하시오.

(1)

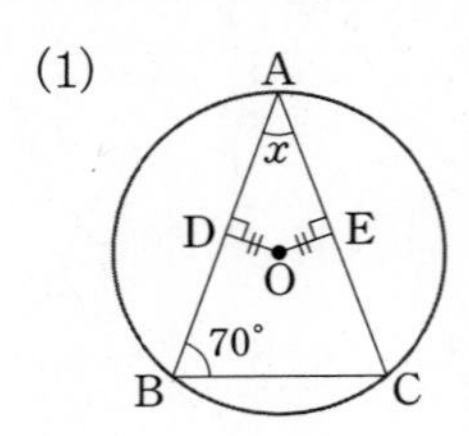

(2)

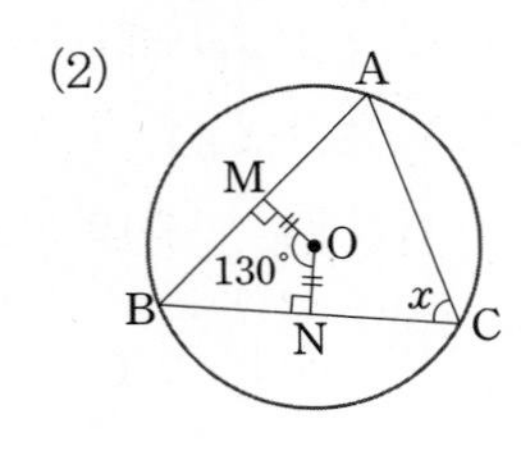

23 ●●○

오른쪽 그림과 같이 원 O에 $\triangle$ABC가 내접하고 있다. $\overline{OM}=\overline{ON}$이고 $\overline{AB}=10$ cm, $\angle BAC=60°$일 때, 다음 중 옳지 않은 것은?

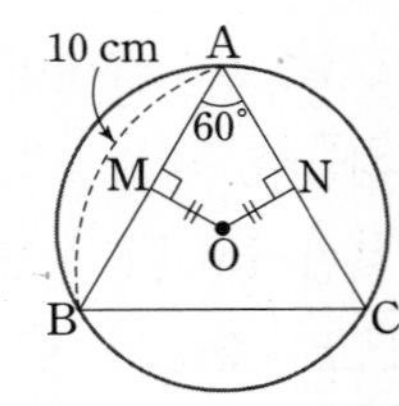

① $\overline{AC}=10$ cm ② $\angle ABC=60°$ ③ $\angle ACB=60°$ ④ $\overline{BC}=10\sqrt{2}$ cm ⑤ $\triangle ABC=25\sqrt{3}$ cm^2

24 ●●●

오른쪽 그림과 같은 원 O에서 $\overline{AB}=\overline{BC}$이고, $\overline{BC}=6$ cm, $\overline{OM}=2$ cm일 때, $\triangle$OBC의 넓이는?

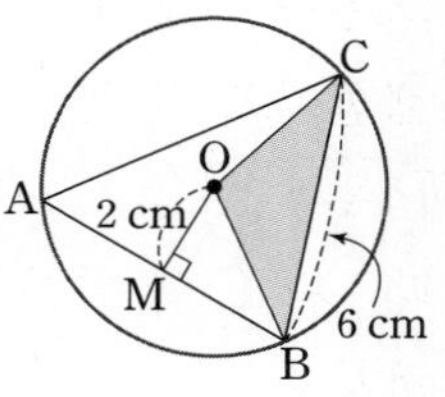

① 2 cm^2 ② 3 cm^2 ③ 4 cm^2 ④ 5 cm^2 ⑤ 6 cm^2

원의 접선과 반지름

개념북 58쪽

25 ●○○

오른쪽 그림에서 $\overline{PA}$, $\overline{PB}$는 원 O의 접선이고, 두 점 A, B는 접점이다. $\overline{AP}=3\sqrt{39}$ cm, $\overline{AO}=7$ cm일 때, $\overline{OP}$의 길이를 구하시오.

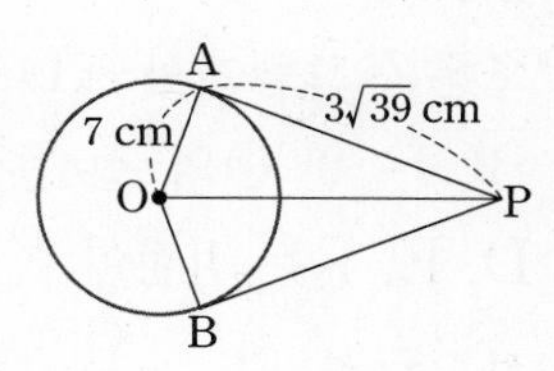

26 ●●○

오른쪽 그림에서 $\overline{PT}$는 원 O의 접선이고 점 T는 접점이다. $\overline{PA}=3$ cm, $\overline{OT}=5$ cm일 때, $\overline{PT}$의 길이를 구하시오.

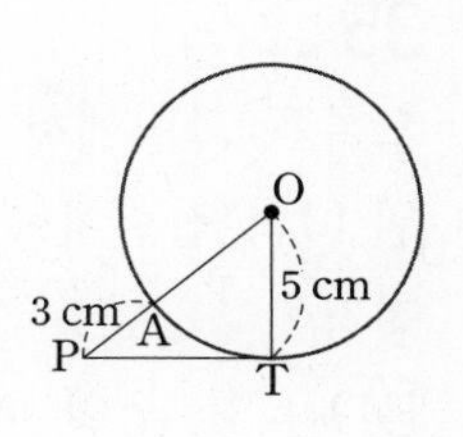

27 ●●●

오른쪽 그림에서 $\overline{PA}$는 원 O의 접선이고 점 A는 접점이다. $\overline{PA}=\sqrt{5}$ cm, $\overline{PB}=1$ cm일 때, 원 O의 반지름의 길이를 구하시오.

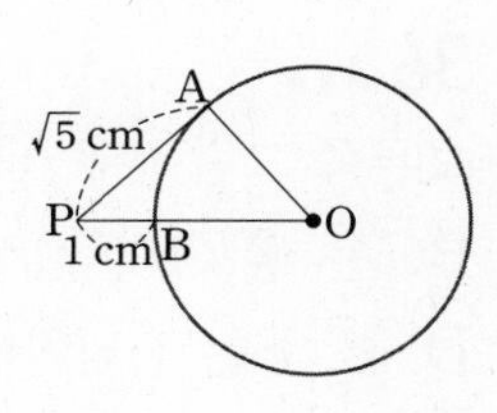

원의 접선의 성질

개념북 58쪽

28 ●●○

오른쪽 그림에서 $\overrightarrow{PA}$, $\overrightarrow{PB}$는 원 O의 접선이고 두 점 A, B는 접점이다. ∠ABO=35°일 때, ∠APB의 크기를 구하시오.

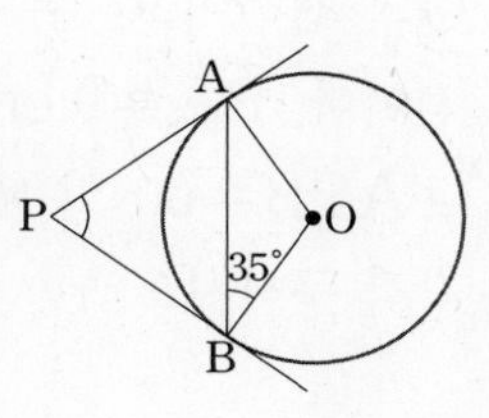

29 ●●○

오른쪽 그림에서 $\overrightarrow{PA}$, $\overrightarrow{PB}$는 원 O의 접선이고 두 점 A, B는 접점이다. $\overline{OB}=4$ cm, ∠APB=45°일 때, 색칠한 부분의 넓이를 구하시오.

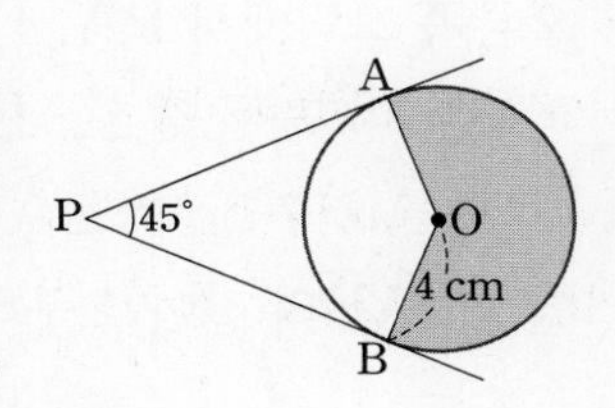

30 ●●○

오른쪽 그림에서 $\overline{PT}$, $\overline{PT'}$은 원 O의 접선이고, ∠TPT′=80°일 때, ∠x의 크기를 구하시오.

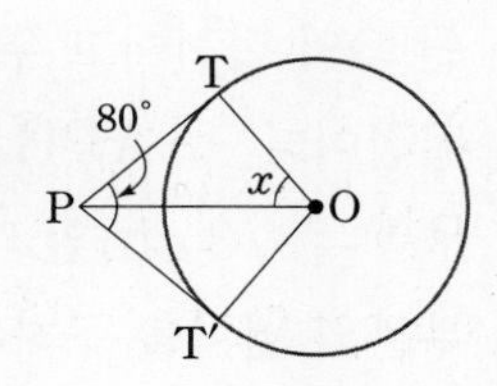

31 ●●○

오른쪽 그림에서 $\overrightarrow{PA}$와 $\overrightarrow{PB}$는 원 O의 접선이고, 두 점 A, B는 접점이다. $\overline{PA}=9$ cm이고, $\angle APB=60°$일 때, x, y의 값을 각각 구하시오.

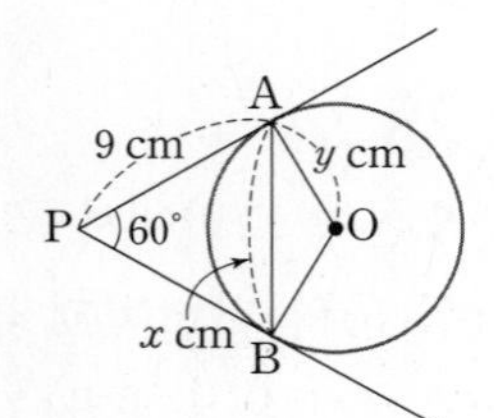

32 ●●○

오른쪽 그림에서 $\overrightarrow{PA}$, $\overrightarrow{PB}$는 원 O의 접선이고 두 점 A, B는 접점이다. $\overline{PA}=7$ cm, $\angle AOB=90°$일 때, $\overline{AB}$의 길이를 구하시오.

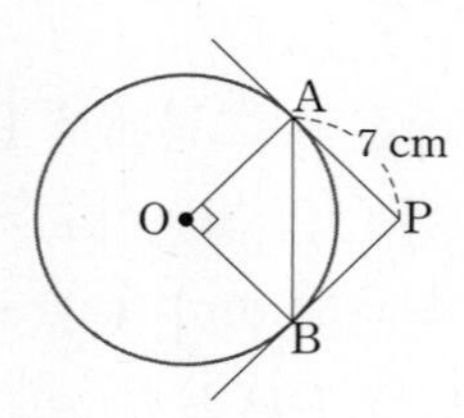

33 ●●●

오른쪽 그림에서 $\overrightarrow{PA}$, $\overrightarrow{PB}$는 원 O의 접선이고 두 점 A, B는 접점이다. $\angle APB=60°$, $\overline{PA}=3\sqrt{3}$ cm일 때, 색칠한 부분의 넓이를 구하시오.

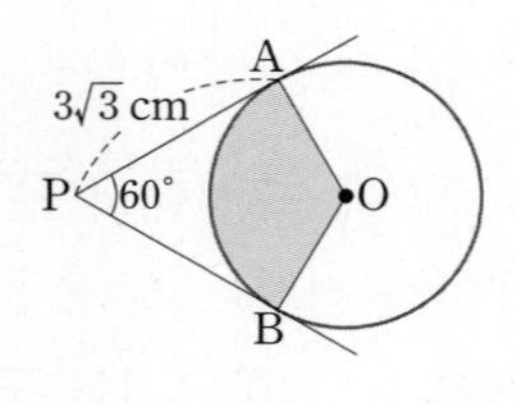

원의 접선의 길이의 응용

개념북 59쪽

34 ●●○

오른쪽 그림에서 $\overrightarrow{AD}$, $\overrightarrow{AE}$, $\overline{BC}$는 원 O의 접선이고 세 점 D, E, F는 접점이다. $\overline{AB}=10$ cm, $\overline{AC}=12$ cm, $\overline{AD}=16$ cm일 때, $\overline{BC}$의 길이를 구하시오.

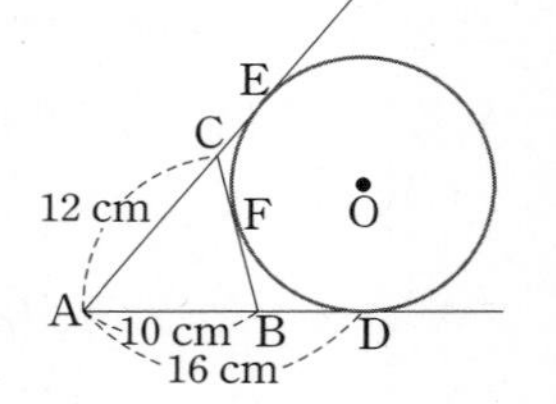

35 ●●○

오른쪽 그림에서 $\overrightarrow{AD}$, $\overrightarrow{AE}$, $\overline{BC}$는 원 O의 접선이고 세 점 D, E, F는 접점이다. $\overline{AB}=7$ cm, $\overline{BD}=3$ cm일 때, $\triangle ABC$의 둘레의 길이를 구하시오.

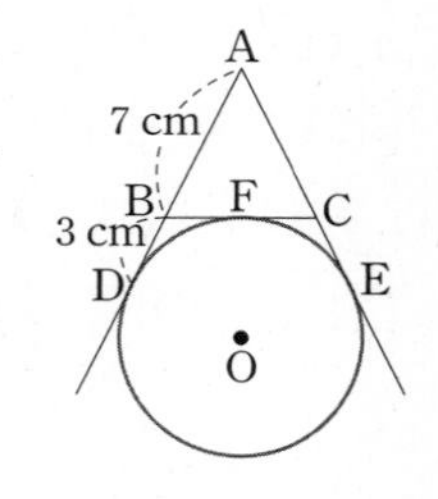

36 ●●●

오른쪽 그림에서 $\overrightarrow{AD}$, $\overrightarrow{AE}$, $\overline{BC}$는 원 O의 접선이고 세 점 D, E, F는 접점이다. $\overline{AB}=8$ cm, $\overline{AC}=9$ cm, $\overline{BC}=5$ cm일 때, $\overline{CE}$의 길이를 구하시오.

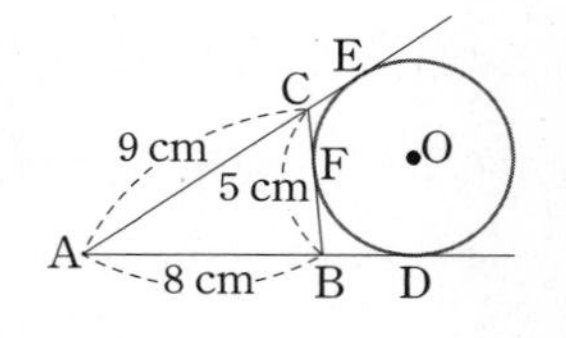

반원에서의 접선의 길이

개념북 59쪽

37 ●●○

오른쪽 그림에서 $\overline{BC}$는 반원 O의 지름이고 $\overline{AB}$, $\overline{CD}$, $\overline{AD}$는 세 점 B, C, E를 각각 접점으로 하는 접선이다. $\overline{AD}=5$ cm, $\overline{BC}=4$ cm일 때, □ABCD의 둘레의 길이를 구하시오.

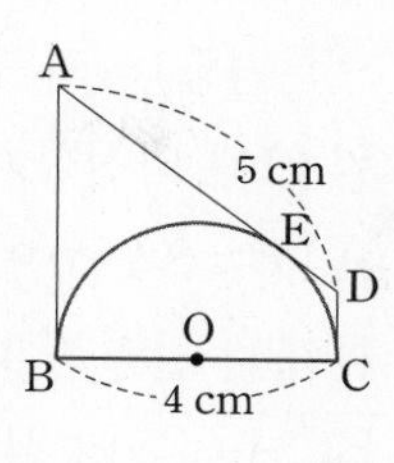

38 ●●○

오른쪽 그림에서 $\overline{AB}$는 반원 O의 지름이고 $\overline{AD}$, $\overline{BC}$, $\overline{CD}$는 세 점 A, B, E를 각각 접점으로 하는 접선이다. $\overline{AD}=3$ cm, $\overline{EC}=10$ cm일 때, $\overline{AB}$의 길이를 구하시오.

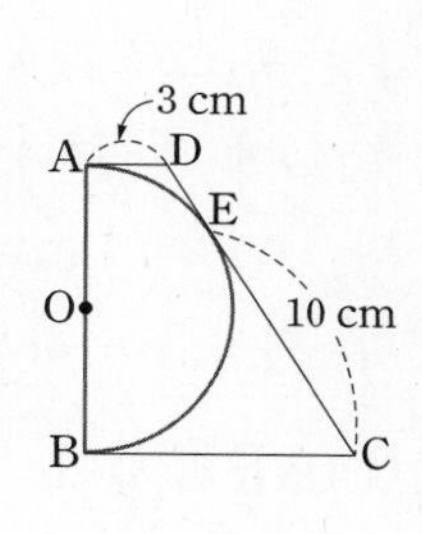

39 ●●●

오른쪽 그림에서 $\overline{AB}$는 반원 O의 지름이고 $\overline{AD}$, $\overline{BC}$, $\overline{CD}$는 세 점 A, B, E를 각각 접점으로 하는 접선이다.
$\overline{AD}=9$ cm, $\overline{BC}=4$ cm일 때, □ABCD의 넓이를 구하시오.

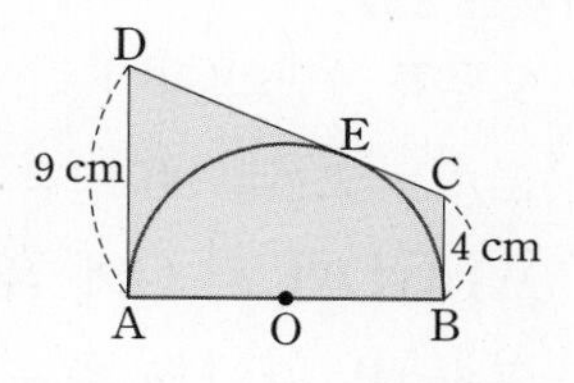

삼각형의 내접원

개념북 61쪽

40 ●○○

오른쪽 그림에서 원 O는 △ABC의 내접원이고 세 점 D, E, F는 접점이다.
$\overline{AB}=22$ cm, $\overline{BC}=17$ cm, $\overline{AC}=15$ cm일 때, $\overline{BE}$의 길이를 구하시오.

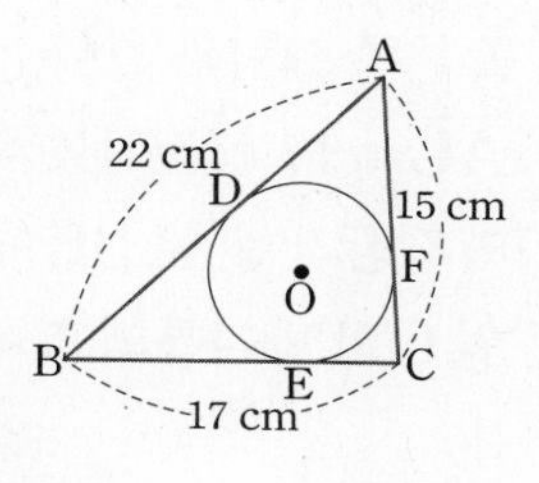

41 ●●○

오른쪽 그림에서 원 O는 △ABC의 내접원이고 세 점 D, E, F는 접점이다.
$\overline{AB}=9$ cm이고 △ABC의 둘레의 길이가 28 cm일 때, $\overline{CF}$의 길이를 구하시오.

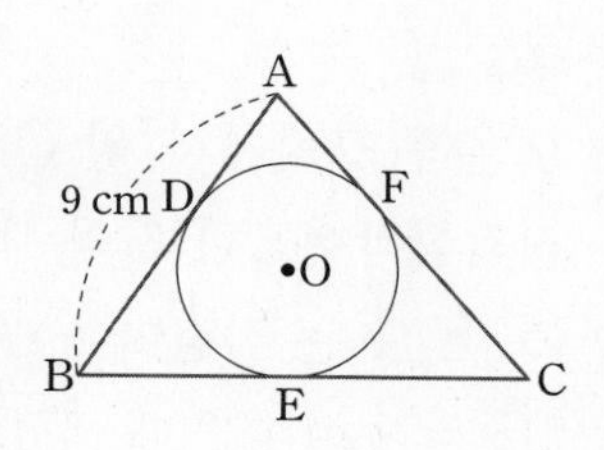

42 ●●●

오른쪽 그림에서 원 O는 △ABC의 내접원이고, 세 점 D, E, F는 접점이다. $\overline{BC}=15$ cm, $\overline{AC}=12$ cm, $\overline{CF}=8$ cm일 때, △ABC의 둘레의 길이는?

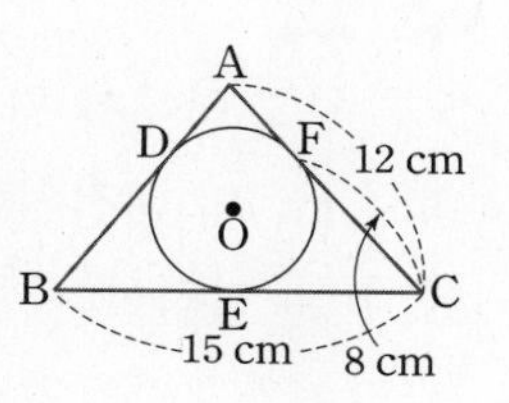

① 36 cm ② 37 cm ③ 38 cm ④ 39 cm ⑤ 40 cm

직각삼각형의 내접원

개념북 61쪽

43 ●●○

오른쪽 그림과 같이 $\overline{AC}=17$ cm, $\overline{BC}=15$ cm인 직각삼각형 ABC에 내접하는 원 O의 반지름의 길이는?

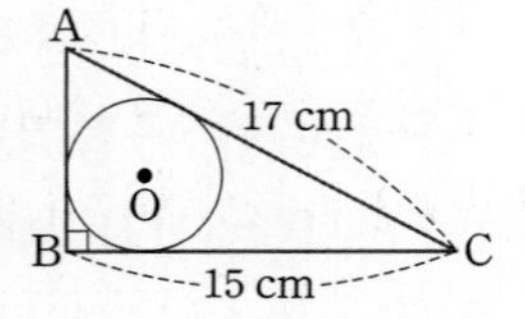

① 2 cm ② 3 cm
③ 4 cm ④ 5 cm
⑤ 6 cm

44 ●●○

오른쪽 그림에서 원 O는 $\angle B=90°$인 직각삼각형 ABC의 내접원이고 세 점 D, E, F는 접점이다. $\overline{AF}=20$ cm, $\overline{OE}=4$ cm일 때, $\overline{CE}$의 길이를 구하시오.

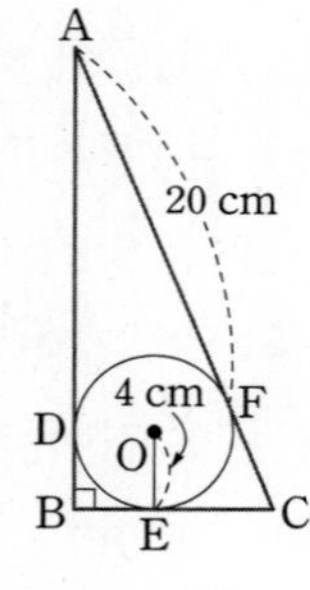

45 ●●●

오른쪽 그림에서 원 O는 직각삼각형 ABC의 내접원이고, 세 점 D, E, F는 접점이다. 원 O의 반지름의 길이가 2 cm이고 $\overline{AB}=10$ cm일 때, $\triangle ABC$의 넓이는?

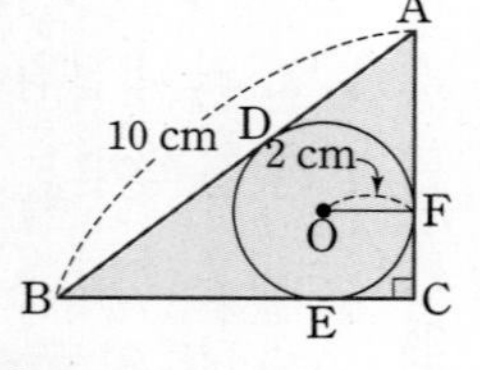

① 20 cm^2 ② 22 cm^2 ③ 24 cm^2
④ 26 cm^2 ⑤ 28 cm^2

외접사각형의 성질

개념북 63쪽

46 ●○○

오른쪽 그림과 같이 □ABCD는 원 O에 외접한다. $\overline{AB}=5$ cm, $\overline{AD}=3$ cm이고 □ABCD의 둘레의 길이가 18 cm일 때, $\overline{BC}+\overline{CD}$의 길이를 구하시오.

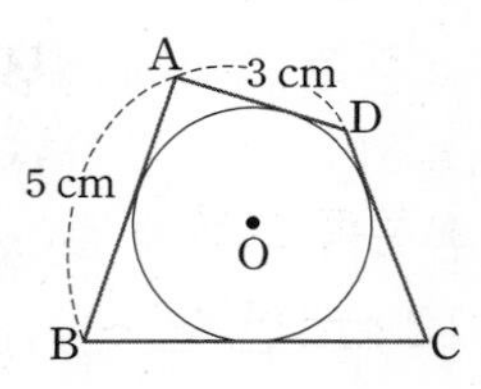

47 ●●○

오른쪽 그림과 같이 □ABCD는 원 O에 외접하는 등변사다리꼴이다. $\overline{AD}=4$ cm, $\overline{BC}=8$ cm일 때, 다음을 구하시오.

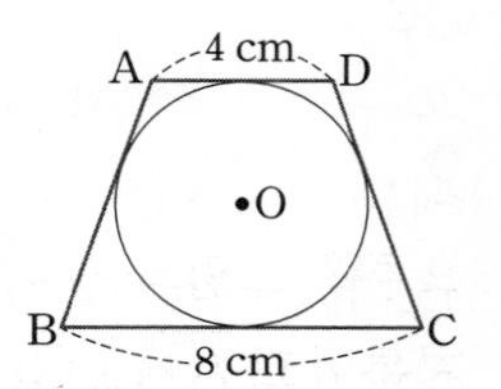

(1) $\overline{AB}$의 길이
(2) 원 O의 지름의 길이

48 ●●●

오른쪽 그림과 같이 $\angle A=\angle B=90°$인 사다리꼴 ABCD가 원 O에 외접하고 네 점 E, F, G, H는 접점이다. $\overline{BC}=15$ cm, $\overline{DC}=13$ cm, $\overline{HD}=4$ cm일 때, 원 O의 넓이를 구하시오.

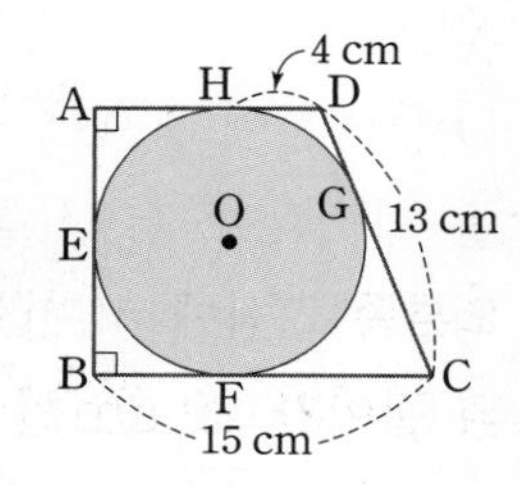

개념완성익힘

1

오른쪽 그림과 같이 반지름의 길이가 12 cm인 원 O의 중심에서 $\overline{AB}$에 내린 수선의 길이가 6 cm일 때, $\overline{AB}$의 길이는?

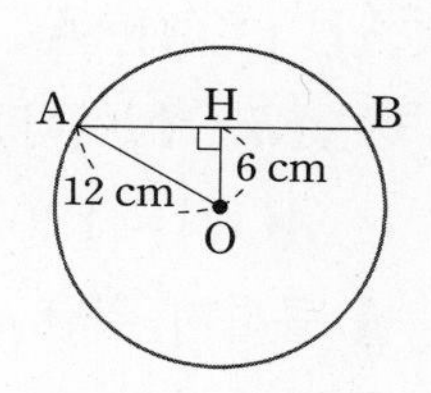

① $4\sqrt{3}$ cm ② $4\sqrt{5}$ cm ③ $8\sqrt{2}$ cm
④ $8\sqrt{3}$ cm ⑤ $12\sqrt{3}$ cm

2

오른쪽 그림과 같이 $\overline{CD}$는 원 O의 지름이고 $\overline{AB}\perp\overline{CD}$이다.
$\overline{CD}=30$ cm, $\overline{CM}=6$ cm일 때, $\overline{AB}$의 길이는?

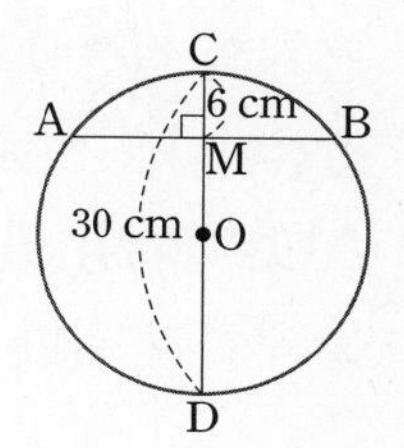

① 20 cm ② 22 cm
③ 24 cm ④ 26 cm
⑤ 28 cm

3

오른쪽 그림에서 $\widehat{AB}$는 지름의 길이가 20 cm인 원의 일부분이다. $\overline{AB}=12$ cm이고 $\overline{AB}\perp\overline{CD}$, $\overline{AD}=\overline{BD}$일 때, $\overline{CD}$의 길이를 구하시오.

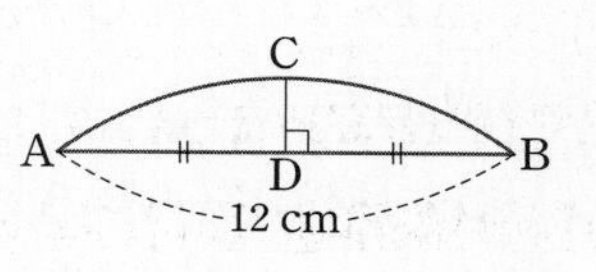

4 실력UP

오른쪽 그림과 같이 중심이 같은 두 원에서 $\overline{CD}=10$ cm, $\overline{AB}:\overline{CD}=7:5$일 때, $\overline{DB}$의 길이를 구하시오.

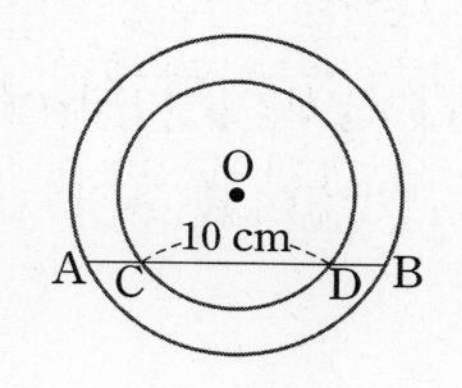

5

오른쪽 그림과 같은 원 O에서 $\overline{AB}\perp\overline{OM}$, $\overline{CD}\perp\overline{ON}$이고 $\overline{OM}=\overline{ON}$일 때, 다음 중 옳지 않은 것은?

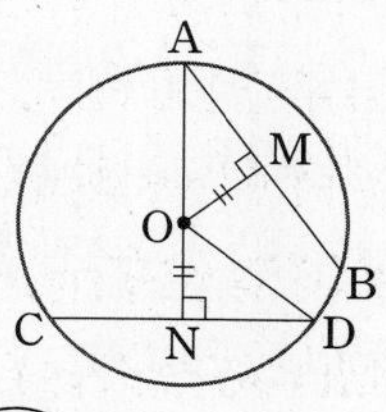

① $\overline{AB}=\overline{CD}$ ② $\widehat{AB}=\widehat{CD}$
③ $\overline{AM}=\overline{DN}$ ④ $\overline{CN}=\overline{OM}$
⑤ $\triangle OAM\equiv\triangle ODN$

6

오른쪽 그림에서 $\overrightarrow{PA}$, $\overrightarrow{PB}$, $\overline{CD}$는 원 O의 접선이고, 세 점 A, B, E는 접점이다. $\overline{AC}=3$ cm, $\overline{CD}=7$ cm, $\overline{CP}=10$ cm일 때, $\overline{PD}$의 길이는?

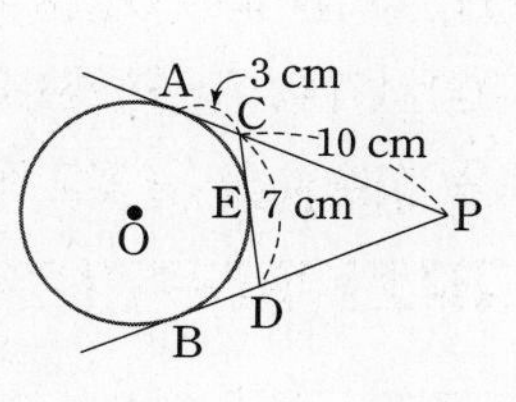

① 7 cm ② 8 cm ③ 9 cm
④ 10 cm ⑤ 11 cm

7 실력UP

오른쪽 그림에서 $\overline{DC}$는 반원 O의 지름이고 $\overline{AB}$, $\overline{AD}$, $\overline{BC}$는 각각 점 P, D, C를 접점으로 하는 접선이다. $\overline{AB}=11$ cm, $\overline{OC}=2\sqrt{7}$ cm일 때, □ABCD의 넓이를 구하시오.

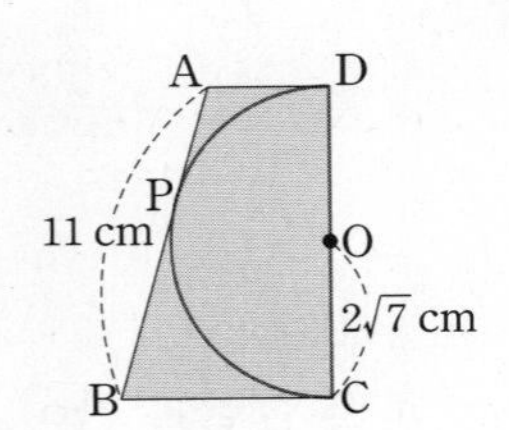

8

오른쪽 그림에서 원 O는 △ABC의 내접원이고, 세 점 D, E, F는 접점이다. $\overline{AD}=4$ cm, $\overline{BC}=14$ cm일 때, △ABC의 둘레의 길이를 구하시오.

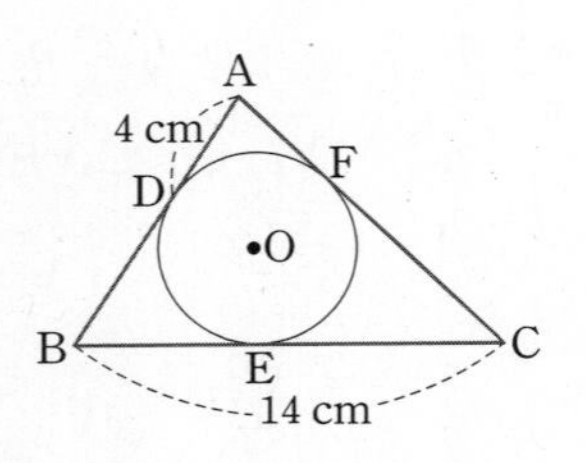

9

오른쪽 그림과 같이 □ABCD는 원 O에 외접한다. $\overline{AD}=11$ cm, $\overline{BC}=16$ cm이고 $\overline{AB}:\overline{CD}=1:2$일 때, $\overline{CD}$의 길이를 구하시오.

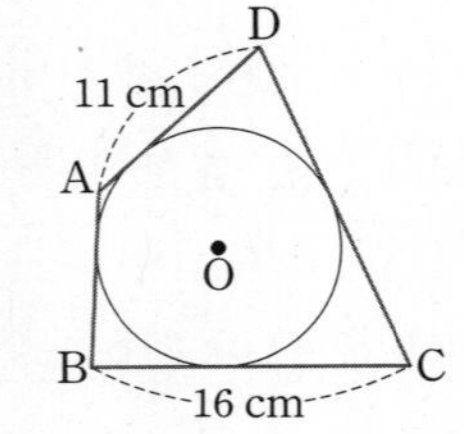

서술형

10

오른쪽 그림의 원 O에서 $\overline{AB}\perp\overline{OM}$, $\overline{AC}\perp\overline{ON}$이고 $\overline{OM}=\overline{ON}$이다. $\overline{AM}=4$ cm, $\angle MON=120°$일 때, $\overline{BC}$의 길이를 구하기 위한 풀이 과정을 쓰고 답을 구하시오.

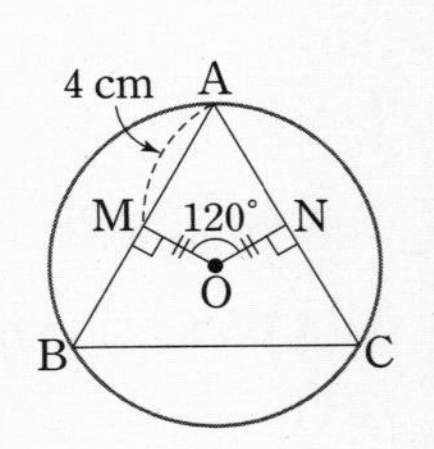

11

오른쪽 그림에서 $\overline{PA}$, $\overline{PB}$는 원 O의 접선이고 두 점 A, B는 접점이다. $\angle AOB=120°$, $\overline{AO}=5$ cm일 때, $\overline{AB}$의 길이를 구하기 위한 풀이 과정을 쓰고 답을 구하시오.

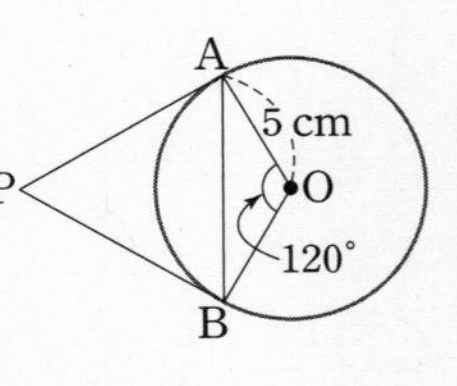

12

오른쪽 그림과 같이 $\angle C=\angle D=90°$인 사다리꼴 ABCD가 원 O에 외접한다. $\overline{BC}=12$ cm, $\overline{DC}=8$ cm일 때, $\overline{AB}$의 길이를 구하기 위한 풀이 과정을 쓰고 답을 구하시오.

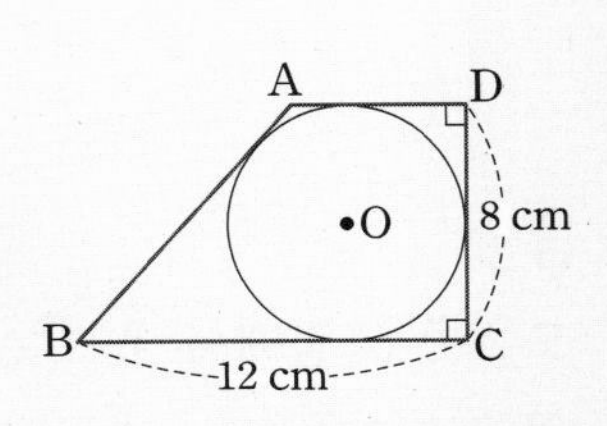

2 원주각

개념적용익힘

원주각과 중심각의 크기

개념북 73쪽

1 ●○○

오른쪽 그림에서 네 점 A, B, C, D는 원 O 위에 있고 $\angle BCD=140^{\circ}$일 때, $\angle x$, $\angle y$의 크기를 각각 구하시오.

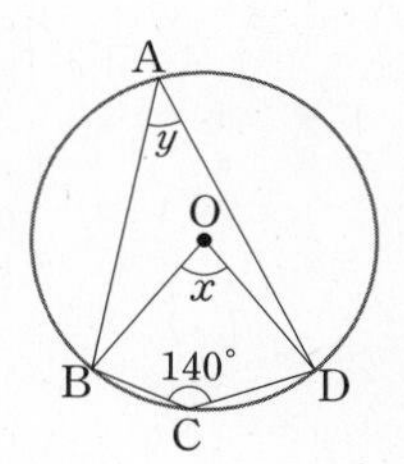

2 ●●○

오른쪽 그림과 같은 원 O에서 두 현 AB, CD의 교점을 E라 하자. $\widehat{AC}$, $\widehat{BD}$에 대한 중심각의 크기가 각각 64°, 70°일 때, $\angle x$의 크기를 구하시오.

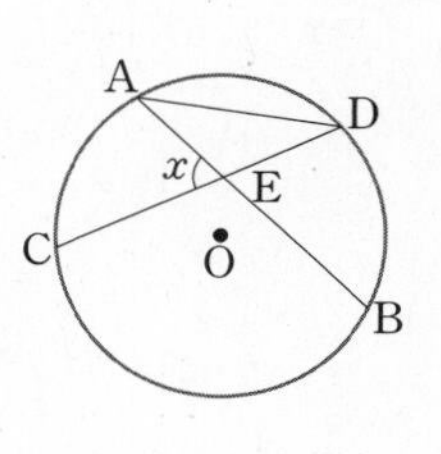

3 ●●○

오른쪽 그림과 같이 반지름의 길이가 9 cm인 원 O에서 $\angle APB=80^{\circ}$일 때, 부채꼴 OAB의 넓이를 구하시오.

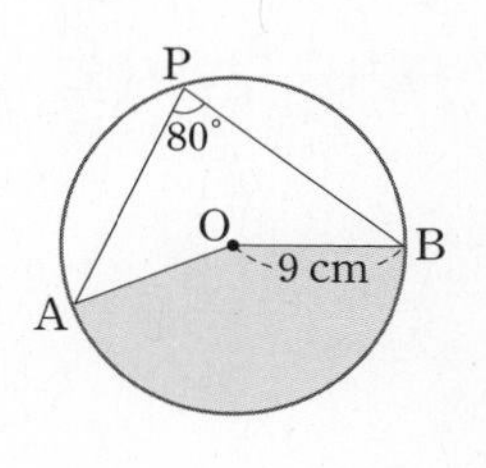

접선이 주어진 경우 원주각과 중심각의 크기

개념북 73쪽

4 ●○○

오른쪽 그림에서 $\overrightarrow{PA}$, $\overrightarrow{PB}$는 원 O의 접선이고 두 점 A, B는 접점이다. $\angle APB=40^{\circ}$일 때, $\angle x$의 크기를 구하시오.

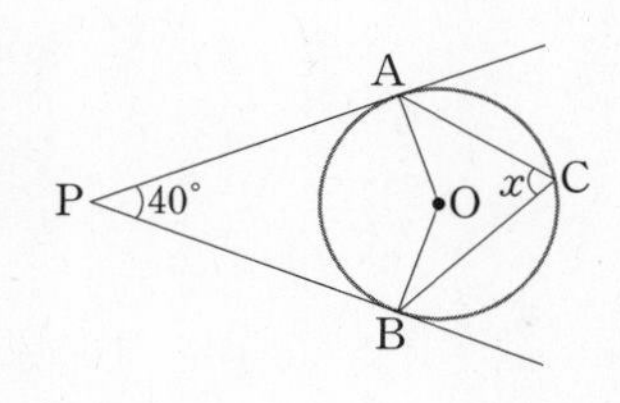

5 ●●○

오른쪽 그림에서 $\overline{PA}$, $\overline{PB}$는 원 O의 접선이고 두 점 A, B는 접점이다. $\angle OAB=25^{\circ}$일 때, $\angle x$의 크기는?

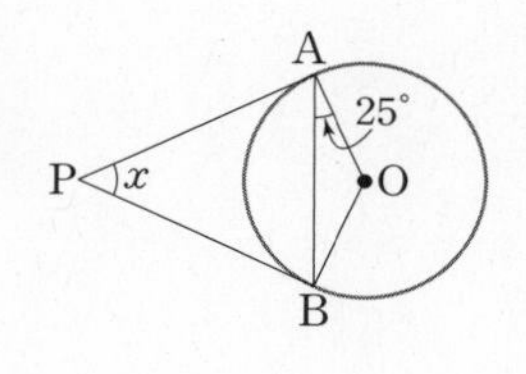

① 44°　② 46°　③ 48°
④ 50°　⑤ 52°

6 ●●○

오른쪽 그림에서 $\overline{PA}$, $\overline{PB}$는 원 O의 접선이고, 두 점 A, B는 접점이다. $\angle ACB=108^{\circ}$일 때, $\angle x$의 크기를 구하시오.

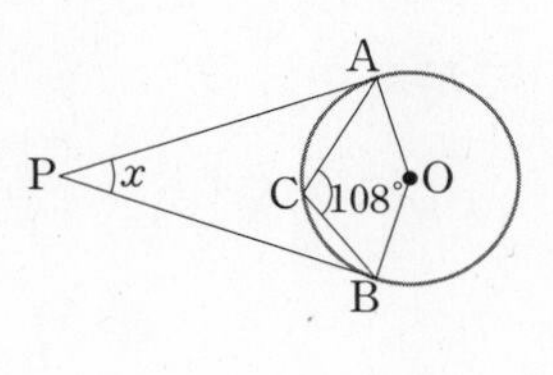

원주각의 성질 (1)

개념북 75쪽

7 ●○○

오른쪽 그림에서 $\angle ACD=40°$, $\angle BAC=55°$일 때, $\angle x$, $\angle y$의 크기를 각각 구하시오.

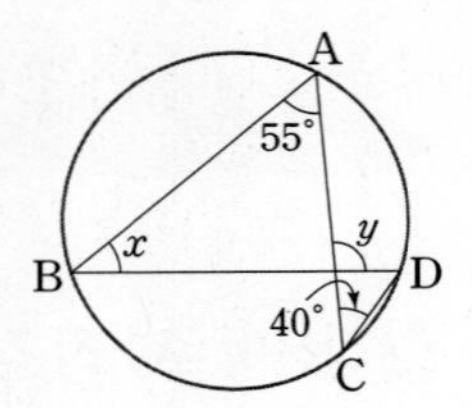

8 ●●○

오른쪽 그림에서 $\angle AOB=160°$, $\angle DEB=51°$일 때, $\angle x$의 크기를 구하시오.

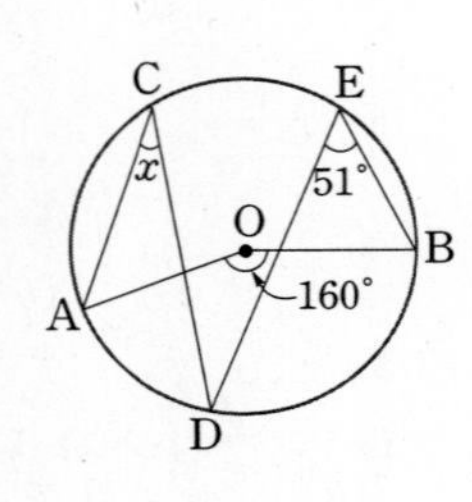

9 ●●●

오른쪽 그림에서 $\angle P=38°$, $\angle ACB=70°$일 때, $\angle x+\angle y$의 크기를 구하시오.

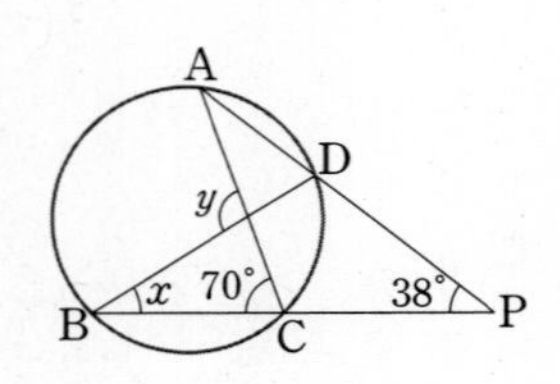

원주각의 성질 (2)

개념북 75쪽

10 ●○○

다음 그림에서 $\overline{AB}$가 원 O의 지름일 때, $\angle x$의 크기를 구하시오.

(1)

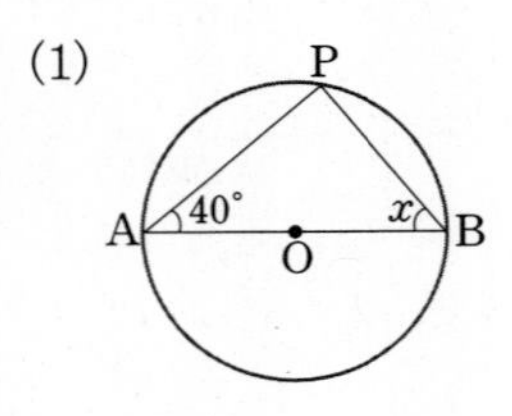

(2)

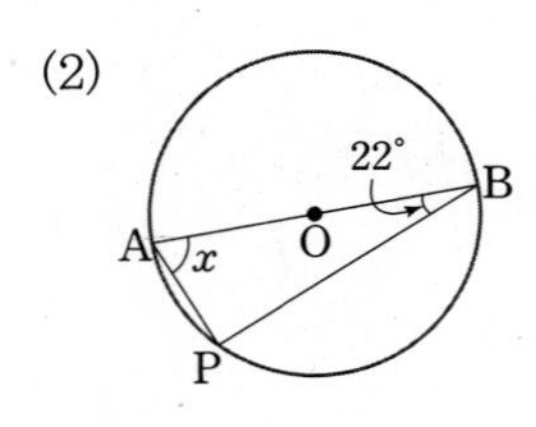

11 ●●○

오른쪽 그림에서 $\overline{BD}$는 원 O의 지름이고 $\angle ACB=40°$일 때, $\angle x$의 크기를 구하시오.

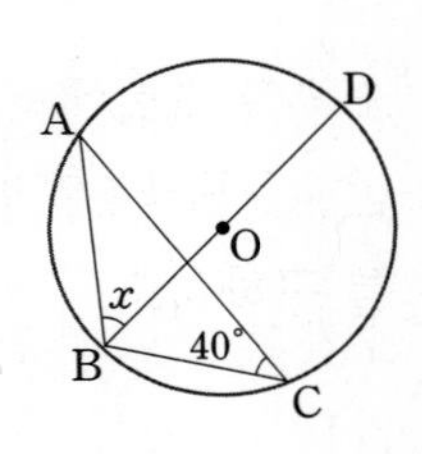

12 ●●○

오른쪽 그림에서 $\overline{AB}$는 원 O의 지름이고 $\angle CEB=45°$일 때, $\angle x$의 크기를 구하시오.

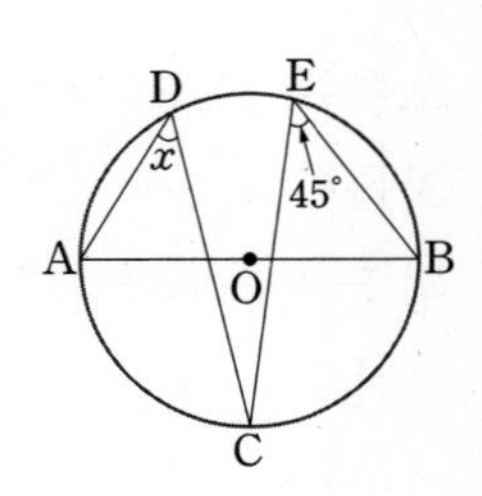

원주각의 크기와 호의 길이 (1)

개념북 77쪽

13 ●●○

다음 그림에서 x의 값을 구하시오.

(1)

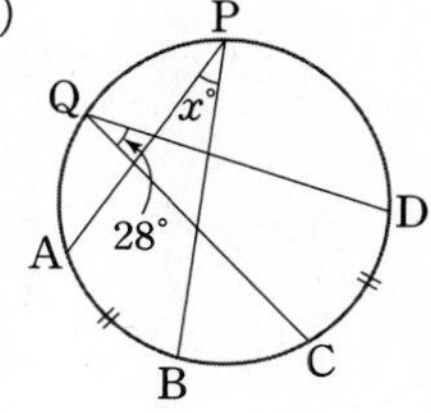

(2)

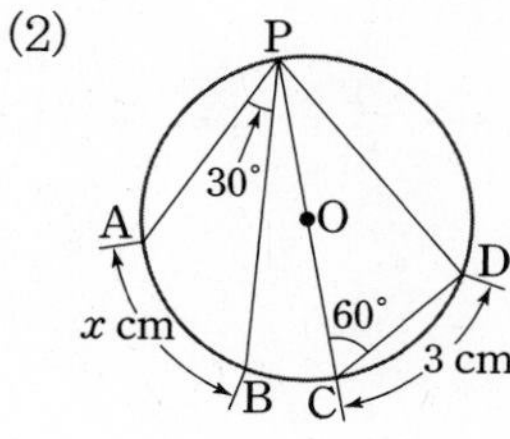

14 ●●○

오른쪽 그림에서 $\widehat{AB}=\widehat{CD}$이고 $\angle APB=52°$일 때, $\angle x$의 크기를 구하시오.

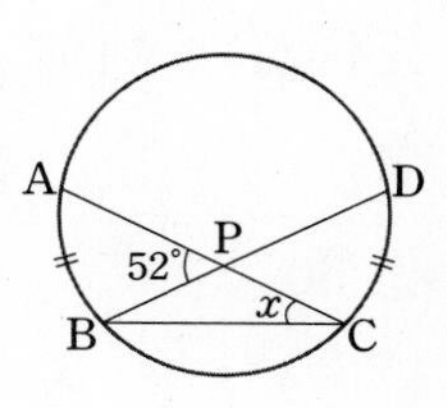

15 ●●○

오른쪽 그림에서 $\overline{AB}$는 원 O의 지름이고, $\widehat{AC}=\widehat{BC}$일 때, $\angle x$의 크기를 구하시오.

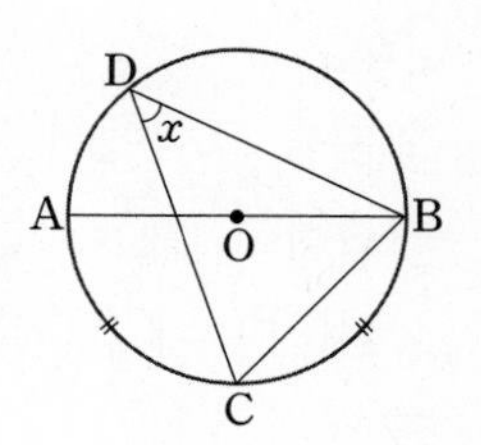

원주각의 크기와 호의 길이 (2)

개념북 77쪽

16 ●○○

다음 그림에서 x의 값을 구하시오.

(1)

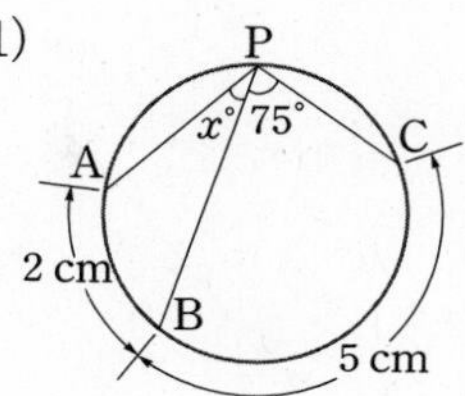

(2)

(3)

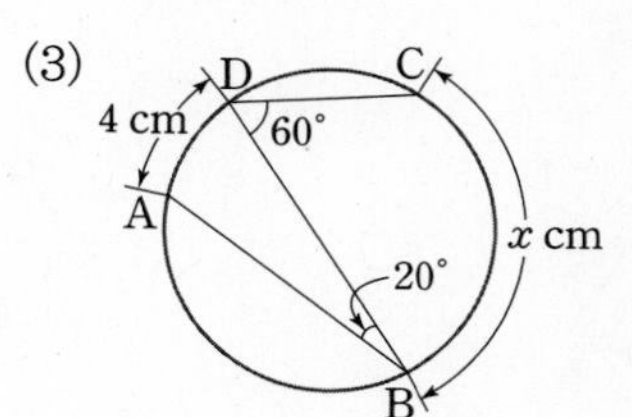

(4)

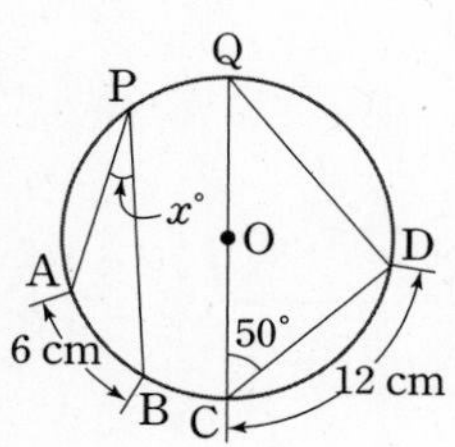

17 ●●○

오른쪽 그림에서 점 P는 두 현 AD, BE의 교점이고 $\widehat{BC}:\widehat{CD}=1:2$이다. $\angle BEC=15°$일 때, $\angle BOD$의 크기를 구하시오.

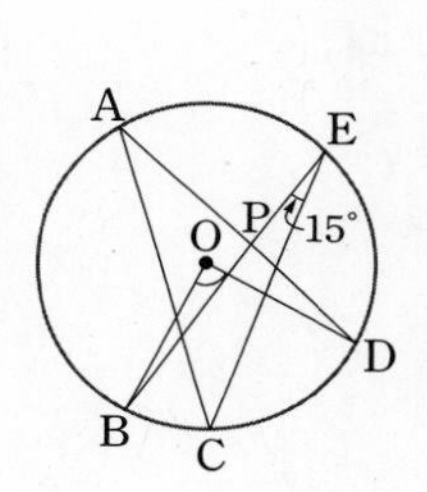

18 ●●●

오른쪽 그림에서 $\widehat{AB}=4$ cm, $\widehat{BC}=10$ cm, $\widehat{CA}=6$ cm일 때, $\angle BAC$, $\angle ABC$, $\angle ACB$의 크기를 각각 구하시오.

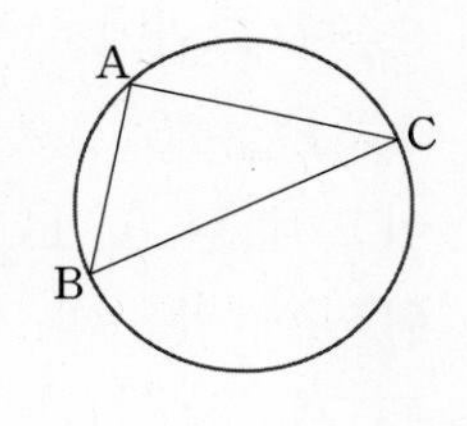

네 점이 한 원 위에 있을 조건

개념북 79쪽

19 ●●○

다음 그림에서 네 점 A, B, C, D가 한 원 위에 있는 것을 모두 고르면? (정답 2개)

① 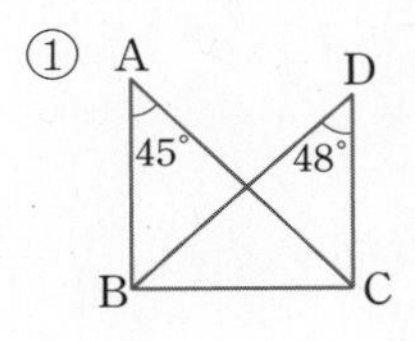

② 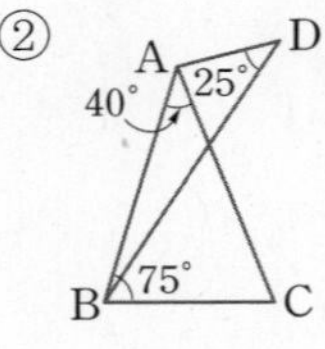

③ 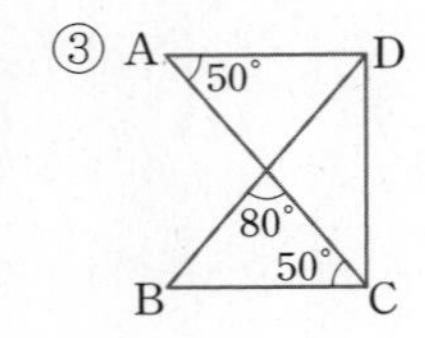

④ 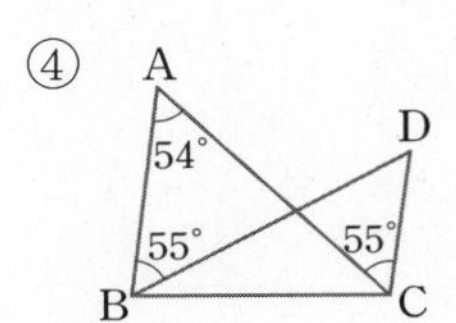

⑤ 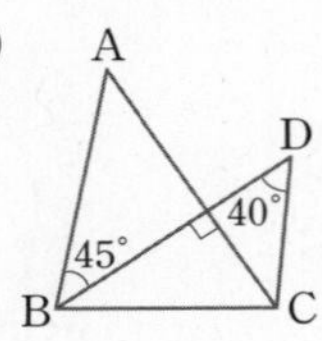

20 ●●○

다음 그림에서 네 점 A, B, C, D가 한 원 위에 있을 때, $\angle x-\angle y$의 크기를 구하시오.

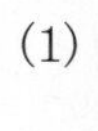

(1) 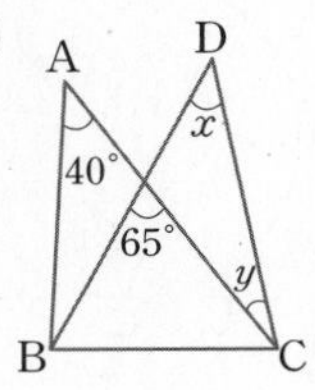

(2) 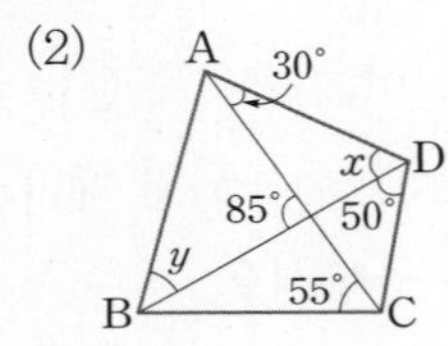

21 ●●●

오른쪽 그림에서 $\angle APC=35°$, $\angle ACP=25°$이고 네 점 A, B, C, D가 한 원 위에 있을 때, $\angle x$의 크기를 구하시오.

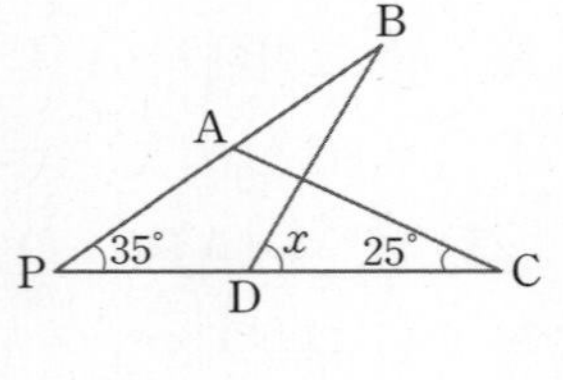

원에 내접하는 사각형의 성질 (1)

개념북 81쪽

22 ●●○

오른쪽 그림에서 □ABCD는 원 O에 내접하고 $\angle BOD=160°$일 때, $\angle y-\angle x$의 크기를 구하시오.

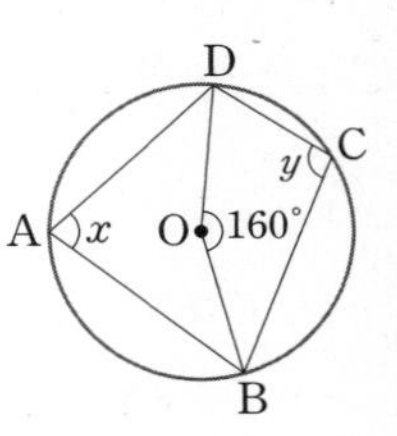

23 ●●○

오른쪽 그림과 같이 □ABCD가 원에 내접하고 $\angle DBC=20°$, $\angle BCD=110°$일 때, $\angle x$의 크기는?

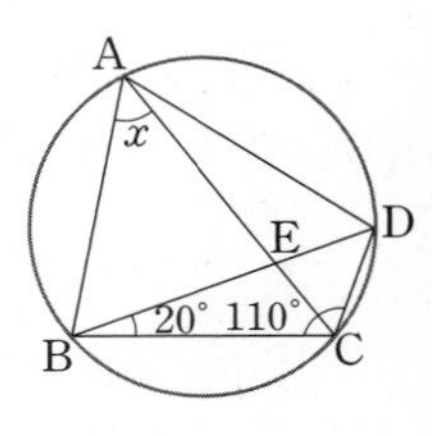

① 50°　② 55°
③ 60°　④ 65°
⑤ 70°

24 ●●○

오른쪽 그림에서 □ABCD는 원에 내접하고 $\overline{BC}=\overline{CD}$, $\angle BCD=120°$일 때, $\angle x$의 크기를 구하시오.

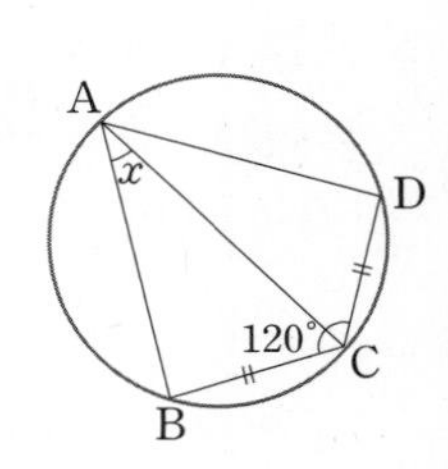

25 ●●○

오른쪽 그림에서 □ABCD는 원에 내접하고 $\overline{AB}=\overline{AC}$, $\angle BAC=48^\circ$일 때, $\angle x$의 크기는?

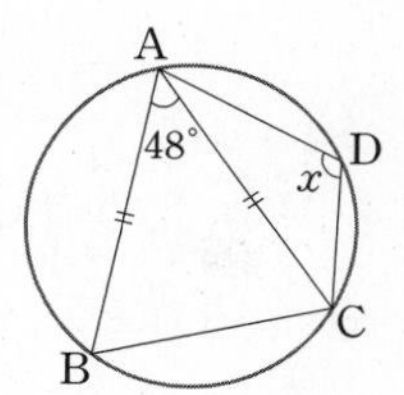

① 96° ② 110° ③ 114° ④ 118° ⑤ 122°

26 ●●●

오른쪽 그림에서 □ACDE, □BCDE는 원 O에 내접하고, $\angle D=95^\circ$, $\angle AEB=20^\circ$일 때, $\angle x$, $\angle y$의 크기를 각각 구하시오.

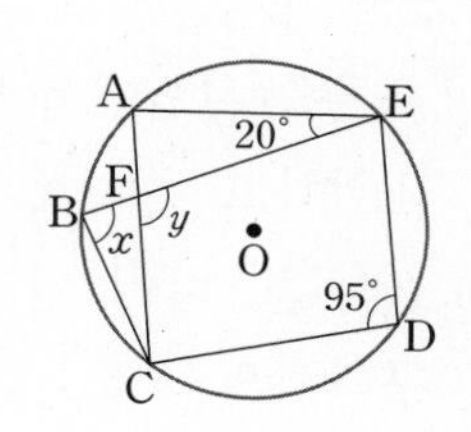

27 ●●●

오른쪽 그림에서 □ABDE, □ABCD는 원 O에 내접하고 $\angle CBD=50^\circ$, $\angle ADB=20^\circ$일 때, $\angle x+\angle y$의 크기를 구하시오.

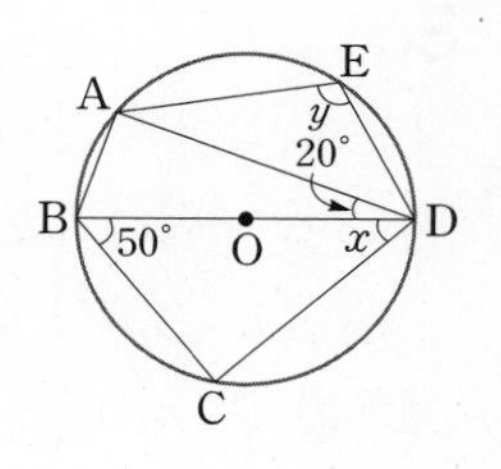

원에 내접하는 사각형의 성질 (2)

개념북 81쪽

28 ●○○

오른쪽 그림에서 □ABCD는 원 O에 내접하고 $\angle ABD=30^\circ$, $\angle ADB=75^\circ$일 때, $\angle DCE$의 크기는?

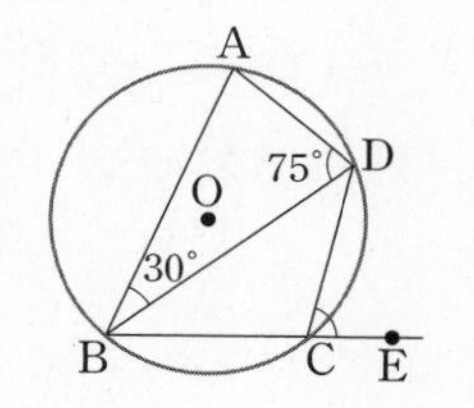

① 70° ② 75° ③ 80° ④ 85° ⑤ 90°

29 ●○○

오른쪽 그림에서 □ABCD는 원 O에 내접하고 $\angle BOD=130^\circ$일 때, $\angle DAE$의 크기를 구하시오.

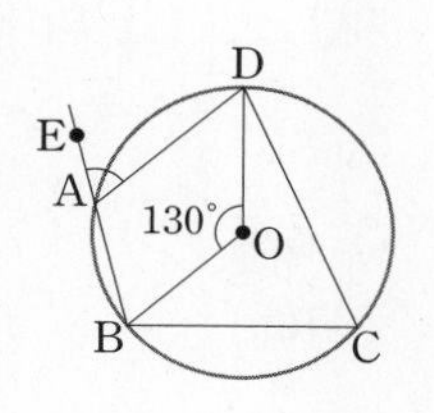

30 ●●○

오른쪽 그림에서 □ABCD는 원에 내접하고 $\angle CAD=40^\circ$, $\angle ABD=60^\circ$, $\angle DCE=100^\circ$일 때, $\angle x$, $\angle y$의 크기를 각각 구하시오.

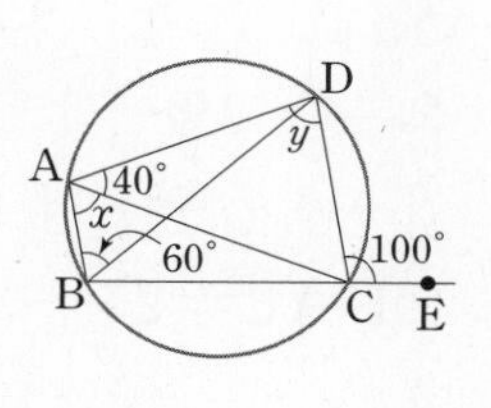

31 ●●○

오른쪽 그림에서 □ABCD는 원에 내접하고 $\angle ABC=110°$, $\angle APB=35°$일 때, $\angle x$의 크기를 구하시오.

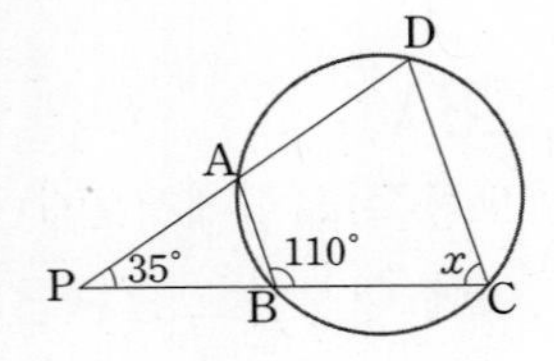

32 ●●●

오른쪽 그림과 같이 원에 내접하는 두 사각형 ACDE, BCDE에서 $\angle ACB=32°$, $\angle BED=67°$일 때, $\angle AEF$의 크기는?

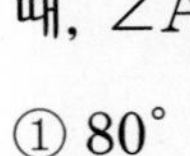

① 80°　② 81°

③ 82°　④ 83°

⑤ 84°

33 ●●●

오른쪽 그림에서 □ABCD는 $\overline{AB}$가 지름인 원 O에 내접하고 $\angle DAC=25°$, $\angle DCE=55°$일 때, $\angle x+\angle y$의 크기를 구하시오.

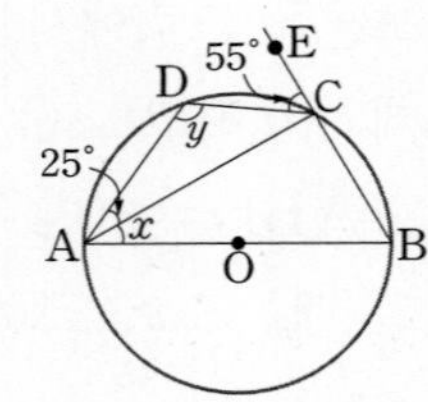

원에 내접하는 사각형과 외각의 성질

개념북 82쪽

34 ●●○

오른쪽 그림에서 □ABCD는 원에 내접하고 $\angle PBC=50°$, $\angle AQB=35°$일 때, $\angle x$의 크기를 구하시오.

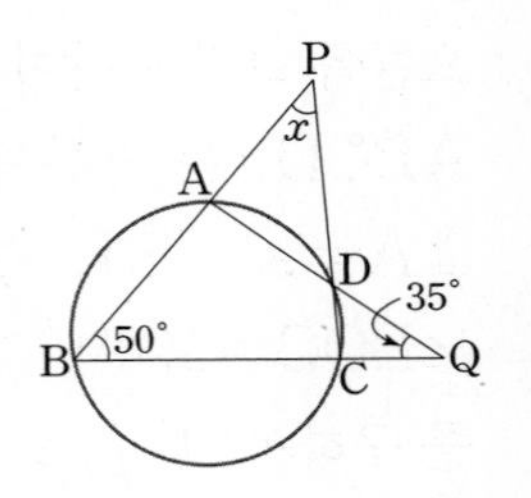

35 ●●○

오른쪽 그림에서 □ABCD는 원에 내접하고 $\angle BPC=23°$, $\angle DQC=41°$일 때, $\angle x$의 크기를 구하시오.

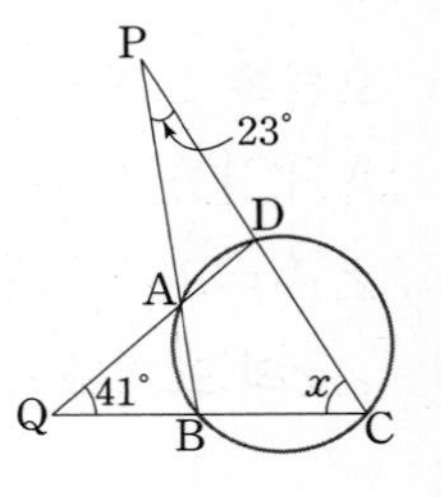

36 ●●●

오른쪽 그림과 같이 □ABCD가 원 O에 내접하고 $\angle BPC=40°$, $\angle CQD=30°$일 때, $\angle BOD$의 크기를 구하시오.

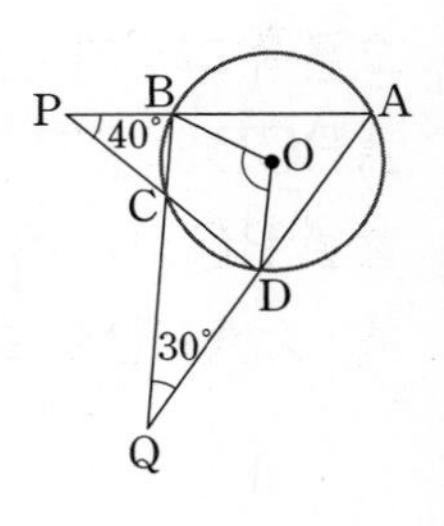

원에 내접하는 다각형

개념북 82쪽

37 ●●○

오른쪽 그림과 같이 오각형 ABCDE는 원 O에 내접하고 $\angle A=92^\circ$, $\angle E=96^\circ$, $\angle BOC=100^\circ$일 때, $\angle x$의 크기를 구하시오.

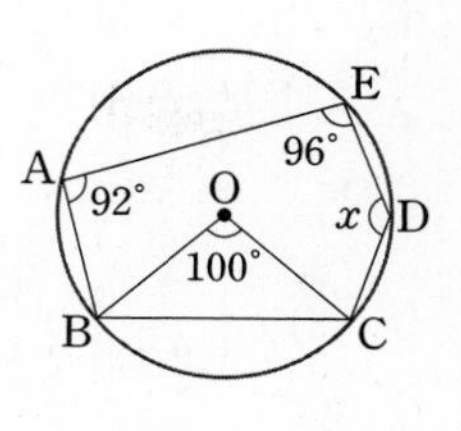

38 ●●○

오른쪽 그림과 같이 오각형 ABCDE는 원 O에 내접하고 $\angle A=80^\circ$, $\angle D=132^\circ$일 때, $\angle x$의 크기를 구하시오.

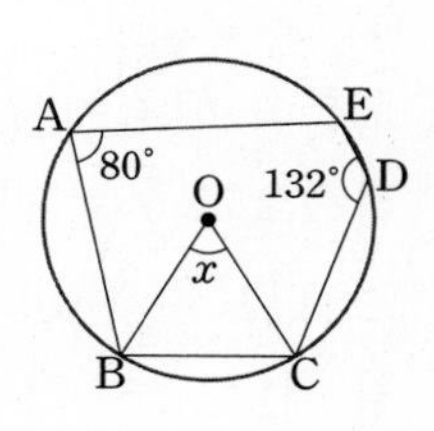

39 ●●●

오른쪽 그림과 같이 오각형 ABCDE가 원 O에 내접하고 $\angle ABC=100^\circ$, $\overline{AD}=\overline{CD}$일 때, $\angle AED$의 크기를 구하시오.

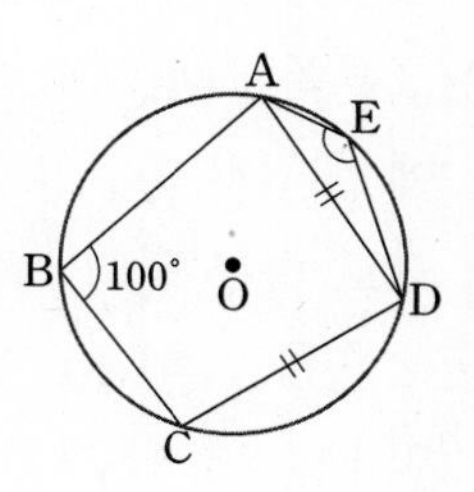

사각형이 원에 내접하기 위한 조건

개념북 84쪽

40 ●○○

다음 사각형 중 원에 내접하지 않는 것은?

①
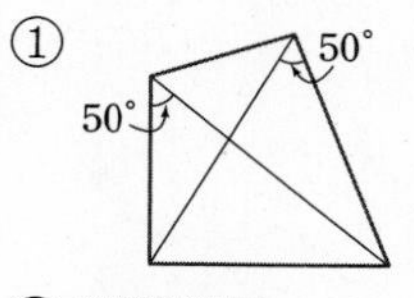

②
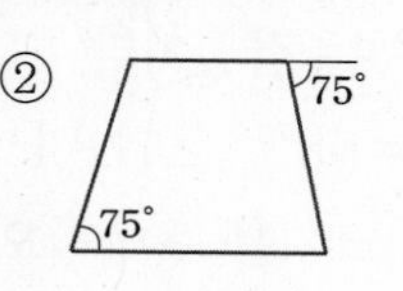

③
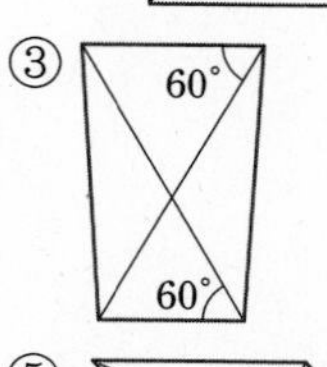

④
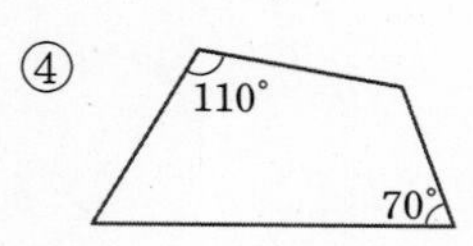

⑤ 25° 25°

41 ●●○

오른쪽 그림에서 □ABCD가 원에 내접하도록 하는 $\angle x$, $\angle y$의 크기를 각각 구하시오.

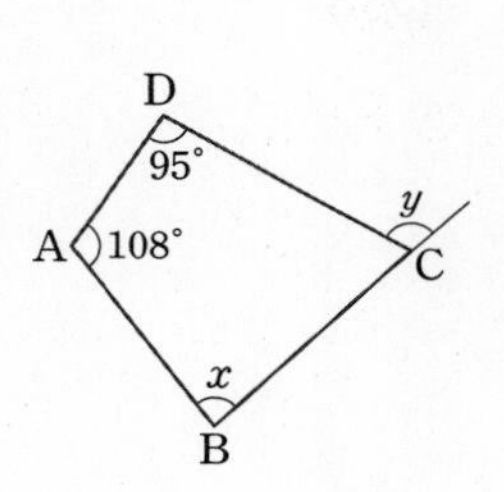

42 ●●●

오른쪽 그림에서 □ABCD가 원에 내접하도록 하는 $\angle ACD$의 크기를 구하시오.

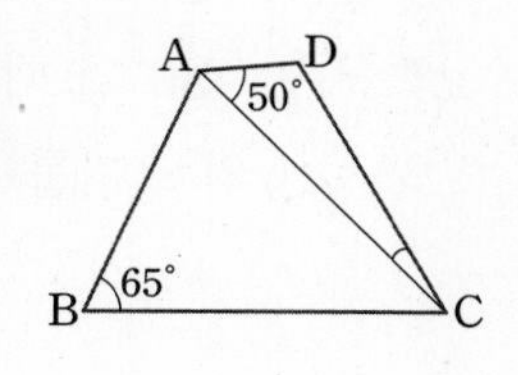

접선과 현이 이루는 각

개념북 86쪽

43 ●○○

오른쪽 그림에서 $\overleftrightarrow{PA}$는 원의 접선이고, 점 A는 접점이다. $\angle ABC=68°$, $\angle BAP=79°$일 때, $\angle x$의 크기를 구하시오.

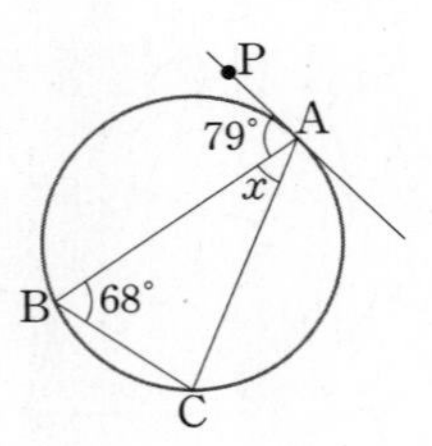

44 ●●○

오른쪽 그림에서 $\overleftrightarrow{AT}$는 원 O의 접선이고 점 A는 접점이다. $\angle BAT=40°$일 때, $\angle x$, $\angle y$의 크기를 각각 구하시오.

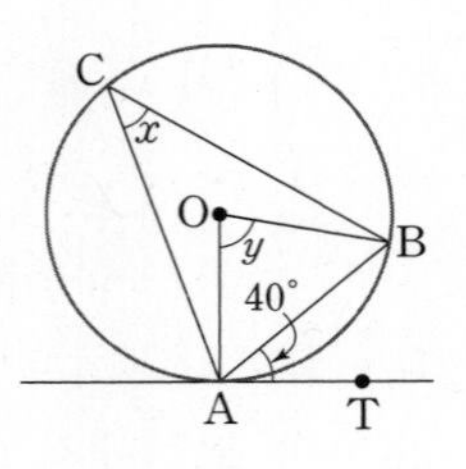

45 ●●○

오른쪽 그림에서 $\overrightarrow{PA}$는 원의 접선이고 점 A는 접점이다. $\angle BCA=70°$, $\angle CPA=30°$일 때, $\angle x$, $\angle y$의 크기를 각각 구하시오.

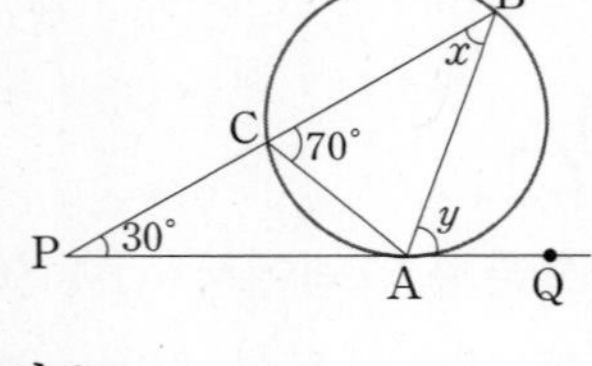

46 ●●○

오른쪽 그림에서 $\overleftrightarrow{PT}$는 원 O의 접선이고 점 T는 접점이다. $\angle ATP=68°$일 때, $\angle x$의 크기는?

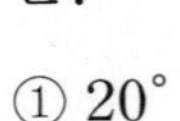

① 20°　② 22°　③ 24°　④ 26°　⑤ 28°

47 ●●●

오른쪽 그림에서 $\overleftrightarrow{BT}$는 점 B를 접점으로 하는 원 O의 접선이다. $\angle ADB=30°$, $\angle CBT=35°$일 때, $\angle x$의 크기를 구하시오.

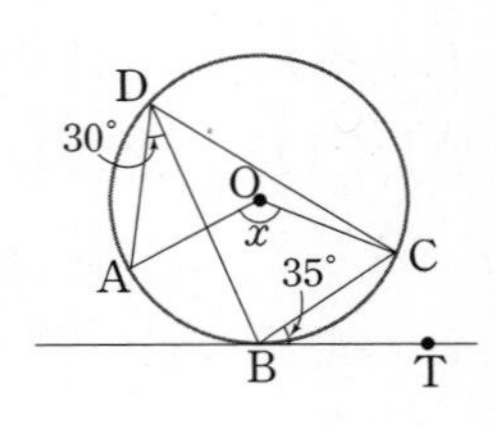

48 ●●●

오른쪽 그림에서 □ABCD는 원에 내접하고 $\overleftrightarrow{AT}$는 점 A를 접점으로 하는 원의 접선이다. $\angle ABC=120°$, $\angle CAD=40°$일 때, $\angle x$의 크기를 구하시오.

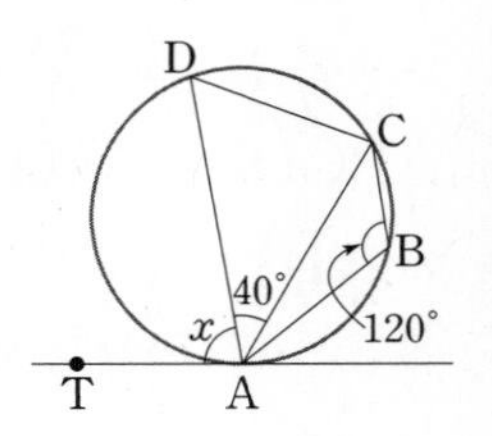

접선과 현이 이루는 각 - 원의 중심을 지나는 경우

개념북 86쪽

49 ●○○

오른쪽 그림에서 $\overrightarrow{AT}$는 원 O의 접선이고 점 A는 접점이다. $\overline{BC}$는 원 O의 지름이고 $\angle CBA=65^\circ$일 때, $\angle x+\angle y$의 크기를 구하시오.

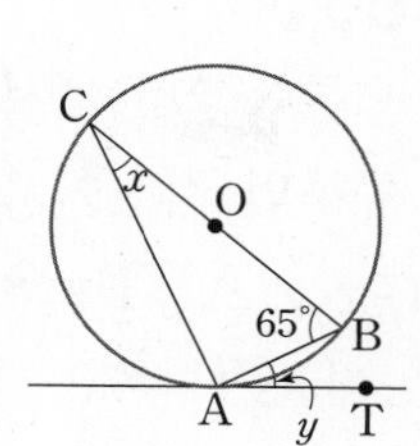

52 ●●○

오른쪽 그림에서 $\overleftrightarrow{AT}$는 원 O의 접선이고 $\overline{BC}$는 원 O의 지름이다. $\angle CDA=124^\circ$일 때, $\angle x$의 크기는?

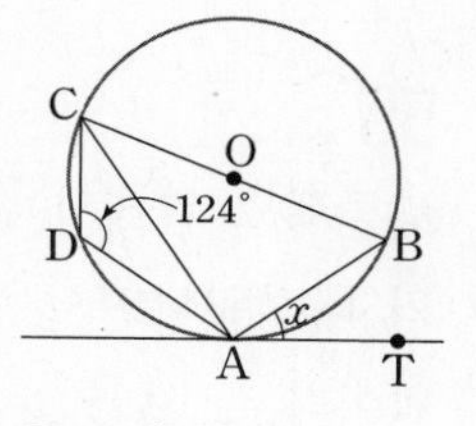

① 32° ② 34° ③ 36°
④ 38° ⑤ 40°

50 ●●○

오른쪽 그림에서 $\overrightarrow{PT}$는 원 O의 접선이고 점 T는 접점이다. $\overline{AB}$는 원 O의 지름이고 $\angle BPT=36^\circ$일 때, $\angle x$의 크기를 구하시오.

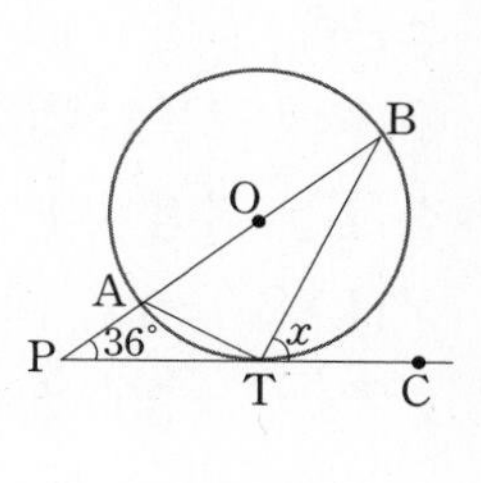

53 ●●●

오른쪽 그림에서 $\overleftrightarrow{PT}$는 지름의 길이가 6인 원 O의 접선이고 점 P는 접점이다. $\angle BPT=60^\circ$일 때, $\overline{BP}$의 길이를 구하시오.

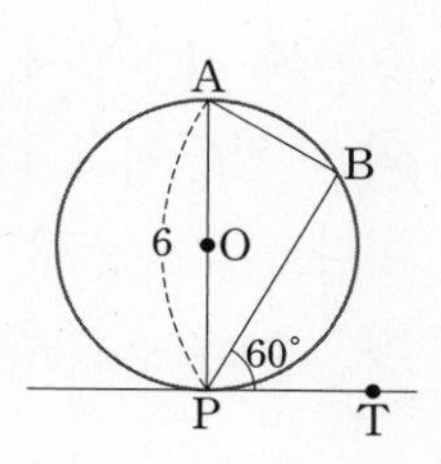

51 ●●○

오른쪽 그림에서 $\overleftrightarrow{AT}$는 원 O의 접선이고 점 A는 접점이다. $\angle CAT=40^\circ$일 때, $\angle x$의 크기를 구하시오.

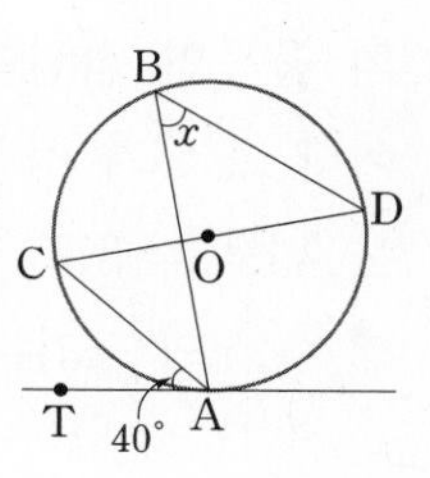

54 ●●●

오른쪽 그림에서 $\overline{PT}$는 원 O의 접선이고 점 T는 접점이다. $\overline{AB}$는 원 O의 지름이고 $\angle BCT=55^\circ$일 때, $\angle x$의 크기를 구하시오.

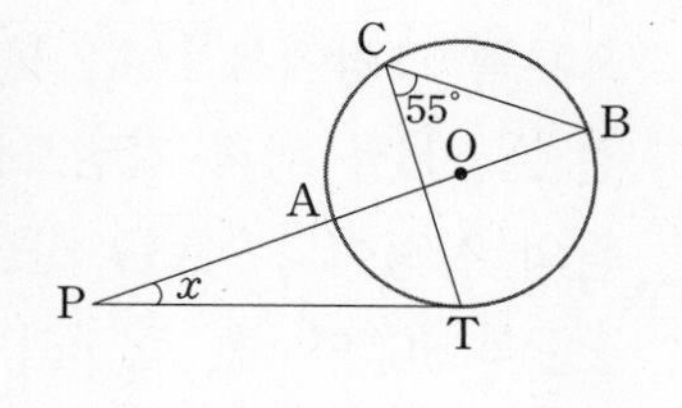

접선과 현이 이루는 각의 활용

개념북 87쪽

55 ●○○

오른쪽 그림에서 원 O는 $\triangle ABC$의 내접원이면서 $\triangle DEF$의 외접원이다. $\angle ABC=50^\circ$일 때, $\angle x$의 크기를 구하시오.

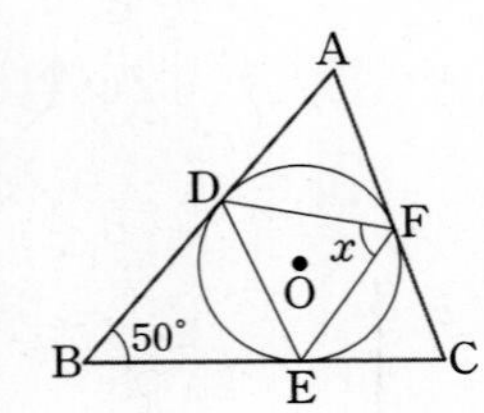

56 ●●○

오른쪽 그림에서 원 O는 $\triangle ABC$의 내접원이고 $\triangle DEF$의 외접원이다. $\angle A=52^\circ$, $\angle C=70^\circ$일 때, $\angle x$의 크기를 구하시오.

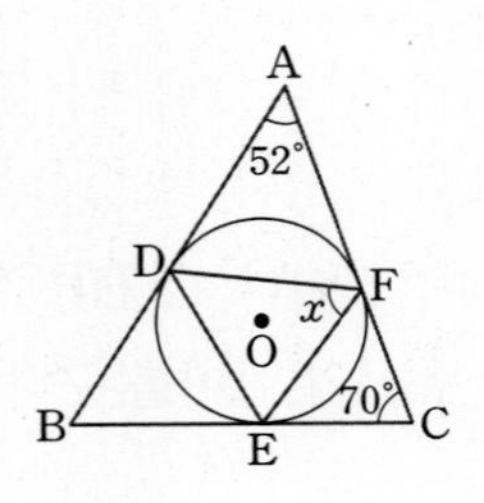

57 ●●●

오른쪽 그림에서 $\overrightarrow{PA}$, $\overrightarrow{PB}$는 두 점 A, B를 각각 접점으로 하는 원의 접선이다. $\overline{AD} /\!/ \overline{PB}$이고, $\angle P=56^\circ$일 때, $\angle x$의 크기를 구하시오.

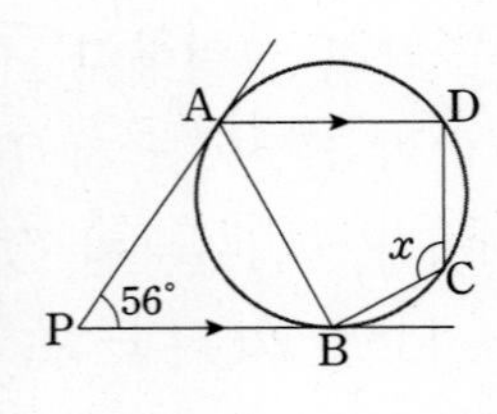

두 원에서 접선과 현이 이루는 각

개념북 89쪽

58 ●○○

오른쪽 그림에서 $\overleftrightarrow{PQ}$는 두 원의 공통인 접선이고 점 T는 접점이다. $\angle ABT=80^\circ$, $\angle DCT=70^\circ$일 때, $\angle x$, $\angle y$의 크기를 각각 구하시오.

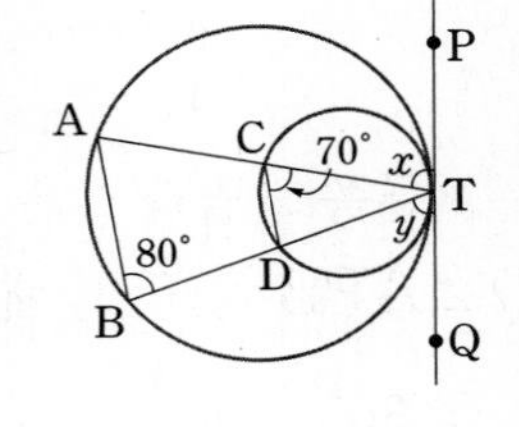

59 ●●○

오른쪽 그림에서 $\overleftrightarrow{PQ}$는 두 원의 공통인 접선이고 점 T는 접점이다. $\angle BAT=65^\circ$, $\angle TDC=30^\circ$일 때, $\angle ATB$의 크기를 구하시오.

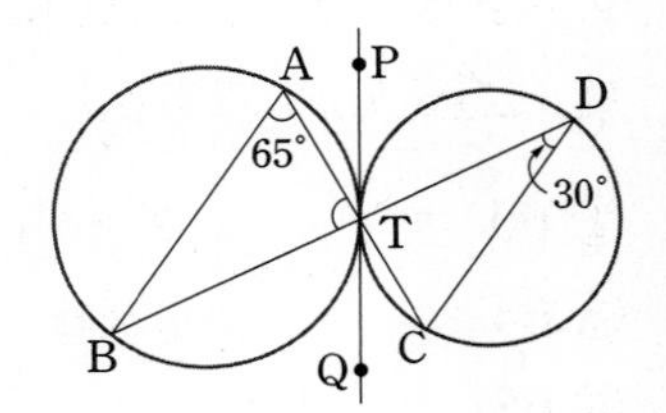

60 ●●●

오른쪽 그림과 같이 $\overleftrightarrow{TA}$는 두 원의 공통인 접선이고 점 A는 접점이다. $\overline{BC}$가 작은 원의 접선이고, $\angle ABC=35^\circ$, $\angle DCA=55^\circ$일 때, $\angle x$의 크기는?

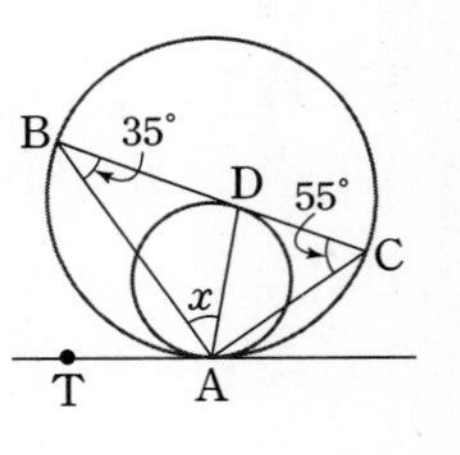

① 25°　② 30°　③ 35°　④ 40°　⑤ 45°

개념완성익힘

1

오른쪽 그림과 같은 원 O에서 $\angle APB=50^\circ$일 때, $\angle x$의 크기는?

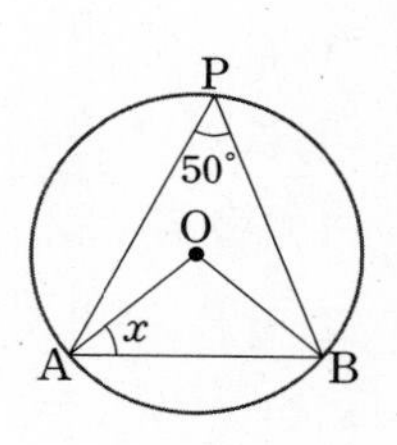

① 30° ② 35°
③ 40° ④ 45°
⑤ 50°

2

오른쪽 그림과 같은 원 O에서 $\angle APB=28^\circ$, $\angle AQC=62^\circ$일 때, $\angle BOC$의 크기는?

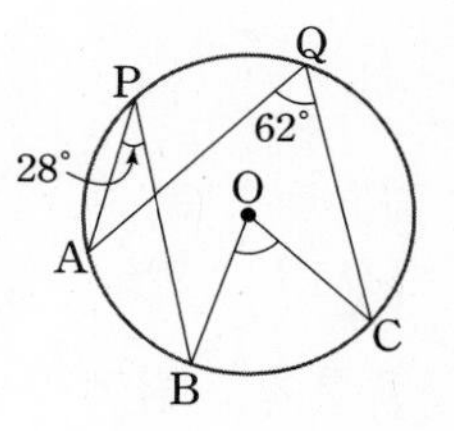

① 60° ② 62°
③ 64° ④ 66°
⑤ 68°

3

오른쪽 그림에서 $\angle BAC=32^\circ$, $\angle ACD=26^\circ$일 때, $\angle x+\angle y+\angle z$의 크기는?

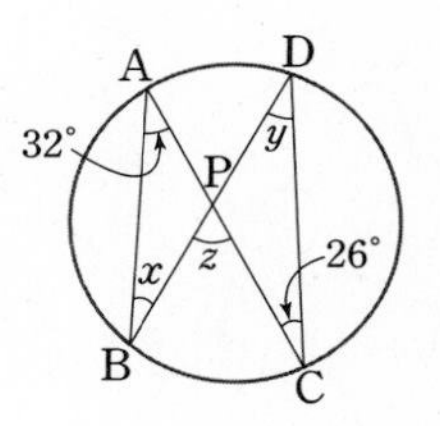

① 110° ② 112°
③ 114° ④ 116°
⑤ 118°

4

오른쪽 그림에서 $\overline{AB}$는 원 O의 지름이고 $\angle APO=70^\circ$일 때, $\angle x$의 크기는?

① 90° ② 100°
③ 110° ④ 120°
⑤ 130°

5 실력UP

오른쪽 그림에서 $\widehat{AB}$의 길이는 원주의 $\frac{1}{6}$, $\widehat{CD}$의 길이는 원주의 $\frac{2}{5}$일 때, $\angle DPC$의 크기를 구하시오.

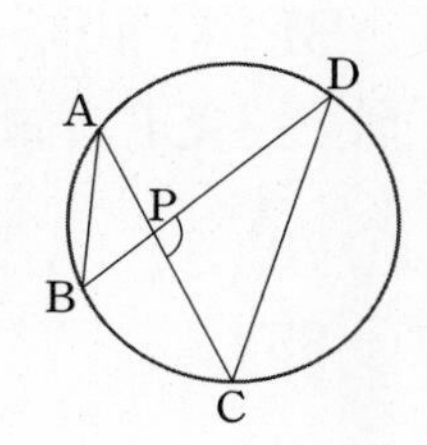

6

오른쪽 그림에서 $\angle PBD=26^\circ$이고 네 점 A, B, C, D가 한 원 위에 있을 때, $\angle y-\angle x$의 크기를 구하시오.

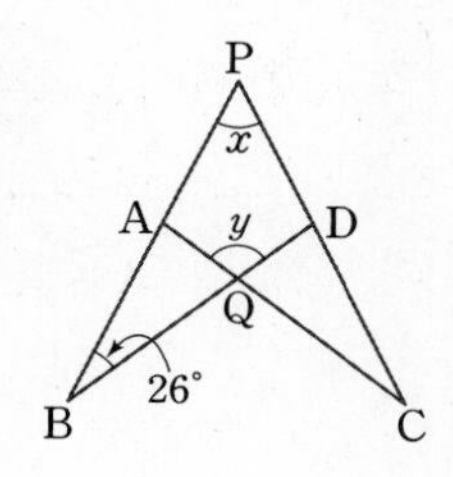

7

오른쪽 그림에서 □ABCD는 원 O에 내접하고 $\angle BCD=82^\circ$일 때, $\angle x+\angle y$의 크기는?

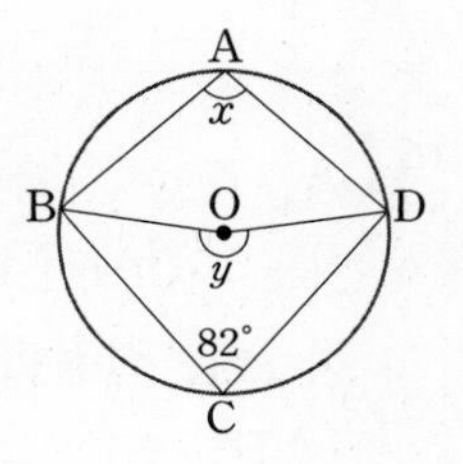

① 270° ② 282°
③ 294° ④ 306°
⑤ 318°

8

오른쪽 그림에서 □ABCD는 원에 내접하고 점 P는 $\overline{AB}$와 $\overline{CD}$의 연장선의 교점이다.
$\angle BPC=40^\circ$, $\angle ADC=55^\circ$일 때, $\angle BCP$의 크기는?

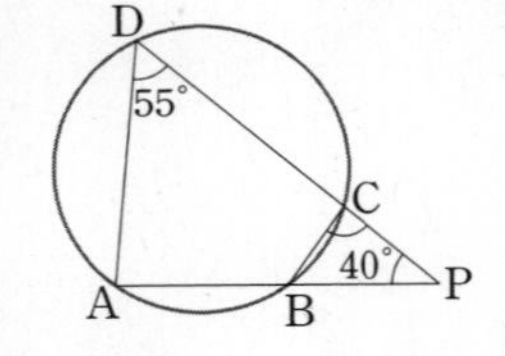

① 70°　② 75°　③ 80°
④ 85°　⑤ 90°

9

다음 **보기** 중 □ABCD가 원에 내접하는 것을 모두 고르시오.

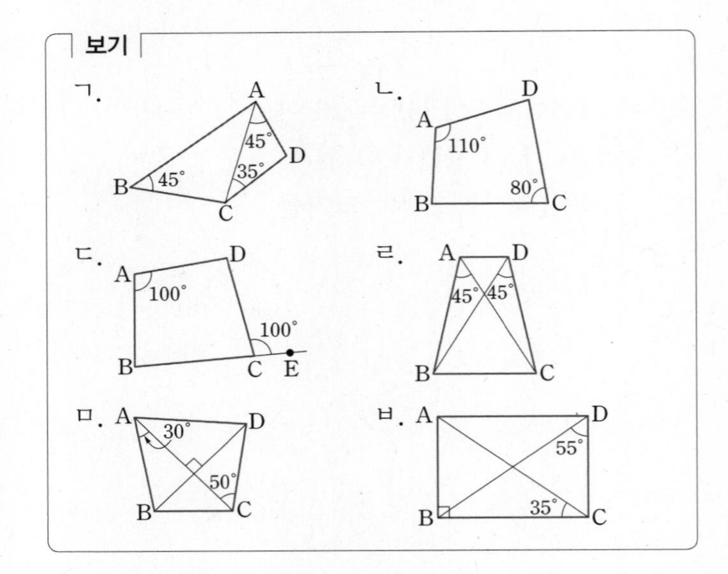

10

오른쪽 그림에서 $\overrightarrow{PA}$는 원의 접선이고 점 A는 접점이다.
$\angle BAP=20^\circ$, $\angle APC=42^\circ$일 때, $\angle x$의 크기는?

① 56°　② 58°
③ 60°　④ 62°
⑤ 64°

서술형

11

오른쪽 그림과 같이 12개의 관람차가 일정한 간격으로 설치된 원 모양의 놀이 기구가 있다. $\angle x+\angle y$의 크기를 구하기 위한 풀이 과정을 쓰고 답을 구하시오. (단, 관람차는 원 위의 한 점이라 생각한다.)

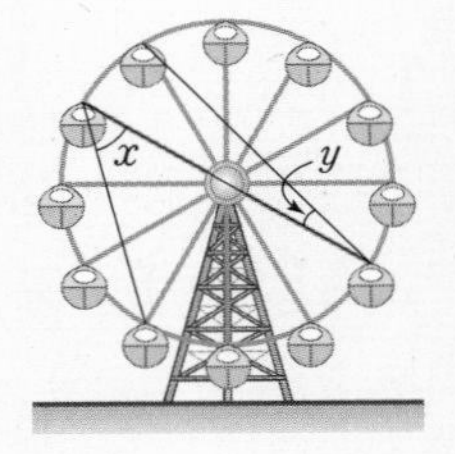

12

오른쪽 그림에서 $\angle BAC=44^\circ$, $\angle ACB=42^\circ$, $\angle ACD=57^\circ$이고 네 점 A, B, C, D가 한 원 위에 있을 때, $\angle x$의 크기를 구하기 위한 풀이 과정을 쓰고 답을 구하시오.

13

오른쪽 그림에서 $\overleftrightarrow{TT'}$은 원 O의 접선이고 점 C는 접점이다. $\overline{AD}$는 원 O의 지름이고, $\angle ABC=130^\circ$일 때, $\angle x$의 크기를 구하기 위한 풀이 과정을 쓰고 답을 구하시오.

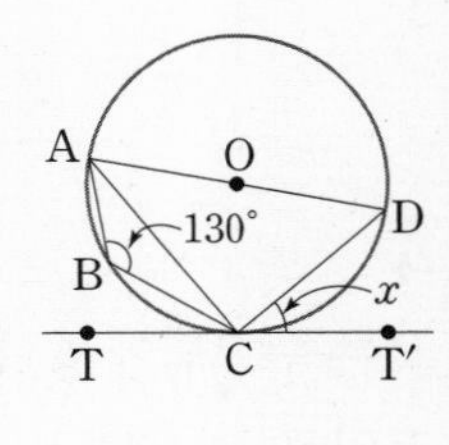

대단원 마무리

1 오른쪽 그림과 같은 원 O에서 $\overline{AB}\perp\overline{OC}$이고 $\overline{OA}=10$ cm, $\overline{OH}=1$ cm일 때, $\overline{BC}$의 길이는?

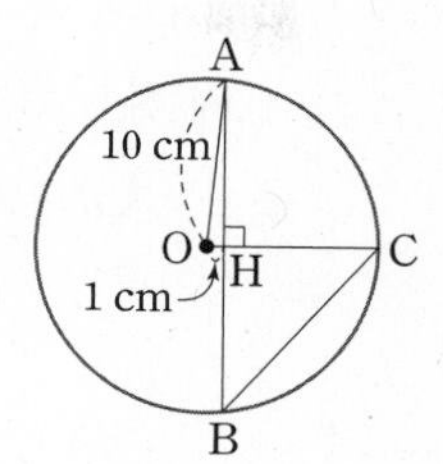

① 8 cm ② $6\sqrt{2}$ cm
③ $7\sqrt{3}$ cm ④ 13 cm
⑤ $6\sqrt{5}$ cm

2 오른쪽 그림과 같이 점 O를 중심으로 하는 두 원에서 작은 원의 접선과 큰 원의 교점을 A, B라 하자. $\overline{AB}=8$ cm일 때, 색칠한 부분의 넓이는?

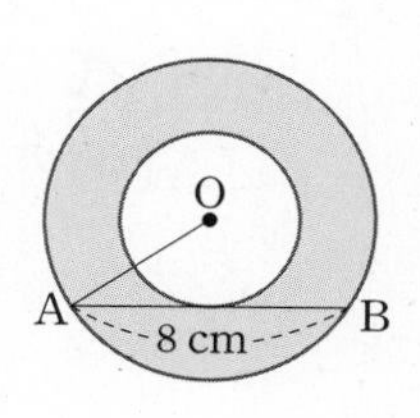

① 8π cm^2 ② 10π cm^2 ③ 12π cm^2
④ 14π cm^2 ⑤ 16π cm^2

3 어느 고분에서 오른쪽 그림과 같이 원 모양의 일부분이 떨어져 나가고 없는 구리 거울이 발굴되었다. $\overline{AB}\perp\overline{CD}$이고, $\overline{AD}=\overline{BD}=8$ cm, $\overline{CD}=4$ cm일 때, 원래 구리 거울의 반지름의 길이를 구하시오.

4 오른쪽 그림과 같은 원 O에서 $\overline{AB}\perp\overline{OM}$, $\overline{BC}\perp\overline{ON}$, $\overline{AC}\perp\overline{OL}$이고 $\overline{OM}=\overline{ON}=\overline{OL}$이다. $\overline{AM}=4$ cm일 때, $x+y$의 값을 구하시오.

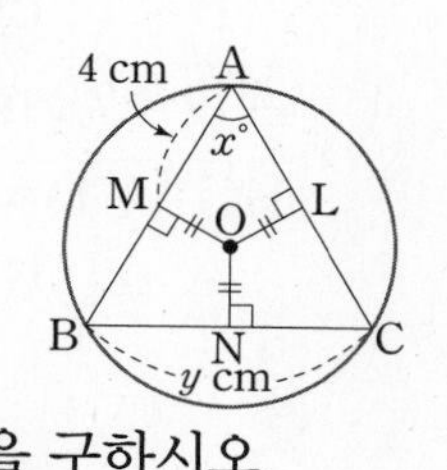

5 오른쪽 그림에서 $\overrightarrow{PA}$, $\overrightarrow{PB}$는 원 O의 접선이고 두 점 A, B는 접점이다. $\overline{PC}=9$ cm, $\overline{CO}=8$ cm일 때, □OAPB의 둘레의 길이는?

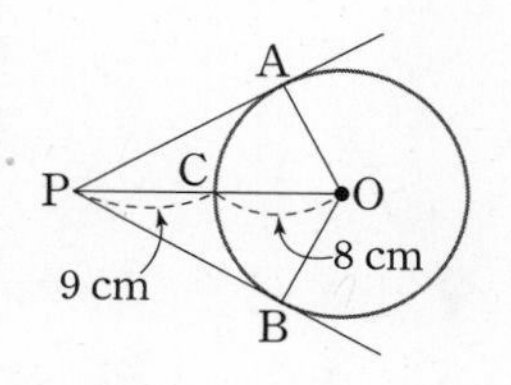

① 46 cm ② 47 cm ③ 48 cm
④ 49 cm ⑤ 50 cm

6 오른쪽 그림에서 $\overrightarrow{PA}$, $\overrightarrow{PB}$, $\overline{CE}$는 원 O의 접선이고 세 점 A, B, D는 접점이다. $\overline{AC}=4$, $\overline{CE}=10$, $\overline{CP}=13$일 때, $\overline{PE}$의 길이는?

① 7 ② 8 ③ 9
④ 10 ⑤ 11

7 오른쪽 그림에서 원 O는 △ABC의 내접원이고, 세 점 D, E, F는 접점이다. $\overline{AB}=7$ cm, $\overline{BC}=10$ cm, $\overline{AC}=9$ cm일 때, $\overline{AF}$의 길이는?

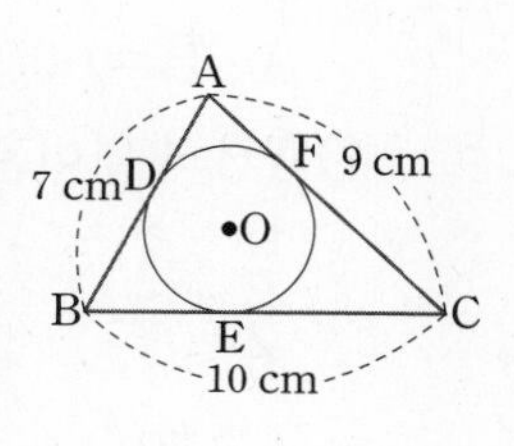

① 2 cm ② $\frac{5}{2}$ cm ③ 3 cm
④ $\frac{7}{2}$ cm ⑤ 4 cm

8 오른쪽 그림에서 □ABCD는 원 O에 외접하고 $\overline{AB}=11$ cm, $\overline{AD}=7$ cm이다. $\overline{BC}:\overline{CD}=3:2$일 때, □ABCD의 둘레의 길이를 구하시오.

서술형

9 오른쪽 그림에서 원 O는 △ABC의 내접원이고, 세 점 D, E, F는 접점이다. $\overline{HI}$는 점 G를 접점으로 하는 원 O의 접선이고 $\overline{AD}=1$ cm, $\overline{BC}=6$ cm, $\overline{CA}=3$ cm일 때, △HBI의 둘레의 길이를 구하기 위한 풀이 과정을 쓰고 답을 구하시오.

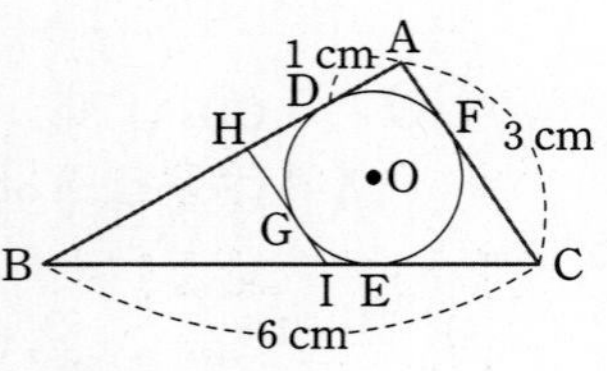

10 오른쪽 그림과 같이 반지름의 길이가 3 cm인 원 O에서 ∠ACB=60°일 때, 부채꼴 OAB의 넓이는?

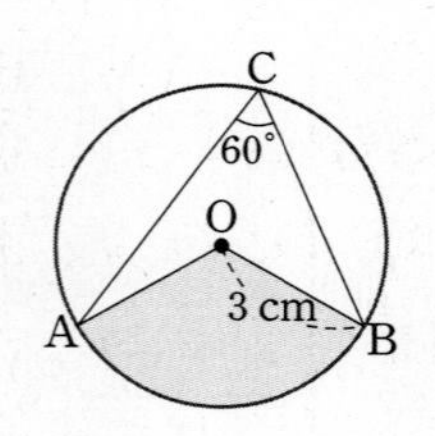

① $\frac{5}{2}\pi$ cm² ② 3π cm² ③ $\frac{7}{2}\pi$ cm²
④ 4π cm² ⑤ $\frac{9}{2}\pi$ cm²

11 오른쪽 그림에서 $\overline{AD}$, $\overline{BC}$의 교점을 P, $\overline{AB}$, $\overline{CD}$의 연장선의 교점을 Q라 하자. ∠ABC=65°, ∠AQC=40°일 때, ∠x의 크기는?

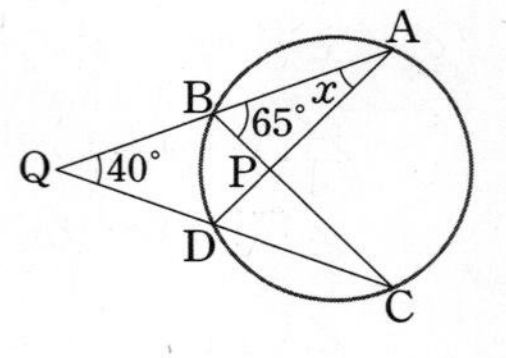

① 15° ② 20° ③ 25°
④ 30° ⑤ 35°

12 오른쪽 그림과 같은 반원 O에서 ∠COD=44°일 때, ∠APB의 크기는?

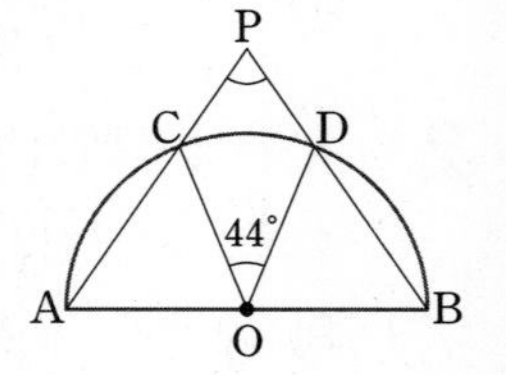

① 52° ② 56°
③ 60° ④ 64°
⑤ 68

서술형

13 오른쪽 그림에서 M, N이 각각 $\overset{\frown}{AB}$, $\overset{\frown}{BC}$의 중점이고 ∠ABC=40°, ∠ACB=80°일 때, ∠MPN의 크기를 구하기 위한 풀이 과정을 쓰고 답을 구하시오.

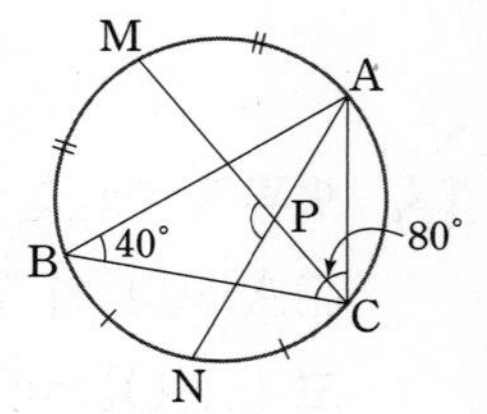

14 오른쪽 그림에서 $\widehat{BD}=4\widehat{AC}$이고 $\angle BPD=24°$일 때, $\angle BAD$의 크기는?

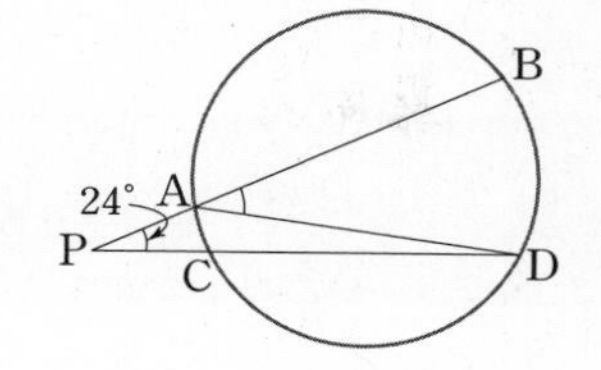

① 30　② 31　③ 32
④ 33　⑤ 34

15 다음 중 네 점 A, B, C, D가 한 원 위에 있지 <u>않은</u> 것은?

①
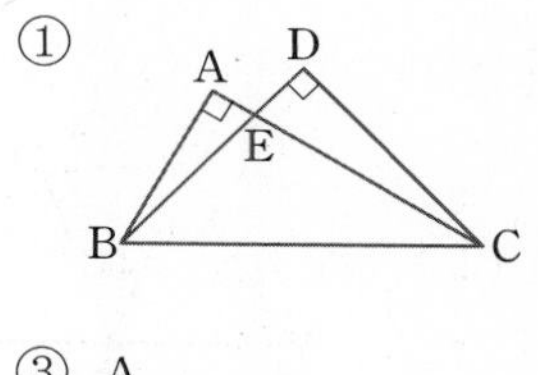

②
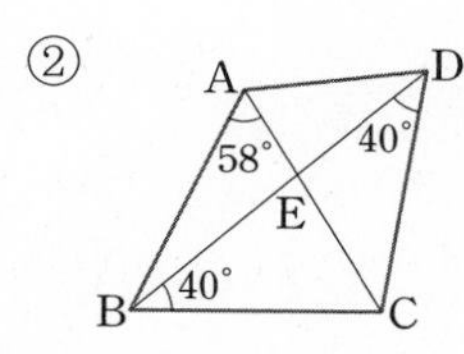

③
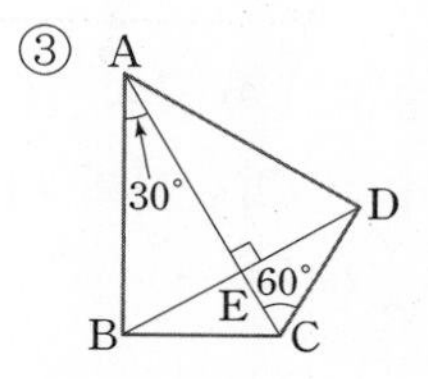

④
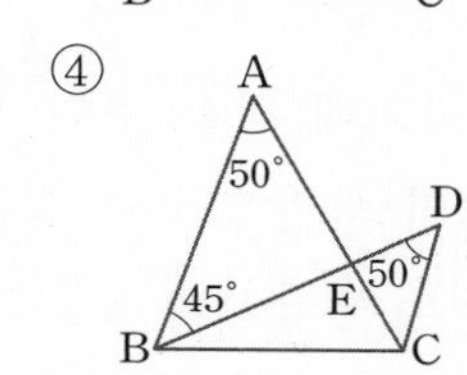

⑤
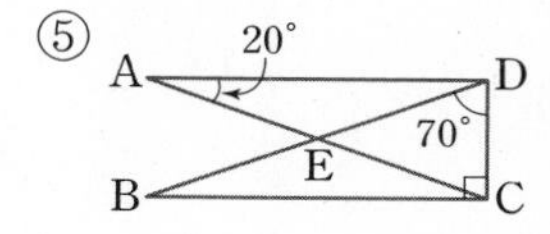

16 오른쪽 그림과 같이 □ABCD가 원 O에 내접하고 $\angle BOD=150°$일 때, $\angle x+\angle y$의 크기는?

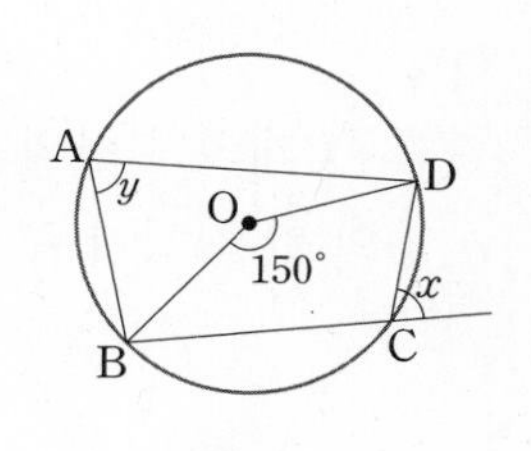

① 120°　② 130°　③ 140°
④ 150°　⑤ 160°

17 오른쪽 그림과 같이 $\angle BPC=40°$, $\angle CQD=50°$이고, □ABCD가 원에 내접할 때, $\angle x$의 크기는?

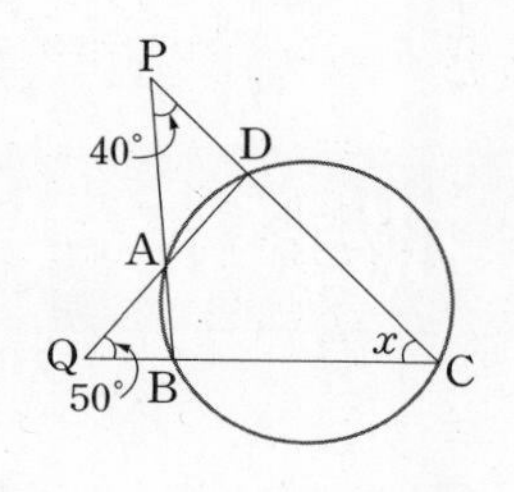

① 35°　② 40°　③ 45°
④ 50°　⑤ 55°

18 오른쪽 그림과 같이 두 원 O, O′이 두 점 P, Q에서 만나고 $\angle CDP=83°$일 때, $\angle BAP$의 크기를 구하시오.

19 오른쪽 그림에서 $\overleftrightarrow{PB}$는 원의 접선이고 점 B는 접점이다. $\widehat{AB}:\widehat{AC}=1:2$이고 $\overline{AC}=\overline{BC}$일 때, $\angle x$의 크기를 구하시오.

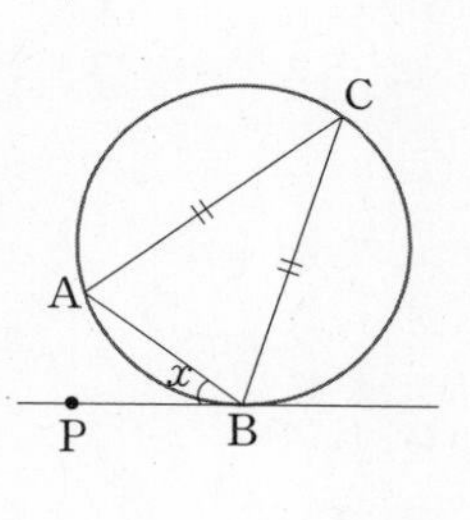

20 오른쪽 그림에서 $\overrightarrow{PT}$는 원 O의 접선이고 점 T는 접점이다. $\overline{AB}$는 원 O의 지름이고, $\overline{PQ}$가 $\angle TPB$의 이등분선일 때, $\angle TQP$의 크기는?

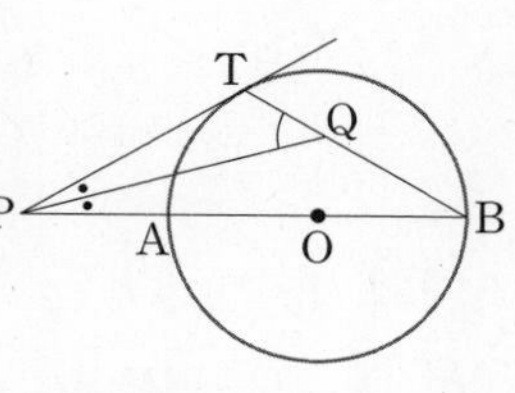

① 43°　② 45°　③ 48°
④ 50°　⑤ 52°

1 대푯값과 산포도

개념적용익힘

평균의 뜻과 성질

개념북 101쪽

1 ●●○

다음 표는 학생 5명의 국어 성적을 조사하여 나타낸 것이다. 평균이 85점일 때, 석진이의 국어 성적을 구하시오.

학생	영주	철수	소영	석진	희선
국어 성적(점)	81	85	89		79

2 ●●○

5개의 변량 a, b, c, d, e의 평균이 4일 때, 다음 5개의 변량의 평균은?

$a+4 \quad b-2 \quad c+6 \quad d-3 \quad e+5$

① 6 ② 5 ③ 4
④ 3 ⑤ 2

3 ●●○

5개의 변량 a, b, c, d, e의 평균이 20일 때, $3a-2$, $3b-2$, $3c-2$, $3d-2$, $3e-2$의 평균은?

① 52 ② 54 ③ 56
④ 58 ⑤ 60

4 ●○○

다음 자료는 수민이네 반 학생 6명의 윗몸일으키기 기록을 조사하여 나타낸 것이다. 윗몸일으키기 기록의 평균이 12회일 때, x의 값을 구하시오.

(단위: 회)

$16 \quad 10 \quad 8 \quad x \quad 13 \quad 9$

5 ●●○

진희는 4회에 걸친 영어 시험 성적의 평균이 70점이다. 5회의 시험에서 몇 점을 받아야 5회까지의 평균이 4회까지의 평균보다 4점 더 오르겠는가?

① 87점 ② 90점 ③ 92점
④ 95점 ⑤ 97점

6 ●●○

다음 10개의 변량의 평균이 4이고 $a-b=-14$일 때, a, b의 값을 각각 구하시오.

$-7 \quad 1 \quad a \quad 15 \quad 3$
$b \quad -9 \quad 11 \quad 6 \quad 14$

중앙값의 뜻과 성질

개념북 103쪽

7 ●●○

아래 자료는 학생 7명의 영어 성적을 조사하여 나타낸 것이다. 영어 성적의 평균이 81점일 때, 다음을 구하시오.

(단위: 점)

92	73	82	68	x	77	90

(1) x의 값

(2) 영어 성적의 중앙값

8 ●●●

어떤 모둠 학생 6명의 수학 점수를 작은 값부터 크기순으로 나열할 때, 3번째 학생의 점수는 86점이고, 중앙값은 88점이다. 이 모둠에 수학 점수가 92점인 학생이 들어왔을 때, 7명의 수학 점수의 중앙값을 구하시오.

9 ●●●

5개의 변량 a, b, c, d, e의 평균이 15이고 중앙값이 17일 때, $4a-3$, $4b-3$, $4c-3$, $4d-3$, $4e-3$의 평균과 중앙값을 차례로 구하시오.

중앙값이 주어질 때, 변량 구하기

개념북 103쪽

10 ●●○

다음 자료는 작은 값부터 크기순으로 나열되어 있고 8개의 변량들의 중앙값이 9일 때, 상수 x의 값을 구하시오.

3	4	6	x	10	12	13	17

11 ●●○

다음 자료의 중앙값이 35일 때, x의 값을 구하시오.

45	x	23	41	28	38

12 ●●●

다음 조건을 모두 만족하는 두 수 a, b의 값을 각각 구하시오.

조건

(가) 6, 8, 15, 17, a의 중앙값은 8이다.

(나) 2, 14, a, b, 15의 평균은 10이고, 중앙값은 12이다.

최빈값의 뜻과 성질

개념북 105쪽

13 ●●○

다음 줄기와 잎 그림은 지진이 자주 발생하는 어느 지역에서 1년 동안 발생한 지진의 강도를 조사하여 나타낸 것이다. 지진의 강도의 중앙값을 a, 최빈값을 b라 할 때, $a+b$의 값을 구하시오.

지진의 강도 (2|3은 2.3규모)

줄기	잎
2	3 3 3 3 6 6 7 8
3	2 4 4 4 5 6
4	0 3 5 5

14 ●●○

다음 표는 인원 수가 같은 A, B 두 모둠 학생들의 턱걸이 횟수를 조사하여 나타낸 도수분포표이다. A 모둠의 최빈값을 a회, B 모둠의 최빈값을 b회라 할 때, $a+b$의 값을 구하시오.

턱걸이 횟수(회)	A 모둠(명)	B 모둠(명)
0	2	5
1	4	0
2	x	6
3	5	4
4	3	3
합계		18

15 ●●●

다음 자료의 평균과 최빈값이 모두 0일 때, $b-a$의 값을 구하시오. (단, $a<b$)

-5　7　-2　a　4　b　0

평균, 중앙값, 최빈값

개념북 105쪽

16 ●○○

7개의 변량 1, 2, 2, 3, 3, 4, 6에 대한 설명으로 옳은 것을 **보기**에서 모두 고른 것은?

보기

ㄱ. 평균은 3이다.　　ㄴ. 중앙값은 3이다.

ㄷ. 최빈값은 없다.

① ㄱ　② ㄴ　③ ㄱ, ㄴ

④ ㄴ, ㄷ　⑤ ㄱ, ㄴ, ㄷ

17 ●●○

다음 자료는 선미의 10일 동안 수면 시간을 조사하여 나타낸 것이다. 평균, 중앙값, 최빈값을 각각 A시간, B시간, C시간이라 할 때, A, B, C의 대소 관계를 구하시오.

(단위: 시간)

9　7　8　7　8　8　6　6　7　8

18 ●●○

오른쪽 표는 5회에 걸쳐 실시한 수학 수행 평가에서 민우와 효찬이가 받은 점수를 조사하여 나타낸 것이다. 민우와 효찬이의 점수에 대한 설명으로 옳지 않은 것을 모두 고르면? (정답 2개)

회	민우(점)	효찬(점)
1	8	8
2	9	3
3	10	7
4	8	5
5	5	7

① 민우의 점수의 평균이 효찬이의 점수의 평균보다 높다.

② 민우의 점수의 중앙값과 효찬이의 점수의 중앙값은 같다.

③ 민우의 점수의 최빈값이 효찬이의 점수의 최빈값보다 높다.

④ 민우의 점수의 중앙값과 최빈값은 같다.

⑤ 효찬이의 점수의 중앙값은 최빈값보다 낮다.

편차의 뜻과 성질

개념북 107쪽

19 ●●○

아래 표는 수빈이가 5회에 걸쳐 실시한 음악 실기평가에서 받은 성적에 대한 편차를 조사하여 나타낸 것이다. 다음을 구하시오.

실기평가	1회	2회	3회	4회	5회
편차(점)	4	-8	x	-1	2

(1) x의 값

(2) 음악 실기평가의 평균이 83점일 때, 3회의 점수

20 ●●○

아래 표는 학생 6명이 한 달 동안 읽은 책의 권수에 대한 편차를 조사하여 나타낸 것이다. 다음을 구하시오.

학생	A	B	C	D	E	F
편차(권)	5	-3	2	1	-1	x

(1) x의 값

(2) 책을 가장 많이 읽은 학생과 가장 적게 읽은 학생의 권수의 차

21 ●●○

다음 표는 어느 농원에서 수확한 수박 5개의 무게와 편차를 각각 조사하여 나타낸 것이다. $a+b$의 값을 구하시오.

수박	A	B	C	D	E
무게(g)	a	990	1020	980	1010
편차(g)	b	0	30	-10	20

분산 또는 표준편차의 뜻과 성질

개념북 109쪽

22 ●●○

다음 표는 학생 6명의 1년 동안의 봉사 활동 횟수에 대한 편차를 조사하여 나타낸 것이다. 봉사 활동 횟수의 표준편차를 구하시오.

학생	A	B	C	D	E	F
편차(회)	1		-2	4	-3	3

23 ●●○

다음 자료는 학생 6명의 1분간 맥박 수를 조사하여 나타낸 것이다. 맥박 수의 평균을 a회, 분산을 b라 할 때, ab의 값은?

(단위: 회)

88 87 89 94 92 90

① 320 ② 510 ③ 600
④ 740 ⑤ 960

24 ●●○

5개의 변량 4, 10, x, 12, 8의 평균이 9일 때, 이 5개의 변량의 표준편차를 구하시오.

25 ●●●

다음 자료의 평균과 최빈값이 7시간으로 같을 때, 분산과 표준편차를 차례로 구하시오. (단, $x<y$)

(단위: 시간)

10	4	7	x	y	6	5	8

26 ●●○

4개의 변량 a, $a+2$, $a+6$, $a+12$의 분산은?

① 21 ② 23 ③ 25
④ 27 ⑤ 29

27 ●●●

오른쪽 표는 윤후네 모둠 10명의 학생들이 농구공을 15번씩 던져 성공한 자유투의 개수를 조사하여 나타낸 것이다. 윤후가 분산과 표준편차를 다음과 같이 구했을 때, 풀이 과정에서 옳지 않은 부분을 찾아 바르게 고치시오.

성공 횟수(회)	학생 수(명)
3	2
6	3
9	4
10	1
합계	10

$$(\text{평균})=\frac{3\times2+6\times3+9\times4+10\times1}{10}$$
$$=\frac{70}{10}=7(\text{회})$$
$$(\text{분산})=\frac{(-4)^2+(-1)^2+2^2+3^2}{10}=\frac{30}{10}=3$$
$$(\text{표준편차})=\sqrt{3}\,(\text{회})$$

변화된 변량의 평균과 표준편차

개념북 109쪽

28 ●●○

3개의 변량 a, b, c의 평균이 7이고, 표준편차가 2일 때, $3a+4$, $3b+4$, $3c+4$의 평균과 표준편차를 차례로 구하시오.

29 ●●○

4개의 변량 a, b, c, d의 평균이 5이고, 분산이 3일 때, 4개의 변량 $2a-5$, $2b-5$, $2c-5$, $2d-5$의 평균과 표준편차를 차례로 구하시오.

30 ●●○

5개의 변량 a, b, c, d, e의 평균이 4이고 분산이 9일 때, 5개의 변량 $3a$, $3b$, $3c$, $3d$, $3e$의 평균과 표준편차를 차례로 구하시오.

분산 또는 표준편차가 주어질 때, 식의 값

개념북 110쪽

31 ●●○

5개의 변량 x, 3, 5, 10, $12-x$의 분산이 6.8일 때, x의 값을 모두 고르면? (정답 2개)

① 4 ② 5 ③ 6
④ 7 ⑤ 8

32 ●●○

다음 표는 학생 6명의 키에 대한 편차를 조사하여 나타낸 것이다. 키의 표준편차가 $\sqrt{10}$ cm일 때, xy의 값을 구하시오.

학생	A	B	C	D	E	F
편차(cm)	3	-5	x	-3	1	y

33 ●●○

5개의 변량 2, x, 8, y, 6의 평균이 6이고, 분산이 8일 때, x^2+y^2의 값을 구하시오.

자료의 분석

개념북 111쪽

34 ●●○

다음 표는 선수의 수가 모두 같은 4개의 농구단 선수들의 키에 대한 평균과 표준편차를 조사하여 나타낸 것이다. 선수들 간의 키의 격차가 가장 작은 농구단은?

농구단	A	B	C	D
평균(cm)	185	187	189	186
표준편차(cm)	$4\sqrt{5}$	5	$3\sqrt{6}$	$5\sqrt{2}$

① A ② B ③ C
④ D ⑤ 알 수 없다.

35 ●●○

다음 표는 학생 수가 모두 같은 5개 반의 학생들의 수학 성적에 대한 평균과 표준편차를 조사하여 나타낸 것이다. 설명 중 옳은 것을 모두 고르면? (정답 2개)

반	1	2	3	4	5
평균(점)	72	77	73	76	74
표준편차(점)	4.9	5.2	6.9	3.1	5.6

① 최고 득점자는 2반에 있다.
② 수학 성적이 가장 낮은 반은 1반이다.
③ 편차의 총합은 3반이 가장 크다.
④ 분산이 두 번째로 큰 반은 2반이다.
⑤ 4반 학생들의 성적이 가장 고르게 분포되어 있다.

개념완성익힘

1
5개의 변량 A, B, C, D, E의 평균이 12일 때, 6개의 변량 A, B, C, D, E, 18의 평균은?

① 11　② 12　③ 13
④ 14　⑤ 15

2
학생 10명이 1분 동안 턱걸이를 한 횟수의 평균을 구하는데 한 학생의 11회를 1회로 잘못 보아 평균이 12회가 나왔다. 학생 10명의 턱걸이 횟수의 평균을 바르게 구하시오.

3
어느 동아리 학생 10명의 국어 성적을 크기순으로 나열할 때, 6번째 학생의 점수는 84점이고, 국어 성적의 중앙값은 83점이라 한다. 이 동아리에 국어 성적이 78점인 학생이 들어왔을 때, 11명의 국어 성적의 중앙값을 구하시오.

4
다음 표는 형훈이네 반 학생 30명이 가지고 있는 필기도구의 수를 조사하여 나타낸 것이다. 이 자료의 최빈값은?

필기도구의 수(개)	2	3	4	5	6	합계
학생 수(명)	2	10	9	6	3	30

① 2개　② 3개　③ 4개
④ 5개　⑤ 6개

5
다음 표는 수연이네 반 학생 20명의 수학 수행 평가 성적을 조사하여 나타낸 것이다. 학생 20명의 수학 성적에 대한 평균을 a점, 중앙값을 b점, 최빈값을 c점이라 할 때, $a+b+c$의 값을 구하시오.

수학 수행 평가 성적(점)	1	2	3	4	5	합계
학생 수(명)	1	2	5	10	2	20

6 실력UP
다음 자료는 무용 동아리 학생 8명의 바지 사이즈를 조사하여 나타낸 것이다. 바지 사이즈의 평균과 최빈값이 같을 때, x의 값을 구하시오.

(단위: 인치)

24　28　26　24　27　x　26　27

7
5개의 변량 x, 5, 11, 2, 3의 평균이 6일 때, 표준편차는?

① $\sqrt{10}$　② $2\sqrt{3}$　③ 4
④ $3\sqrt{2}$　⑤ $3\sqrt{3}$

8

6개의 변량 7, x, 9, 3, y, 10의 평균이 6이고, 분산이 10일 때, x^2+y^2의 값을 구하시오.

9

다음 표는 학생 5명이 중간고사에서 받은 전 과목 성적에 대한 평균과 표준편차를 조사하여 나타낸 것이다. 성적이 가장 고른 학생은 누구인지 말하시오.

학생	주민	성룩	은경	한나	준희
평균(점)	89	78	95	92	83
표준편차(점)	4.7	2.4	3.8	4	6.1

10

다음은 학생 수가 각각 30명인 A, B 두 반에서 학생들의 여름 방학 동안의 현장 체험 일수를 조사하여 각각 막대그래프로 나타낸 것이다. 물음에 답하시오.

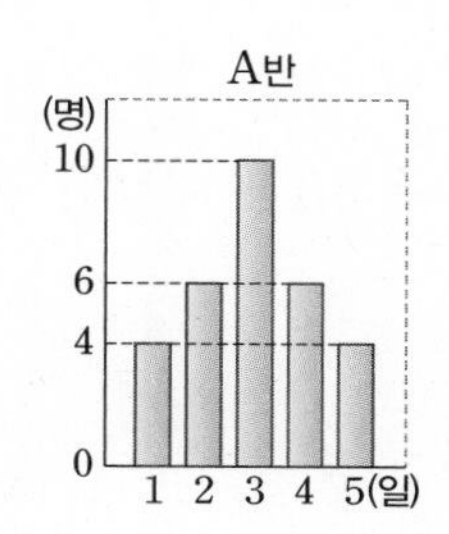

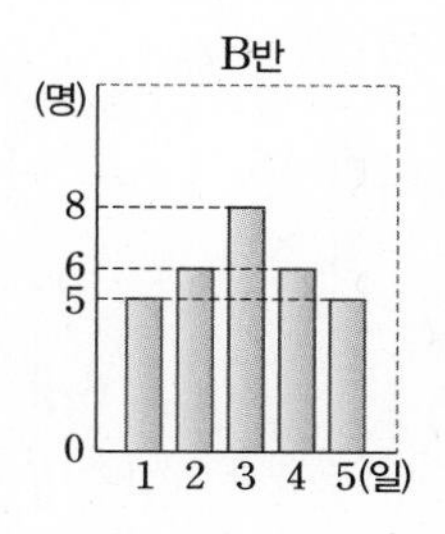

(1) A, B 두 반의 현장 체험 일수의 평균을 각각 구하시오.

(2) 현장 체험 일수의 분산이 더 큰 반을 말하시오.

서술형

11

다음 두 자료 A, B의 중앙값을 각각 a, b라 할 때, $a+b$의 값을 구하기 위한 풀이 과정을 쓰고 답을 구하시오.

[자료 A] 6, 10, 4, 8, 7, 11, 8
[자료 B] 10, 5, 8, 14, 2, 11, 7, 14

12

다음 표는 철수네 반 학생 5명의 1년 동안의 봉사 활동 횟수에 대한 편차를 조사하여 나타낸 것인데 일부분이 훼손되어 보이지 않는다. 인성이의 봉사 활동 횟수가 14회일 때, 학생 5명의 봉사 활동 횟수의 평균을 구하기 위한 풀이 과정을 쓰고 답을 구하시오.

학생	철수	효리	태진	하나	인성
편차(회)	3	−1	−4	5	

13

10개의 변량 x_1, x_2, $\cdots$, x_{10}의 합이 50이고, 각 변량의 제곱의 합이 320일 때, x_1, x_2, $\cdots$, x_{10}의 표준편차를 구하기 위한 풀이 과정을 쓰고 답을 구하시오.

2 상관관계

개념적용익힘

산점도의 이해 (1)

개념북 119쪽

1 ●○○

오른쪽 그림은 발의 크기와 키에 대한 산점도이다. 키에 비하여 발의 크기가 큰 학생은?

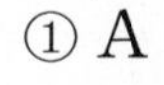
① A ② B

③ C ④ D

⑤ E

[2~3] 오른쪽 그림은 은주네 반 학생들의 과학 성적과 수학 성적에 대한 산점도이다. 다음 물음에 답하시오.

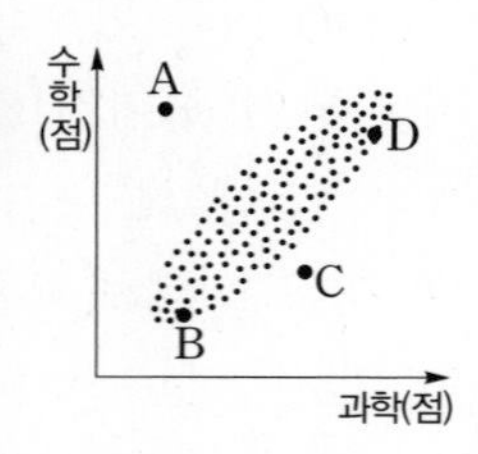

2 ●●○

다음 중 옳은 것은?

① A는 수학 성적이 과학 성적보다 낮다.
② B는 수학 성적과 과학 성적이 모두 높다.
③ C는 과학 성적이 수학 성적보다 높다.
④ D는 수학 성적과 과학 성적이 모두 보통이다.
⑤ C는 A보다 수학 성적이 좋다.

3 ●●○

수학 성적과 과학 성적의 차가 가장 큰 학생을 구하시오.

산점도의 이해 (2)

개념북 119쪽

[4~7] 오른쪽 그림은 재광이네 반 학생 30명의 수학 성적과 영어 성적에 대한 산점도이다. 다음 물음에 답하시오.

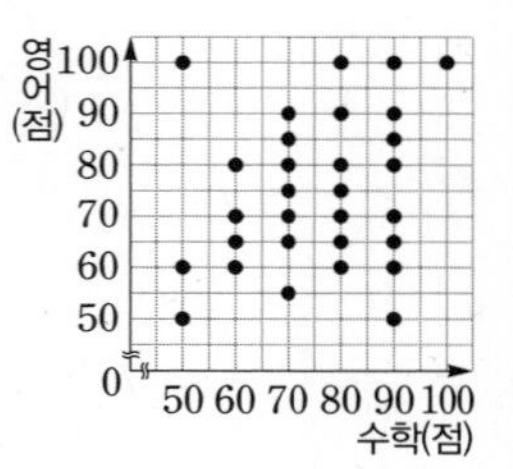

4 ●●○

수학 성적과 영어 성적이 같은 학생 수는?

① 2명 ② 3명 ③ 4명
④ 5명 ⑤ 6명

5 ●●○

수학 성적이 영어 성적보다 우수한 학생은 전체의 몇 %인가?

① 25 % ② 30 % ③ 35 %
④ 40 % ⑤ 45 %

6 ●●○

수학 성적과 영어 성적이 모두 80점 이상인 학생 수는?

① 5명 ② 6명 ③ 7명
④ 8명 ⑤ 9명

7 ●●○

수학 성적이 90점인 학생들의 영어 성적의 평균은?

① 65점 ② 70점 ③ 75점
④ 80점 ⑤ 85점

[8~10] 오른쪽 그림은 어느 반 학생 15명의 중간고사 성적과 기말고사 성적에 대한 산점도이다. 다음 물음에 답하시오.

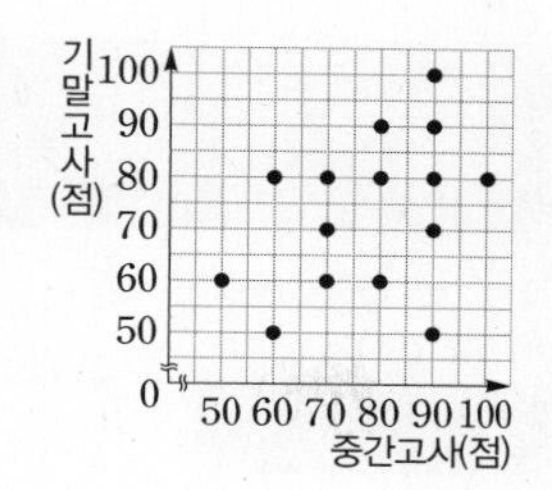

8 ●●○

중간고사 성적과 기말고사 성적이 모두 80점 이상인 학생은 전체의 몇 %인가?

① 25 % ② 30 % ③ 35 %
④ 40 % ⑤ 45 %

9 ●●○

중간고사 성적과 기말고사 성적의 차가 20점 이상인 학생 수는?

① 4명 ② 5명 ③ 6명
④ 7명 ⑤ 8명

10 ●●○

중간고사 성적과 기말고사 성적의 합이 160점 이상인 학생 수는?

① 5명 ② 6명 ③ 7명
④ 8명 ⑤ 9명

상관관계

개념북 120쪽

11 ●●○

다음은 희경이네 반 학생들의 수학 성적과 영어 성적에 대한 산점도이다. 영어 성적이 우수한 학생이 수학 성적도 우수함을 나타낸 것은?

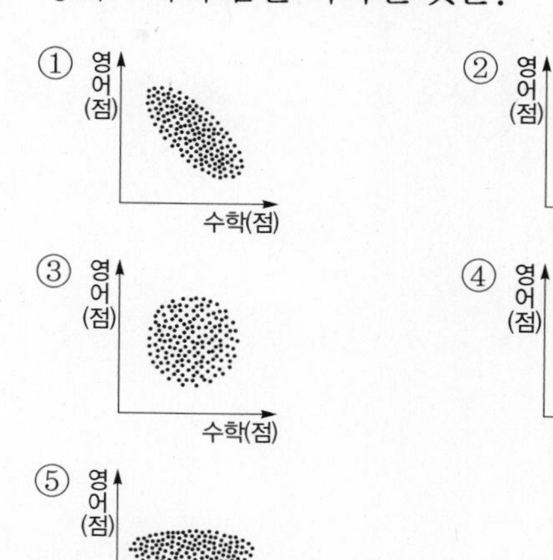

12 ●●○

다음 중 음의 상관관계가 있는 것은?

① 지능지수와 머리둘레
② 수면 시간과 몸무게
③ 산의 높이와 산소량
④ 택시 운행 거리와 요금
⑤ 시력과 수학 성적

13 ●●○

다음 중 오른쪽 산점도와 같은 상관관계를 갖는 것은?

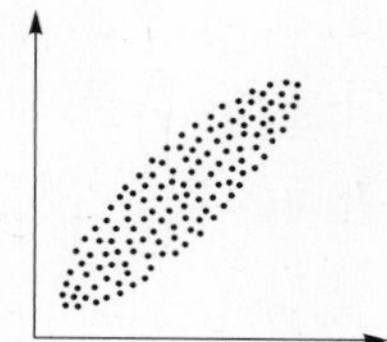

① 가방의 무게와 성적
② 산의 높이와 기온
③ 여름철 기온과 아이스크림 판매량
④ 시력과 체력
⑤ 키와 노래 실력

개념완성익힘

정답과 풀이 76쪽

1

오른쪽 그림은 몸무게와 키에 대한 산점도이다. A, B, C, D, E 5명의 학생 중 가장 마른 편에 속하는 학생은?

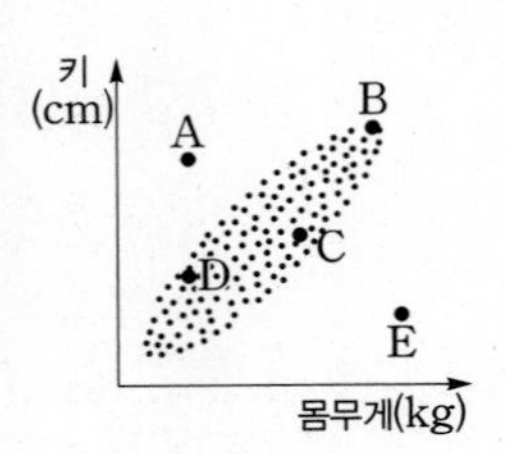

① A ② B ③ C ④ D ⑤ E

2

몸무게가 100 kg인 학생 50명이 다이어트를 시작했다. 다이어트 기간이 길어질수록 학생들의 몸무게가 줄어드는 경향을 보였을 때, 다음 중 다이어트 기간과 몸무게에 대한 산점도로 적당한 것은?

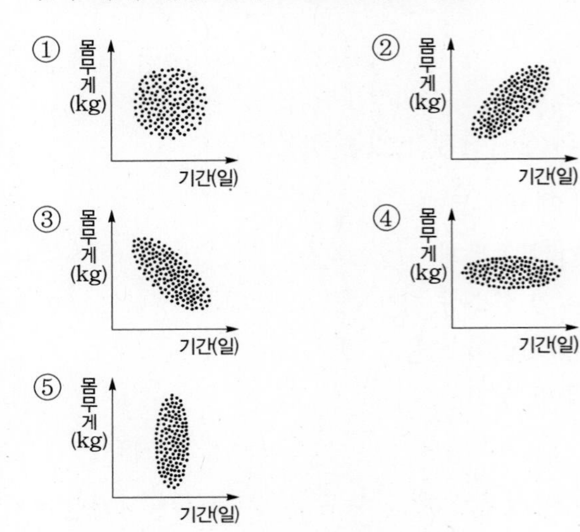

3

다음 중 오른쪽 산점도와 같은 상관관계를 갖는 것을 모두 고르면? (정답 2개)

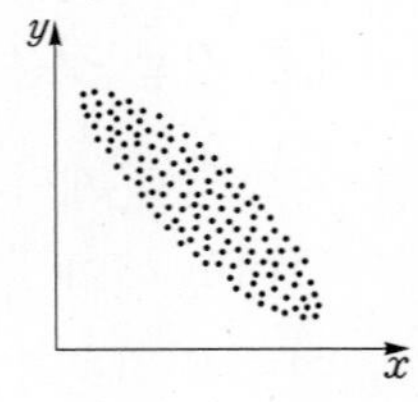

① 암기력과 가창력
② 나이와 TV 시청시간
③ 불을 켠 시간과 남은 초의 길이
④ 하루 중 낮의 길이와 밤의 길이
⑤ 택시 운행 거리와 요금

서술형

[4~5] 오른쪽 그림은 어느 반 학생 15명의 영어 듣기 평가 1차 성적과 2차 성적 대한 산점도이다. 다음 물음에 답하시오.

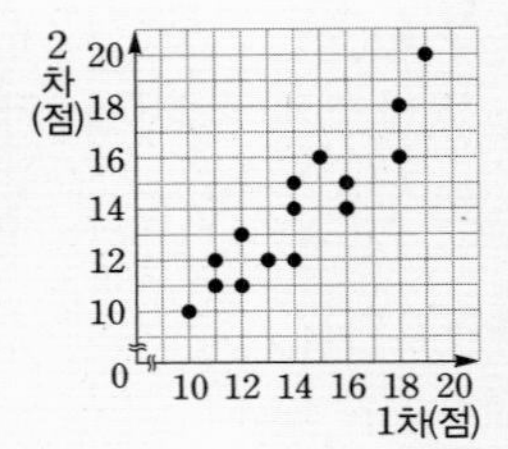

4

1차 성적과 2차 성적이 같은 학생 수를 a, 1차 성적과 2차 성적이 모두 14점 이하인 학생 수를 b라 할 때, $a+b$의 값을 구하기 위한 풀이 과정을 쓰고 답을 구하시오.

5

1차 성적과 2차 성적의 합이 30점 이상인 학생은 전체의 몇 %인지를 구하기 위한 풀이 과정을 쓰고 답을 구하시오.

대단원 마무리

III. 통계

1 다음 자료의 평균과 최빈값이 모두 1일 때, xy의 값은? (단, $x<y$이고, x, y는 정수이다.)

1	-4	x	3	6	y	-7

① -3 ② -1 ③ 1
④ 5 ⑤ 7

서술형

2 다음 표는 수박 4통의 무게와 각각의 편차를 조사하여 나타낸 것이다. $x+y$의 값을 구하기 위한 풀이 과정을 쓰고 답을 구하시오.

수박	A	B	C	D
무게(kg)	8.7	x	8.1	6.8
편차(kg)	0.9	y	0.3	-1

3 다음 설명 중 옳지 않은 것을 모두 고르면? (정답 2개)

① 편차의 총합은 항상 0이다.
② 평균보다 작은 변량의 편차는 양수이다.
③ 편차의 절댓값이 클수록 변량은 평균으로부터 멀리 떨어져 있다.
④ 분산은 편차의 평균이다.
⑤ 표준편차가 작을수록 변량들은 평균 주위에 몰려 있다.

4 다음 표는 농구 선수 5명의 한 경기에서의 득점을 조사하여 나타낸 것이다. 득점의 분산과 표준편차를 각각 구하시오.

농구 선수	A	B	C	D	E
득점(점)	21	33	19	22	20

5 5개의 변량 4, 7, 8, 4, x의 평균이 6일 때, 표준편차는?

① $\sqrt{2}$ ② $\sqrt{2.2}$ ③ $\sqrt{2.5}$
④ $\sqrt{2.8}$ ⑤ $\sqrt{3}$

6 학생 6명의 몸무게의 평균은 50 kg이고 분산은 10이다. 이 6명의 학생 중에서 몸무게가 50 kg인 학생 한 명이 전학을 갔을 때, 나머지 학생 5명의 몸무게의 분산은?

① 11 ② 12 ③ 13
④ 14 ⑤ 15

서술형

7 3개의 변량 a, b, c의 평균이 10이고, 표준편차가 3일 때, 3개의 변량 $2a+1$, $2b+1$, $2c+1$의 표준편차를 구하기 위한 풀이 과정을 쓰고 답을 구하시오.

8 다음 표는 학생 5명의 방학 중 수면 시간의 평균과 표준편차를 조사하여 나타낸 것이다. 방학 중 수면 시간이 가장 불규칙했던 학생은?

학생	A	B	C	D	E
평균(시간)	6	5	8	7	9
표준편차(시간)	0.7	1	1.5	2	1.4

① A ② B ③ C
④ D ⑤ E

9 다음 그림은 점수가 쓰여 있는 다트판에 미주와 선민이가 각각 다트를 10개씩 던져서 얻은 점수이다. 미주와 선민이 중 점수의 분포 상태가 더 고른 사람을 구하시오.

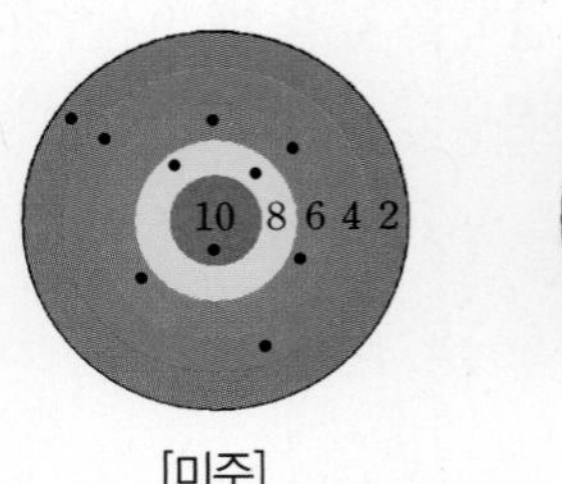

[미주]

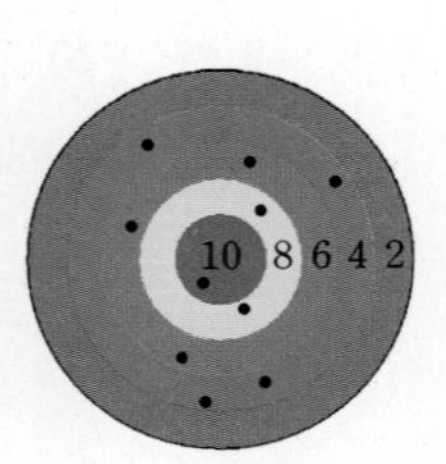

[선민]

[10~13] 오른쪽 그림은 라원이네 반 학생 20명의 수학 성적과 과학 성적에 대한 상관도이다. 다음 물음에 답하시오.

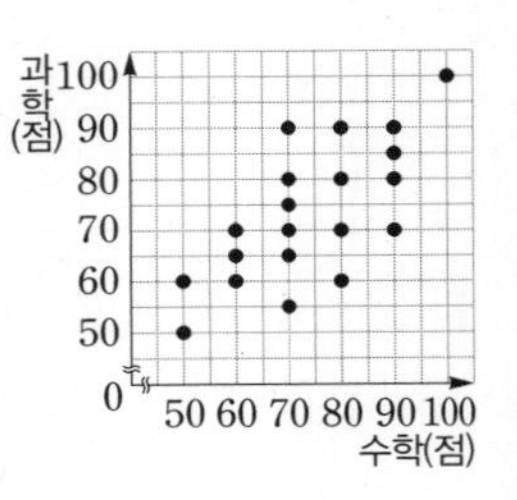

10 수학 성적과 과학 성적이 같은 학생 수는?

① 4명 ② 5명 ③ 6명
④ 7명 ⑤ 8명

11 수학 성적보다 과학 성적이 우수한 학생은 전체의 몇 %인가?

① 20 % ② 25 % ③ 30 %
④ 35 % ⑤ 40 %

12 수학 성적과 과학 성적이 모두 70점 이하인 학생 수는?

① 4명 ② 5명 ③ 6명
④ 7명 ⑤ 8명

13 수학 성적이 80점인 학생들의 과학 성적의 평균은?

① 60점 ② 65점 ③ 70점
④ 75점 ⑤ 80점

삼각비의 표

각도	사인(sin)	코사인(cos)	탄젠트(tan)
0°	0	1	0
1°	0.0175	0.9998	0.0175
2°	0.0349	0.9994	0.0349
3°	0.0523	0.9986	0.0524
4°	0.0698	0.9976	0.0699
5°	0.0872	0.9962	0.0875
6°	0.1045	0.9945	0.1051
7°	0.1219	0.9925	0.1228
8°	0.1392	0.9903	0.1405
9°	0.1564	0.9877	0.1584
10°	0.1736	0.9848	0.1763
11°	0.1908	0.9816	0.1944
12°	0.2079	0.9781	0.2126
13°	0.2250	0.9744	0.2309
14°	0.2419	0.9703	0.2493
15°	0.2588	0.9659	0.2679
16°	0.2756	0.9613	0.2867
17°	0.2924	0.9563	0.3057
18°	0.3090	0.9511	0.3249
19°	0.3256	0.9455	0.3443
20°	0.3420	0.9397	0.3640
21°	0.3584	0.9336	0.3839
22°	0.3746	0.9272	0.4040
23°	0.3907	0.9205	0.4245
24°	0.4067	0.9135	0.4452
25°	0.4226	0.9063	0.4663
26°	0.4384	0.8988	0.4877
27°	0.4540	0.8910	0.5095
28°	0.4695	0.8829	0.5317
29°	0.4848	0.8746	0.5543
30°	0.5000	0.8660	0.5774
31°	0.5150	0.8572	0.6009
32°	0.5299	0.8480	0.6249
33°	0.5446	0.8387	0.6494
34°	0.5592	0.8290	0.6745
35°	0.5736	0.8192	0.7002
36°	0.5878	0.8090	0.7265
37°	0.6018	0.7986	0.7536
38°	0.6157	0.7880	0.7813
39°	0.6293	0.7771	0.8098
40°	0.6428	0.7660	0.8391
41°	0.6561	0.7547	0.8693
42°	0.6691	0.7431	0.9004
43°	0.6820	0.7314	0.9325
44°	0.6947	0.7193	0.9657
45°	0.7071	0.7071	1.0000

각도	사인(sin)	코사인(cos)	탄젠트(tan)
46°	0.7193	0.6947	1.0355
47°	0.7314	0.6820	1.0724
48°	0.7431	0.6691	1.1106
49°	0.7547	0.6561	1.1504
50°	0.7660	0.6428	1.1918
51°	0.7771	0.6293	1.2349
52°	0.7880	0.6157	1.2799
53°	0.7986	0.6018	1.3270
54°	0.8090	0.5878	1.3764
55°	0.8192	0.5736	1.4281
56°	0.8290	0.5592	1.4826
57°	0.8387	0.5446	1.5399
58°	0.8480	0.5299	1.6003
59°	0.8572	0.5150	1.6643
60°	0.8660	0.5000	1.7321
61°	0.8746	0.4848	1.8040
62°	0.8829	0.4695	1.8807
63°	0.8910	0.4540	1.9626
64°	0.8988	0.4384	2.0503
65°	0.9063	0.4226	2.1445
66°	0.9135	0.4067	2.2460
67°	0.9205	0.3907	2.3559
68°	0.9272	0.3746	2.4751
69°	0.9336	0.3584	2.6051
70°	0.9397	0.3420	2.7475
71°	0.9455	0.3256	2.9042
72°	0.9511	0.3090	3.0777
73°	0.9563	0.2924	3.2709
74°	0.9613	0.2756	3.4874
75°	0.9659	0.2588	3.7321
76°	0.9703	0.2419	4.0108
77°	0.9744	0.2250	4.3315
78°	0.9781	0.2079	4.7046
79°	0.9816	0.1908	5.1446
80°	0.9848	0.1736	5.6713
81°	0.9877	0.1564	6.3138
82°	0.9903	0.1392	7.1154
83°	0.9925	0.1219	8.1443
84°	0.9945	0.1045	9.5144
85°	0.9962	0.0872	11.4301
86°	0.9976	0.0698	14.3007
87°	0.9986	0.0523	19.0811
88°	0.9994	0.0349	28.6363
89°	0.9998	0.0175	57.2900
90°	1.0000	0.0000	

빠른 정답 찾기

개념북

Ⅰ 삼각비

1 삼각비

개념확인 1 삼각비의 뜻 개념북 10쪽

1 (1) $\frac{\sqrt{5}}{3}$ (2) $\frac{2}{3}$ (3) $\frac{\sqrt{5}}{2}$

2 (1) 12

(2) $\sin C=\frac{12}{13}$, $\cos C=\frac{5}{13}$, $\tan C=\frac{12}{5}$

개념적용 개념북 11쪽

1 $\frac{15}{17}$ 1-1 $\frac{2\sqrt{10}}{5}$

2 $2\sqrt{15}$ cm 2-1 10

3 $\frac{\sqrt{11}}{5}$ 3-1 $\frac{\sqrt{7}}{4}$

4 $\frac{3}{5}$ 4-1 $\frac{23}{17}$

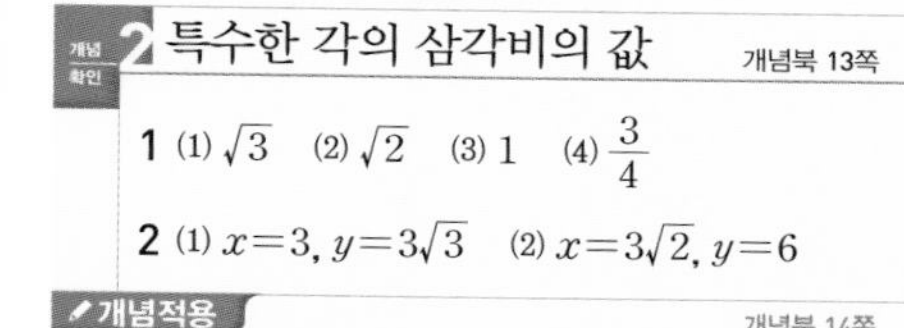

개념확인 2 특수한 각의 삼각비의 값 개념북 13쪽

1 (1) $\sqrt{3}$ (2) $\sqrt{2}$ (3) 1 (4) $\frac{3}{4}$

2 (1) $x=3$, $y=3\sqrt{3}$ (2) $x=3\sqrt{2}$, $y=6$

개념적용 개념북 14쪽

1 (1) $\frac{1}{2}$ (2) $\frac{1}{2}$ (3) 1 (4) $\frac{7}{2}$

1-1 (1) $\frac{\sqrt{2}}{4}$ (2) $2\sqrt{2}$ (3) 1

2 35° 2-1 30°

3 $x=\sqrt{6}$, $y=\sqrt{6}$ 3-1 $3\sqrt{6}$ cm

4 60° 4-1 1

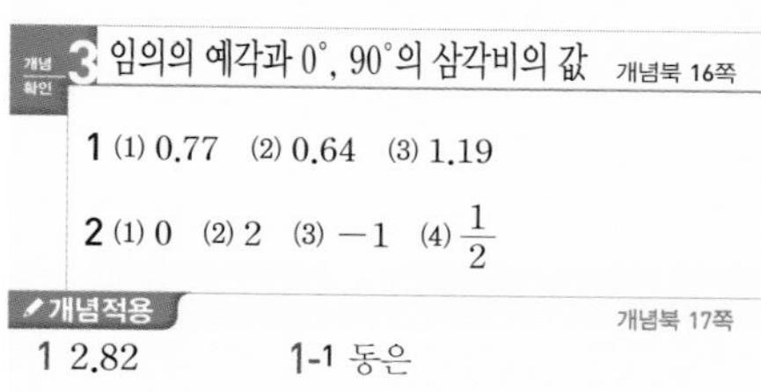

개념확인 3 임의의 예각과 0°, 90°의 삼각비의 값 개념북 16쪽

1 (1) 0.77 (2) 0.64 (3) 1.19

2 (1) 0 (2) 2 (3) -1 (4) $\frac{1}{2}$

개념적용 개념북 17쪽

1 2.82 1-1 동은

2 (1) $\frac{1}{2}$ (2) $\frac{\sqrt{3}}{2}$ (3) 1

2-1 (1) 0 (2) 1 (3) $\frac{1}{4}$

개념확인 4 삼각비의 표 개념북 18쪽

1 (1) 0.4226 (2) 0.8829 (3) 0.4877

2 (1) 55 (2) 54 (3) 56

개념적용 개념북 19쪽

1 (1) 1.6477 (2) 86° 1-1 승훈

2 134.50 2-1 2.8008

개념완성 기본 문제 개념북 22~23쪽

1 ③ 2 ① 3 ③ 4 $\frac{\sqrt{3}+\sqrt{6}}{6}$

5 ③ 6 $4\sqrt{2}$ cm 7 1 8 ②, ④

9 (1) = (2) < (3) > 10 ⑤ 11 78°

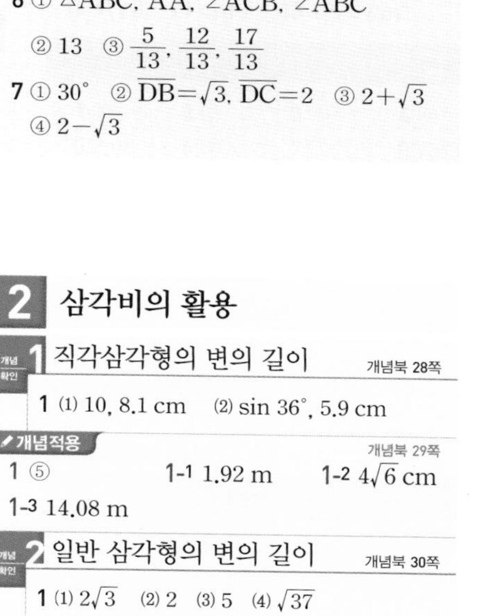

개념완성 발전 문제 개념북 24~25쪽

1 $\frac{2}{3}$ 2 ⑤ 3 ③ 4 ③

5 $\frac{3\sqrt{3}}{8}$

6 ① △ABC, AA, ∠ACB, ∠ABC

② 13 ③ $\frac{5}{13}$, $\frac{12}{13}$, $\frac{17}{13}$

7 ① 30° ② $\overline{DB}=\sqrt{3}$, $\overline{DC}=2$ ③ $2+\sqrt{3}$

④ $2-\sqrt{3}$

2 삼각비의 활용

개념확인 1 직각삼각형의 변의 길이 개념북 28쪽

1 (1) 10, 8.1 cm (2) sin 36°, 5.9 cm

개념적용 개념북 29쪽

1 ⑤ 1-1 1.92 m 1-2 $4\sqrt{6}$ cm

1-3 14.08 m

개념확인 2 일반 삼각형의 변의 길이 개념북 30쪽

1 (1) $2\sqrt{3}$ (2) 2 (3) 5 (4) $\sqrt{37}$

2 (1) 6 (2) 60° (3) $4\sqrt{3}$

개념적용 개념북 31쪽

1 $5\sqrt{2}$ cm 1-1 $\sqrt{7}$ km

2 $20\sqrt{2}$ 2-1 $9\sqrt{2}$ m

개념확인 3 삼각형의 높이 개념북 32쪽

1 (1) $\frac{\sqrt{3}}{3}h$ (2) $\sqrt{3}h$ (3) $\sqrt{3}$

개념적용 개념북 33쪽

1 $20(3-\sqrt{3})$ m 1-1 $25(\sqrt{3}-1)$

2 $6(\sqrt{3}+1)$ cm 2-1 $10\sqrt{3}$ m

개념확인 4 삼각형의 넓이 개념북 34쪽

1 (1) 20 cm² (2) $\frac{35\sqrt{2}}{4}$ cm²

2 (1) $5\sqrt{2}$ cm² (2) $3\sqrt{3}$ cm²

개념적용 개념북 35쪽

1 9 cm² 1-1 8 cm

2 ③ 2-1 150°

3 $96\sqrt{3}$ cm² 3-1 $72\sqrt{2}$ cm²

4 ③ 4-1 $100\sqrt{3}$ cm²

개념확인 5 사각형의 넓이 개념북 37쪽

1 (1) $40\sqrt{3}$ cm² (2) $14\sqrt{2}$ cm²

2 (1) $30\sqrt{2}$ cm² (2) $60\sqrt{3}$ cm²

개념적용 개념북 38쪽

1 6 cm² 1-1 6 cm 1-2 45°

2 $9\sqrt{2}$ cm² 2-1 60° 2-2 24 cm

개념완성 기본 문제 개념북 44~46쪽

1 ④ 2 ② 3 ⑤

4 $\sqrt{58}$ cm 5 ② 6 ③

7 $3(3-\sqrt{3})$ cm 8 ③ 9 ⑤

10 ② 11 ② 12 120°

13 $(72\pi-36\sqrt{3})$ cm² 14 ②

15 $13\sqrt{3}$ cm² 16 ④ 17 12 cm²

18 ③

개념완성 발전 문제 개념북 47~48쪽

1 $\overline{MN}=\sqrt{2}$, $\sin x=\frac{\sqrt{3}}{3}$

2 $\frac{80\sqrt{3}}{3}$ m 3 $3\sqrt{7}$ km

4 $(9+3\sqrt{3}+3\sqrt{6})$ cm

5 $10\sqrt{5}$ cm

6 ① sin 60°, $20\sqrt{3}$

② sin 30°, $2\overline{AD}$, sin 30°, $\frac{5}{2}\overline{AD}$

③ $20\sqrt{3}$, $\frac{9}{2}$, $\frac{40\sqrt{3}}{9}$

7 ① $\frac{100\sqrt{3}}{3}$ m ② $100\sqrt{3}$ m ③ $\frac{200\sqrt{3}}{3}$ m

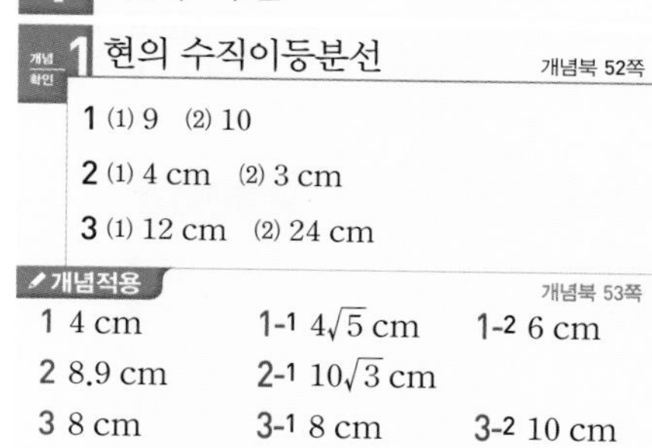

Ⅱ 식의 계산

1 원과 직선

개념확인 1 현의 수직이등분선 개념북 52쪽

1 (1) 9 (2) 10

2 (1) 4 cm (2) 3 cm

3 (1) 12 cm (2) 24 cm

개념적용 개념북 53쪽

1 4 cm 1-1 $4\sqrt{5}$ cm 1-2 6 cm

2 8.9 cm 2-1 $10\sqrt{3}$ cm

3 8 cm 3-1 8 cm 3-2 10 cm

4 $6\sqrt{3}$ cm 4-1 4 cm

개념확인 2 현의 길이 개념북 55쪽

1 (1) 6 (2) 3 (3) 10 (4) 7

2 65°

개념적용 개념북 56쪽

1 $6\sqrt{3}$ cm 1-1 $6\sqrt{2}$ cm 1-2 12 cm²

2 50° 2-1 $16\sqrt{3}$ cm²

개념확인 3 원과 접선 개념북 57쪽

1 (1) 60° (2) 100°

2 (1) $2\sqrt{3}$ cm (2) 4 cm

개념적용 개념북 58쪽

1 9 cm 1-1 9π cm²

2 25° 2-1 $2\sqrt{10}$ cm

2-2 $36\sqrt{3}$ cm²

3 2 cm 3-1 28 cm 3-2 2 km

4 $2\sqrt{15}$ cm 4-1 4 cm

개념확인 4 삼각형의 내접원 개념북 60쪽

1 (1) 6 cm (2) 3 cm (3) 9 cm

2 (1) $(12-x)$ cm (2) $(9-x)$ cm (3) 4

개념적용 개념북 61쪽

1 8 cm 1-1 5 cm

2 1 cm 2-1 3 cm

개념확인 5 외접사각형의 성질 개념북 62쪽

1 (1) 10 (2) 3 2 14 cm 3 4 cm

개념적용 개념북 63쪽

1 42 cm 1-1 9 cm 1-2 13 cm

1-3 45 cm² 1-4 1200 m

개념완성 기본 문제 개념북 66~67쪽

1 ⑤ 2 ② 3 ⑤ 4 15 cm
5 ④ 6 63° 7 $9\sqrt{2}$ cm
8 ⑤ 9 ④ 10 5 cm 11 ④
12 4 cm

개념완성 발전 문제 개념북 68~69쪽

1 3 cm 2 $6\sqrt{3}$ cm 3 $5\sqrt{6}$ cm² 4 4π cm
5 6 cm
6 ① $(8-x)$ cm, $(9-x)$ cm
② $(8-x)$, $(9-x)$, $-2x+17$, 6
③ $\overline{IE}$, $\overline{BE}$, 2, 12 cm
7 ① 7 cm ② $\dfrac{3\sqrt{5}}{2}$ cm

2 원주각

개념확인 1 원주각과 중심각의 크기 개념북 72쪽

1 (1) 120° (2) 40° (3) 160°
2 $\angle x=140°$, $\angle y=110°$

개념적용 개념북 73쪽

1 110° 1-1 20 m
2 56° 2-1 114°

개념확인 2 원주각의 성질 개념북 74쪽

1 (1) 35° (2) 40°
2 (1) 90° (2) 65°

개념적용 개념북 75쪽

1 15° 1-1 55°
2 60° 2-1 34°

개념확인 3 원주각의 크기와 호의 길이 개념북 76쪽

1 (1) 35 (2) 5
2 (1) 60 (2) 3

개념적용 개념북 77쪽

1 60° 1-1 26°
2 50° 2-1 14 cm 2-2 36°

개념확인 4 네 점이 한 원 위에 있을 조건 개념북 78쪽

1 ㄱ, ㄴ, ㄹ
2 (1) 120° (2) 40°

개념적용 개념북 79쪽

1 ② 1-1 105° 1-2 40°
1-3 25°

개념확인 5 원에 내접하는 사각형의 성질 개념북 80쪽

1 (1) $\angle x=95°$, $\angle y=80°$
(2) $\angle x=115°$, $\angle y=65°$
2 (1) $\angle x=110°$, $\angle y=120°$
(2) $\angle x=60°$, $\angle y=115°$

개념적용 개념북 81쪽

1 95° 1-1 108°
2 80° 2-1 동혁
3 53° 3-1 40°
4 215° 4-1 80°

개념확인 6 사각형이 원에 내접하기 위한 조건 개념북 83쪽

1 ①, ④
2 $\angle x=100°$, $\angle y=105°$

개념적용 개념북 84쪽

1 ② 1-1 ㄴ, ㄷ, ㅁ 1-2 ④
1-3 $\angle x=35°$, $\angle y=70°$

개념확인 7 접선과 현이 이루는 각 개념북 85쪽

1 (1) $\angle x=80°$, $\angle y=45°$
(2) $\angle x=48°$, $\angle y=42°$
2 88°

개념적용 개념북 86쪽

1 48° 1-1 210°
2 $\angle x=25°$, $\angle y=40°$ 2-1 30°
3 67° 3-1 15° 3-2 50°
3-3 50°

개념확인 8 두 원에서 접선과 현이 이루는 각 개념북 88쪽

1 (1) 35° (2) 35° (3) 35°
2 (1) 80° (2) 80°

개념적용 개념북 89쪽

1 $\angle x=45°$, $\angle y=70°$
1-1 ①, ④ 1-2 55° 1-3 60°

개념완성 기본 문제 개념북 92~94쪽

1 ② 2 ③ 3 ④ 4 ⑤
5 54° 6 50° 7 90° 8 65°
9 ③ 10 ⑤ 11 ④ 12 ③
13 ④ 14 ⑤ 15 ④ 16 ②

개념완성 발전 문제 개념북 95~96쪽

1 1600π m² 2 25° 3 52°
4 ③ 5 ⑤
6 ① 지름, 90°
② 12, $3\sqrt{7}$
③ $\dfrac{3\sqrt{7}}{7}$
7 ① 60° ② 6 cm ③ 9π cm²

Ⅲ 통계

1 대푯값과 산포도

개념확인 1 대푯값과 평균 개념북 100쪽

1 165 cm

개념적용 개념북 101쪽

1 61점 1-1 ③ 1-2 ④
1-3 64.5 kg

개념확인 2 중앙값 개념북 102쪽

1 (1) 18 (2) 125, 150, 137.5
2 80점

개념적용 개념북 103쪽

1 14.5 1-1 (1) 17 (2) 15.5회
2 11 2-1 59

개념확인 3 최빈값 개념북 104쪽

1 2, 3, 1, 16
2 (1) 28 (2) 없다. (3) 7, 12 (4) 축구

개념적용 개념북 105쪽

1 ① 1-1 52 kg, 55 kg
2 8.8 2-1 13회

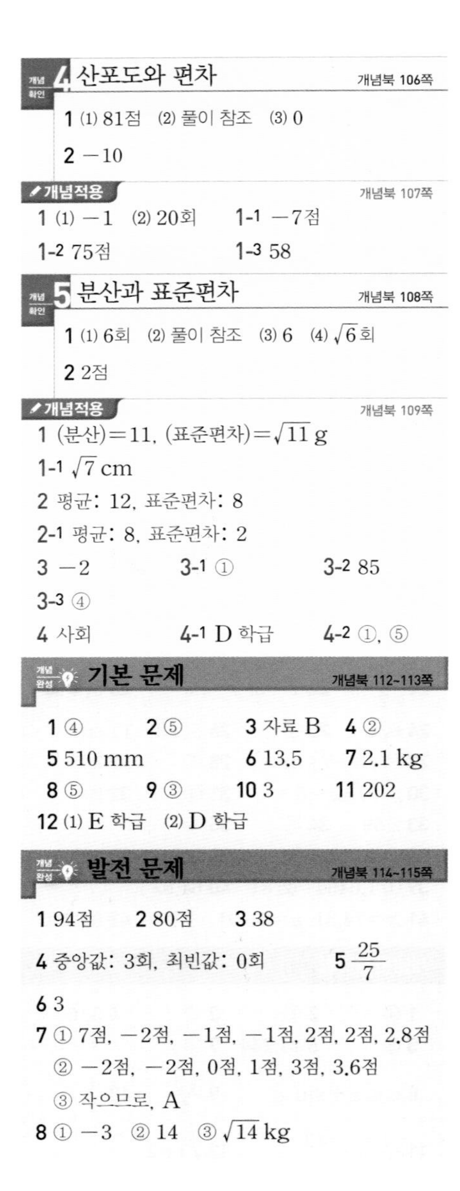

개념확인 4 산포도와 편차 개념북 106쪽

1 (1) 81점 (2) 풀이 참조 (3) 0
2 -10

개념적용 개념북 107쪽

1 (1) -1 (2) 20회 1-1 -7점
1-2 75점 1-3 58

개념확인 5 분산과 표준편차 개념북 108쪽

1 (1) 6회 (2) 풀이 참조 (3) 6 (4) $\sqrt{6}$회
2 2점

개념적용 개념북 109쪽

1 (분산)$=11$, (표준편차)$=\sqrt{11}$ g
1-1 $\sqrt{7}$ cm
2 평균: 12, 표준편차: 8
2-1 평균: 8, 표준편차: 2
3 -2 3-1 ① 3-2 85
3-3 ④
4 사회 4-1 D 학급 4-2 ①, ⑤

개념완성 기본 문제 개념북 112~113쪽

1 ④ 2 ⑤ 3 자료 B 4 ②
5 510 mm 6 13.5 7 2.1 kg
8 ⑤ 9 ③ 10 3 11 202
12 (1) E 학급 (2) D 학급

개념완성 발전 문제 개념북 114~115쪽

1 94점 2 80점 3 38
4 중앙값: 3회, 최빈값: 0회 5 $\dfrac{25}{7}$
6 3
7 ① 7점, -2점, -1점, -1점, 2점, 2점, 2.8점
② -2점, -2점, 0점, 1점, 3점, 3.6점
③ 작으므로, A
8 ① -3 ② 14 ③ $\sqrt{14}$ kg

2 상관관계

개념확인 1 산점도와 상관관계 개념북 118쪽

1 (1) 풀이 참조 (2) B
2 (1) 음의 상관관계 (2) 상관관계가 없다.
(3) 양의 상관관계

개념적용 개념북 119쪽

1 B 1-1 ②, ③
2 (1) 6명 (2) 5명 (3) 85점 (4) 20 %
2-1 (1) 30 % (2) 8명
3 (1) ㄴ (2) ㄷ (3) ㄱ
3-1 (1) ㄷ, ㄹ, ㅁ (2) ㅅ, ㅇ (3) ㄱ, ㄴ, ㅂ
3-2 ⑤

개념완성 기본 문제 개념북 121쪽

1 ⑤ 2 ③, ④ 3 ② 4 ④
5 ④ 6 ③

개념완성 발전 문제 개념북 122~123쪽

1 ④ 2 ③ 3 ③ 4 ⑤
5 ④ 6 ④
7 ① 6명 ② 6, 90, 2, 85, 1, 80, 2, 75, 1
③ 75
8 ① 3명 ② 15 %

수학은 개념이다!

디딤돌의 중학 수학 시리즈는
여러분의 수학 자신감을 높여 줍니다.

개념 이해
디딤돌수학 개념연산

다양한 이미지와 단계별 접근을 통해
개념이 쉽게 이해되는 교재

개념 적용
디딤돌수학 개념기본

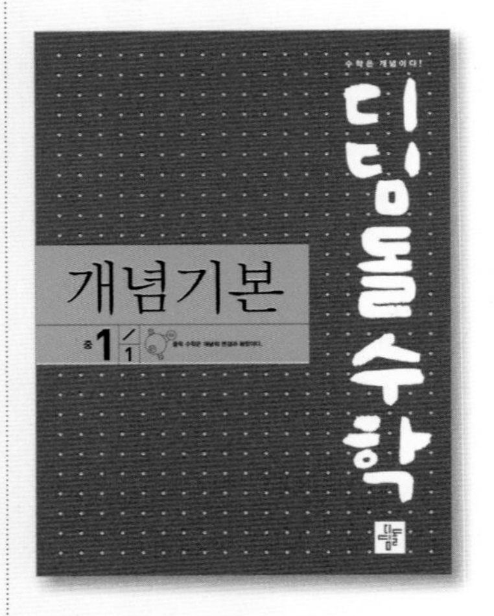

개념 이해, 개념 적용, 개념 완성으로
개념에 강해질 수 있는 교재

개념 응용
최상위수학 라이트

개념을 다양하게 응용하여
문제해결력을 키워주는 교재

개념 완성

디딤돌수학 개념연산과 개념기본은 동일한 학습 흐름으로 구성되어 있습니다.
연계 학습이 가능한 개념연산과 개념기본을 통해
중학 수학 개념을 완성할 수 있습니다.

수학은 개념이다!

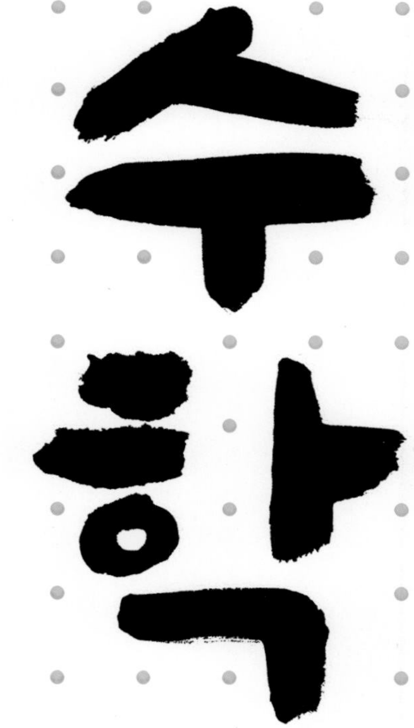

개념기본

중 3/2 정답과 풀이

'아! 이걸 묻는거구나' 출제의 의도를
단박에 알게해주는 정답과 풀이

디딤돌

수학은 개념이다!

디딤돌수학

개념기본

중3 1/2

개념북 정답과 풀이

'아! 이걸 묻는거구나' 출제의 의도를 단박에 알게해주는 정답과 풀이

I 삼각비

1 삼각비

1 삼각비의 뜻 개념북 10쪽

1 (1) $\frac{\sqrt{5}}{3}$ (2) $\frac{2}{3}$ (3) $\frac{\sqrt{5}}{2}$

2 (1) 12 (2) $\sin C=\frac{12}{13}$, $\cos C=\frac{5}{13}$, $\tan C=\frac{12}{5}$

1 (1) $\sin A=\frac{\overline{BC}}{\overline{AC}}=\frac{\sqrt{5}}{3}$ (2) $\cos A=\frac{\overline{AB}}{\overline{AC}}=\frac{2}{3}$

(3) $\tan A=\frac{\overline{BC}}{\overline{AB}}=\frac{\sqrt{5}}{2}$

2 (1) △ABC에서 피타고라스 정리에 의해

$\overline{AB}=\sqrt{13^2-5^2}=\sqrt{144}=12$

(2) $\sin C=\frac{\overline{AB}}{\overline{AC}}=\frac{12}{13}$, $\cos C=\frac{\overline{BC}}{\overline{AC}}=\frac{5}{13}$,

$\tan C=\frac{\overline{AB}}{\overline{BC}}=\frac{12}{5}$

삼각비의 값 개념북 11쪽

1 $\frac{15}{17}$ **1-1** $\frac{2\sqrt{10}}{5}$

1 피타고라스 정리에 의해 $\overline{BC}=\sqrt{17^2-15^2}=\sqrt{64}=8$이므로

$\sin A=\frac{\overline{BC}}{\overline{AC}}=\frac{8}{17}$, $\tan C=\frac{\overline{AB}}{\overline{BC}}=\frac{15}{8}$

$\therefore \sin A\times\tan C=\frac{8}{17}\times\frac{15}{8}=\frac{15}{17}$

1-1 피타고라스 정리에 의해 $\overline{AB}=\sqrt{9^2+3^2}=3\sqrt{10}$이므로

$\sin A=\frac{\overline{BC}}{\overline{AB}}=\frac{3}{3\sqrt{10}}=\frac{\sqrt{10}}{10}$,

$\cos A=\frac{\overline{AC}}{\overline{AB}}=\frac{9}{3\sqrt{10}}=\frac{3\sqrt{10}}{10}$

$\therefore \sin A+\cos A=\frac{\sqrt{10}}{10}+\frac{3\sqrt{10}}{10}=\frac{2\sqrt{10}}{5}$

삼각비의 값이 주어질 때, 변의 길이 개념북 11쪽

2 $2\sqrt{15}$ cm **2-1** 10

2 △ABC에서 $\sin A=\frac{\overline{BC}}{8}=\frac{1}{4}$ $\therefore \overline{BC}=2$ cm

따라서 피타고라스 정리에 의해

$\overline{AB}=\sqrt{8^2-2^2}=2\sqrt{15}$(cm)

2-1 △ABC에서 $\tan C=\frac{\overline{AB}}{6}=\frac{4}{3}$ $\therefore \overline{AB}=8$

따라서 피타고라스 정리에 의해 $\overline{AC}=\sqrt{8^2+6^2}=10$

한 삼각비의 값이 주어질 때, 다른 삼각비의 값 개념북 12쪽

3 $\frac{\sqrt{11}}{5}$ **3-1** $\frac{\sqrt{7}}{4}$

3 $\cos A=\frac{5}{6}$이므로 오른쪽 그림의 직각삼각형 ABC에서 피타고라스 정리에 의해 $\overline{BC}=\sqrt{6^2-5^2}=\sqrt{11}$

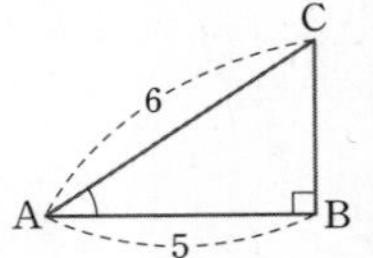

$\therefore \tan A=\frac{\overline{BC}}{\overline{AB}}=\frac{\sqrt{11}}{5}$

3-1 $\sin B=\frac{3}{4}$이므로 오른쪽 그림의 직각삼각형 ABC에서 피타고라스 정리에 의해

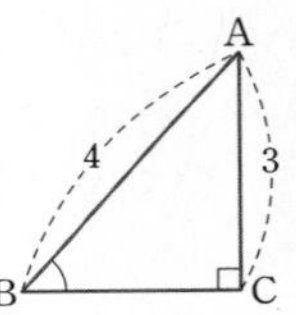

$\overline{BC}=\sqrt{4^2-3^2}=\sqrt{7}$

$\therefore \cos B=\frac{\overline{BC}}{\overline{AB}}=\frac{\sqrt{7}}{4}$

직각삼각형의 닮음과 삼각비 개념북 12쪽

4 $\frac{3}{5}$ **4-1** $\frac{23}{17}$

4 피타고라스 정리에 의해

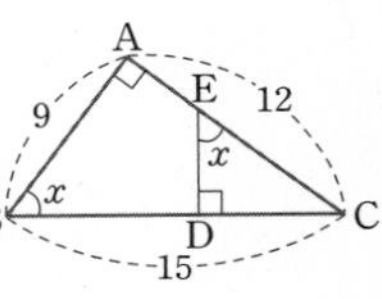

$\overline{BC}=\sqrt{9^2+12^2}=\sqrt{225}=15$

△ABC와 △DEC에서

∠BAC=∠EDC=90°이고, ∠C는 공통이므로 △ABC ∽ △DEC (AA 닮음)

∴ ∠ABC=∠DEC

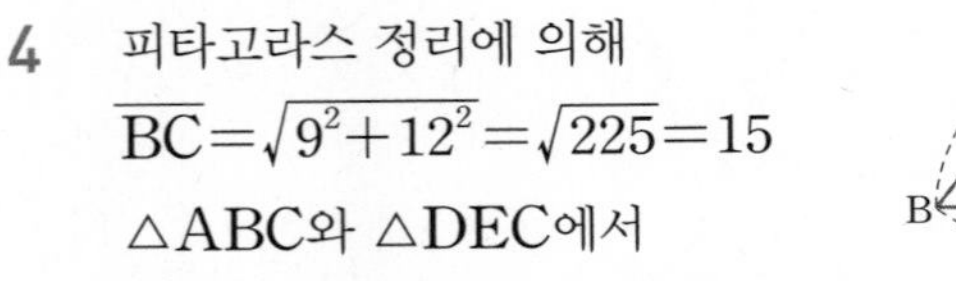

따라서 △ABC에서 $\cos x=\frac{\overline{AB}}{\overline{BC}}=\frac{9}{15}=\frac{3}{5}$

4-1 피타고라스 정리에 의해

$\overline{AB}=\sqrt{8^2+15^2}=\sqrt{289}=17$

$\triangle ABC$와 $\triangle ACD$에서

$\angle ACB=\angle ADC=90^\circ$이고, $\angle A$는 공통이므로

$\triangle ABC \backsim \triangle ACD$ (AA 닮음)

$\therefore \angle ABC=\angle ACD$

따라서 $\triangle ABC$에서

$\sin x+\cos x=\dfrac{\overline{AC}}{\overline{AB}}+\dfrac{\overline{BC}}{\overline{AB}}=\dfrac{15}{17}+\dfrac{8}{17}=\dfrac{23}{17}$

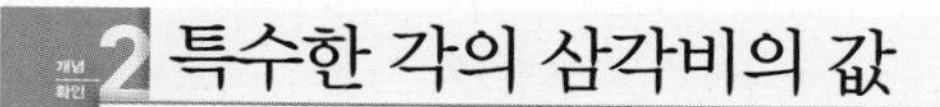

개념 확인 2 특수한 각의 삼각비의 값

개념북 13쪽

1 (1) $\sqrt{3}$ (2) $\sqrt{2}$ (3) 1 (4) $\dfrac{3}{4}$

2 (1) $x=3$, $y=3\sqrt{3}$ (2) $x=3\sqrt{2}$, $y=6$

1 (1) $\sin 60^\circ+\cos 30^\circ=\dfrac{\sqrt{3}}{2}+\dfrac{\sqrt{3}}{2}=\sqrt{3}$

(2) $\sin 45^\circ\div\cos 60^\circ=\dfrac{\sqrt{2}}{2}\div\dfrac{1}{2}=\sqrt{2}$

(3) $\tan 30^\circ\times\tan 60^\circ=\dfrac{\sqrt{3}}{3}\times\sqrt{3}=1$

(4) $\tan^2 45^\circ+\sin^2 30^\circ-\cos^2 45^\circ$

$=1^2+\left(\dfrac{1}{2}\right)^2-\left(\dfrac{\sqrt{2}}{2}\right)^2$

$=1+\dfrac{1}{4}-\dfrac{2}{4}=\dfrac{3}{4}$

2 (1) $\sin 30^\circ=\dfrac{x}{6}$에서 $\dfrac{1}{2}=\dfrac{x}{6}$ $\quad\therefore x=3$

$\cos 30^\circ=\dfrac{y}{6}$에서 $\dfrac{\sqrt{3}}{2}=\dfrac{y}{6}$ $\quad\therefore y=3\sqrt{3}$

(2) $\tan 45^\circ=\dfrac{x}{3\sqrt{2}}$에서 $1=\dfrac{x}{3\sqrt{2}}$ $\quad\therefore x=3\sqrt{2}$

$\cos 45^\circ=\dfrac{3\sqrt{2}}{y}$에서 $\dfrac{\sqrt{2}}{2}=\dfrac{3\sqrt{2}}{y}$ $\quad\therefore y=6$

특수한 각의 삼각비의 값

개념북 14쪽

1 (1) $\dfrac{1}{2}$ (2) $\dfrac{1}{2}$ (3) 1 (4) $\dfrac{7}{2}$

1-1 (1) $\dfrac{\sqrt{2}}{4}$ (2) $2\sqrt{2}$ (3) 1

1 (1) $\tan 45^\circ-\cos 60^\circ=1-\dfrac{1}{2}=\dfrac{1}{2}$

(2) $\sin 60^\circ\times\tan 30^\circ=\dfrac{\sqrt{3}}{2}\times\dfrac{\sqrt{3}}{3}=\dfrac{1}{2}$

(3) $\sin^2 45^\circ+\cos^2 45^\circ=\left(\dfrac{\sqrt{2}}{2}\right)^2+\left(\dfrac{\sqrt{2}}{2}\right)^2=1$

(4) $\sin 30^\circ+\sqrt{3}\tan 60^\circ=\dfrac{1}{2}+\sqrt{3}\times\sqrt{3}=\dfrac{7}{2}$

1-1 (1) $\sin 45^\circ\times\cos 30^\circ\div\tan 60^\circ$

$=\dfrac{\sqrt{2}}{2}\times\dfrac{\sqrt{3}}{2}\div\sqrt{3}=\dfrac{\sqrt{2}}{4}$

(2) $\sqrt{2}\tan 30^\circ\times\tan 60^\circ+2\cos 45^\circ$

$=\sqrt{2}\times\dfrac{\sqrt{3}}{3}\times\sqrt{3}+2\times\dfrac{\sqrt{2}}{2}=2\sqrt{2}$

(3) $\sin 30^\circ\times\cos 60^\circ+\cos 30^\circ\times\sin 60^\circ$

$=\dfrac{1}{2}\times\dfrac{1}{2}+\dfrac{\sqrt{3}}{2}\times\dfrac{\sqrt{3}}{2}=\dfrac{1}{4}+\dfrac{3}{4}=1$

특수한 각의 삼각비의 값이 주어질 때, 각의 크기 구하기

개념북 14쪽

2 35° **2-1** 30°

2 $\sin(2x-25^\circ)=\dfrac{\sqrt{2}}{2}$이므로

$2x-25^\circ=45^\circ$, $2x=70^\circ$ $\quad\therefore x=35^\circ$

2-1 $\cos B=\dfrac{\overline{BC}}{\overline{AB}}=\dfrac{8\sqrt{3}}{16}=\dfrac{\sqrt{3}}{2}$이므로 $\angle B=30^\circ$

특수한 각의 삼각비의 값을 이용하여 변의 길이 구하기

개념북 15쪽

3 $x=\sqrt{6}$, $y=\sqrt{6}$ **3-1** $3\sqrt{6}$ cm

3 $\triangle ABC$에서 $\tan 60^\circ=\dfrac{\overline{BC}}{\overline{AB}}=\dfrac{x}{\sqrt{2}}=\sqrt{3}$ $\quad\therefore x=\sqrt{6}$

$\triangle BCD$에서 $\tan 45^\circ=\dfrac{\overline{BC}}{\overline{CD}}=\dfrac{\sqrt{6}}{y}=1$ $\quad\therefore y=\sqrt{6}$

3-1 $\triangle ABC$에서 $\sin 60^\circ=\dfrac{\overline{AC}}{\overline{AB}}=\dfrac{\overline{AC}}{12}=\dfrac{\sqrt{3}}{2}$

$\therefore \overline{AC}=6\sqrt{3}$ cm

$\triangle ACD$에서 $\sin 45^\circ=\dfrac{\overline{CD}}{\overline{AC}}=\dfrac{\overline{CD}}{6\sqrt{3}}=\dfrac{\sqrt{2}}{2}$

$\therefore \overline{CD}=3\sqrt{6}$ cm

✎ 직선의 기울기와 삼각비 개념북 15쪽

4 60° **4-1** 1

4 오른쪽 그림의 $\triangle$AOB에서

$\tan\theta=\dfrac{\overline{BO}}{\overline{AO}}=$(직선의 기울기)

$=\sqrt{3}$

즉, $\tan\theta=\sqrt{3}$이므로 $\theta=60^\circ$

4-1 오른쪽 그림의 $\triangle$AOB에서

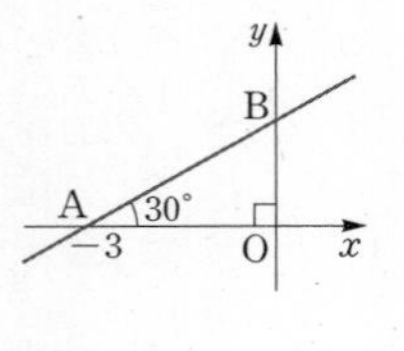

(직선의 기울기)$=\dfrac{\overline{BO}}{\overline{AO}}=\tan 30^\circ$

$=\dfrac{\sqrt{3}}{3}$

$\therefore a=\dfrac{\sqrt{3}}{3}$

즉, $y=\dfrac{\sqrt{3}}{3}x+b$의 그래프가 점 $(-3,\ 0)$을 지나므로

$x=-3,\ y=0$을 대입하면

$0=-\sqrt{3}+b \qquad \therefore b=\sqrt{3}$

$\therefore ab=\dfrac{\sqrt{3}}{3}\times\sqrt{3}=1$

개념 확인 3 임의의 예각과 0°, 90°의 삼각비의 값 개념북 16쪽

1 (1) 0.77 (2) 0.64 (3) 1.19

2 (1) 0 (2) 2 (3) -1 (4) $\dfrac{1}{2}$

1 (1) $\sin 50^\circ=\dfrac{\overline{AB}}{\overline{OA}}=\dfrac{0.77}{1}=0.77$

(2) $\cos 50^\circ=\dfrac{\overline{OB}}{\overline{OA}}=\dfrac{0.64}{1}=0.64$

(3) $\tan 50^\circ=\dfrac{\overline{CD}}{\overline{OD}}=\dfrac{1.19}{1}=1.19$

2 (1) $\sin 0^\circ+\cos 90^\circ=0+0=0$

(2) $\cos 0^\circ+\tan 45^\circ=1+1=2$

(3) $\tan 0^\circ-\sin 90^\circ=0-1=-1$

(4) $\cos 60^\circ\times\sin 90^\circ=\dfrac{1}{2}\times 1=\dfrac{1}{2}$

✎ 임의의 예각의 삼각비의 값 개념북 17쪽

1 2.82 **1-1** 동은

1 $\sin 55^\circ=\dfrac{\overline{AB}}{\overline{OA}}=\dfrac{0.82}{1}=0.82$,

$\cos 55^\circ=\dfrac{\overline{OB}}{\overline{OA}}=\dfrac{0.57}{1}=0.57$,

$\tan 55^\circ=\dfrac{\overline{CD}}{\overline{OD}}=\dfrac{1.43}{1}=1.43$

$\therefore \sin 55^\circ+\cos 55^\circ+\tan 55^\circ$

$=0.82+0.57+1.43=2.82$

1-1 영채: $\sin x=\dfrac{\overline{AB}}{\overline{OA}}=\dfrac{\overline{AB}}{1}=\overline{AB}$

슬기: $\tan x=\dfrac{\overline{CD}}{\overline{OD}}=\dfrac{\overline{CD}}{1}=\overline{CD}$

성오: $\sin y=\dfrac{\overline{OB}}{\overline{OA}}=\dfrac{\overline{OB}}{1}=\overline{OB}$

동은: $\cos y=\dfrac{\overline{AB}}{\overline{OA}}=\dfrac{\overline{AB}}{1}=\overline{AB}$

따라서 바르게 말한 학생은 동은이다.

✎ 0°, 90°의 삼각비의 값 개념북 17쪽

2 (1) $\dfrac{1}{2}$ (2) $\dfrac{\sqrt{3}}{2}$ (3) 1

2-1 (1) 0 (2) 1 (3) $\dfrac{1}{4}$

2 (1) (주어진 식)$=\left(\dfrac{1}{2}+0\right)\times 1=\dfrac{1}{2}$

(2) (주어진 식)$=\dfrac{\sqrt{3}}{2}\times 1+\dfrac{\sqrt{3}}{3}\times 0=\dfrac{\sqrt{3}}{2}$

(3) (주어진 식)$=1\div 1-0\times\dfrac{\sqrt{3}}{2}=1$

2-1 (1) (주어진 식)$=\dfrac{\sqrt{2}}{2}-\dfrac{\sqrt{2}}{2}+0=0$

(2) (주어진 식)$=0\times\sqrt{3}+1\div 1=1$

(3) (주어진 식)$=(1+0^2)\times\left(\dfrac{1}{2}\right)^2-0^2=\dfrac{1}{4}$

개념 확인 4 삼각비의 표

개념북 18쪽

1 (1) 0.4226 (2) 0.8829 (3) 0.4877
2 (1) 55 (2) 54 (3) 56

1 (1) $\sin 25° = 0.4226$
(2) $\cos 28° = 0.8829$
(3) $\tan 26° = 0.4877$

2 (1) $\sin 55° = 0.8192$ $\therefore x = 55$
(2) $\cos 54° = 0.5878$ $\therefore x = 54$
(3) $\tan 56° = 1.4826$ $\therefore x = 56$

삼각비의 표 이해하기

개념북 19쪽

1 (1) 1.6477 (2) 86° **1-1** 승훈

1 (1) $\sin 43° = 0.6820$, $\tan 44° = 0.9657$
$\therefore \sin 43° + \tan 44° = 0.6820 + 0.9657$
$= 1.6477$
(2) $\sin 44° = 0.6947$이므로 $\angle x = 44°$
$\cos 42° = 0.7431$이므로 $\angle y = 42°$
$\therefore \angle x + \angle y = 44° + 42° = 86°$

1-1 가은: $\sin 17° = 0.2924$
승훈: $\tan 19° = 0.3443$이므로 $x = 19$
민지: $\sin 19° = 0.3256$, $\cos 18° = 0.9511$,
$\tan 17° = 0.3057$이므로
$\sin 19° + \cos 18° + \tan 17°$
$= 0.3256 + 0.9511 + 0.3057 = 1.5824$
따라서 바르게 말한 학생은 승훈이다.

삼각비의 표를 이용하여 삼각형의 변의 길이 구하기

개념북 19쪽

2 134.50 **2-1** 2.8008

2 $\sin 63° = \frac{\overline{AC}}{\overline{AB}} = \frac{x}{100} = 0.8910$이므로 $x = 89.10$
$\cos 63° = \frac{\overline{BC}}{\overline{AB}} = \frac{y}{100} = 0.4540$이므로 $y = 45.40$
$\therefore x + y = 89.10 + 45.40 = 134.50$

2-1 $\tan 35° = \frac{\overline{AC}}{\overline{AB}} = \frac{x}{4} = 0.7002$ $\therefore x = 2.8008$

개념 완성 기본 문제

개념북 22~23쪽

1 ③	**2** ①	**3** ③	**4** $\frac{\sqrt{3}+\sqrt{6}}{6}$
5 ③	**6** $4\sqrt{2}$ cm	**7** 1	**8** ②, ④
9 (1) = (2) < (3) >		**10** ⑤	**11** 78°

1 피타고라스 정리에 의해
$\overline{BC} = \sqrt{(2\sqrt{3})^2 - 3^2} = \sqrt{3}$이므로
$\sin A = \frac{\sqrt{3}}{2\sqrt{3}} = \frac{1}{2}$
$\cos A = \frac{3}{2\sqrt{3}} = \frac{\sqrt{3}}{2}$
$\tan A = \frac{\sqrt{3}}{3}$
$\therefore \sin A + \cos A \times \tan A = \frac{1}{2} + \frac{\sqrt{3}}{2} \times \frac{\sqrt{3}}{3}$
$= \frac{1}{2} + \frac{1}{2} = 1$

2 $\triangle ABC$에서 $\cos A = \frac{\overline{AB}}{\overline{AC}} = \frac{\overline{AB}}{6} = \frac{2}{3}$
$\therefore \overline{AB} = 4$
따라서 피타고라스 정리에 의해
$\overline{BC} = \sqrt{6^2 - 4^2} = 2\sqrt{5}$

3 $\sin A = \frac{4}{5}$이므로 오른쪽 그림과 같이 $\angle B = 90°$이고, $\overline{AC} = 5$, $\overline{BC} = 4$인 직각삼각형 ABC를 그릴 수 있다.

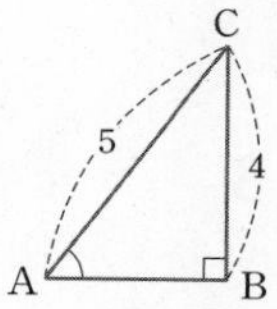

즉, $\overline{AB} = \sqrt{5^2 - 4^2} = 3$이므로
$\cos A = \frac{3}{5}$, $\tan A = \frac{4}{3}$
$\therefore 5\cos A \times \tan A = 5 \times \frac{3}{5} \times \frac{4}{3} = 4$

4 $\cos 60° \times \tan 30° + \sin 45° \div \tan 60°$
$= \frac{1}{2} \times \frac{\sqrt{3}}{3} + \frac{\sqrt{2}}{2} \div \sqrt{3}$
$= \frac{\sqrt{3}}{6} + \frac{\sqrt{2}}{2} \times \frac{1}{\sqrt{3}}$
$= \frac{\sqrt{3}}{6} + \frac{\sqrt{6}}{6}$
$= \frac{\sqrt{3}+\sqrt{6}}{6}$

5 크기가 가장 작은 내각의 크기는
$180° \times \frac{1}{1+2+3} = 30°$

따라서 $A=30^\circ$이므로

$\cos A\times\tan A+\sin A$

$=\cos 30^\circ\times\tan 30^\circ+\sin 30^\circ$

$=\frac{\sqrt{3}}{2}\times\frac{\sqrt{3}}{3}+\frac{1}{2}$

$=\frac{1}{2}+\frac{1}{2}=1$

6 $\triangle$ABD에서 $\sin 45^\circ=\frac{\overline{AD}}{\overline{AB}}=\frac{\overline{AD}}{4}=\frac{\sqrt{2}}{2}$

$\therefore \overline{AD}=2\sqrt{2}$ cm

$\triangle$ACD에서 $\cos 60^\circ=\frac{\overline{AD}}{\overline{AC}}=\frac{2\sqrt{2}}{\overline{AC}}=\frac{1}{2}$

$\therefore \overline{AC}=4\sqrt{2}$ cm

7 오른쪽 그림과 같이 그래프가 x축, y축과 만나는 점을 각각 A, B라 하면 A$(-2, 0)$, B$(0, 2)$이므로 직각삼각형 AOB에서

$\overline{OA}=2$, $\overline{OB}=2$

$\therefore \tan a=\frac{\overline{OB}}{\overline{OA}}=\frac{2}{2}=1$

[다른 풀이]

직각삼각형 AOB에서

$\tan a=\frac{\overline{OB}}{\overline{OA}}=$(직선의 기울기)$=1$

8 ① $\cos x=\frac{\overline{OB}}{\overline{OA}}=\frac{\overline{OB}}{1}=\overline{OB}$

② $\tan x=\frac{\overline{CD}}{\overline{OD}}=\frac{\overline{CD}}{1}=\overline{CD}$

③ $\cos y=\frac{\overline{AB}}{\overline{OA}}=\frac{\overline{AB}}{1}=\overline{AB}$

④ $\sin z=\sin y=\frac{\overline{OB}}{\overline{OA}}=\frac{\overline{OB}}{1}=\overline{OB}$

⑤ $\tan z=\frac{\overline{OD}}{\overline{CD}}=\frac{1}{\overline{CD}}$

9 (1) $\angle x=\angle ABC$이므로 $\sin x=\frac{\overline{AC}}{\overline{AB}}$, $\cos x=\frac{\overline{BC}}{\overline{AB}}$

$\overline{AC}=\overline{BC}$이므로 $\sin x=\cos x$

(2) $\angle x=\angle DBC$일 때, $\sin x=\frac{\overline{CD}}{\overline{BD}}$, $\cos x=\frac{\overline{BC}}{\overline{BD}}$

$\overline{CD}<\overline{BC}$이므로 $\sin x<\cos x$

(3) $\angle x=\angle EBC$일 때, $\sin x=\frac{\overline{EC}}{\overline{BE}}$, $\cos x=\frac{\overline{BC}}{\overline{BE}}$

$\overline{EC}>\overline{BC}$이므로 $\sin x>\cos x$

10 ① $\cos^2 0^\circ+\sin^2 90^\circ=1^2+1^2=2$

② $\tan 45^\circ(1+\tan 0^\circ)=1\times(1+0)=1$

③ $\sin 0^\circ-\sin 60^\circ\times\cos 90^\circ=0-\frac{\sqrt{3}}{2}\times 0=0$

④ $\sin 90^\circ\times\cos 30^\circ\div\tan 60^\circ=1\times\frac{\sqrt{3}}{2}\div\sqrt{3}=\frac{1}{2}$

⑤ $(\sin 0^\circ+\sin 30^\circ)(\cos 90^\circ-\cos 45^\circ)$

$=\left(0+\frac{1}{2}\right)\left(0-\frac{\sqrt{2}}{2}\right)=-\frac{\sqrt{2}}{4}$

따라서 옳지 않은 것은 ⑤이다.

11 $\sin 40^\circ=0.6428$이므로 $\angle x=40^\circ$

$\tan 38^\circ=0.7813$이므로 $\angle y=38^\circ$

$\therefore \angle x+\angle y=40^\circ+38^\circ=78^\circ$

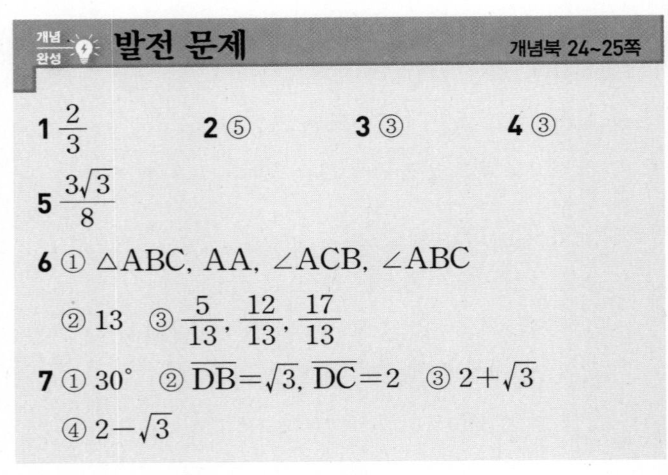

개념 완성 **발전 문제** 개념북 24~25쪽

1 $\frac{2}{3}$ **2** ⑤ **3** ③ **4** ③

5 $\frac{3\sqrt{3}}{8}$

6 ① $\triangle$ABC, AA, $\angle$ACB, $\angle$ABC

② 13 ③ $\frac{5}{13}$, $\frac{12}{13}$, $\frac{17}{13}$

7 ① 30° ② $\overline{DB}=\sqrt{3}$, $\overline{DC}=2$ ③ $2+\sqrt{3}$

④ $2-\sqrt{3}$

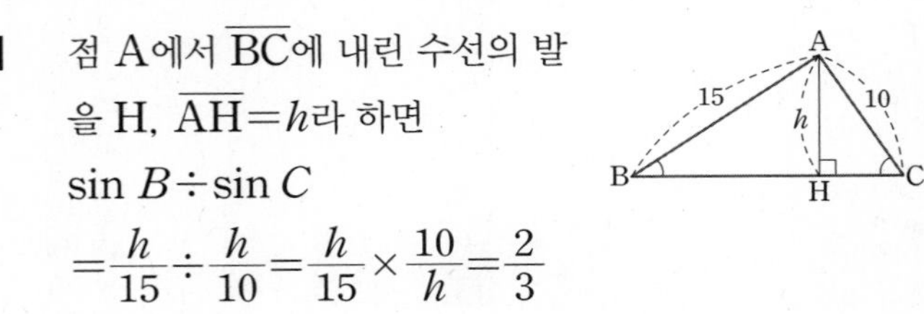

1 점 A에서 $\overline{BC}$에 내린 수선의 발을 H, $\overline{AH}=h$라 하면

$\sin B\div\sin C$

$=\frac{h}{15}\div\frac{h}{10}=\frac{h}{15}\times\frac{10}{h}=\frac{2}{3}$

2 직각삼각형 FGH에서 $\overline{FH}=\sqrt{3^2+3^2}=3\sqrt{2}$

직각삼각형 DFH에서 $\overline{DF}=\sqrt{(3\sqrt{2})^2+3^2}=3\sqrt{3}$

$\therefore \cos x=\frac{\overline{FH}}{\overline{DF}}=\frac{3\sqrt{2}}{3\sqrt{3}}=\frac{\sqrt{6}}{3}$

3 $\cos 60^\circ=\frac{1}{2}$이므로 $3x-30^\circ=60^\circ$ $\therefore x=30^\circ$

$\therefore \sin(x+15^\circ)\times\cos x=\sin 45^\circ\times\cos 30^\circ$

$=\frac{\sqrt{2}}{2}\times\frac{\sqrt{3}}{2}=\frac{\sqrt{6}}{4}$

4 $\triangle$CPO에서 $\tan 30^\circ=\frac{\overline{PO}}{\overline{CO}}=\frac{\overline{PO}}{\sqrt{3}}=\frac{\sqrt{3}}{3}$이므로

$\overline{PO}=1$

이때 $\overline{AO}=\overline{CO}=\sqrt{3}$이므로

$\overline{AP}=\overline{AO}-\overline{PO}=\sqrt{3}-1$

5 $\tan 60^\circ=\frac{\overline{CD}}{\overline{OD}}=\frac{\overline{CD}}{1}=\sqrt{3}$ $\therefore \overline{CD}=\sqrt{3}$

$\sin 60^\circ=\frac{\overline{AB}}{\overline{OA}}=\frac{\overline{AB}}{1}=\frac{\sqrt{3}}{2}$ $\therefore \overline{AB}=\frac{\sqrt{3}}{2}$

$\cos 60^\circ=\frac{\overline{OB}}{\overline{OA}}=\frac{\overline{OB}}{1}=\frac{1}{2}$ $\therefore \overline{OB}=\frac{1}{2}$

$\therefore$ (색칠한 부분의 넓이)

$=\triangle COD-\triangle AOB$

$=\frac{1}{2}\times 1\times\sqrt{3}-\frac{1}{2}\times\frac{1}{2}\times\frac{\sqrt{3}}{2}$

$=\frac{\sqrt{3}}{2}-\frac{\sqrt{3}}{8}=\frac{3\sqrt{3}}{8}$

6 ① $\triangle ABC\backsim\triangle HBA\backsim\triangle HAC$(AA 닮음)이므로

$\angle x=\angle ACB$, $\angle y=\angle ABC$

② $\triangle$ABC에서 피타고라스 정리에 의해

$\overline{BC}=\sqrt{5^2+12^2}=13$

③ $\triangle$ABC에서

$\sin x=\frac{\overline{AB}}{\overline{BC}}=\frac{5}{13}$, $\sin y=\frac{\overline{AC}}{\overline{BC}}=\frac{12}{13}$

$\therefore \sin x+\sin y=\frac{5}{13}+\frac{12}{13}=\frac{17}{13}$

7 ① $\triangle$ACD에서

$\angle CDB=\angle CAD+\angle ACD=15^\circ+15^\circ=30^\circ$

② $\triangle$CDB에서

$\tan 30^\circ=\frac{\overline{BC}}{\overline{DB}}=\frac{1}{\overline{DB}}=\frac{\sqrt{3}}{3}$이므로

$\overline{DB}=\frac{3}{\sqrt{3}}=\sqrt{3}$,

$\sin 30^\circ=\frac{\overline{CB}}{\overline{DC}}=\frac{1}{\overline{DC}}=\frac{1}{2}$이므로 $\overline{DC}=2$

③ $\triangle$ACD는 이등변삼각형이므로 $\overline{DA}=\overline{DC}=2$

$\therefore \overline{AB}=\overline{DA}+\overline{DB}=2+\sqrt{3}$

④ $\triangle$CAB에서

$\tan 15^\circ=\frac{\overline{BC}}{\overline{AB}}=\frac{1}{2+\sqrt{3}}=2-\sqrt{3}$

2 삼각비의 활용

1 직각삼각형의 변의 길이

개념북 28쪽

1 (1) 10, 8.1 cm (2) sin 36°, 5.9 cm

1 (1) 10, $10\times 0.81=8.1$(cm)

(2) sin 36°, $10\times 0.59=5.9$(cm)

직각삼각형의 변의 길이

개념북 29쪽

1 ⑤ **1-1** 1.92 m **1-2** $4\sqrt{6}$ cm

1-3 14.08 m

1 $\tan 50^\circ=\frac{\overline{AC}}{\overline{BC}}$에서 $\overline{BC}=\frac{\overline{AC}}{\tan 50^\circ}=\frac{6}{\tan 50^\circ}$

1-1 $\triangle$ABC에서

$\overline{BC}=\overline{AB}\sin 40^\circ=3\times 0.64=1.92$(m)

1-2 $\triangle$ABC에서

$\overline{AC}=\overline{AB}\cos 30^\circ=8\times\frac{\sqrt{3}}{2}=4\sqrt{3}$(cm)

$\triangle$ACD에서

$\overline{AD}=\frac{\overline{AC}}{\cos 45^\circ}=4\sqrt{3}\times\frac{2}{\sqrt{2}}=4\sqrt{6}$(cm)

1-3 $\triangle$ABC에서

$\overline{BC}=\overline{AC}\tan 46^\circ=12\times 1.04=12.48$(m)

$\therefore \overline{BD}=\overline{BC}+\overline{CD}$

$=12.48+1.6=14.08$(m)

2 일반 삼각형의 변의 길이

개념북 30쪽

1 (1) $2\sqrt{3}$ (2) 2 (3) 5 (4) $\sqrt{37}$

2 (1) 6 (2) 60° (3) $4\sqrt{3}$

1 (1) $\triangle$ABH에서 $\overline{AH}=4\sin 60^\circ=4\times\frac{\sqrt{3}}{2}=2\sqrt{3}$

(2) $\triangle$ABH에서 $\overline{BH}=4\cos 60^\circ=4\times\frac{1}{2}=2$

(3) $\overline{CH}=\overline{BC}-\overline{BH}=7-2=5$

(4) $\triangle$ACH에서 피타고라스 정리에 의해

$\overline{AC}=\sqrt{(2\sqrt{3})^2+5^2}=\sqrt{37}$

2 (1) △ACH에서 $\overline{AH}=6\sqrt{2}\sin 45°=6\sqrt{2}\times\frac{\sqrt{2}}{2}=6$

(2) △ABC에서 ∠B=180°−(45°+75°)=60°

(3) △ABH에서

$$\overline{AB}=\frac{\overline{AH}}{\sin 60°}=\frac{6}{\sin 60°}=6\times\frac{2}{\sqrt{3}}=4\sqrt{3}$$

일반 삼각형의 변의 길이 (1) 개념북 31쪽

1 $5\sqrt{2}$ cm **1-1** $\sqrt{7}$ km

1 오른쪽 그림과 같이 점 A에서 $\overline{BC}$에 내린 수선의 발을 H라 하면

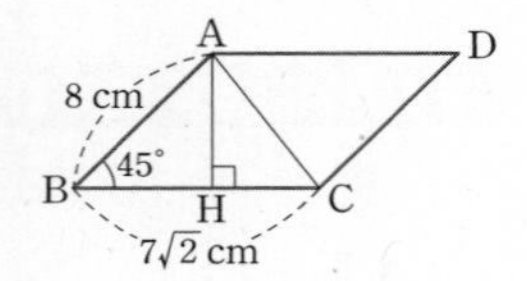

△ABH에서

$\overline{AH}=8\sin 45°=8\times\frac{\sqrt{2}}{2}=4\sqrt{2}$(cm)

$\overline{BH}=8\cos 45°=8\times\frac{\sqrt{2}}{2}=4\sqrt{2}$(cm)

$\overline{CH}=\overline{BC}-\overline{BH}=7\sqrt{2}-4\sqrt{2}=3\sqrt{2}$(cm)

따라서 △ACH에서

$\overline{AC}=\sqrt{(4\sqrt{2})^2+(3\sqrt{2})^2}=5\sqrt{2}$(cm)

1-1 오른쪽 그림과 같이 점 A에서 $\overline{PB}$에 내린 수선의 발을 H라 하자.

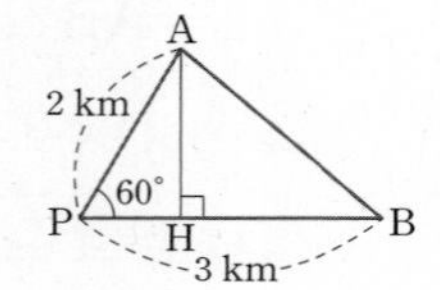

△APH에서

$\overline{AH}=2\sin 60°$

$=2\times\frac{\sqrt{3}}{2}=\sqrt{3}$(km)

$\overline{PH}=2\cos 60°=2\times\frac{1}{2}=1$(km)

$\overline{BH}=3-1=2$(km)

즉, △ABH에서 $\overline{AB}=\sqrt{(\sqrt{3})^2+2^2}=\sqrt{7}$(km)

따라서 터널의 길이는 $\sqrt{7}$ km이다.

일반 삼각형의 변의 길이 (2) 개념북 31쪽

2 $20\sqrt{2}$ **2-1** $9\sqrt{2}$ m

2 오른쪽 그림과 같이 점 B에서 $\overline{AC}$에 내린 수선의 발을 H라 하자.

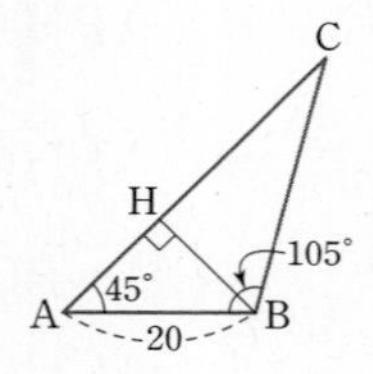

△ABH에서

$\overline{BH}=20\sin 45°$

$=20\times\frac{\sqrt{2}}{2}=10\sqrt{2}$

이고 △ABC에서 ∠C=180°−(45°+105°)=30°

따라서 △BHC에서

$\overline{BC}=\frac{\overline{BH}}{\sin 30°}=10\sqrt{2}\times 2=20\sqrt{2}$

2-1 오른쪽 그림과 같이 점 B에서 $\overline{AC}$에 내린 수선의 발을 H라 하면

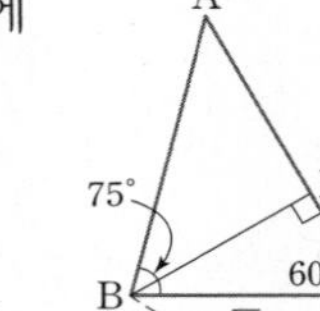

△BCH에서

$\overline{BH}=6\sqrt{3}\sin 60°$

$=6\sqrt{3}\times\frac{\sqrt{3}}{2}=9$(m)

△ABC에서

∠A=180°−(75°+60°)=45°

△ABH에서 $\overline{AB}=\frac{\overline{BH}}{\sin 45°}=9\times\frac{2}{\sqrt{2}}=9\sqrt{2}$(m)

따라서 두 지점 A, B 사이의 거리는 $9\sqrt{2}$ m이다.

3 삼각형의 높이 개념북 32쪽

1 (1) $\frac{\sqrt{3}}{3}h$ (2) $\sqrt{3}h$ (3) $\sqrt{3}$

1 (1) △ACH에서 ∠ACH=30°이므로

$\overline{AH}=h\tan 30°=\frac{\sqrt{3}}{3}h$

(2) △BCH에서 ∠BCH=60°이므로

$\overline{BH}=h\tan 60°=\sqrt{3}h$

(3) $4=\frac{\sqrt{3}}{3}h+\sqrt{3}h$이므로 $\frac{4\sqrt{3}}{3}h=4$

$\therefore h=4\times\frac{3}{4\sqrt{3}}=\sqrt{3}$

따라서 $\overline{CH}$의 길이는 $\sqrt{3}$이다.

모두 예각이 주어졌을 때, 삼각형의 높이 개념북 33쪽

1 $20(3-\sqrt{3})$ m **1-1** $25(\sqrt{3}-1)$

1 오른쪽 그림과 같이 $\overline{CH}=h$ m라 하면

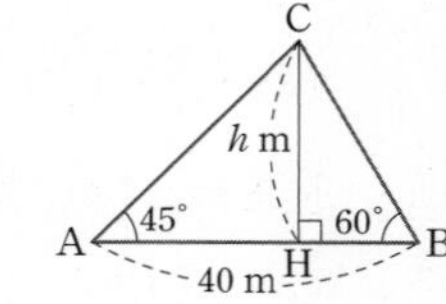

△ACH에서 ∠ACH=45°이므로

$\overline{AH}=h\tan 45°=h$(m)

△BCH에서 ∠BCH=30°이므로

$\overline{BH}=h\tan 30°=\frac{\sqrt{3}}{3}h$(m)

$\overline{AB}=\overline{AH}+\overline{BH}$이므로 $40=h+\frac{\sqrt{3}}{3}h$

$\therefore h=\frac{120}{3+\sqrt{3}}=20(3-\sqrt{3})$

따라서 열기구의 높이인 $\overline{CH}$의 길이는 $20(3-\sqrt{3})$ m이다.

1-1 오른쪽 그림과 같이 점 A에서 $\overline{BC}$에 내린 수선의 발을 H, $\overline{AH}=h$라 하면

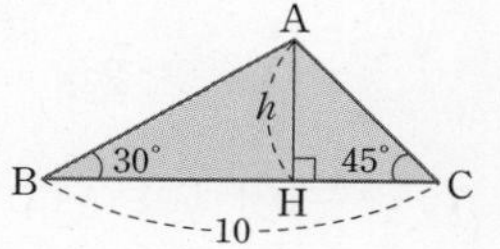

$\triangle ABH$에서 $\angle BAH=60°$이므로

$\overline{BH}=h\tan 60°=\sqrt{3}h$

$\triangle ACH$에서 $\angle CAH=45°$이므로

$\overline{CH}=h\tan 45°=h$

이때 $\overline{BC}=\overline{BH}+\overline{CH}$이므로 $10=\sqrt{3}h+h$

$\therefore h=\frac{10}{\sqrt{3}+1}=5(\sqrt{3}-1)$

$\therefore \triangle ABC=\frac{1}{2}\times\overline{BC}\times\overline{AH}$

$=\frac{1}{2}\times10\times5(\sqrt{3}-1)=25(\sqrt{3}-1)$

둔각이 주어졌을 때, 삼각형의 높이

개념북 33쪽

2 $6(\sqrt{3}+1)$ cm **2-1** $10\sqrt{3}$ m

2 $\overline{AH}=h$ cm라 하면

$\triangle ABH$에서 $\angle BAH=60°$이므로

$\overline{BH}=h\tan 60°=\sqrt{3}h$(cm)

$\triangle ACH$에서 $\angle CAH=45°$이므로

$\overline{CH}=h\tan 45°=h$(cm)

$\overline{BC}=\overline{BH}-\overline{CH}$이므로 $12=\sqrt{3}h-h$

$\therefore h=\frac{12}{\sqrt{3}-1}=6(\sqrt{3}+1)$

따라서 $\overline{AH}$의 길이는 $6(\sqrt{3}+1)$ cm이다.

2-1 $\overline{AH}=h$ m라 하면

$\triangle AHC$에서 $\angle CAH=60°$이므로

$\overline{HC}=h\tan 60°=\sqrt{3}h$(m)

$\triangle AHB$에서 $\angle BAH=30°$이므로

$\overline{HB}=h\tan 30°=\frac{\sqrt{3}}{3}h$(m)

$\overline{BC}=\overline{HC}-\overline{HB}$이므로

$20=\sqrt{3}h-\frac{\sqrt{3}}{3}h$, $\frac{2\sqrt{3}}{3}h=20$

$\therefore h=10\sqrt{3}$

따라서 $\overline{AH}$의 길이는 $10\sqrt{3}$ m이다.

개념 확인 4 삼각형의 넓이

개념북 34쪽

1 (1) 20 cm^2 (2) $\frac{35\sqrt{2}}{4}$ cm^2

2 (1) $5\sqrt{2}$ cm^2 (2) $3\sqrt{3}$ cm^2

1 (1) $\triangle ABC=\frac{1}{2}\times\overline{AB}\times\overline{BC}\times\sin 30°$

$=\frac{1}{2}\times10\times8\times\frac{1}{2}=20(\text{cm}^2)$

(2) $\triangle ABC=\frac{1}{2}\times\overline{AB}\times\overline{BC}\times\sin 45°$

$=\frac{1}{2}\times5\times7\times\frac{\sqrt{2}}{2}=\frac{35\sqrt{2}}{4}(\text{cm}^2)$

2 (1) $\triangle ABC=\frac{1}{2}\times\overline{AB}\times\overline{BC}\times\sin(180°-135°)$

$=\frac{1}{2}\times4\times5\times\frac{\sqrt{2}}{2}=5\sqrt{2}(\text{cm}^2)$

(2) $\triangle ABC=\frac{1}{2}\times\overline{AC}\times\overline{BC}\times\sin(180°-120°)$

$=\frac{1}{2}\times3\times4\times\frac{\sqrt{3}}{2}=3\sqrt{3}(\text{cm}^2)$

예각이 주어졌을 때, 삼각형의 넓이

개념북 35쪽

1 9 cm^2 **1-1** 8 cm

1 $\overline{AC}=\overline{BC}$이므로 $\angle A=\angle B=75°$

$\therefore \angle C=180°-(75°+75°)=30°$

$\therefore \triangle ABC=\frac{1}{2}\times\overline{AC}\times\overline{BC}\times\sin 30°$

$=\frac{1}{2}\times6\times6\times\frac{1}{2}=9(\text{cm}^2)$

1-1 $\triangle ABC=\frac{1}{2}\times\overline{AB}\times\overline{BC}\times\sin 60°$이므로

$12=\frac{1}{2}\times\overline{AB}\times2\sqrt{3}\times\frac{\sqrt{3}}{2}$, $\frac{3}{2}\overline{AB}=12$

$\therefore \overline{AB}=8$ cm

둔각이 주어졌을 때, 삼각형의 넓이

개념북 35쪽

2 ③ **2-1** 150°

2 △ABC에서 $\angle A=180°-(40°+20°)=120°$

$\therefore \triangle ABC=\frac{1}{2}\times\overline{AB}\times\overline{AC}\times\sin(180°-120°)$

$=\frac{1}{2}\times6\times10\times\frac{\sqrt{3}}{2}=15\sqrt{3}(\text{cm}^2)$

2-1 오른쪽 그림에서

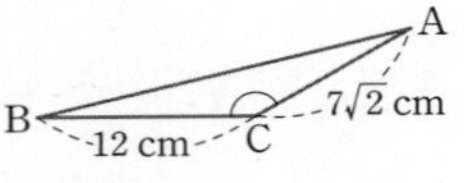

△ABC

$=\frac{1}{2}\times\overline{AC}\times\overline{BC}\times\sin(180°-C)$

이므로

$21\sqrt{2}=\frac{1}{2}\times7\sqrt{2}\times12\times\sin(180°-C)$

$\therefore \sin(180°-C)=\frac{1}{2}$

따라서 $180°-\angle C=30°$이므로 $\angle C=150°$

원에 내접하는 정다각형의 넓이 개념북 36쪽

3 $96\sqrt{3}\text{ cm}^2$ **3-1** $72\sqrt{2}\text{ cm}^2$

3 오른쪽 그림과 같이 정육각형은 6개의 합동인 정삼각형으로 나누어진다.

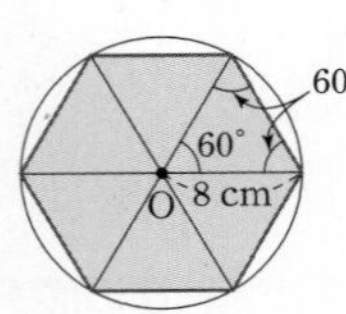

정삼각형 한 개의 넓이는

$\frac{1}{2}\times8\times8\times\sin60°=\frac{1}{2}\times8\times8\times\frac{\sqrt{3}}{2}$

$=16\sqrt{3}(\text{cm}^2)$

따라서 정육각형의 넓이는 $6\times16\sqrt{3}=96\sqrt{3}(\text{cm}^2)$

3-1 오른쪽 그림과 같이 정팔각형은 8개의 합동인 이등변삼각형으로 나누어진다. 이등변삼각형 한 개의 넓이는

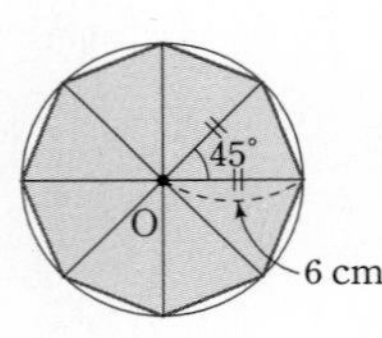

$\frac{1}{2}\times6\times6\times\sin45°=\frac{1}{2}\times6\times6\times\frac{\sqrt{2}}{2}$

$=9\sqrt{2}(\text{cm}^2)$

따라서 정팔각형의 넓이는 $8\times9\sqrt{2}=72\sqrt{2}(\text{cm}^2)$

다각형의 넓이 개념북 36쪽

4 ③ **4-1** $100\sqrt{3}\text{ cm}^2$

4 오른쪽 그림과 같이 $\overline{AC}$를 그으면

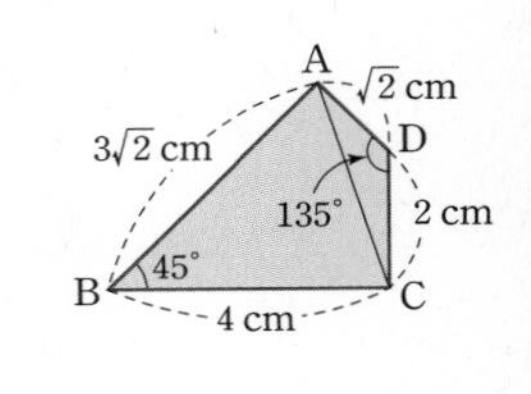

□ABCD

$=\triangle ABC+\triangle ACD$

$=\frac{1}{2}\times\overline{AB}\times\overline{BC}\times\sin45°$

$+\frac{1}{2}\times\overline{AD}\times\overline{CD}\times\sin(180°-135°)$

$=\frac{1}{2}\times3\sqrt{2}\times4\times\frac{\sqrt{2}}{2}+\frac{1}{2}\times\sqrt{2}\times2\times\frac{\sqrt{2}}{2}$

$=6+1=7(\text{cm}^2)$

4-1 오른쪽 그림과 같이 $\overline{AC}$를 그으면

10 cm, A, B, 120°, $10\sqrt{3}$ cm, 10 cm, 60°, C, D, $10\sqrt{3}$ cm

□ABCD

$=\triangle ABC+\triangle ACD$

$=\frac{1}{2}\times\overline{AB}\times\overline{BC}\times\sin(180°-120°)$

$+\frac{1}{2}\times\overline{AD}\times\overline{CD}\times\sin60°$

$=\frac{1}{2}\times10\times10\times\frac{\sqrt{3}}{2}+\frac{1}{2}\times10\sqrt{3}\times10\sqrt{3}\times\frac{\sqrt{3}}{2}$

$=25\sqrt{3}+75\sqrt{3}=100\sqrt{3}(\text{cm}^2)$

개념 확인 5 사각형의 넓이 개념북 37쪽

1 (1) $40\sqrt{3}\text{ cm}^2$ (2) $14\sqrt{2}\text{ cm}^2$

2 (1) $30\sqrt{2}\text{ cm}^2$ (2) $60\sqrt{3}\text{ cm}^2$

1 (1) $\square ABCD=\overline{AB}\times\overline{BC}\times\sin60°$

$=8\times10\times\frac{\sqrt{3}}{2}=40\sqrt{3}(\text{cm}^2)$

(2) $\square ABCD=\overline{AB}\times\overline{AD}\times\sin(180°-135°)$

$=4\times7\times\frac{\sqrt{2}}{2}=14\sqrt{2}(\text{cm}^2)$

2 (1) $\square ABCD=\frac{1}{2}\times\overline{AC}\times\overline{BD}\times\sin45°$

$=\frac{1}{2}\times12\times10\times\frac{\sqrt{2}}{2}=30\sqrt{2}(\text{cm}^2)$

(2) $\square ABCD=\frac{1}{2}\times\overline{AC}\times\overline{BD}\times\sin(180°-120°)$

$=\frac{1}{2}\times15\times16\times\frac{\sqrt{3}}{2}=60\sqrt{3}(\text{cm}^2)$

평행사변형의 넓이 개념북 38쪽

1 6 cm^2 **1-1** 6 cm **1-2** 45°

1 $\square ABCD=\overline{AB}\times\overline{BC}\times\sin 60°$

$=4\times4\sqrt{3}\times\frac{\sqrt{3}}{2}=24(cm^2)$

$\therefore \triangle APD=\frac{1}{4}\square ABCD=\frac{1}{4}\times24=6(cm^2)$

1-1 $\square ABCD=\overline{AB}\times\overline{AD}\times\sin(180°-150°)$이므로

$21=\overline{AB}\times7\times\frac{1}{2}$ $\therefore \overline{AB}=6$ cm

1-2 $\overline{BC}=\overline{AD}=8$ cm이므로

$\square ABCD=\overline{AB}\times\overline{BC}\times\sin B$

$20\sqrt{2}=5\times8\times\sin B$

$\therefore \sin B=\frac{\sqrt{2}}{2}$

그런데 $0°<\angle B<90°$이므로 $\angle B=45°$

사각형의 넓이 개념북 39쪽

2 $9\sqrt{2}$ cm^2 **2-1** 60° **2-2** 24 cm

2 $\overline{BD}=\overline{AC}=6$ cm

$\therefore \square ABCD=\frac{1}{2}\times\overline{AC}\times\overline{BD}\times\sin(180°-135°)$

$=\frac{1}{2}\times6\times6\times\frac{\sqrt{2}}{2}=9\sqrt{2}(cm^2)$

2-1 두 대각선이 이루는 각 중 예각의 크기를 x라 하면

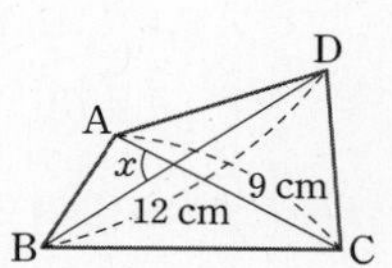

$\square ABCD$

$=\frac{1}{2}\times\overline{AC}\times\overline{BD}\times\sin x$

이므로

$27\sqrt{3}=\frac{1}{2}\times9\times12\times\sin x$ $\therefore \sin x=\frac{\sqrt{3}}{2}$

따라서 $x=60°$이므로 두 대각선이 이루는 각 중 예각의 크기는 60°이다.

2-2 $\square ABCD=\frac{1}{2}\times\overline{AC}\times\overline{BD}\times\sin 60°$이므로

$240\sqrt{3}=\frac{1}{2}\times\overline{AC}\times40\times\frac{\sqrt{3}}{2}$

$10\sqrt{3}\,\overline{AC}=240\sqrt{3}$ $\therefore \overline{AC}=24$ cm

개념 완성 기본 문제 개념북 44~46쪽

1 ④	**2** ②	**3** ⑤	**4** $\sqrt{58}$ cm
5 ②	**6** ③	**7** $3(3-\sqrt{3})$ cm	
8 ③	**9** ⑤	**10** ②	**11** ②
12 120°	**13** $(72\pi-36\sqrt{3})$ cm^2		**14** ②
15 $13\sqrt{3}$ cm^2		**16** ④	**17** 12 cm^2
18 ③			

1 ④ $a=b\tan A$

2 $\angle C=180°-(52°+90°)=38°$이므로

$x=6\sin 38°=6\times0.62=3.72$

$y=6\cos 38°=6\times0.79=4.74$

$\therefore x+y=3.72+4.74=8.46$

3 오른쪽 그림과 같이 점 A에서 $\overline{BC}$에 내린 수선의 발을 H라 하면

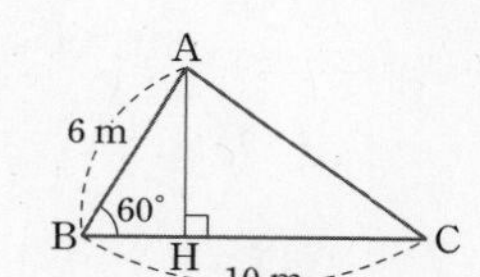

$\overline{AH}=6\sin 60°$

$=6\times\frac{\sqrt{3}}{2}=3\sqrt{3}(m)$

$\overline{BH}=6\cos 60°=6\times\frac{1}{2}=3(m)$

$\overline{CH}=\overline{BC}-\overline{BH}=10-3=7(m)$

따라서 $\triangle AHC$에서

$\overline{AC}=\sqrt{(3\sqrt{3})^2+7^2}=2\sqrt{19}(m)$

4 $\angle ACH=180°-135°=45°$이므로

$\triangle ACH$에서

$\overline{AH}=4\sin 45°$

$=4\times\frac{\sqrt{2}}{2}=2\sqrt{2}(cm)$

$\overline{CH}=4\cos 45°$

$=4\times\frac{\sqrt{2}}{2}=2\sqrt{2}(cm)$

$\overline{BH}=\overline{BC}+\overline{CH}=3\sqrt{2}+2\sqrt{2}=5\sqrt{2}(cm)$

$\therefore \overline{AB}=\sqrt{(2\sqrt{2})^2+(5\sqrt{2})^2}=\sqrt{58}(cm)$

5 오른쪽 그림과 같이 점 B에서 $\overline{AC}$에 내린 수선의 발을 H라 하면

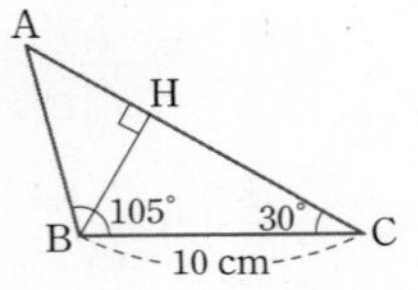

△BCH에서

$\overline{BH}=10\sin 30^\circ$

$=10\times\frac{1}{2}=5(\text{cm})$

△ABC에서 $\angle A=180^\circ-(105^\circ+30^\circ)=45^\circ$

따라서 △ABH에서

$\overline{AB}=\frac{\overline{BH}}{\sin 45^\circ}=5\times\frac{2}{\sqrt{2}}=5\sqrt{2}(\text{cm})$

6 오른쪽 그림과 같이 꼭짓점 C에서 $\overline{AB}$에 내린 수선의 발을 H라 하면 △CHB에서

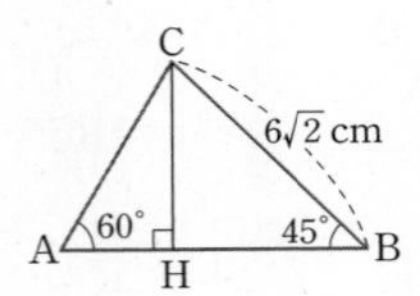

$\overline{CH}=6\sqrt{2}\sin 45^\circ$

$=6\sqrt{2}\times\frac{\sqrt{2}}{2}=6(\text{cm})$

따라서 △CAH에서

$\overline{AC}=\frac{\overline{CH}}{\sin 60^\circ}=6\times\frac{2}{\sqrt{3}}=4\sqrt{3}(\text{cm})$

7 $\overline{AH}=h$ cm라 하면

△ABH에서 $\angle BAH=45^\circ$이므로

$\overline{BH}=h\tan 45^\circ=h(\text{cm})$

△ACH에서 $\angle CAH=30^\circ$이므로

$\overline{CH}=h\tan 30^\circ=\frac{\sqrt{3}}{3}h(\text{cm})$

$\overline{BC}=\overline{BH}+\overline{CH}$이므로 $6=h+\frac{\sqrt{3}}{3}h$

$\therefore h=\frac{18}{3+\sqrt{3}}=3(3-\sqrt{3})$

따라서 $\overline{AH}$의 길이는 $3(3-\sqrt{3})$ cm이다.

8 나무의 높이 $\overline{AH}$를 x m라 하면

△ABH에서

$\overline{BH}=x\tan 45^\circ=x(\text{m})$

△ACH에서

$\overline{HC}=x\tan 60^\circ=\sqrt{3}x(\text{m})$

이때 $\overline{BH}+\overline{HC}=\overline{BC}$이므로 $x+\sqrt{3}x=10$

$\therefore x=\frac{10}{\sqrt{3}+1}=5(\sqrt{3}-1)$

따라서 나무의 높이는 $5(\sqrt{3}-1)$ m이다.

9 $\overline{AH}=h$ m라 하면

△ABH에서 $\angle BAH=60^\circ$이므로

$\overline{BH}=h\tan 60^\circ=\sqrt{3}h(\text{m})$

△ACH에서 $\angle CAH=30^\circ$이므로

$\overline{CH}=h\tan 30^\circ=\frac{\sqrt{3}}{3}h(\text{m})$

$\overline{BC}=\overline{BH}-\overline{CH}$이므로 $50=\sqrt{3}h-\frac{\sqrt{3}}{3}h$

$\therefore h=50\times\frac{3}{2\sqrt{3}}=25\sqrt{3}$

따라서 $\overline{AH}$의 길이는 $25\sqrt{3}$ m이다.

10 $\triangle ABC=\frac{1}{2}\times\overline{AC}\times\overline{AB}\times\sin 45^\circ$

$=\frac{1}{2}\times5\times8\times\frac{\sqrt{2}}{2}=10\sqrt{2}(\text{cm}^2)$

11 $\triangle ABC=\frac{1}{2}\times30\times\overline{BC}\times\sin 60^\circ=210\sqrt{3}$

$15\times\overline{BC}\times\frac{\sqrt{3}}{2}=210\sqrt{3}$

$\therefore \overline{BC}=28$ cm

12 $\triangle ABC=\frac{1}{2}\times\overline{AB}\times\overline{BC}\times\sin(180^\circ-B)$이므로

$24\sqrt{3}=\frac{1}{2}\times8\times12\times\sin(180^\circ-B)$

$\therefore \sin(180^\circ-B)=\frac{\sqrt{3}}{2}$

따라서 $180^\circ-\angle B=60^\circ$이므로 $\angle B=120^\circ$

13 $\angle OBA=\angle OAB=30^\circ$이므로

$\angle AOB=180^\circ-(30^\circ+30^\circ)=120^\circ$

∴ (색칠한 부분의 넓이)

=(반원의 넓이)−△OAB

$=\frac{1}{2}\times\pi\times12^2-\frac{1}{2}\times12\times12\times\sin(180^\circ-120^\circ)$

$=72\pi-72\times\frac{\sqrt{3}}{2}=72\pi-36\sqrt{3}(\text{cm}^2)$

14 오른쪽 그림과 같이 정십이각형은 12개의 합동인 이등변삼각형으로 나누어진다.

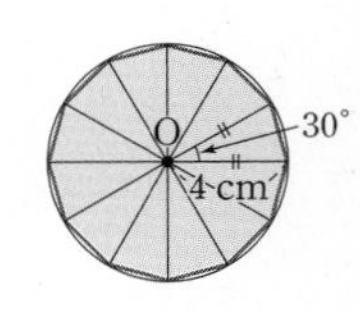

이등변삼각형 한 개의 넓이는

$\frac{1}{2}\times4\times4\times\sin 30^\circ=\frac{1}{2}\times4\times4\times\frac{1}{2}=4(\text{cm}^2)$

따라서 정십이각형의 넓이는 $12\times4=48(\text{cm}^2)$

15 △BCD에서 $\overline{BD}=4\tan 60^\circ=4\sqrt{3}$(cm)

$\therefore$ □ABCD

$=\triangle ABD+\triangle BCD$

$=\frac{1}{2}\times\overline{AB}\times\overline{BD}\times\sin 30^\circ+\frac{1}{2}\times\overline{BD}\times\overline{CD}$

$=\frac{1}{2}\times 5\times 4\sqrt{3}\times\frac{1}{2}+\frac{1}{2}\times 4\sqrt{3}\times 4$

$=5\sqrt{3}+8\sqrt{3}=13\sqrt{3}(\text{cm}^2)$

16 오른쪽 그림과 같이 $\overline{BD}$를 그으면

□ABCD

$=\triangle ABD+\triangle BCD$

$=\frac{1}{2}\times 4\times 4\times\sin(180^\circ-120^\circ)$

$+\frac{1}{2}\times 4\sqrt{3}\times 4\sqrt{3}\times\sin 60^\circ$

$=\frac{1}{2}\times 4\times 4\times\frac{\sqrt{3}}{2}+\frac{1}{2}\times 4\sqrt{3}\times 4\sqrt{3}\times\frac{\sqrt{3}}{2}$

$=4\sqrt{3}+12\sqrt{3}=16\sqrt{3}(\text{cm}^2)$

17 □ABCD$=\overline{AB}\times\overline{BC}\times\sin 45^\circ$

$=4\sqrt{2}\times 6\times\frac{\sqrt{2}}{2}=24(\text{cm}^2)$

$\therefore\ \triangle AED=\frac{1}{2}$□ABCD$=\frac{1}{2}\times 24=12(\text{cm}^2)$

18 □ABCD$=\frac{1}{2}\times\overline{AC}\times\overline{BD}\times\sin(180^\circ-120^\circ)$

$=\frac{1}{2}\times 14\times 10\times\frac{\sqrt{3}}{2}=35\sqrt{3}(\text{cm}^2)$

개념완성 발전 문제 개념북 47~48쪽

1 $\overline{MN}=\sqrt{2}$, $\sin x=\frac{\sqrt{3}}{3}$ **2** $\frac{80\sqrt{3}}{3}$ m **3** $3\sqrt{7}$ km

4 $(9+3\sqrt{3}+3\sqrt{6})$ cm **5** $10\sqrt{5}$ cm

6 ① $\sin 60^\circ$, $20\sqrt{3}$

② $\sin 30^\circ$, $2\overline{AD}$, $\sin 30^\circ$, $\frac{5}{2}\overline{AD}$

③ $20\sqrt{3}$, $\frac{9}{2}$, $\frac{40\sqrt{3}}{9}$

7 ① $\frac{100\sqrt{3}}{3}$ m ② $100\sqrt{3}$ m ③ $\frac{200\sqrt{3}}{3}$ m

1 $\overline{DM}$, $\overline{MC}$는 정삼각형 DAB, CAB의 높이이므로

$\overline{DM}=\overline{MC}=2\sin 60^\circ=2\times\frac{\sqrt{3}}{2}=\sqrt{3}$

즉, △DMC는 $\overline{DM}=\overline{MC}$인 이등

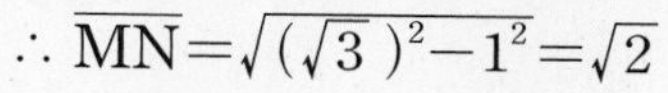

변삼각형이므로 $\overline{MN}\perp\overline{DC}$

$\therefore\ \overline{MN}=\sqrt{(\sqrt{3})^2-1^2}=\sqrt{2}$

또, △DMN에서

$\sin x=\frac{\overline{DN}}{\overline{DM}}=\frac{1}{\sqrt{3}}=\frac{\sqrt{3}}{3}$

2 오른쪽 그림과 같이 네 점 C, D, E, F를

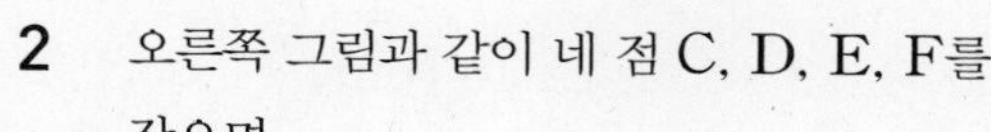

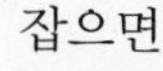

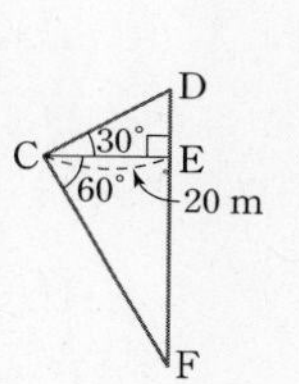

잡으면

$\overline{CE}=20$ m이므로

△CDE에서

$\overline{DE}=20\tan 30^\circ=\frac{20\sqrt{3}}{3}$(m)

△CEF에서 $\overline{EF}=20\tan 60^\circ=20\sqrt{3}$(m)

따라서 B 건물의 높이는

$\overline{DF}=\overline{DE}+\overline{EF}=\frac{20\sqrt{3}}{3}+20\sqrt{3}=\frac{80\sqrt{3}}{3}$(m)

3 오른쪽 그림과 같이 꼭짓점 A에서 $\overline{BC}$의 연장선에 내린 수선의 발을 H라 하면

$\angle ACH=60^\circ$이므로

$\overline{AH}=6\sin 60^\circ$

$=6\times\frac{\sqrt{3}}{2}=3\sqrt{3}$(km)

$\overline{CH}=6\cos 60^\circ=6\times\frac{1}{2}=3$(km)

$\therefore\ \overline{BH}=3+3=6$(km)

따라서 △ABH에서

$\overline{AB}=\sqrt{(3\sqrt{3})^2+6^2}=\sqrt{63}=3\sqrt{7}$(km)

4 오른쪽 그림과 같이 점 A에서 $\overline{BC}$에 내린 수선의 발을 H라 하면 $\triangle ABH$에서

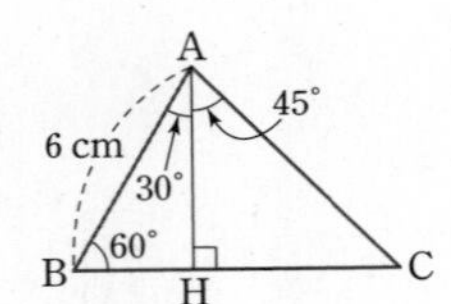

$\overline{AH}=6\sin 60^\circ$

$=6\times\frac{\sqrt{3}}{2}=3\sqrt{3}$(cm)

$\overline{BH}=6\cos 60^\circ=6\times\frac{1}{2}=3$(cm)

$\overline{CH}=\overline{AH}=3\sqrt{3}$ cm이므로

$\overline{AC}=\sqrt{(3\sqrt{3})^2+(3\sqrt{3})^2}=3\sqrt{6}$ (cm)

따라서 $\triangle ABC$의 둘레의 길이는

$\overline{AB}+\overline{BC}+\overline{CA}=6+(3+3\sqrt{3})+3\sqrt{6}$

$=9+3\sqrt{3}+3\sqrt{6}$ (cm)

5 $\overline{AB}=2a$ cm, $\overline{BC}=3a$ cm (단, $a>0$)라 하면

$\overline{AD}=\overline{BC}=3a$ cm

$\square ABCD=\overline{AB}\times\overline{AD}\times\sin(180^\circ-150^\circ)$에서

$15=2a\times 3a\times\frac{1}{2}$, $15=3a^2$

$\therefore a=\sqrt{5}$ ($\because a>0$)

따라서 $\overline{AB}=2\sqrt{5}$ cm, $\overline{AD}=3\sqrt{5}$ cm이므로

$\square ABCD$의 둘레의 길이는

$2(2\sqrt{5}+3\sqrt{5})=2\times 5\sqrt{5}=10\sqrt{5}$ (cm)

6 ① $\triangle ABC=\frac{1}{2}\times 8\times 10\times\sin 60^\circ=20\sqrt{3}$(cm^2)

② $\triangle ABD=\frac{1}{2}\times 8\times\overline{AD}\times\sin 30^\circ=2\overline{AD}$(cm^2)

$\triangle ADC=\frac{1}{2}\times\overline{AD}\times 10\times\sin 30^\circ$

$=\frac{5}{2}\overline{AD}$(cm^2)

③ $\triangle ABC=\triangle ABD+\triangle ADC$이므로

$20\sqrt{3}=\frac{9}{2}\overline{AD}$ $\therefore \overline{AD}=\frac{40\sqrt{3}}{9}$ cm

7 ① $\triangle ABC$에서 $\angle BAC=30^\circ$이므로

$\overline{BC}=\overline{AB}\tan 30^\circ$

$=\frac{100\sqrt{3}}{3}$(m)

② $\triangle ABD$에서 $\angle BAD=60^\circ$이므로

$\overline{BD}=\overline{AB}\tan 60^\circ=100\sqrt{3}$ (m)

③ $\overline{CD}=\overline{BD}-\overline{BC}=100\sqrt{3}-\frac{100\sqrt{3}}{3}$

$=\frac{200\sqrt{3}}{3}$(m)

따라서 10분 동안 배가 움직인 거리는 $\frac{200\sqrt{3}}{3}$ m이다.

1 원과 직선

개념 확인 1 현의 수직이등분선 개념북 52쪽

1 (1) 9 (2) 10

2 (1) 4 cm (2) 3 cm

3 (1) 12 cm (2) 24 cm

1 (1) $\overline{AB}\perp\overline{OM}$이므로

$\overline{AM}=\overline{BM}=\frac{1}{2}\overline{AB}=\frac{1}{2}\times18=9(\text{cm})$

$\therefore x=9$

(2) $\overline{AB}\perp\overline{OM}$이므로 $\overline{AB}=2\overline{BM}=2\times5=10(\text{cm})$

$\therefore x=10$

2 (1) $\overline{AB}\perp\overline{OM}$이므로

$\overline{AM}=\overline{BM}=\frac{1}{2}\overline{AB}=\frac{1}{2}\times8=4(\text{cm})$

(2) 직각삼각형 OAM에서

$\overline{OM}=\sqrt{\overline{OA}^2-\overline{AM}^2}=\sqrt{5^2-4^2}=\sqrt{9}=3(\text{cm})$

3 (1) 직각삼각형 OMB에서

$\overline{BM}=\sqrt{\overline{OB}^2-\overline{OM}^2}=\sqrt{13^2-5^2}$

$=\sqrt{144}=12(\text{cm})$

(2) $\overline{AB}\perp\overline{OM}$이므로 $\overline{AB}=2\overline{BM}=2\times12=24(\text{cm})$

현의 수직이등분선의 이용 (1) 개념북 53쪽

1 4 cm **1-1** $4\sqrt{5}$ cm **1-2** 6 cm

1 $\overline{AB}\perp\overline{OM}$이므로

$\overline{AM}=\overline{BM}=\frac{1}{2}\overline{AB}=\frac{1}{2}\times6=3(\text{cm})$

따라서 직각삼각형 OAM에서

$\overline{OM}=\sqrt{\overline{OA}^2-\overline{AM}^2}=\sqrt{5^2-3^2}=\sqrt{16}=4(\text{cm})$

1-1 직각삼각형 OMB에서

$\overline{BM}=\sqrt{\overline{OB}^2-\overline{OM}^2}=\sqrt{6^2-4^2}=\sqrt{20}=2\sqrt{5}(\text{cm})$

따라서 $\overline{AB}\perp\overline{OM}$이므로

$\overline{AB}=2\overline{BM}=2\times2\sqrt{5}=4\sqrt{5}(\text{cm})$

1-2 오른쪽 그림과 같이 점 O에서 $\overline{AB}$에 내린 수선의 발을 H라 하자.

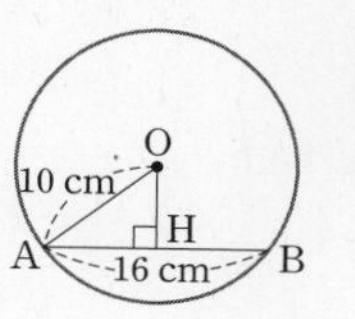

이때

$\overline{AH}=\frac{1}{2}\overline{AB}=\frac{1}{2}\times16=8(\text{cm})$

이므로 직각삼각형 OAH에서

$\overline{OH}=\sqrt{10^2-8^2}=6(\text{cm})$

현의 수직이등분선의 이용 (2) 개념북 53쪽

2 8.9 cm **2-1** $10\sqrt{3}$ cm

2 $\overline{AB}\perp\overline{OM}$이므로 $\overline{BM}=\overline{AM}=8$ cm

$\overline{OB}=x$ cm라 하면 $\overline{OC}=\overline{OB}=x$ cm이므로

$\overline{OM}=\overline{OC}-\overline{CM}=x-5(\text{cm})$

직각삼각형 OMB에서

$x^2=8^2+(x-5)^2$, $10x=89$ $\therefore x=8.9$

따라서 $\overline{OB}$의 길이는 8.9 cm이다.

2-1 $\overline{OC}=\overline{OA}=10$ cm이고 $\overline{OM}=\overline{CM}$이므로

$\overline{OM}=\frac{1}{2}\overline{OC}=\frac{1}{2}\times10=5(\text{cm})$

직각삼각형 OAM에서

$\overline{AM}=\sqrt{\overline{OA}^2-\overline{OM}^2}=\sqrt{10^2-5^2}=\sqrt{75}$

$=5\sqrt{3}(\text{cm})$

$\therefore \overline{AB}=2\overline{AM}=2\times5\sqrt{3}=10\sqrt{3}(\text{cm})$

원의 일부분이 주어진 경우 개념북 54쪽

3 8 cm **3-1** 8 cm **3-2** 10 cm

3 원의 중심을 O라 하면 오른쪽 그림과 같이 $\overline{CM}$의 연장선은 점 O를 지난다. 원 O의 반지름의 길이를 r cm라 하면 $\overline{AO}=\overline{CO}=r$ cm이므로

$\overline{OM}=\overline{CO}-\overline{CM}=r-4(\text{cm})$

직각삼각형 AOM에서

$r^2=(4\sqrt{3})^2+(r-4)^2$, $8r=64$ $\therefore r=8$

따라서 원의 반지름의 길이는 8 cm이다.

3-1 원의 중심을 O라 하면 오른쪽 그림과 같이 $\overline{CM}$의 연장선은 점 O를 지난다.

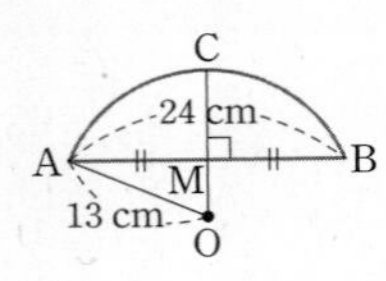

$\overline{AM}=\overline{BM}=\frac{1}{2}\overline{AB}$

$=\frac{1}{2}\times 24=12(\text{cm})$

이므로 직각삼각형 AOM에서

$\overline{OM}=\sqrt{\overline{OA}^2-\overline{AM}^2}=\sqrt{13^2-12^2}=\sqrt{25}=5(\text{cm})$

$\therefore \overline{CM}=\overline{CO}-\overline{OM}=13-5=8(\text{cm})$

3-2 접시의 중심을 O, 접시의 반지름의 길이를 r cm라 하면 오른쪽 그림에서

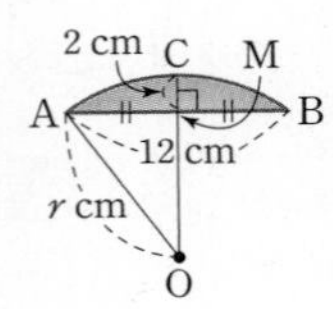

$\overline{OM}=\overline{OC}-\overline{CM}=r-2(\text{cm})$

$\overline{AM}=\overline{BM}=\frac{1}{2}\overline{AB}$

$=\frac{1}{2}\times 12=6(\text{cm})$

직각삼각형 AOM에서

$r^2=6^2+(r-2)^2,\ 4r=40 \quad \therefore r=10$

따라서 접시의 반지름의 길이는 10 cm이다.

원의 일부분을 접은 경우 개념북 54쪽

4 $6\sqrt{3}$ cm **4-1** 4 cm

4 오른쪽 그림과 같이 원의 중심 O에서 $\overline{AB}$에 내린 수선의 발을 M이라 하면

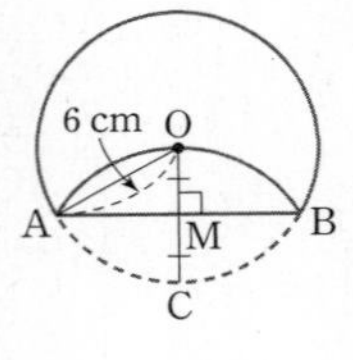

$\overline{OM}=\frac{1}{2}\overline{OC}=\frac{1}{2}\overline{OA}$

$=\frac{1}{2}\times 6=3(\text{cm})$

따라서 직각삼각형 OAM에서

$\overline{AM}=\sqrt{\overline{OA}^2-\overline{OM}^2}=\sqrt{6^2-3^2}$

$=\sqrt{27}=3\sqrt{3}\ (\text{cm})$

$\therefore \overline{AB}=2\overline{AM}=2\times 3\sqrt{3}=6\sqrt{3}\ (\text{cm})$

4-1 오른쪽 그림과 같이 원의 중심 O에서 $\overline{AB}$에 내린 수선의 발을 M이라 하면

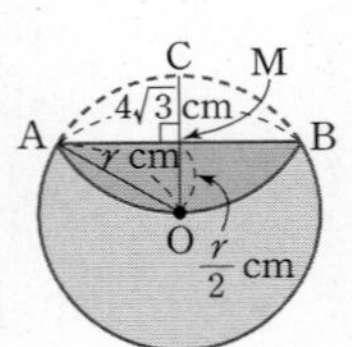

$\overline{AM}=\overline{BM}=\frac{1}{2}\overline{AB}$

$=\frac{1}{2}\times 4\sqrt{3}=2\sqrt{3}\ (\text{cm})$

원 O의 반지름의 길이를 r cm라 하면

$\overline{OA}=r$ cm, $\overline{OM}=\frac{1}{2}\overline{OC}=\frac{1}{2}\overline{OA}=\frac{1}{2}r(\text{cm})$

이므로 직각삼각형 AOM에서

$r^2=(2\sqrt{3})^2+\left(\frac{1}{2}r\right)^2,\ \frac{3}{4}r^2=12,\ r^2=16$

$\therefore r=4\ (\because r>0)$

따라서 원 O의 반지름의 길이는 4 cm이다.

개념 확인 2 현의 길이 개념북 55쪽

1 (1) 6 (2) 3 (3) 10 (4) 7

2 65°

1 (1) $\overline{OM}=\overline{ON}$이므로 $\overline{AB}=\overline{CD}=6$ cm $\quad \therefore x=6$

(2) $\overline{AB}=\overline{CD}$이므로 $\overline{ON}=\overline{OM}=3$ cm $\quad \therefore x=3$

(3) $\overline{OM}=\overline{ON}$이므로

$\overline{AB}=\overline{CD}=2\overline{CN}=2\times 5=10(\text{cm})$

$\therefore x=10$

(4) $\overline{OM}=\overline{ON}$이므로 $\overline{AB}=\overline{CD}$

$\therefore \overline{DN}=\frac{1}{2}\overline{CD}=\frac{1}{2}\overline{AB}=\frac{1}{2}\times 14=7(\text{cm})$

$\therefore x=7$

2 $\overline{OM}=\overline{ON}$이므로 $\overline{AB}=\overline{AC}$

따라서 △ABC는 $\overline{AB}=\overline{AC}$인 이등변삼각형이므로

$\angle ACB=\angle ABC=65°$

현의 길이의 성질 개념북 56쪽

1 $6\sqrt{3}$ cm **1-1** $6\sqrt{2}$ cm **1-2** 12 cm^2

1 직각삼각형 OMA에서

$\overline{AM}=\sqrt{6^2-3^2}=\sqrt{27}=3\sqrt{3}\ (\text{cm})$

$\therefore \overline{AB}=2\overline{AM}=2\times 3\sqrt{3}=6\sqrt{3}\ (\text{cm})$

이때 $\overline{OM}=\overline{ON}$이므로 $\overline{CD}=\overline{AB}=6\sqrt{3}$ cm

1-1 $\overline{OM}=\overline{ON}$이므로 $\overline{AB}=\overline{CD}=12$ cm

$\therefore \overline{AM}=\frac{1}{2}\overline{AB}=\frac{1}{2}\times 12=6(\text{cm})$

따라서 직각삼각형 AOM에서

$\overline{OA}=\sqrt{6^2+6^2}=\sqrt{72}=6\sqrt{2}\ (\text{cm})$

1-2 직각삼각형 OAM에서

$\overline{OM}=\sqrt{5^2-4^2}=\sqrt{9}=3(\text{cm})$

$\overline{CD}=\overline{AB}=2\overline{AM}=2\times 4=8(\text{cm})$이므로

$\overline{ON}=\overline{OM}=3$ cm

$\therefore \triangle OCD=\frac{1}{2}\times 8\times 3=12(\text{cm}^2)$

길이가 같은 두 현이 만드는 삼각형 개념북 56쪽

2 50° **2-1** $16\sqrt{3}\text{ cm}^2$

2 □AMON에서
$\angle MAN=360^\circ-(90^\circ+90^\circ+100^\circ)=80^\circ$
또, $\overline{OM}=\overline{ON}$이므로 △ABC는 $\overline{AB}=\overline{AC}$인 이등변삼각형이다.
$\therefore \angle ACB=\frac{1}{2}\times(180^\circ-80^\circ)=50^\circ$

2-1 $\overline{OD}=\overline{OE}=\overline{OF}$이므로 △ABC는 $\overline{AB}=\overline{BC}=\overline{CA}$인 정삼각형이다.
따라서 $\overline{AB}=\overline{BC}=\overline{CA}=2\overline{AD}=2\times4=8(\text{cm})$이므로
$\triangle ABC=\frac{\sqrt{3}}{4}\times8^2=16\sqrt{3}\,(\text{cm}^2)$

3 원과 접선 개념북 57쪽

1 (1) 60° (2) 100°
2 (1) $2\sqrt{3}\text{ cm}$ (2) 4 cm

1 (1) $\angle PAO=\angle PBO=90^\circ$이므로
□APBO에서
$\angle x=360^\circ-(90^\circ+90^\circ+120^\circ)=60^\circ$
(2) $\angle PAO=\angle PBO=90^\circ$이므로 □AOBP에서
$\angle x=360^\circ-(90^\circ+90^\circ+80^\circ)=100^\circ$

2 (1) $\overline{PA}=\overline{PB}=2\sqrt{3}\text{ cm}$
(2) $\angle PAO=90^\circ$이므로 직각삼각형 POA에서
$\overline{PO}=\sqrt{(2\sqrt{3})^2+2^2}=\sqrt{16}=4(\text{cm})$

원의 접선과 반지름 개념북 58쪽

1 9 cm **1-1** $9\pi\text{ cm}^2$

1 $\angle OTP=90^\circ$이므로 직각삼각형 OPT에서
$\overline{OP}=\sqrt{8^2+15^2}=\sqrt{289}=17(\text{cm})$
따라서 $\overline{OA}=\overline{OT}=8\text{ cm}$이므로
$\overline{PA}=\overline{OP}-\overline{OA}=17-8=9(\text{cm})$

1-1 $\angle OAP=90^\circ$이므로 $\overline{OA}=\overline{OB}=r\text{ cm}$라 하면
직각삼각형 APO에서
$(2+r)^2=4^2+r^2,\ 4r=12 \quad \therefore r=3$
따라서 원 O의 넓이는 $\pi\times3^2=9\pi(\text{cm}^2)$

원의 접선의 성질 개념북 58쪽

2 25° **2-1** $2\sqrt{10}\text{ cm}$ **2-2** $36\sqrt{3}\text{ cm}^2$

2 $\overline{PA}=\overline{PB}$이므로 이등변삼각형 APB에서
$\angle PAB=\angle PBA=\frac{1}{2}\times(180^\circ-50^\circ)=65^\circ$
따라서 $\angle PAO=90^\circ$이므로
$\angle OAB=\angle PAO-\angle PAB=90^\circ-65^\circ=25^\circ$

2-1 $\overline{OC}=\overline{OB}=3\text{ cm}$이므로 $\overline{PO}=4+3=7(\text{cm})$
직각삼각형 PBO에서
$\overline{PB}=\sqrt{7^2-3^2}=\sqrt{40}=2\sqrt{10}\,(\text{cm})$
$\therefore \overline{PA}=\overline{PB}=2\sqrt{10}\text{ cm}$

2-2 $\overline{PB}=\overline{PA}=6\sqrt{3}\text{ cm},\ \angle OBP=90^\circ$이므로
△OBP에서
$\overline{OB}=\frac{6\sqrt{3}}{\tan 60^\circ}=6\sqrt{3}\div\sqrt{3}$
$=6\sqrt{3}\times\frac{1}{\sqrt{3}}=6(\text{cm})$
이때 $\triangle OAP\equiv\triangle OBP$ (RHS 합동)이므로
$\square AOBP=2\triangle OBP=2\times\left(\frac{1}{2}\times6\times6\sqrt{3}\right)$
$=36\sqrt{3}\,(\text{cm}^2)$

원의 접선의 길이의 응용 개념북 59쪽

3 2 cm **3-1** 28 cm **3-2** 2 km

3 $\overline{AD}=\overline{AE},\ \overline{BD}=\overline{BF},\ \overline{CE}=\overline{CF}$이므로
(△ABC의 둘레의 길이)
$=\overline{AB}+\overline{BC}+\overline{CA}$
$=\overline{AB}+(\overline{BF}+\overline{CF})+\overline{CA}$
$=(\overline{AB}+\overline{BD})+(\overline{CE}+\overline{CA})$
$=\overline{AD}+\overline{AE}=2\overline{AD}$
따라서 $2\overline{AD}=10+6+8=24$에서 $\overline{AD}=12\text{ cm}$이므로
$\overline{BD}=\overline{AD}-\overline{AB}=12-10=2(\text{cm})$

3-1 $\overline{AE}=\overline{AF}$, $\overline{BD}=\overline{BE}$, $\overline{CD}=\overline{CF}$이므로
($\triangle ABC$의 둘레의 길이)
$=\overline{AB}+\overline{BC}+\overline{CA}=\overline{AB}+(\overline{BD}+\overline{CD})+\overline{CA}$
$=(\overline{AB}+\overline{BE})+(\overline{CF}+\overline{CA})=\overline{AE}+\overline{AF}$
$=2\overline{AF}=2\times14=28(\text{cm})$

3-2 $\overline{PA}=\overline{PB}$, $\overline{EC}=\overline{EB}$, $\overline{DC}=\overline{DA}$이므로
($\triangle PED$의 둘레의 길이)
$=\overline{PE}+\overline{ED}+\overline{DP}$
$=\overline{PE}+(\overline{EC}+\overline{DC})+\overline{DP}$
$=(\overline{PE}+\overline{EB})+(\overline{DA}+\overline{DP})$
$=\overline{PB}+\overline{PA}=2\overline{PA}=2\overline{PB}$
$\therefore \overline{PB}=\frac{1}{2}\times$($\triangle PED$의 둘레의 길이)
$=\frac{1}{2}\times4=2(\text{km})$

반원에서의 접선의 길이 개념북 59쪽

4 $2\sqrt{15}$ cm **4-1** 4 cm

4 $\overline{AP}=\overline{AD}=5$ cm, $\overline{BP}=\overline{BC}=3$ cm이므로
$\overline{AB}=\overline{AP}+\overline{BP}=5+3=8(\text{cm})$
오른쪽 그림과 같이 점 B에서 $\overline{AD}$에 내린 수선의 발을 H라 하면
$\overline{AH}=\overline{AD}-\overline{HD}$
$=5-3=2(\text{cm})$
이므로 직각삼각형 ABH에서
$\overline{CD}=\overline{BH}=\sqrt{8^2-2^2}=\sqrt{60}=2\sqrt{15}$ (cm)

4-1 $\overline{AC}=x$ cm라 하면 $\overline{PC}=\overline{AC}=x$ cm,
$\overline{PD}=\overline{BD}=9$ cm이므로
$\overline{CD}=(x+9)$ cm
오른쪽 그림과 같이 점 C에서 $\overline{BD}$에 내린 수선의 발을 H라 하면
$\overline{CH}=\overline{AB}=2\overline{AO}$

$=2\times6=12(\text{cm})$
$\overline{HD}=\overline{BD}-\overline{AC}=(9-x)$ cm
직각삼각형 CHD에서
$(x+9)^2=12^2+(9-x)^2$, $36x=144$ $\therefore x=4$
따라서 $\overline{AC}$의 길이는 4 cm이다.

개념 확인 4 삼각형의 내접원 개념북 60쪽

1 (1) 6 cm (2) 3 cm (3) 9 cm
2 (1) $(12-x)$ cm (2) $(9-x)$ cm (3) 4

1 (1) $\overline{BQ}=\overline{BP}=8-2=6(\text{cm})$
(2) $\overline{AR}=\overline{AP}=2$ cm이므로
$\overline{CQ}=\overline{CR}=5-2=3(\text{cm})$
(3) $\overline{BC}=\overline{BQ}+\overline{CQ}=6+3=9(\text{cm})$

2 (1) $\overline{BQ}=\overline{BP}=(12-x)$ cm
(2) $\overline{AR}=\overline{AP}=x$ cm이므로
$\overline{CQ}=\overline{CR}=(9-x)$ cm
(3) $\overline{BC}=\overline{BQ}+\overline{CQ}$이므로
$13=(12-x)+(9-x)$, $2x=8$ $\therefore x=4$

삼각형의 내접원 개념북 61쪽

1 8 cm **1-1** 5 cm

1 $\overline{BP}=\overline{BQ}=x$ cm라 하면
$\overline{AR}=\overline{AP}=(14-x)$ cm,
$\overline{CR}=\overline{CQ}=(12-x)$ cm
$\overline{AC}=\overline{AR}+\overline{CR}$이므로
$10=(14-x)+(12-x)$, $2x=16$ $\therefore x=8$
따라서 $\overline{BP}$의 길이는 8 cm이다.

1-1 $\overline{AD}=\overline{AF}$, $\overline{BE}=\overline{BD}=8$ cm, $\overline{CE}=\overline{CF}=6$ cm이므로
$2(\overline{AD}+8+6)=38$
$\therefore \overline{AD}=5$ cm

직각삼각형의 내접원 개념북 61쪽

2 1 cm **2-1** 3 cm

2 직각삼각형 ABC에서
$\overline{AB}=\sqrt{4^2+3^2}=\sqrt{25}$
$=5(\text{cm})$
원 O의 반지름의 길이를 r cm라 하면 □OECF는 정사각형이므로
$\overline{CE}=\overline{CF}=r$ cm
$\overline{BD}=\overline{BE}=(4-r)$ cm

$\overline{AD}=\overline{AF}=(3-r)$ cm
$\overline{AB}=\overline{AD}+\overline{BD}$이므로
$5=(3-r)+(4-r)$, $2r=2$ $\therefore r=1$
따라서 원 O의 반지름의 길이는 1 cm이다.

2-1 $\overline{AD}=\overline{AF}=x$ cm라 하면
$\overline{BD}=\overline{BE}=2$ cm,
$\overline{CF}=\overline{CE}=10$ cm이므로
$\overline{AB}=(x+2)$ cm
$\overline{AC}=(x+10)$ cm
직각삼각형 ABC에서
$(x+10)^2=(x+2)^2+12^2$, $16x=48$ $\therefore x=3$
따라서 $\overline{AD}$의 길이는 3 cm이다.

5 외접사각형의 성질

개념북 62쪽

1 (1) 10 (2) 3 **2** 14 cm **3** 4 cm

1 (1) $\overline{AB}+\overline{CD}=\overline{AD}+\overline{BC}$이므로
$x+8=6+12$ $\therefore x=10$
(2) $\overline{AB}+\overline{CD}=\overline{AD}+\overline{BC}$이므로
$7+5=x+9$ $\therefore x=3$

2 $\overline{AD}+\overline{BC}=\overline{AB}+\overline{CD}=8+6=14$(cm)

3 $\overline{AB}+\overline{CD}=\overline{AD}+\overline{BC}$이므로
$6+4=3+(\overline{BQ}+3)$
$\therefore \overline{BQ}=4$ cm

외접사각형의 성질

개념북 63쪽

1 42 cm **1-1** 9 cm **1-2** 13 cm
1-3 45 cm^2 **1-4** 1200 m

1 $\overline{DG}=\overline{DH}=4$ cm이므로 $\overline{CD}=6+4=10$(cm)
이때 $\overline{AB}+\overline{CD}=\overline{AD}+\overline{BC}$이므로
(□ABCD의 둘레의 길이)
$=2(\overline{AB}+\overline{CD})$
$=2\times(11+10)=42$(cm)

1-1 $\overline{AB}+\overline{CD}=\overline{AD}+\overline{BC}$이므로
$\overline{AD}+\overline{BC}=7+8=15$(cm)
$\therefore \overline{BC}=15\times\frac{3}{5}=9$(cm)

1-2 $\overline{AB}+\overline{CD}=\overline{AD}+\overline{BC}$이므로
$\overline{AB}+\overline{CD}=8+18=26$(cm)
등변사다리꼴 ABCD에서 $\overline{AB}=\overline{CD}$이므로
$\overline{AB}=\frac{1}{2}\times 26=13$(cm)

1-3 $\overline{AB}$는 원 O의 지름의 길이와 같으므로 $\overline{AB}=6$ cm
$\overline{AB}+\overline{CD}=\overline{AD}+\overline{BC}$에서
$\overline{AD}+\overline{BC}=6+9=15$(cm)
$\therefore$ □ABCD$=\frac{1}{2}\times(\overline{AD}+\overline{BC})\times\overline{AB}$
$=\frac{1}{2}\times 15\times 6=45$(cm^2)

1-4 A에서 B, C를 지나 D까지 이동한 거리는
$60\times 50=3000$(m)
B에서 C까지 이동한 거리는 $60\times 15=900$(m)
따라서 A에서 B까지 이동한 거리와 C에서 D까지 이동한 거리의 합은
$3000-900=2100$(m)
이때 $\overline{AB}+\overline{CD}=\overline{AD}+\overline{BC}$이므로 D에서 A까지의 거리는
$2100-900=1200$(m)

기본 문제

개념북 66~67쪽

1 ⑤	**2** ②	**3** ⑤	**4** 15 cm
5 ④	**6** 63°	**7** $9\sqrt{2}$ cm	**8** ⑤
9 ④	**10** 5 cm	**11** ④	**12** 4 cm

1 직각삼각형 AOH에서
$\overline{AH}=\sqrt{12^2-8^2}=4\sqrt{5}$ (cm)
$\therefore \overline{AB}=2\overline{AH}=2\times 4\sqrt{5}=8\sqrt{5}$ (cm)

2 오른쪽 그림과 같이 반지름의 길이가 10 cm, 현 AB의 길이가 16 cm인 원 O에서

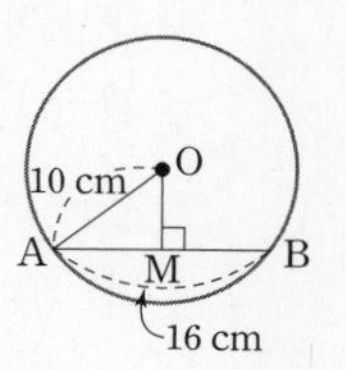

$\overline{AM}=\frac{1}{2}\overline{AB}=\frac{1}{2}\times 16=8$(cm)
직각삼각형 OAM에서
$\overline{OM}=\sqrt{10^2-8^2}=\sqrt{36}=6$(cm)
따라서 원의 중심에서 길이가 16 cm인 현까지의 거리는 6 cm이다.

3 오른쪽 그림과 같이 $\overline{OA}$를 그으면 원 O의 지름의 길이는

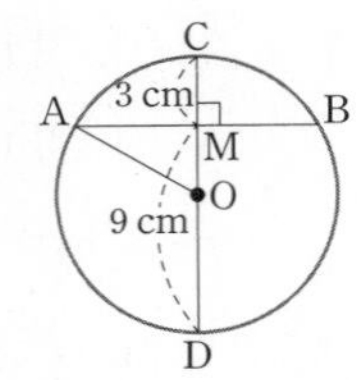

$\overline{CD}=3+9=12(cm)$이므로

$\overline{OA}=6\ cm$,

$\overline{OM}=9-6=3\ (cm)$

직각삼각형 AOM에서

$\overline{AM}=\sqrt{6^2-3^2}=\sqrt{27}=3\sqrt{3}\ (cm)$

$\therefore\ \overline{AB}=2\overline{AM}=2\times3\sqrt{3}=6\sqrt{3}\ (cm)$

4 원의 중심을 O라 하면 오른쪽 그림과 같이 $\overline{CD}$의 연장선은 점 O를 지난다.

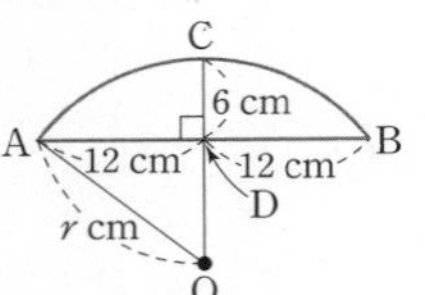

원 O의 반지름의 길이를 r cm라 하면 $\overline{OA}=r$ cm, $\overline{OD}=(r-6)$ cm이므로

직각삼각형 AOD에서

$r^2=12^2+(r-6)^2$, $12r=180$ $\qquad\therefore\ r=15$

따라서 원의 반지름의 길이는 15 cm이다.

5 직각삼각형 OAM에서

$\overline{AM}=\sqrt{15^2-9^2}=\sqrt{144}=12(cm)$

$\therefore\ \overline{AB}=2\overline{AM}=2\times12=24(cm)$

따라서 $\overline{OM}=\overline{ON}$이므로

$\overline{CD}=\overline{AB}=24\ cm$

6 □AMON에서

$\angle MAN=360°-(90°+126°+90°)=54°$

또, $\overline{OM}=\overline{ON}$이므로 △ABC는 $\overline{AB}=\overline{AC}$인 이등변삼각형이다.

$\therefore\ \angle x=\frac{1}{2}\times(180°-54°)=63°$

7 □APBO에서 $\angle PAO=\angle PBO=90°$이므로

$\angle APB=360°-(90°+90°+90°)=90°$

따라서 직각삼각형 APB에서 $\overline{PB}=\overline{PA}=9$ cm이므로

$\overline{AB}=\sqrt{9^2+9^2}=9\sqrt{2}\ (cm)$

8 $\overline{PA}=\overline{PB}$이므로

$\angle PAB=\angle PBA=\frac{1}{2}\times(180°-60°)=60°$

따라서 △PBA는 정삼각형이므로

$\triangle PBA=\frac{\sqrt{3}}{4}\times6^2=9\sqrt{3}\ (cm^2)$

9 $\angle ATO=90°$이므로 직각삼각형 AOT에서

$\overline{AT}=\sqrt{13^2-5^2}=\sqrt{144}=12(cm)$

이때 $\overline{AT}=\overline{AT'}$, $\overline{BD}=\overline{BT}$, $\overline{CD}=\overline{CT'}$이므로

(△ABC의 둘레의 길이)

$=\overline{AB}+\overline{BC}+\overline{CA}$

$=\overline{AB}+(\overline{BD}+\overline{CD})+\overline{CA}$

$=(\overline{AB}+\overline{BT})+(\overline{CT'}+\overline{CA})$

$=\overline{AT}+\overline{AT'}$

$=2\overline{AT}$

$=2\times12=24(cm)$

10 $\overline{BE}=\overline{BD}=3$ cm이므로

$\overline{CF}=\overline{CE}=7-3=4(cm)$

$\therefore\ \overline{AD}=\overline{AF}=9-4=5(cm)$

11 $\overline{AB}+\overline{CD}=\overline{AD}+\overline{BC}$이므로

$9+x=7+y$ $\qquad\therefore\ y-x=2$

12 원 O의 반지름의 길이가 6 cm이므로 $\overline{BF}=6$ cm

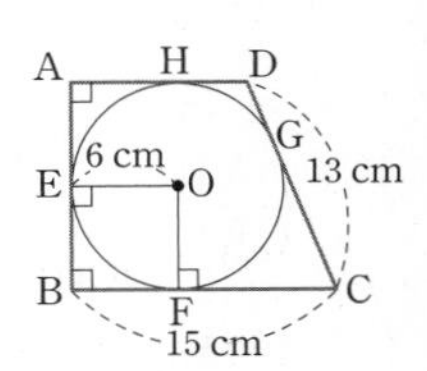

따라서

$\overline{CG}=\overline{CF}=15-6=9(cm)$

이므로

$\overline{DH}=\overline{DG}=13-9=4(cm)$

개념 완성 발전 문제

개념북 68~69쪽

1 3 cm **2** $6\sqrt{3}$ cm **3** $5\sqrt{6}\ cm^2$ **4** 4π cm

5 6 cm

6 ① $(8-x)$ cm, $(9-x)$ cm

② $(8-x)$, $(9-x)$, $-2x+17$, 6

③ $\overline{IE}$, $\overline{BE}$, 2, 12 cm

7 ① 7 cm ② $\frac{3\sqrt{5}}{2}$ cm

$\overline{AD}=\overline{AF}=(3-r)$ cm
$\overline{AB}=\overline{AD}+\overline{BD}$이므로
$5=(3-r)+(4-r)$, $2r=2$ $\therefore r=1$
따라서 원 O의 반지름의 길이는 1 cm이다.

2-1 $\overline{AD}=\overline{AF}=x$ cm라 하면
$\overline{BD}=\overline{BE}=2$ cm,
$\overline{CF}=\overline{CE}=10$ cm이므로
$\overline{AB}=(x+2)$ cm
$\overline{AC}=(x+10)$ cm
직각삼각형 ABC에서
$(x+10)^2=(x+2)^2+12^2$, $16x=48$ $\therefore x=3$
따라서 $\overline{AD}$의 길이는 3 cm이다.

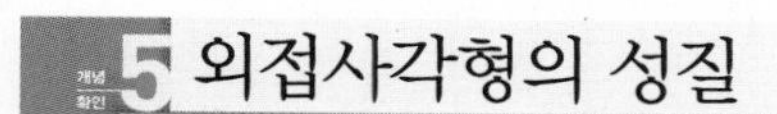

5 외접사각형의 성질

개념북 62쪽

1 (1) 10 (2) 3 **2** 14 cm **3** 4 cm

1 (1) $\overline{AB}+\overline{CD}=\overline{AD}+\overline{BC}$이므로
$x+8=6+12$ $\therefore x=10$
(2) $\overline{AB}+\overline{CD}=\overline{AD}+\overline{BC}$이므로
$7+5=x+9$ $\therefore x=3$

2 $\overline{AD}+\overline{BC}=\overline{AB}+\overline{CD}=8+6=14$(cm)

3 $\overline{AB}+\overline{CD}=\overline{AD}+\overline{BC}$이므로
$6+4=3+(\overline{BQ}+3)$
$\therefore \overline{BQ}=4$ cm

외접사각형의 성질

개념북 63쪽

1 42 cm **1-1** 9 cm **1-2** 13 cm
1-3 45 cm² **1-4** 1200 m

1 $\overline{DG}=\overline{DH}=4$ cm이므로 $\overline{CD}=6+4=10$(cm)
이때 $\overline{AB}+\overline{CD}=\overline{AD}+\overline{BC}$이므로
(□ABCD의 둘레의 길이)
$=2(\overline{AB}+\overline{CD})$
$=2\times(11+10)=42$(cm)

1-1 $\overline{AB}+\overline{CD}=\overline{AD}+\overline{BC}$이므로
$\overline{AD}+\overline{BC}=7+8=15$(cm)
$\therefore \overline{BC}=15\times\frac{3}{5}=9$(cm)

1-2 $\overline{AB}+\overline{CD}=\overline{AD}+\overline{BC}$이므로
$\overline{AB}+\overline{CD}=8+18=26$(cm)
등변사다리꼴 ABCD에서 $\overline{AB}=\overline{CD}$이므로
$\overline{AB}=\frac{1}{2}\times 26=13$(cm)

1-3 $\overline{AB}$는 원 O의 지름의 길이와 같으므로 $\overline{AB}=6$ cm
$\overline{AB}+\overline{CD}=\overline{AD}+\overline{BC}$에서
$\overline{AD}+\overline{BC}=6+9=15$(cm)
$\therefore \square ABCD=\frac{1}{2}\times(\overline{AD}+\overline{BC})\times\overline{AB}$
$=\frac{1}{2}\times 15\times 6=45$(cm²)

1-4 A에서 B, C를 지나 D까지 이동한 거리는
$60\times 50=3000$(m)
B에서 C까지 이동한 거리는 $60\times 15=900$(m)
따라서 A에서 B까지 이동한 거리와 C에서 D까지 이동한 거리의 합은
$3000-900=2100$(m)
이때 $\overline{AB}+\overline{CD}=\overline{AD}+\overline{BC}$이므로 D에서 A까지의 거리는
$2100-900=1200$(m)

기본 문제

개념북 66~67쪽

1 ⑤	**2** ②	**3** ⑤	**4** 15 cm
5 ④	**6** 63°	**7** $9\sqrt{2}$ cm	**8** ⑤
9 ④	**10** 5 cm	**11** ④	**12** 4 cm

1 직각삼각형 AOH에서
$\overline{AH}=\sqrt{12^2-8^2}=4\sqrt{5}$ (cm)
$\therefore \overline{AB}=2\overline{AH}=2\times 4\sqrt{5}=8\sqrt{5}$ (cm)

2 오른쪽 그림과 같이 반지름의 길이가 10 cm, 현 AB의 길이가 16 cm인 원 O에서
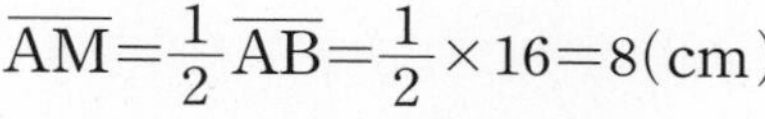
$\overline{AM}=\frac{1}{2}\overline{AB}=\frac{1}{2}\times 16=8$(cm)
직각삼각형 OAM에서
$\overline{OM}=\sqrt{10^2-8^2}=\sqrt{36}=6$(cm)
따라서 원의 중심에서 길이가 16 cm인 현까지의 거리는 6 cm이다.

3 오른쪽 그림과 같이 $\overline{OA}$를 그으면 원 O의 지름의 길이는

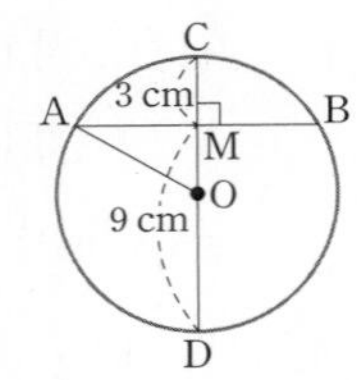

$\overline{CD}=3+9=12(cm)$이므로

$\overline{OA}=6$ cm,

$\overline{OM}=9-6=3$ (cm)

직각삼각형 AOM에서

$\overline{AM}=\sqrt{6^2-3^2}=\sqrt{27}=3\sqrt{3}$ (cm)

$\therefore\ \overline{AB}=2\overline{AM}=2\times3\sqrt{3}=6\sqrt{3}$ (cm)

4 원의 중심을 O라 하면 오른쪽 그림과 같이 $\overline{CD}$의 연장선은 점 O를 지난다.

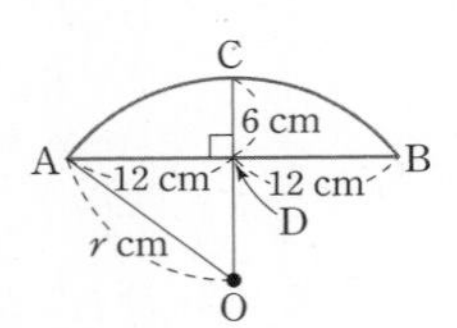

원 O의 반지름의 길이를 r cm라 하면 $\overline{OA}=r$ cm, $\overline{OD}=(r-6)$ cm이므로

직각삼각형 AOD에서

$r^2=12^2+(r-6)^2$, $12r=180$ $\quad\therefore\ r=15$

따라서 원의 반지름의 길이는 15 cm이다.

5 직각삼각형 OAM에서

$\overline{AM}=\sqrt{15^2-9^2}=\sqrt{144}=12(cm)$

$\therefore\ \overline{AB}=2\overline{AM}=2\times12=24(cm)$

따라서 $\overline{OM}=\overline{ON}$이므로

$\overline{CD}=\overline{AB}=24$ cm

6 □AMON에서

$\angle MAN=360^\circ-(90^\circ+126^\circ+90^\circ)=54^\circ$

또, $\overline{OM}=\overline{ON}$이므로 △ABC는 $\overline{AB}=\overline{AC}$인 이등변삼각형이다.

$\therefore\ \angle x=\frac{1}{2}\times(180^\circ-54^\circ)=63^\circ$

7 □APBO에서 $\angle PAO=\angle PBO=90^\circ$이므로

$\angle APB=360^\circ-(90^\circ+90^\circ+90^\circ)=90^\circ$

따라서 직각삼각형 APB에서 $\overline{PB}=\overline{PA}=9$ cm이므로

$\overline{AB}=\sqrt{9^2+9^2}=9\sqrt{2}$ (cm)

8 $\overline{PA}=\overline{PB}$이므로

$\angle PAB=\angle PBA=\frac{1}{2}\times(180^\circ-60^\circ)=60^\circ$

따라서 △PBA는 정삼각형이므로

$\triangle PBA=\frac{\sqrt{3}}{4}\times6^2=9\sqrt{3}$ (cm²)

9 $\angle ATO=90^\circ$이므로 직각삼각형 AOT에서

$\overline{AT}=\sqrt{13^2-5^2}=\sqrt{144}=12(cm)$

이때 $\overline{AT}=\overline{AT'}$, $\overline{BD}=\overline{BT}$, $\overline{CD}=\overline{CT'}$이므로

(△ABC의 둘레의 길이)

$=\overline{AB}+\overline{BC}+\overline{CA}$

$=\overline{AB}+(\overline{BD}+\overline{CD})+\overline{CA}$

$=(\overline{AB}+\overline{BT})+(\overline{CT'}+\overline{CA})$

$=\overline{AT}+\overline{AT'}$

$=2\overline{AT}$

$=2\times12=24(cm)$

10 $\overline{BE}=\overline{BD}=3$ cm이므로

$\overline{CF}=\overline{CE}=7-3=4(cm)$

$\therefore\ \overline{AD}=\overline{AF}=9-4=5(cm)$

11 $\overline{AB}+\overline{CD}=\overline{AD}+\overline{BC}$이므로

$9+x=7+y$ $\quad\therefore\ y-x=2$

12 원 O의 반지름의 길이가 6 cm이므로 $\overline{BF}=6$ cm

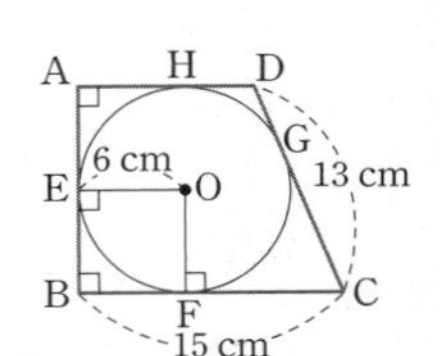

따라서

$\overline{CG}=\overline{CF}=15-6=9(cm)$

이므로

$\overline{DH}=\overline{DG}=13-9=4(cm)$

개념완성 발전 문제 개념북 68~69쪽

1 3 cm **2** $6\sqrt{3}$ cm **3** $5\sqrt{6}$ cm² **4** 4π cm

5 6 cm

6 ① $(8-x)$ cm, $(9-x)$ cm

② $(8-x)$, $(9-x)$, $-2x+17$, 6

③ $\overline{IE}$, $\overline{BE}$, 2, 12 cm

7 ① 7 cm ② $\frac{3\sqrt{5}}{2}$ cm

1 오른쪽 그림과 같이 원의 중심 O에서 $\overline{AB}$에 내린 수선의 발을 M이라 하면

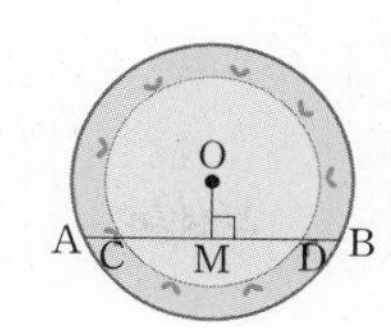

$\overline{AM}=\overline{BM}=\frac{1}{2}\overline{AB}$

$=\frac{1}{2}\times 20=10(\text{cm})$

$\overline{CM}=\overline{DM}=\frac{1}{2}\overline{CD}=\frac{1}{2}\times 14=7(\text{cm})$

$\therefore \overline{AC}=\overline{AM}-\overline{CM}=10-7=3(\text{cm})$

2 $\overline{OM}=\overline{ON}$에서 $\overline{BC}=\overline{AC}$이므로

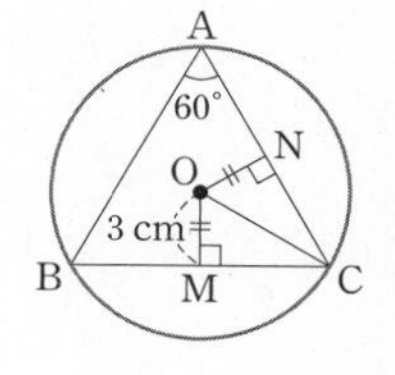

$\angle B=\angle A=60^\circ$

$\therefore \angle C=180^\circ-(60^\circ+60^\circ)$

$=60^\circ$

즉, $\triangle ABC$는 정삼각형이다.

위의 그림과 같이 $\overline{OC}$를 그으면

$\triangle OMC\equiv\triangle ONC$ (RHS 합동)이므로

$\angle OCM=\frac{1}{2}\angle ACB=\frac{1}{2}\times 60^\circ=30^\circ$

즉, 직각삼각형 OMC에서

$\overline{CM}=\frac{3}{\tan 30^\circ}=3\div\frac{\sqrt{3}}{3}=3\sqrt{3}\,(\text{cm})$

따라서 $\overline{BC}=2\overline{CM}=2\times 3\sqrt{3}=6\sqrt{3}\,(\text{cm})$이므로

$\overline{AB}=\overline{BC}=6\sqrt{3}\text{ cm}$

3 오른쪽 그림과 같이 점 D에서 $\overline{BC}$에 내린 수선의 발을 H라 하면

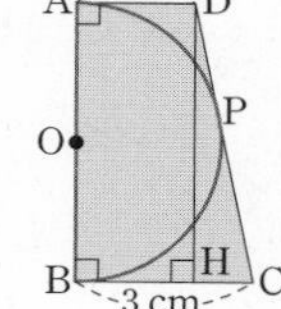

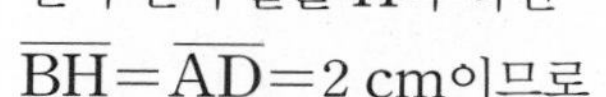

$\overline{BH}=\overline{AD}=2\text{ cm}$이므로

$\overline{HC}=3-2=1(\text{cm})$

$\overline{AD}=\overline{DP}$, $\overline{BC}=\overline{CP}$이므로

$\overline{DC}=\overline{DP}+\overline{CP}=\overline{AD}+\overline{BC}=2+3=5(\text{cm})$

직각삼각형 DHC에서

$\overline{DH}=\sqrt{5^2-1^2}=\sqrt{24}=2\sqrt{6}(\text{cm})$

따라서 $\overline{AB}=\overline{DH}=2\sqrt{6}\text{ cm}$이므로

$\square ABCD=\frac{1}{2}\times(2+3)\times 2\sqrt{6}=5\sqrt{6}(\text{cm}^2)$

4 원 O의 반지름의 길이를 r cm라 하면

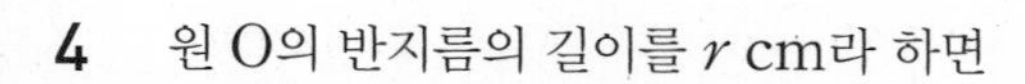

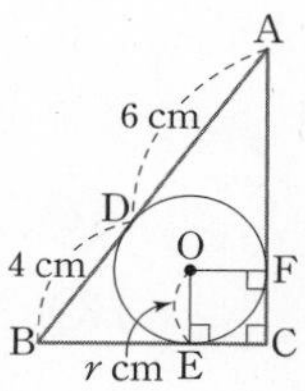

$\square OECF$는 정사각형이므로

$\overline{CE}=\overline{CF}=r\text{ cm}$

원의 접선의 성질에 의하여

$\overline{BE}=\overline{BD}=4\text{ cm}$,

$\overline{AF}=\overline{AD}=6\text{ cm}$

이므로

$\overline{BC}=(r+4)\text{ cm}$, $\overline{AC}=(r+6)\text{ cm}$

직각삼각형 ABC에서

$10^2=(r+4)^2+(r+6)^2$, $r^2+10r-24=0$

$(r-2)(r+12)=0$

$\therefore r=2\ (\because r>0)$

따라서 원 O의 둘레의 길이는 $2\pi\times 2=4\pi(\text{cm})$

5 $\overline{BE}=x$ cm라 하면 $\square ABED$가 원 O에 외접하므로

$\overline{AB}+\overline{DE}=\overline{AD}+\overline{BE}$에서

$8+\overline{DE}=12+x$

$\therefore \overline{DE}=(4+x)\text{ cm}$

직각삼각형 DEC에서

$\overline{EC}=(12-x)\text{ cm}$, $\overline{DC}=8\text{ cm}$이므로

$(4+x)^2=(12-x)^2+8^2$, $32x=192$ $\quad\therefore x=6$

따라서 $\overline{BE}$의 길이는 6 cm이다.

6 ① $\overline{BE}=\overline{BD}=x$ cm이므로

$\overline{AF}=\overline{AD}=(8-x)\text{ cm}$,

$\overline{CF}=\overline{CE}=(9-x)\text{ cm}$

② $\overline{AC}=\overline{AF}+\overline{CF}$이므로 $5=(8-x)+(9-x)$

$5=-2x+17$ $\quad\therefore x=6$

③ ($\triangle HBI$의 둘레의 길이)

$=\overline{BH}+\overline{HI}+\overline{BI}=\overline{BH}+(\overline{HG}+\overline{IG})+\overline{BI}$

$=(\overline{BH}+\overline{HD})+(\overline{IE}+\overline{BI})$

$=\overline{BD}+\overline{BE}$

$=2\overline{BD}=2\times 6=12(\text{cm})$

7 ① 등변사다리꼴 ABCD에서 $\overline{AB}=\overline{DC}$이고

$\overline{AB}+\overline{DC}=\overline{AD}+\overline{BC}=5+9=14(\text{cm})$

이므로

$\overline{AB}=\overline{DC}=\frac{1}{2}\times 14=7(\text{cm})$

② 오른쪽 그림과 같이 두 점 A, D에서 $\overline{BC}$에 내린 수선의 발을 각각 H, H′이라 하면

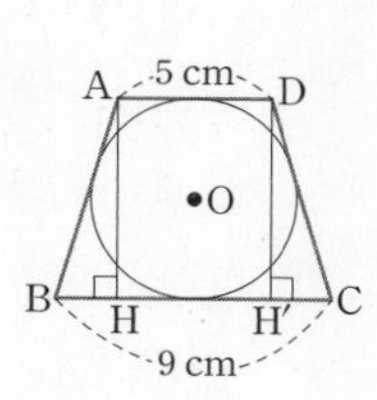

$\overline{HH'}=\overline{AD}=5\text{ cm}$

$\overline{BH}=\overline{CH'}=\frac{1}{2}\times(9-5)=2(\text{cm})$

따라서 직각삼각형 ABH에서

$\overline{AH}=\sqrt{7^2-2^2}=\sqrt{45}=3\sqrt{5}\,(\text{cm})$

이므로 원 O의 반지름의 길이는

$\frac{1}{2}\times 3\sqrt{5}=\frac{3\sqrt{5}}{2}(\text{cm})$

2 원주각

개념 확인 1 원주각과 중심각의 크기 　개념북 72쪽

1 (1) $120°$ (2) $40°$ (3) $160°$

2 $\angle x=140°$, $\angle y=110°$

1 (1) $\angle x=2\times60°=120°$

(2) $\angle x=\frac{1}{2}\times80°=40°$

(3) $\angle x=360°-2\times100°=160°$

2 $\angle x=2\angle BAD=2\times70°=140°$

$\overparen{BAD}$에 대한 중심각의 크기가 $360°-140°=220°$이므로

$\angle y=\frac{1}{2}\times220°=110°$

원주각과 중심각의 크기 　개념북 73쪽

1 $110°$ 　**1-1** 20 m

1 오른쪽 그림과 같이 $\overline{BO}$를 그으면

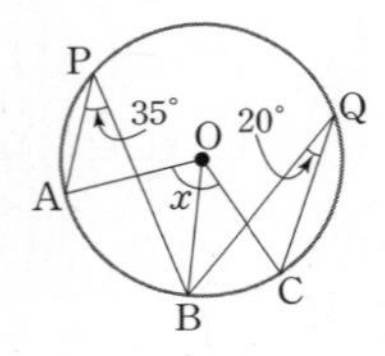

$\angle AOB=2\angle APB=2\times35°=70°$

$\angle BOC=2\angle BQC=2\times20°=40°$

$\therefore\ \angle x=\angle AOB+\angle BOC$

$=70°+40°=110°$

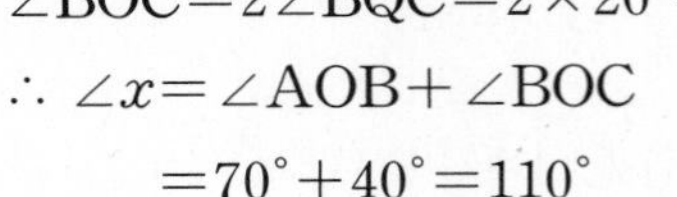

1-1 오른쪽 그림과 같이 원 모양의 공연장의 중심을 O라 하면

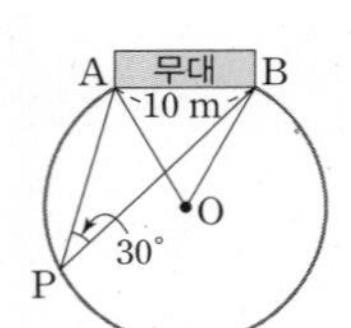

$\angle AOB=2\angle APB$

$=2\times30°=60°$

이고 $\overline{AO}=\overline{BO}$이므로 $\triangle AOB$는 정삼각형이다.

따라서 공연장의 반지름의 길이는 10 m이므로 지름의 길이는 $2\times10=20(\text{m})$이다.

접선이 주어진 경우 원주각과 중심각의 크기 　개념북 73쪽

2 $56°$ 　**2-1** $114°$

2 오른쪽 그림과 같이 $\overline{OA}$, $\overline{OB}$를 그으면

$\angle AOB=2\angle ACB$

$=2\times62°=124°$

이때 $\square APBO$에서

$\angle PAO=\angle PBO=90°$이므로

$\angle x=360°-(90°+90°+124°)=56°$

2-1 $\square AOBP$에서 $\angle PAO=\angle PBO=90°$이므로

$\angle AOB=360°-(90°+90°+48°)=132°$

$\therefore\ \angle x=\frac{1}{2}\times(360°-132°)=114°$

개념 확인 2 원주각의 성질 　개념북 74쪽

1 (1) $35°$ (2) $40°$

2 (1) $90°$ (2) $65°$

1 (1) $\angle x=\angle BDC=35°$

(2) $\angle x=\angle ACD=40°$

2 (1) $\overline{BC}$는 원 O의 지름이므로 $\angle x=90°$

(2) $\angle ABC=90°$이므로

$\angle x=180°-(25°+90°)=65°$

원주각의 성질 (1) 　개념북 75쪽

1 $15°$ 　**1-1** $55°$

1 $\triangle APD$에서 $\angle PAD=55°-35°=20°$이므로

$\angle x=\angle CAD=20°$

$\angle y=\angle ADB=35°$

$\therefore\ \angle y-\angle x=35°-20°=15°$

1-1 오른쪽 그림과 같이 $\overline{QB}$를 그으면

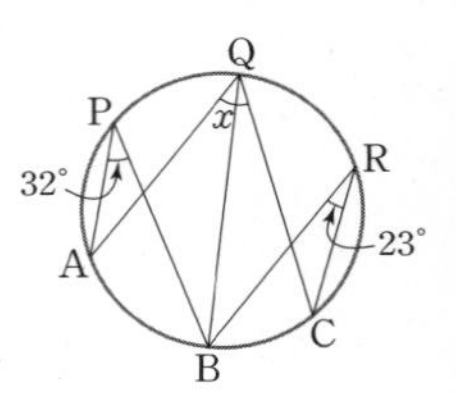

$\angle AQB=\angle APB=32°$

$\angle BQC=\angle BRC=23°$

$\therefore\ \angle x=\angle AQB+\angle BQC$

$=32°+23°$

$=55°$

원주각의 성질 (2)

개념북 75쪽

2 $60°$ **2-1** $34°$

2 $\angle ACB=90°$이므로 $\triangle ACB$에서

$\angle ABC=180°-(30°+90°)=60°$

$\therefore \angle ADC=\angle ABC=60°$

2-1 오른쪽 그림과 같이 $\overline{AQ}$를 그으면

$\angle AQB=90°$이므로

$\angle AQR=90°-56°=34°$

$\therefore \angle APR=\angle AQR=34°$

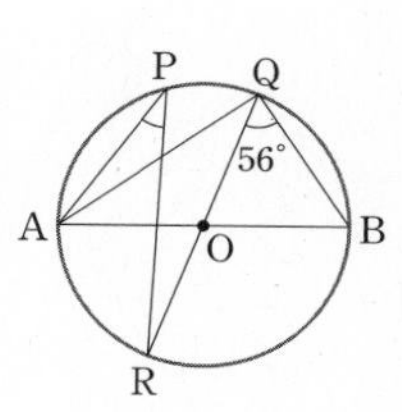

3 원주각의 크기와 호의 길이

개념북 76쪽

1 (1) 35 (2) 5

2 (1) 60 (2) 3

1 (1) $\widehat{AB}=\widehat{CD}$이므로

$\angle CQD=\angle APB=35°$ $\therefore x=35$

(2) $\angle APB=\angle CQD$이므로

$\widehat{AB}=\widehat{CD}=5$ cm $\therefore x=5$

2 (1) $\angle APB : \angle CQD=\widehat{AB} : \widehat{CD}$이므로

$30 : x=2 : 4$

$\therefore x=60$

(2) $\angle APB : \angle CQD=\widehat{AB} : \widehat{CD}$이므로

$40 : 20=6 : x$

$\therefore x=3$

원주각의 크기와 호의 길이 (1)

개념북 77쪽

1 $60°$ **1-1** $26°$

1 $\widehat{AB}=\widehat{CD}$이므로 $\angle DBC=\angle ACB=30°$

따라서 $\triangle PBC$에서

$\angle APB=\angle PBC+\angle PCB=30°+30°=60°$

1-1 $\widehat{BD}=\widehat{CD}$이므로 $\angle DAB=\angle CAD=32°$

$\overline{AB}$는 원 O의 지름이므로 $\angle ACB=90°$

따라서 $\triangle ABC$에서

$\angle x=180°-(90°+32°+32°)=26°$

원주각의 크기와 호의 길이 (2)

개념북 77쪽

2 $50°$ **2-1** 14 cm **2-2** $36°$

2 $\angle ACB : \angle DBC=\widehat{AB} : \widehat{CD}$이므로

$20° : \angle DBC=2 : 3$, $2\angle DBC=60°$

$\therefore \angle DBC=30°$

따라서 $\triangle PBC$에서

$\angle x=\angle PBC+\angle PCB=30°+20°=50°$

2-1 $\triangle ABP$에서

$\angle ABP=\angle APD-\angle BAP=75°-25°=50°$

따라서 $\angle BAC : \angle ABD=\widehat{BC} : \widehat{AD}$이므로

$25 : 50=7 : \widehat{AD}$ $\therefore \widehat{AD}=14$ cm

2-2 $\angle ACB : \angle BAC : \angle ABC=\widehat{AB} : \widehat{BC} : \widehat{CA}$

$=2 : 2 : 1$

이므로

$$\angle ABC=180°\times\frac{1}{2+2+1}=180°\times\frac{1}{5}=36°$$

4 네 점이 한 원 위에 있을 조건

개념북 78쪽

1 ㄱ, ㄴ, ㄹ

2 (1) $120°$ (2) $40°$

1 ㄱ. $\angle ABD=\angle ACD=70°$이므로 네 점 A, B, C, D는 한 원 위에 있다.

ㄴ. $\angle BAC=\angle BDC=90°$이므로 네 점 A, B, C, D는 한 원 위에 있다.

ㄷ. $\angle BAC\neq\angle BDC$이므로 네 점 A, B, C, D는 한 원 위에 있지 않다.

ㄹ. $\angle BDC=180°-(95°+30°)=55°$에서

$\angle BAC=\angle BDC=55°$이므로 네 점 A, B, C, D는 한 원 위에 있다.

따라서 네 점 A, B, C, D가 한 원 위에 있는 것은 ㄱ, ㄴ, ㄹ이다.

2 (1) $\angle BDC=\angle BAC=50°$이므로

$\angle x=50°+70°=120°$

(2) $\angle ACD=\angle ABD=30°$이므로

$\angle x+30°=70°$

$\therefore \angle x=40°$

✎ 네 점이 한 원 위에 있을 조건 개념북 79쪽

1 ② **1-1** $105°$ **1-2** $40°$ **1-3** $25°$

1 ① $\angle ADB=\angle ACB$

② $\angle BAC=180°-(35°+90°)=55°$이므로

$\angle BAC\neq\angle BDC$

③ $\angle ADB=180°-(75°+40°)=65°$이므로

$\angle ADB=\angle ACB$

④ $\angle BAC=180°-(40°+60°+40°)=40°$이므로

$\angle BAC=\angle BDC$

⑤ $\angle DAC=25°+10°=35°$이므로

$\angle DAC=\angle DBC$

따라서 네 점 A, B, C, D가 한 원 위에 있지 않은 것은 ②이다.

1-1 네 점 A, B, C, D가 한 원 위에 있으므로

$\angle BAC=\angle BDC=75°$

따라서 $\triangle ABE$에서

$\angle x=75°+30°=105°$

1-2 네 점 A, B, C, D가 한 원 위에 있으므로

$\angle ADB=\angle ACB=20°$

따라서 $\triangle DEB$에서 $\angle x+20°=60°$

$\therefore \angle x=40°$

1-3 네 점 A, B, C, D가 한 원 위에 있으므로

$\angle x=\angle ACB=180°-(100°+45°)=35°$

$\triangle ABE$에서

$\angle ABE=\angle BEC-\angle BAE$

$=100°-40°=60°$

이므로

$\angle y=\angle ABD=60°$

$\therefore \angle y-\angle x=60°-35°=25°$

5 원에 내접하는 사각형의 성질 개념북 80쪽

1 (1) $\angle x=95°$, $\angle y=80°$ (2) $\angle x=115°$, $\angle y=65°$

2 (1) $\angle x=110°$, $\angle y=120°$

(2) $\angle x=60°$, $\angle y=115°$

1 (1) $\angle A+\angle C=180°$이므로 $\angle x+85°=180°$

$\therefore \angle x=95°$

$\angle B+\angle D=180°$이므로 $\angle y+100°=180°$

$\therefore \angle y=80°$

(2) $\triangle ACD$에서 $\angle x=180°-(30°+35°)=115°$

$\angle B+\angle D=180°$이므로 $\angle y+115°=180°$

$\therefore \angle y=65°$

2 (1) $\angle B+\angle D=180°$이므로 $70°+\angle x=180°$

$\therefore \angle x=110°$

$\angle y=\angle BAD=120°$

(2) $\angle x=\angle BAC=60°$,

$\angle y=\angle ADC=55°+60°=115°$

✎ 원에 내접하는 사각형의 성질 (1) 개념북 81쪽

1 $95°$ **1-1** $108°$

1 $\angle ABD=\angle ACD=35°$

$\angle BDC=\angle BAC=50°$

$\square ABCD$에서

$\angle ABC+\angle ADC=180°$

이므로

$(\angle x+35°)+(\angle y+50°)=180°$

$\therefore \angle x+\angle y=95°$

1-1 $\triangle ABC$는 이등변삼각형이므로

$\angle ABC=\frac{1}{2}\times(180°-36°)=72°$

이때 $\angle ABC+\angle ADC=180°$이므로

$72°+\angle ADC=180°$

$\therefore \angle ADC=108°$

✎ 원에 내접하는 사각형의 성질 (2) 개념북 81쪽

2 $80°$ **2-1** 동혁

2 $\triangle OBC$에서 $\angle OCB=\angle OBC=30°$이므로

$\angle BOC=180°-2\times30°=120°$

$\therefore \angle BAC=\frac{1}{2}\angle BOC=\frac{1}{2}\times120°=60°$

이때 $\square ABCD$가 원 O에 내접하므로

$\angle DCE=\angle BAD=\angle BAC+\angle CAD$

$=60°+20°=80°$

2-1 $\angle BAC=90°$이므로 $\triangle ABC$에서
$\angle ABC=180°-(90°+20°)=70°$
이때 □ABCD가 원 O에 내접하므로
$\angle x=\angle ABC=70°$
따라서 잘못된 설명을 하고 있는 학생은 동혁이다.

원에 내접하는 사각형과 외각의 성질 개념북 82쪽

3 53° **3-1** 40°

3 □ABCD가 원에 내접하므로
$\angle ABC=\angle CDF=\angle x$
$\triangle BCE$에서 $\angle ECF=\angle x+28°$
$\triangle DCF$에서 $\angle x+(\angle x+28°)+46°=180°$
$2\angle x=106°$ $\therefore \angle x=53°$

3-1 □ABCD가 원에 내접하므로
$\angle CDF=\angle ABC=55°$
$\triangle BCE$에서 $\angle ECF=55°+30°=85°$
$\triangle DCF$에서 $55°+85°+\angle x=180°$
$\therefore \angle x=40°$

원에 내접하는 다각형 개념북 82쪽

4 215° **4-1** 80°

4 오른쪽 그림과 같이 $\overline{CE}$를 그으면

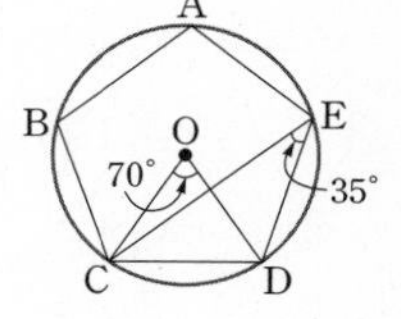

$\angle CED=\frac{1}{2}\angle COD$
$=\frac{1}{2}\times 70°=35°$
□ABCE는 원 O에 내접하므로
$\angle B+\angle AEC=180°$
$\therefore \angle B+\angle E=\angle B+(\angle AEC+\angle CED)$
$=180°+35°=215°$

4-1 오른쪽 그림과 같이 $\overline{BD}$를 그으면

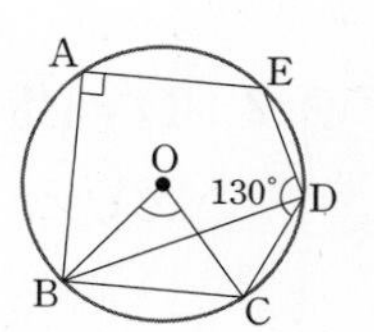

□ABDE는 원 O에 내접하므로
$\angle BAE+\angle BDE=180°$
$90°+\angle BDE=180°$
$\therefore \angle BDE=90°$
따라서 $\angle BDC=130°-90°=40°$이므로
$\angle BOC=2\angle BDC=2\times 40°=80°$

개념 확인 6 사각형이 원에 내접하기 위한 조건 개념북 83쪽

1 ①, ④
2 $\angle x=100°$, $\angle y=105°$

1 ① $\angle BAC=\angle BDC=65°$이므로 □ABCD는 원에 내접한다.
② $\angle BAC\neq\angle BDC$이므로 □ABCD는 원에 내접하지 않는다.
③ $\angle B+\angle D\neq 180°$이므로 □ABCD는 원에 내접하지 않는다.
④ $\angle A+\angle C=180°$이므로 □ABCD는 원에 내접한다.
⑤ $\angle ABE\neq\angle CDA$이므로 □ABCD는 원에 내접하지 않는다.

2 $\angle B+\angle D=180°$이어야 하므로 $\angle x+80°=180°$
$\therefore \angle x=100°$
또, $\angle BAD=\angle y$이어야 하므로 $\angle y=105°$

사각형이 원에 내접하기 위한 조건 개념북 84쪽

1 ② **1-1** ㄴ, ㄷ, ㅁ **1-2** ④
1-3 $\angle x=35°$, $\angle y=70°$

1 ① $\angle B+\angle D=85°+95°=180°$이므로 □ABCD는 원에 내접한다.
② $\angle A+\angle C\neq 180°$이므로 □ABCD는 원에 내접하지 않는다.
③ $\angle BAC=\angle BDC$이므로 □ABCD는 원에 내접한다.
④ $\angle ABE=\angle D$이므로 □ABCD는 원에 내접한다.
⑤ $\triangle BCD$에서 $\angle BDC=180°-(30°+80°)=70°$
이므로 $\angle BAC=\angle BDC$
따라서 □ABCD는 원에 내접한다.

1-1 ㄱ. $\angle A+\angle C\neq 180°$
ㄴ. $\angle A=\angle DCE$
ㄷ. □ABCD는 등변사다리꼴이므로
$\angle A+\angle C=180°$
ㄹ. $\angle ADC=180°-80°=100°$이므로
$\angle ABE\neq\angle ADC$

ㅁ. $\triangle$BCD에서

$\angle BCD=180°-(40°+30°)=110°$이므로

$\angle A+\angle BCD=70°+110°=180°$

ㅂ. $\angle CAD \neq \angle CBD$

따라서 □ABCD가 원에 내접하는 것은 ㄴ, ㄷ, ㅁ이다.

1-2 직사각형, 정사각형, 등변사다리꼴은 대각의 크기의 합이 180°이므로 항상 원에 내접한다.

1-3 □ABCD가 원에 내접하려면 $\angle BAD=\angle DCE$이어야 하므로

$\angle y+50°=120°$ $\therefore \angle y=70°$

$\angle ACB=180°-(120°+25°)=35°$

따라서 □ABCD가 원에 내접하려면

$\angle ADB=\angle ACB$이어야 하므로

$\angle x=35°$

개념 확인 7 접선과 현이 이루는 각 개념북 85쪽

1 (1) $\angle x=80°$, $\angle y=45°$ (2) $\angle x=48°$, $\angle y=42°$

2 88°

1 (1) $\angle x=\angle BAT=80°$, $\angle y=\angle ABC=45°$

(2) $\angle x=\angle BCA=180°-(42°+90°)=48°$

$\angle y=\angle CBA=42°$

2 $\triangle$CDA에서

$\angle x=\angle BCA-\angle CDA=84°-40°=44°$

접선과 현이 이루는 각의 성질에 의해 $\angle y=\angle x=44°$

$\therefore \angle x+\angle y=44°+44°=88°$

접선과 현이 이루는 각 개념북 86쪽

1 48° **1-1** 210°

1 □ABCD는 원에 내접하므로

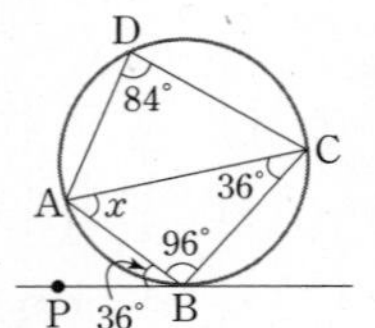

$\angle ABC+\angle ADC=180°$

$\angle ABC+84°=180°$

$\therefore \angle ABC=180°-84°=96°$

$\angle ACB=\angle ABP=36°$이므로

$\triangle$ABC에서 $\angle x+36°+96°=180°$

$\therefore \angle x=48°$

1-1 $\angle x=\angle CAT=70°$이므로

$\angle y=2\angle x=2\times 70°=140°$

$\therefore \angle x+\angle y=70°+140°=210°$

접선과 현이 이루는 각 – 원의 중심을 지나는 경우 개념북 86쪽

2 $\angle x=25°$, $\angle y=40°$ **2-1** 30°

2 $\angle BAC=\angle BCT=65°$이고

$\angle ACB=90°$이므로 $\triangle$ABC에서

$\angle x=180°-(90°+65°)=25°$

따라서 $\triangle$BPC에서 $\angle x+\angle y=65°$이므로

$\angle y=65°-25°=40°$

2-1 오른쪽 그림과 같이 $\overline{AT}$를 그으면 $\overline{AB}$는 원 O의 지름이므로

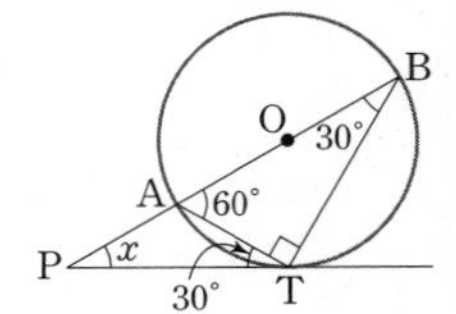

$\angle ATB=90°$

$\triangle$ATB에서

$\angle BAT=180°-(30°+90°)=60°$

이때 $\angle PTA=\angle ABT=30°$이므로

$\triangle$APT에서 $\angle x+30°=60°$ $\therefore \angle x=30°$

접선과 현이 이루는 각의 활용 개념북 87쪽

3 67° **3-1** 15° **3-2** 50° **3-3** 50°

3 $\overline{PA}=\overline{PB}$이므로 $\triangle$APB에서

$\angle PBA=\angle PAB=\frac{1}{2}\times(180°-46°)=67°$

$\therefore \angle ACB=\angle PBA=67°$

3-1 $\overline{PA}=\overline{PB}$이므로 $\angle y=\angle PAB=\angle ACB=65°$

$\triangle$PAB에서 $\angle x=180°-(65°+65°)=50°$

$\therefore \angle y-\angle x=15°$

3-2 $\overline{BD}=\overline{BF}$이므로 $\triangle$BDF에서

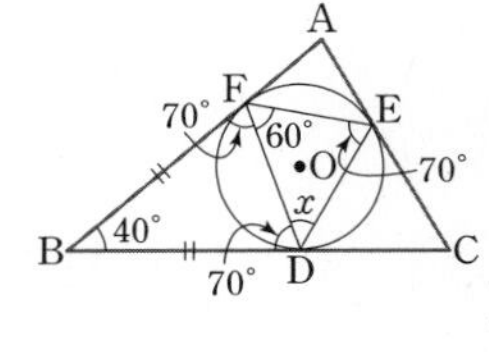

$\angle BDF=\angle BFD$

$=\frac{1}{2}\times(180°-40°)$

$=70°$

이때 $\angle FED=\angle FDB=70°$이므로

$\triangle$DEF에서 $\angle x=180°-(60°+70°)=50°$

3-3 $\triangle ABC$에서 $\angle ACB = 180° - (55° + 45°) = 80°$
$\triangle CDF$에서 $\overline{CD} = \overline{CF}$이므로
$\angle CDF = \angle CFD = \frac{1}{2} \times (180° - 80°) = 50°$
$\therefore \angle x = \angle CFD = 50°$

1-3 $\angle BAT = \angle BTQ = \angle CBT = 45°$이므로
$\triangle ABT$에서 $\angle x = 180° - (45° + 75°) = 60°$

개념 확인 8 두 원에서 접선과 현이 이루는 각 개념북 88쪽

1 (1) 35° (2) 35° (3) 35°
2 (1) 80° (2) 80°

1 (1) $\angle APT = \angle ABP = 35°$
(2) $\angle CPT' = \angle APT = 35°$ ($\because$ 맞꼭지각)
(3) $\angle CDP = \angle CPT' = 35°$

2 (1) $\angle DCP = \angle TPD = \angle BPT'$
$= \angle BAP = 60°$
이므로 $\triangle PCD$에서
$\angle x = 180° - (60° + 40°) = 80°$
(2) $\angle x = \angle ATT' = \angle DCT = 80°$

두 원에서 접선과 현이 이루는 각 개념북 89쪽

1 $\angle x = 45°$, $\angle y = 70°$
1-1 ①, ④ **1-2** 55° **1-3** 60°

1 $\angle CTQ = \angle CDT = 45°$
$\angle ATP = \angle CTQ = 45°$ (맞꼭지각)
$\therefore \angle x = \angle ATP = 45°$
또 $\triangle ABT$에서
$\angle ATB = 180° - (65° + 45°) = 70°$
$\therefore \angle y = \angle ATB = 70°$

1-1 $\angle BAT = \angle BTQ = \angle DTP = \angle DCT = 60°$,
$\angle ABT = \angle ATP = \angle CTQ = \angle CDT = 50°$
$\therefore \overline{AB} /\!/ \overline{CD}$
$\triangle ABT$에서 $\angle ATB = 180° - (60° + 50°) = 70°$
$\therefore \angle ATB = \angle CTD = 70°$
따라서 옳은 것은 ①, ④이다.

1-2 $\angle TPD = \angle BPT' = \angle BAP = 55°$
$\therefore \angle x = \angle T'PC = 180° - (55° + 70°) = 55°$

개념 완성 기본 문제 개념북 92~94쪽

1 ②	**2** ③	**3** ④	**4** ⑤
5 54°	**6** 50°	**7** 90°	**8** 65°
9 ③	**10** ⑤	**11** ④	**12** ③
13 ④	**14** ⑤	**15** ④	**16** ②

1 $\triangle OBC$에서 $\overline{OB} = \overline{OC}$이므로
$\angle OCB = \angle OBC = 32°$
$\therefore \angle BOC = 180° - (32° + 32°) = 116°$
$\therefore \angle x = \frac{1}{2}\angle BOC = \frac{1}{2} \times 116° = 58°$

2 오른쪽 그림과 같이 $\overline{BO}$를 그으면

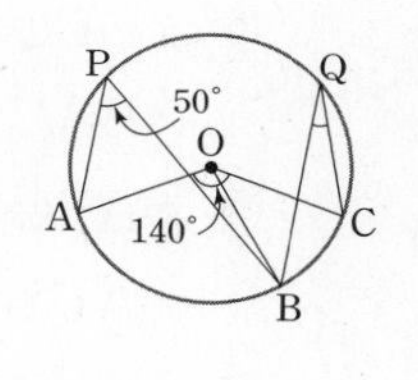

$\angle AOB = 2\angle APB$
$= 2 \times 50° = 100°$
$\angle BOC = \angle AOC - \angle AOB$
$= 140° - 100° = 40°$
$\therefore \angle BQC = \frac{1}{2}\angle BOC = \frac{1}{2} \times 40° = 20°$

3 $\angle ACD = \angle ABD = 57°$이므로
$\triangle CDP$에서
$\angle BPC = \angle ACD + \angle BDC = 57° + 35° = 92°$

4 $\angle BDC = \angle BAC = 52°$이고 $\angle ADC = 90°$이므로
$\angle x = \angle ADC - \angle BDC = 90° - 52° = 38°$
$\angle ACB = \angle ADB = 38°$이므로 $\triangle PBC$에서
$\angle y = \angle DBC + \angle ACB = 60° + 38° = 98°$
$\therefore \angle x + \angle y = 38° + 98° = 136°$

5 $\angle ACD = \angle ABD = 58°$
$\angle BAC = \angle BDC = 34°$이고
$\widehat{AB} = \widehat{BC}$이므로 $\angle ADB = \angle BDC = 34°$
따라서 $\triangle ACD$에서
$\angle CAD = 180° - (34° + 34° + 58°) = 54°$

6 $\overline{AB}$가 원 O의 지름이므로 $\angle APB=90°$이고

$\angle PBA : \angle PAB = \widehat{PA} : \widehat{PB} = 4 : 5$이므로

$\angle PAB = 90° \times \frac{5}{9} = 50°$

7 한 원에서 모든 원주각의 크기의 합은 180°이므로

$\angle x = 180° \times \frac{2}{10} = 36°$, $\angle y = 180° \times \frac{3}{10} = 54°$

$\therefore \angle x + \angle y = 36° + 54° = 90°$

8 오른쪽 그림과 같이 $\overline{BC}$를 그으면

$\angle ACB = 180° \times \frac{1}{4} = 45°$

$\angle DBC = 180° \times \frac{1}{9} = 20°$

따라서 $\triangle PBC$에서

$\angle APB = \angle PCB + \angle PBC = 45° + 20° = 65°$

9 네 점 A, B, C, D가 한 원 위에 있으므로

$\angle DBC = \angle DAC = 20°$

따라서 $\triangle DBC$에서

$\angle x = 180° - (20° + 88°) = 72°$

10 ① $\angle BAC \neq \angle BDC$

② $\triangle DEC$에서 $\angle EDC = 110° - 80° = 30°$이므로

$\angle BAC \neq \angle BDC$

③ $\triangle APC$에서 $\angle ACP = 60° - 35° = 25°$이므로

$\angle ADB \neq \angle ACB$

④ $\triangle DEC$에서 $\angle EDC = 100° - 30° = 70°$이므로

$\angle BAC \neq \angle BDC$

⑤ $\triangle ABE$에서 $\angle ABE = 180° - (60° + 80°) = 40°$이므로

$\angle ABD = \angle ACD$

따라서 네 점 A, B, C, D가 한 원 위에 있는 것은 ⑤이다.

11 □ABCD가 원 O에 내접하므로

$\angle x = 180° - 70° = 110°$

□OBCD에서 $\angle BOD = 2\angle BAD = 2 \times 70° = 140°$이므로

$\angle y = 360° - (140° + 50° + 110°) = 60°$

$\therefore \angle x - \angle y = 110° - 60° = 50°$

12 □ABCD가 원에 내접하므로

$\angle PAB = \angle BCD = 80°$

$\triangle APB$에서 $\angle PBA = 180° - (30° + 80°) = 70°$

13 오른쪽 그림과 같이 $\overline{BE}$를 그으면

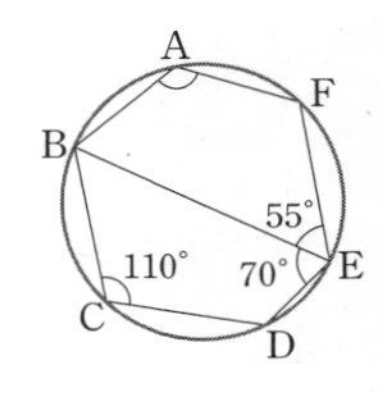

□BCDE는 원에 내접하므로

$\angle BCD + \angle BED = 180°$

$110° + \angle BED = 180°$

$\therefore \angle BED = 70°$

따라서 $\angle BEF = 125° - 70° = 55°$이고,

□ABEF는 원에 내접하므로

$\angle BAF + \angle BEF = 180°$

$\therefore \angle BAF = 180° - 55° = 125°$

14 $\angle x = \angle ACB = 180° - (35° + 70°) = 75°$

15 ① $\triangle ACD$에서

$\angle ADC = 180° - (40° + 40°) = 100°$

$\angle ADC + \angle ABC = 180°$이므로 □ABCD는 원에 내접한다.

② $\angle BDC = 80° - 40° = 40°$

$\angle BAC = \angle BDC$이므로 □ABCD는 원에 내접한다.

③ $\angle BAD = \angle DCE$이므로 □ABCD는 원에 내접한다.

④ $\triangle ABE$에서 $\angle ABD = 180° - (90° + 70°) = 20°$

즉, $\angle ABD \neq \angle ACD$이므로 □ABCD는 원에 내접하지 않는다.

⑤ $\triangle BDE$에서 $\angle BDE = 50° - 30° = 20°$

$\angle ADB = \angle ACB$이므로 □ABCD는 원에 내접한다.

16 □ABCD는 원에 내접하므로

$\angle BAD + \angle BCD = 180°$

$\therefore \angle BAD = 180° - 120° = 60°$

$\overline{AD}$가 원 O의 지름이므로 $\angle ABD = 90°$

따라서 $\triangle ABD$에서

$\angle ADB = 180° - (60° + 90°) = 30°$

$\therefore \angle x = \angle ADB = 30°$

개념 완성 발전 문제 개념북 95~96쪽

1 $1600\pi\ \text{m}^2$ **2** $25°$ **3** $52°$
4 ③ **5** ⑤
6 ① 지름, $90°$
② 12, $3\sqrt{7}$
③ $\frac{3\sqrt{7}}{7}$
7 ① $60°$ ② 6 cm ③ $9\pi\ \text{cm}^2$

1 오른쪽 그림과 같이 두 등대의 위치를 각각 P, Q라 하고, 원의 중심을 O라 하면

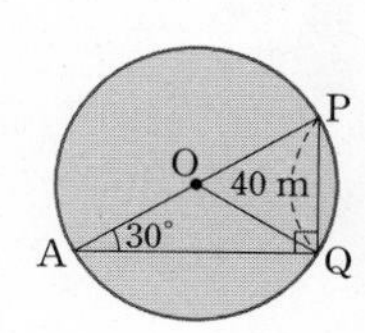

$\angle POQ = 2\angle PAQ$
$= 2 \times 30° = 60°$
이고, $\overline{OP} = \overline{OQ}$이므로 $\triangle OQP$는 정삼각형이다.
따라서 위험 지역을 나타내는 원의 반지름의 길이는 40 m이므로 그 넓이는
$\pi \times 40^2 = 1600\pi(\text{m}^2)$

2 $\angle ACB = \angle ADB = \angle x$이므로 $\triangle APC$에서
$\angle DAC = \angle x + 30°$
$\triangle DAQ$에서 $\angle x + (\angle x + 30°) = 80°$
$2\angle x = 50°$ $\therefore \angle x = 25°$

3 오른쪽 그림과 같이 $\overline{BC}$를 그으면 $\overline{AB}$는 원 O의 지름이므로

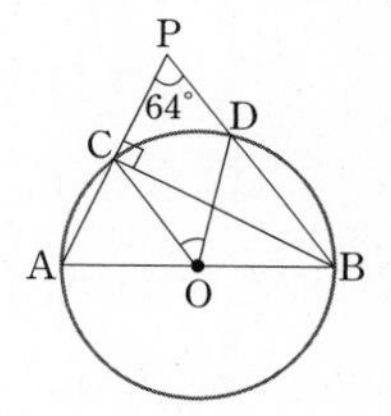

$\angle ACB = 90°$
$\triangle PCB$에서
$\angle PBC = 180° - (90° + 64°)$
$= 26°$
$\therefore \angle COD = 2\angle CBD$
$= 2 \times 26° = 52°$

4 (i) □ADHF에서
$\angle ADH + \angle AFH = 180°$이므로 □ADHF는 원에 내접한다.

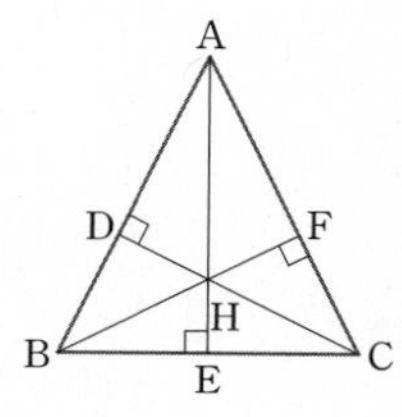

같은 방법으로 □DBEH, □HECF도 원에 내접한다.
(ii) □DBCF에서 $\angle BDC = \angle BFC = 90°$이므로 네 점 B, C, D, F는 한 원 위에 있다.
따라서 □DBCF는 원에 내접한다.
같은 방법으로 □ABEF, □ADEC도 원에 내접한다.
따라서 원에 내접하지 않는 사각형은 □ADEF이다.

5 □ABQP가 원 O에 내접하므로
$\angle PQC = \angle BAP = 85°$
□PQCD가 원 O′에 내접하므로
$\angle PQC + \angle PDC = 180°$
$\therefore \angle x = 180° - 85° = 95°$

6 ① 오른쪽 그림과 같이 $\overline{BO}$의 연장선이 원 O와 만나는 점을 A′이라 하면 $\overline{A'B}$는 원 O의 지름이므로
$\angle A'CB = 90°$

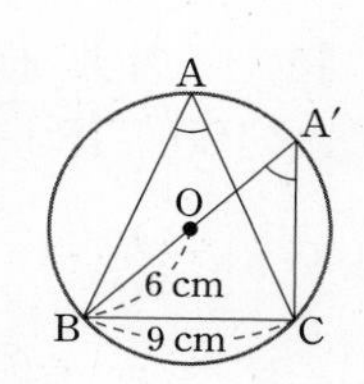

② $\overline{A'B} = 2\overline{OB} = 2 \times 6 = 12(\text{cm})$이므로
$\triangle A'BC$에서
$\overline{A'C} = \sqrt{12^2 - 9^2} = 3\sqrt{7}\ (\text{cm})$
③ $\tan A = \tan A' = \frac{\overline{BC}}{\overline{A'C}} = \frac{9}{3\sqrt{7}} = \frac{3\sqrt{7}}{7}$

7 ① □ABCD가 원 O에 내접하므로
$\angle ADC + \angle ABC = 180°$
$\therefore \angle ABC = 180° - 120° = 60°$
② $\overline{AB}$가 원 O의 지름이므로 $\angle ACB = 90°$
즉, 직각삼각형 ABC에서 $\angle BAC = 30°$이므로
$\overline{AB} : \overline{BC} = 2 : 1$, $\overline{AB} : 3 = 2 : 1$
$\therefore \overline{AB} = 6$ cm
③ 원 O의 반지름의 길이는 3 cm이므로 원 O의 넓이는
$\pi \times 3^2 = 9\pi(\text{cm}^2)$

[다른 풀이]
② 직각삼각형 ABC에서
$\overline{AB} = \frac{\overline{BC}}{\cos 60°} = 3 \div \frac{1}{2} = 6(\text{cm})$

Ⅲ 통계

1 대푯값과 산포도

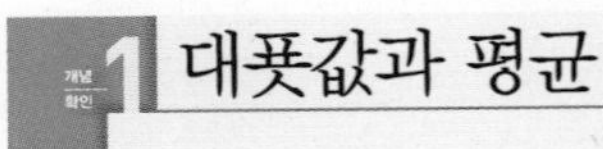

1 대푯값과 평균 개념북 100쪽

1 165 cm

1 진욱이네 가족의 키의 평균은

$\frac{180+162+176+142}{4}=\frac{660}{4}=165(\text{cm})$

평균의 뜻과 성질 개념북 101쪽

1 61점 **1-1** ③ **1-2** ④
1-3 64.5 kg

1 소영이의 수학 점수를 x점이라 하면 수학 점수의 평균이 70점이므로

$\frac{63+78+x+72+76}{5}=70$

$289+x=350 \quad \therefore x=61$

따라서 소영이의 수학 점수는 61점이다.

1-1 4개의 변량 A, B, C, D의 평균이 10이므로

$\frac{A+B+C+D}{4}=10 \quad \therefore A+B+C+D=40$

따라서 5개의 변량 A, B, C, D, 20의 평균은

$\frac{A+B+C+D+20}{5}=\frac{40+20}{5}=\frac{60}{5}=12$

1-2 학생 10명의 독서 시간의 평균이 6시간이므로

$\frac{9+2+7+4+x+5+6+7+4+9}{10}=6$

$\frac{53+x}{10}=6$, $53+x=60$

$\therefore x=7$

1-3 학생 30명의 몸무게의 평균이 50 kg이므로 솔민이네 반 학생 30명의 몸무게의 총합은

$50\times30=1500(\text{kg})$

이때 전학 간 학생의 몸무게를 x kg이라 하면

$\frac{1500-x}{29}=49.5$, $1500-x=1435.5$

$\therefore x=64.5$

따라서 전학 간 학생의 몸무게는 64.5 kg이다.

2 중앙값 개념북 102쪽

1 (1) 18 (2) 125, 150, 137.5
2 80점

1 (2) (중앙값)$=\frac{125+150}{2}=137.5$

2 주어진 자료를 크기순으로 나열하면

68, 71, 73, 79, 81, 85, 85, 92

중앙값은 4번째 값과 5번째 값의 평균이므로

(중앙값)$=\frac{79+81}{2}=80$(점)

중앙값의 뜻과 성질 개념북 103쪽

1 14.5 **1-1** (1) 17 (2) 15.5회

1 A 모둠의 점수를 크기순으로 나열하면

4, 5, 6, 6, 7, 8, 8, 10

이므로 중앙값은 4번째 값과 5번째 값의 평균인

$\frac{6+7}{2}=6.5$(점)이다. $\quad \therefore x=6.5$

B 모둠의 점수를 크기순으로 나열하면

5, 6, 7, 7, 8, 9, 9, 10, 10

이므로 중앙값은 5번째 값인 8이다. $\quad \therefore y=8$

$\therefore x+y=6.5+8=14.5$

1-1 (1) 평균이 15회이므로

$\frac{13+16+20+15+x+8+19+12}{8}=15$

$x+103=120 \quad \therefore x=17$

(2) 자료를 크기순으로 나열하면

8, 12, 13, 15, 16, 17, 19, 20

이므로 중앙값은 4번째 값과 5번째 값의 평균이다.

$\therefore$ (중앙값)$=\frac{15+16}{2}=15.5$(회)

중앙값이 주어질 때, 변량 구하기 개념북 103쪽

2 11 **2-1** 59

2 자료는 크기순으로 나열되어 있고, 자료의 개수가 짝수이므로 중앙값은 3번째 값과 4번째 값의 평균이다.

즉, (중앙값)$=\frac{9+x}{2}=10$, $9+x=20$ $\therefore x=11$

2-1 x를 제외한 나머지 변량을 크기순으로 나열하면

47, 53, 68

중앙값이 56이므로 x는 53과 68 사이의 수이어야 하고, 전체 자료를 크기순으로 나열하면

47, 53, x, 68

즉, (중앙값)$=\frac{53+x}{2}=56$, $53+x=112$

$\therefore x=59$

개념 확인 3 최빈값 개념북 104쪽

1 2, 3, 1, 16

2 (1) 28 (2) 없다. (3) 7, 12 (4) 축구

2 (1) 28의 도수가 3으로 가장 크므로 최빈값은 28이다.

(2) 모든 변량의 도수가 1이므로 최빈값은 없다.

(3) 7과 12의 도수가 2로 가장 크므로 최빈값은 7과 12이다.

(4) 축구의 도수가 3으로 가장 크므로 최빈값은 축구이다.

최빈값의 뜻과 성질 개념북 105쪽

1 ① **1-1** 52 kg, 55 kg

1 독서의 도수가 9명으로 가장 크므로 취미 생활의 최빈값은 독서이다.

1-1 주어진 자료를 크기순으로 나열하면

46, 47, 47, 48, 50, 51, 52, 52, 52, 53, 54, 55, 55, 55

따라서 52 kg과 55 kg의 도수가 3명으로 가장 크므로 최빈값은 52 kg과 55 kg이다.

평균, 중앙값, 최빈값 개념북 105쪽

2 8.8 **2-1** 13회

2 (평균)$=\frac{1\times2+2\times4+3\times5+4\times3+5\times1}{15}$

$=\frac{42}{15}=2.8$(회)

이므로 $a=2.8$

작은 값부터 크기순으로 나열하였을 때, 8번째 자료의 값이 3회이므로 $b=3$

최빈값은 3회이므로 $c=3$

$\therefore a+b+c=2.8+3+3=8.8$

2-1 자료 중 13의 도수가 3이고, 다른 자료의 값의 도수는 모두 1이므로 x의 값에 관계없이 최빈값은 13이다.

평균과 최빈값이 같으므로

$\frac{13+10+13+14+x+17+13}{7}=\frac{80+x}{7}=13$

$\therefore x=11$

자료를 작은 값부터 크기순으로 나열하면

10, 11, 13, 13, 13, 14, 17

이므로 중앙값은 13회이다.

개념 확인 4 산포도와 편차 개념북 106쪽

1 (1) 81점 (2) 풀이 참조 (3) 0

2 -10

1 (1) (평균)$=\frac{74+93+85+69+84}{5}=\frac{405}{5}=81$(점)

(2) 각 학생의 편차를 구하면 A : $74-81=-7$(점),

B : $93-81=12$(점), C : $85-81=4$(점),

D : $69-81=-12$(점), E : $84-81=3$(점)

이므로 표를 완성하면 다음과 같다.

학생	A	B	C	D	E
수학 성적(점)	74	93	85	69	84
편차(점)	−7	12	4	−12	3

(3) 각 학생의 편차를 모두 더하면

$-7+12+4-12+3=0$

2 편차의 총합은 항상 0이므로

$-3+8+a+9+(-4)+b=0$, $a+b+10=0$

$\therefore a+b=-10$

편차의 뜻과 성질 개념북 107쪽

1 (1) -1 (2) 20회 **1-1** -7점 **1-2** 75점
1-3 58

1 (1) 편차의 총합은 0이므로
$1+0+(-1)+3+x+(-2)=0$, $x+1=0$
$\therefore x=-1$
(2) (편차)=(변량)−(평균)에서 (변량)=(편차)+(평균)이므로 학생 E의 봉사 활동 횟수는
$-1+21=20$(회)이다.

1-1 (평균)$=\dfrac{14+12+8+26+15}{5}=\dfrac{75}{5}=15$(점)
$\therefore$ (C의 편차)$=8-15=-7$(점)

1-2 편차의 총합은 0이므로
$x+5+(-2)+(-1)+3=0$
$x+5=0$ $\therefore x=-5$
(편차)=(변량)−(평균)에서 (평균)=(변량)−(편차)이므로
(수학 성적의 평균)$=70-(-5)=75$(점)

1-3 편차의 총합은 0이므로
$0+y+(-7)+(-3)+3+2=0$
$y-5=0$ $\therefore y=5$
학생 A의 몸무게가 48 kg이고, 편차가 0 kg이므로 6명의 몸무게의 평균은 48 kg이다.
(편차)=(변량)−(평균)에서 (변량)=(편차)+(평균)이므로
$x=y+48=5+48=53$
$\therefore x+y=53+5=58$

5 분산과 표준편차

개념북 108쪽

1 (1) 6회 (2) 풀이 참조 (3) 6 (4) $\sqrt{6}$회
2 2점

1 (1) (평균)$=\dfrac{10+4+6+7+3}{5}=6$(회)
(2) (편차)=(변량)−(평균)이므로 각각의 편차를 차례로 구하면
$10-6=4$(회), $4-6=-2$(회),
$6-6=0$(회), $7-6=1$(회), $3-6=-3$(회)
이므로 표를 완성하면 다음과 같다.

학생	A	B	C	D	E	합계
턱걸이 횟수(회)	10	4	6	7	3	30
편차(회)	4	−2	0	1	−3	0
(편차)^2	16	4	0	1	9	30

(3) (분산)$=\dfrac{\{(편차)^2의 총합\}}{(변량의 개수)}=\dfrac{30}{5}=6$
(4) (표준편차)$=\sqrt{(분산)}=\sqrt{6}$ (회)

2 (분산)$=\dfrac{\{(편차)^2의 총합\}}{(변량의 개수)}$
$=\dfrac{1^2+(-3)^2+3^2+0^2+(-1)^2}{5}=\dfrac{20}{5}=4$
$\therefore$ (표준편차)$=\sqrt{4}=2$(점)

분산 또는 표준편차의 뜻과 성질 개념북 109쪽

1 (분산)$=11$, (표준편차)$=\sqrt{11}$ g **1-1** $\sqrt{7}$ cm

1 (평균)$=\dfrac{78+81+84+74+83+80}{6}$
$=\dfrac{480}{6}=80$(g)
따라서 편차를 구하면 다음 표와 같으므로

달걀 무게(g)	78	81	84	74	83	80
편차(g)	−2	1	4	−6	3	0

(분산)$=\dfrac{(-2)^2+1^2+4^2+(-6)^2+3^2+0^2}{6}$
$=\dfrac{66}{6}=11$
$\therefore$ (표준편차)$=\sqrt{(분산)}=\sqrt{11}$ (g)

1-1 편차의 총합은 0이므로 학생 E의 편차를 x cm라 하면
$-3+2+3+0+x-4=0$, $x-2=0$ $\therefore x=2$
(분산)$=\dfrac{(-3)^2+2^2+3^2+0^2+2^2+(-4)^2}{6}$
$=\dfrac{42}{6}=7$
$\therefore$ (표준편차)$=\sqrt{7}$ (cm)

변화된 변량의 평균과 표준편차 개념북 109쪽

2 평균: 12, 표준편차: 8

2-1 평균: 8, 표준편차: 2

2 a, b, c의 평균이 6이므로 $\frac{a+b+c}{3}=6$ …… ㉠

a, b, c의 분산이 16이므로

$\frac{(a-6)^2+(b-6)^2+(c-6)^2}{3}=16$ …… ㉡

$2a$, $2b$, $2c$의 평균은

$\frac{2a+2b+2c}{3}=\frac{2(a+b+c)}{3}=2\times6=12$ ($\because$ ㉠)

$2a$, $2b$, $2c$의 분산은

$\frac{(2a-12)^2+(2b-12)^2+(2c-12)^2}{3}$

$=\frac{\{2(a-6)\}^2+\{2(b-6)\}^2+\{2(c-6)\}^2}{3}$

$=\frac{4\{(a-6)^2+(b-6)^2+(c-6)^2\}}{3}$

$=4\times16=64$ ($\because$ ㉡)

따라서 $2a$, $2b$, $2c$의 표준편차는 $\sqrt{64}=8$

[다른 풀이]

a, b, c의 평균이 6, 분산이 16, 표준편차가 4이므로 $2a$, $2b$, $2c$의 평균은 $2\times6=12$, 분산은 $2^2\times16=64$, 표준편차는 $2\times4=8$이다.

2-1 a, b, c, d, e의 평균이 5이므로

$\frac{a+b+c+d+e}{5}=5$

$\therefore a+b+c+d+e=25$ …… ㉠

a, b, c, d, e의 분산이 $2^2=4$이므로

$\frac{1}{5}\{(a-5)^2+(b-5)^2+(c-5)^2+(d-5)^2+(e-5)^2\}$

$=4$ …… ㉡

$a+3$, $b+3$, $c+3$, $d+3$, $e+3$의 평균은

$\frac{(a+3)+(b+3)+(c+3)+(d+3)+(e+3)}{5}$

$=\frac{a+b+c+d+e+15}{5}=\frac{25+15}{5}$

$=\frac{40}{5}=8$ ($\because$ ㉠)

$a+3$, $b+3$, $c+3$, $d+3$, $e+3$의 분산은

$\frac{1}{5}\{(a+3-8)^2+(b+3-8)^2+(c+3-8)^2$

$+(d+3-8)^2+(e+3-8)^2\}$

$=\frac{1}{5}\{(a-5)^2+(b-5)^2+(c-5)^2+(d-5)^2$

$+(e-5)^2\}$

$=4$ ($\because$ ㉡)

따라서 표준편차는 $\sqrt{4}=2$

[다른 풀이]

a, b, c, d, e의 평균이 5, 분산이 4, 표준편차가 2이므로 $a+3$, $b+3$, $c+3$, $d+3$, $e+3$의 평균은 $5+3=8$, 분산은 $1^2\times4=4$, 표준편차는 $1\times2=2$이다.

분산 또는 표준편차가 주어질 때, 식의 값 개념북 110쪽

3 -2 **3-1** ① **3-2** 85 **3-3** ④

3 편차의 총합은 0이므로 $2+x+(-2)+1+y=0$

$\therefore x+y=-1$

분산이 2.8이므로 $\frac{2^2+x^2+(-2)^2+1^2+y^2}{5}=2.8$

$x^2+y^2+9=14$ $\therefore x^2+y^2=5$

이때 $(x+y)^2=x^2+2xy+y^2$이므로

$(-1)^2=5+2xy$ $\therefore xy=-2$

3-1 편차의 총합은 0이므로

$-1+(-3)+a+2+b=0$ $\therefore a+b=2$

이때 표준편차가 $\sqrt{6}$이므로 분산은

$\frac{(-1)^2+(-3)^2+a^2+2^2+b^2}{5}=6$, $a^2+b^2=16$

이때 $(a+b)^2=a^2+2ab+b^2$이므로

$2^2=16+2ab$ $\therefore ab=-6$

3-2 평균이 7이므로

$\frac{4+x+8+10+y}{5}=7$, $x+y+22=35$

$\therefore x+y=13$ …… ㉠

분산이 4이므로

$\frac{(-3)^2+(x-7)^2+1^2+3^2+(y-7)^2}{5}=4$

$(x-7)^2+(y-7)^2+19=20$

$x^2+y^2-14(x+y)+117=20$

이 식에 ㉠을 대입하면 $x^2+y^2-14\times13+117=20$

$\therefore x^2+y^2=85$

3-3 평균이 5회이므로 $\frac{2+a+8+b+9}{5}=5$

$\therefore a+b=6$ ······ ㉠

각 변량의 편차가 -3, $a-5$, 3, $b-5$, 4이고 분산이 10이므로

$\frac{(-3)^2+(a-5)^2+3^2+(b-5)^2+4^2}{5}=10$

$(a-5)^2+(b-5)^2+34=50$

$a^2+b^2-10(a+b)=-34$

이 식에 ㉠을 대입하면

$a^2+b^2-10\times6=-34$ $\therefore a^2+b^2=26$

이때 $(a+b)^2=a^2+2ab+b^2$이므로

$6^2=26+2ab$ $\therefore ab=5$

자료의 분석 개념북 111쪽

4 사회 **4-1** D 학급 **4-2** ①, ⑤

4 표준편차가 작을수록 자료의 분포 상태가 더 고르므로 성적의 분포 상태가 가장 고른 과목은 사회이다.

4-1 표준편차가 작을수록 자료의 분포 상태가 더 고르므로 수학 성적이 가장 고른 학급은 D 학급이다.

4-2 ② 편차의 총합은 항상 0이다.

③ 3반의 평균이 80점이지만 모든 학생의 점수가 75점 이상인지는 알 수 없다.

④ 2반의 표준편차가 1반보다 크므로 평균에서 더 멀리 흩어져 있다.

개념 완성 기본 문제 개념북 112~113쪽

1 ④ **2** ⑤ **3** 자료 B **4** ②

5 510 mm **6** 13.5 **7** 2.1 kg **8** ⑤

9 ③ **10** 3 **11** 202

12 (1) E 학급 (2) D 학급

1 (평균)$=\frac{(a-5)+(a+4)+(a+6)+(2a-1)}{4}$

$=16$

이므로

$5a+4=64$, $5a=60$

$\therefore a=12$

2 학생 25명의 몸무게의 평균이 55 kg이므로 여진이네 반 학생 25명의 몸무게의 총합은

$55\times25=1375$(kg)

이때 전학 간 학생의 몸무게를 x kg이라 하면

$\frac{1375-x}{24}=54.5$, $1375-x=1308$ $\therefore x=67$

따라서 전학 간 학생의 몸무게는 67 kg이다.

3 자료 A를 크기순으로 나열하면 2, 3, 4, 4, 5, 10이므로 중앙값은 3번째 값과 4번째 값의 평균인 $\frac{4+4}{2}=4$이다.

자료 B를 크기순으로 나열하면 2, 3, 4, 5, 8, 9, 11이므로 중앙값은 4번째 값인 5이다.

따라서 중앙값이 더 큰 것은 자료 B이다.

4 중앙값은 3번째 변량인 5이고, 평균과 중앙값이 같으므로 평균도 5이다.

즉, $\frac{2+4+5+7+x}{5}=5$

$18+x=25$ $\therefore x=7$

5 자료를 크기순으로 나열하면

230, 235, 240, 245, 245, 250, 255, 260, 265, 265, 270, 275

이때 245 mm, 265 mm의 도수가 2명으로 가장 크므로 최빈값은 245 mm, 265 mm이다.

따라서 최빈값의 합은 $245+265=510$(mm)

6 (평균)$=\frac{11+12+13+14\times2+15\times4+16}{10}$

$=\frac{140}{10}=14$(세)

$\therefore a=14$

자료를 크기순으로 나열하였을 때, 중앙값은 5번째 값과 6번째 값의 평균이므로

(중앙값)$=\frac{14+15}{2}=14.5$(세)

$\therefore b=14.5$

15세의 도수가 4명으로 가장 크므로 최빈값은 15세이다.

$\therefore c=15$

$\therefore a+b-c=14+14.5-15=13.5$

7 노트북 E의 편차를 x kg이라 하면 편차의 총합은 0이므로

$1.2+(-1)+1.5+(-0.8)+x=0$, $x+0.9=0$

$\therefore x=-0.9$

이때 (편차)=(변량)−(평균)에서

(변량)=(편차)+(평균)이므로

(노트북 E의 무게)$=-0.9+3=2.1$(kg)

8 (평균)$=\dfrac{6+8+11+9+x}{5}=9$이므로

$x+34=45 \quad \therefore x=11$

따라서 각 변량의 편차는 -3, -1, 2, 0, 2이므로

(분산)$=\dfrac{(-3)^2+(-1)^2+2^2+0^2+2^2}{5}$

$=\dfrac{18}{5}=3.6$

9 C 학생의 편차를 x점이라 하면

$4+(-3)+x+(-1)=0$

$\therefore x=0$

① B 학생의 점수가 가장 낮다.

② 중앙값은 C 학생과 D 학생의 점수의 합을 2로 나눈 값이다.

④ (분산)$=\dfrac{4^2+(-3)^2+0^2+(-1)^2}{4}=\dfrac{26}{4}=6.5$

⑤ 이 자료만으로는 평균을 구할 수 없다.

10 a, b, c, d의 평균이 21이므로

$\dfrac{a+b+c+d}{4}=21 \quad \therefore a+b+c+d=84$

분산이 $3^2=9$이므로

$\dfrac{(a-21)^2+(b-21)^2+(c-21)^2+(d-21)^2}{4}=9$

변량 $a+2$, $b+2$, $c+2$, $d+2$의

(평균)$=\dfrac{(a+2)+(b+2)+(c+2)+(d+2)}{4}$

$=\dfrac{a+b+c+d+8}{4}=\dfrac{84+8}{4}=\dfrac{92}{4}=23$

(분산)

$=\dfrac{(a+2-23)^2+(b+2-23)^2+(c+2-23)^2+(d+2-23)^2}{4}$

$=\dfrac{(a-21)^2+(b-21)^2+(c-21)^2+(d-21)^2}{4}$

$=9$

$\therefore$ (표준편차)$=\sqrt{9}=3$

11 (평균)$=\dfrac{8+x+10+y+12}{5}=10$이므로

$x+y+30=50 \quad \therefore x+y=20 \quad \cdots\cdots$ ㉠

분산이 $(\sqrt{2})^2=2$이므로

$\dfrac{(-2)^2+(x-10)^2+0^2+(y-10)^2+2^2}{5}=2$

$(x-10)^2+(y-10)^2+8=10$

$x^2+y^2-20(x+y)+208=10$

이 식에 ㉠을 대입하면

$x^2+y^2-20\times20+208=10$

$\therefore x^2+y^2=202$

12 (1) 키가 가장 큰 학급은 평균이 가장 높은 E 학급이다.

(2) 키가 가장 고른 학급은 표준편차가 가장 작은 D 학급이다.

발전 문제

개념 완성 개념북 114~115쪽

1 94점 **2** 80점 **3** 38

4 중앙값: 3회, 최빈값: 0회 **5** $\dfrac{25}{7}$

6 3

7 ① 7점, −2점, −1점, −1점, 2점, 2점, 2.8점

② −2점, −2점, 0점, 1점, 3점, 3.6점

③ 작으므로, A

8 ① −3 ② 14 ③ $\sqrt{14}$ kg

1 4회까지의 수학 시험의 점수의 총합은

$4\times89=356$(점)

5번째 수학 시험의 점수를 x점이라 하면

(5회까지의 평균)$=\dfrac{356+x}{5}=90$(점)이므로

$356+x=450$

$\therefore x=94$

따라서 5번째 수학 시험의 점수는 94점이다.

2 학생 8명의 수학 성적을 크기순으로 나열할 때, 5번째 학생의 점수를 x점이라 하면

(중앙값)$=\dfrac{76+x}{2}=78$, $76+x=156$

$\therefore x=80$

이때 수학 성적이 82점인 학생이 들어왔으므로 9명 중 5번째 학생의 점수는 여전히 80점이다.
따라서 9명의 수학 성적의 중앙값은 5번째 값인 80점이다.

3 x를 제외한 나머지 변량들의 도수가 모두 1이고 최빈값이 존재하므로 x는 나머지 변량들 중 하나와 그 값이 같다.
따라서 x의 도수가 2로 가장 크므로 최빈값은 x이다.
이때 평균과 최빈값이 같으므로

$$(\text{평균})=\frac{40+37+38+29+x+46}{6}=x$$

$x+190=6x$, $5x=190$

$\therefore x=38$

4 3회를 a명, 5회를 b명이라 하면

$7+2+3+a+3+b+2+1=30$

$\therefore a+b=12$ …… ㉠

$$\frac{0\times7+1\times2+2\times3+3\times a+4\times3+5\times b+6\times2+7\times1}{30}=2.9$$

$\dfrac{3a+5b+39}{30}=2.9$, $3a+5b=48$ …… ㉡

㉠, ㉡을 연립하여 풀면 $a=6$, $b=6$

중앙값은 15번째와 16번째 변량의 평균이므로

$\dfrac{3+3}{2}=3$(회)

또, 최빈값은 도수가 7명인 0회이다.

5 조건 (가)에서 $\dfrac{a_1+a_2+a_3}{3}=10$이므로

$a_1+a_2+a_3=30$

$$\frac{(a_1-10)^2+(a_2-10)^2+(a_3-10)^2}{3}=3$$

$(a_1-10)^2+(a_2-10)^2+(a_3-10)^2=9$

조건 (나)에서 $\dfrac{b_1+b_2+b_3+b_4}{4}=10$이므로

$b_1+b_2+b_3+b_4=40$

$$\frac{(b_1-10)^2+(b_2-10)^2+(b_3-10)^2+(b_4-10)^2}{4}=4$$

$(b_1-10)^2+(b_2-10)^2+(b_3-10)^2+(b_4-10)^2=16$

따라서 7개의 수 a_1, a_2, a_3, b_1, b_2, b_3, b_4의

$$(\text{평균})=\frac{a_1+a_2+a_3+b_1+b_2+b_3+b_4}{7}=\frac{30+40}{7}=10$$

$$(\text{분산})=\frac{(a_1-10)^2+(a_2-10)^2+(a_3-10)^2+(b_1-10)^2+(b_2-10)^2+(b_3-10)^2+(b_4-10)^2}{7}$$

$$=\frac{9+16}{7}=\frac{25}{7}$$

6 $x_1+x_2+\cdots+x_{10}=40$, $x_1^2+x_2^2+\cdots+x_{10}^2=250$이므로

$$(\text{평균})=\frac{x_1+x_2+\cdots+x_{10}}{10}=\frac{40}{10}=4$$

$$(\text{분산})=\frac{(x_1-4)^2+(x_2-4)^2+\cdots+(x_{10}-4)^2}{10}$$

$$=\frac{x_1^2+x_2^2+\cdots+x_{10}^2-8(x_1+x_2+\cdots+x_{10})+16\times10}{10}$$

$$=\frac{250-8\times40+160}{10}=\frac{90}{10}=9$$

$\therefore$ (표준편차)$=\sqrt{9}=3$

7 ① A 모둠에서

$(\text{평균})=\dfrac{5+6+6+9+9}{5}=\dfrac{35}{5}=7$(점)

편차는 각각 -2점, -1점, -1점, 2점, 2점이므로

$$(\text{분산})=\frac{(-2)^2+(-1)^2+(-1)^2+2^2+2^2}{5}=\frac{14}{5}=2.8$$

② B 모둠에서

$(\text{평균})=\dfrac{5+5+7+8+10}{5}=\dfrac{35}{5}=7$(점)

편차는 각각 -2점, -2점, 0점, 1점, 3점이므로

$$(\text{분산})=\frac{(-2)^2+(-2)^2+0^2+1^2+3^2}{5}=\frac{18}{5}=3.6$$

③ A 모둠의 분산이 B 모둠의 분산보다 더 작으므로 성적이 더 고른 모둠은 A 모둠이다.

8 ① 편차의 총합은 0이므로

$2+x+(-6)+3+(-1)+5=0$, $x+3=0$

$\therefore x=-3$

② $(\text{분산})=\dfrac{2^2+(-3)^2+(-6)^2+3^2+(-1)^2+5^2}{6}=\dfrac{84}{6}=14$

③ (표준편차)$=\sqrt{14}$ (kg)

2 상관관계

개념 확인 1 산점도와 상관관계 　개념북 118쪽

1 (1) 풀이 참조 (2) B
2 (1) 음의 상관관계 (2) 상관관계가 없다.
(3) 양의 상관관계

1 (1)
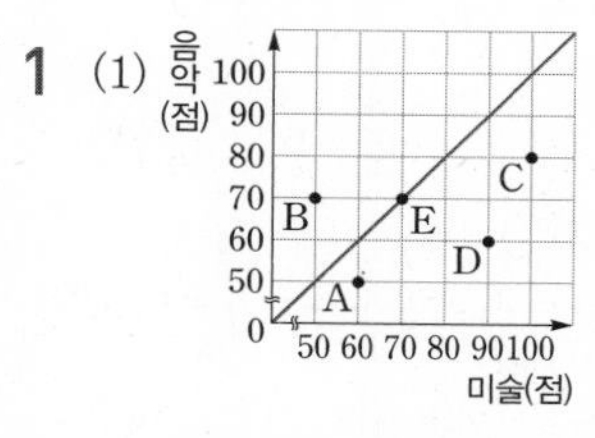

(2) 미술 성적에 비해 음악 성적이 높은 학생은 그림에서 대각선의 위쪽에 있는 학생이므로 B이다.

산점도의 이해 (1) 　개념북 119쪽

1 B 　**1-1** ②, ③

1 중간고사 성적에 비해 기말고사 성적이 가장 많이 향상된 학생은 대각선의 위쪽으로 가장 멀리 떨어져 있는 B이다.

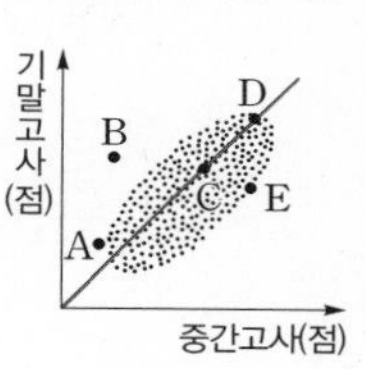

1-1 ② B는 입학 성적과 졸업 성적이 모두 낮다.
③ C는 입학 성적이 졸업 성적보다 높다.

산점도의 이해 (2) 　개념북 119쪽

2 (1) 6명 (2) 5명 (3) 85점 (4) 20 %
2-1 (1) 30 % (2) 8명

2 (1) 두 과목의 성적이 같은 학생 수는 오른쪽 그림에서 대각선 위의 점의 개수와 같으므로 6명이다.

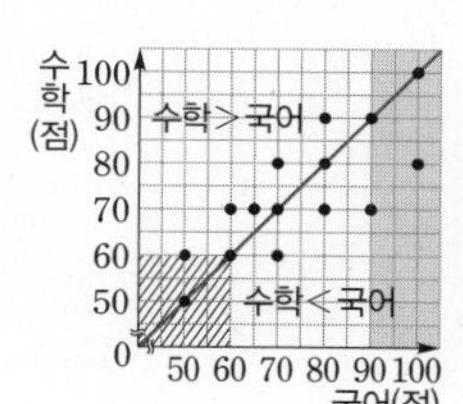

(2) 수학 성적이 국어 성적보다 높은 학생은 위 그림에서 대각선 위쪽 부분의 점의 개수와 같으므로 5명이다.
(3) 국어 성적이 90점 이상인 학생 수는 위 그림에서 어두운 부분(경계선 포함)의 점의 개수와 같으므로 4명이고, 각각의 수학 성적은 70점, 90점, 80점, 100점이다.

$\therefore$ (평균)$=\dfrac{70+90+80+100}{4}=85$(점)

(4) 국어 성적과 수학 성적이 모두 60점 이하인 학생 수는 위 그림에서 빗금 친 부분(경계선 포함)의 점의 개수와 같으므로 3명이다.

$\therefore \dfrac{3}{15}\times100=20(\%)$

2-1 (1) 저축액이 2만원보다 적은 학생 수는 오른쪽 그림에서 어두운 부분(경계선 제외)의 점의 개수와 같으므로 6명이다.

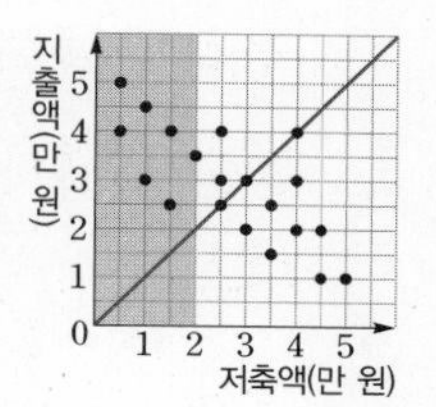

$\therefore \dfrac{6}{20}\times100=30(\%)$

(2) 지출보다 저축을 더 많이 한 학생 수는 위 그림에서 대각선 아래쪽 부분의 점의 개수와 같으므로 8명이다.

상관관계 　개념북 120쪽

3 (1) ㄴ (2) ㄷ (3) ㄱ
3-1 (1) ㄷ, ㄹ, ㅁ (2) ㅅ, ㅇ (3) ㄱ, ㄴ, ㅂ
3-2 ⑤

3 (1) 음의 상관관계: ㄴ
(2) 상관관계가 없다: ㄷ
(3) 양의 상관관계: ㄱ

3-2 키가 클수록 발의 크기도 크므로 키와 발의 크기는 양의 상관관계가 있다. 따라서 알맞은 것은 ⑤이다.

개념 완성 기본 문제 　개념북 121쪽

1 ⑤ 　**2** ③, ④ 　**3** ② 　**4** ④
5 ④ 　**6** ③

1 ①, ② A는 영어 성적에 비해 수학 성적이 높은 편이다.
③ 영어 성적과 수학 성적 사이에는 양의 상관관계가 있다.

④ B는 수학 성적에 비해 영어 성적이 높은 편이다.
따라서 옳은 것은 ⑤이다.

2 ① 키가 가장 작은 학생은 D이다.
② 걸음 너비가 가장 큰 학생은 C이다.
⑤ 키와 걸음 너비 사이에는 양의 상관관계가 있다.
따라서 옳은 것은 ③, ④이다.

3 국어 성적이 영어 성적보다 높은 학생 수는 오른쪽 그림에서 대각선 아래쪽 부분의 점의 개수와 같으므로 6명이다.

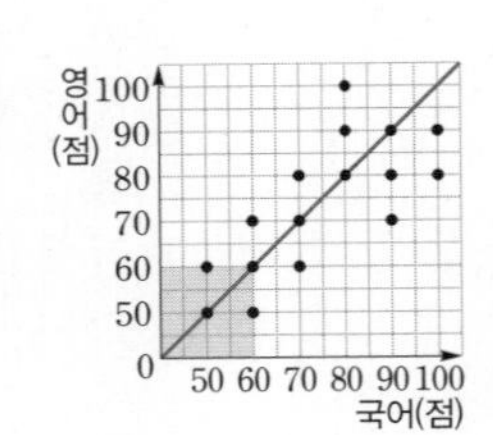

4 국어 성적과 영어 성적이 모두 60점 이하인 학생 수는 위 그림에서 어두운 부분(경계선 포함)의 점의 개수와 같으므로 4명이다.

5 국어 성적이 70점인 학생은 3명이고, 각각의 영어 성적은 60점, 70점, 80점이다.
$\therefore$ (평균)$=\dfrac{60+70+80}{3}=70$(점)

6 ①, ④ 상관관계가 없다.
②, ⑤ 음의 상관관계

발전 문제 개념북 122~123쪽

1 ④	2 ③	3 ③	4 ⑤
5 ④	6 ④		

7 ① 6명 ② 6, 90, 2, 85, 1, 80, 2, 75, 1
③ 75
8 ① 3명 ② 15 %

1 수학 성적과 과학 성적이 같은 학생 수는 오른쪽 그림에서 대각선 위의 점의 개수와 같으므로 4명이다.

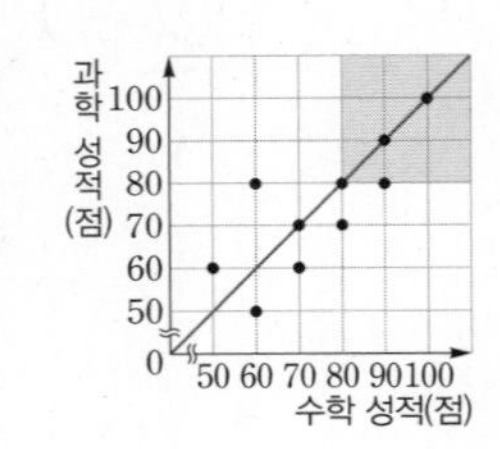

2 수학 성적이 과학 성적보다 좋은 학생 수는 위 그림에서 대각선 아래쪽 부분의 점의 개수와 같으므로 4명이다.

3 수학 성적과 과학 성적이 모두 80점 이상인 학생 수는 위 그림에서 어두운 부분(경계선 포함)의 점의 개수와 같으므로 4명이다.

4 수학 성적과 과학 성적이 10점 이상 차이가 나는 학생 수는 오른쪽 그림에서 어두운 부분(경계선 포함)의 점의 개수와 같으므로 6명이다.

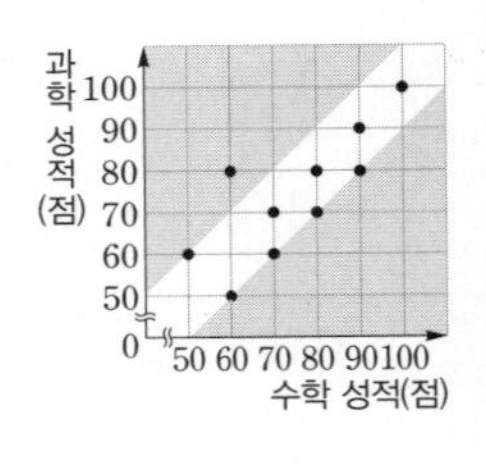

[다른 풀이]
수학 성적과 과학 성적이 10점 이상 차이가 나는 학생들의 점수를 (수학 성적, 과학 성적)으로 나타내면
성적의 차가 10점인 학생은
(50, 60), (60, 50), (70, 60), (80, 70), (90, 80)
으로 5명,
성적의 차가 20점인 학생은 (60, 80)으로 1명이다.
따라서 모두 $5+1=6$(명)이다.

5 수학 성적과 과학 성적의 합이 150점 이상인 학생 수는 오른쪽 그림에서 어두운 부분(경계선 포함)의 점의 개수와 같으므로 5명이다.

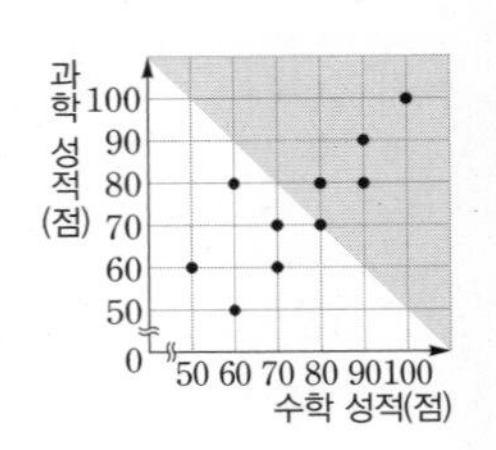

$\therefore \dfrac{5}{10}\times 100=50(\%)$

[다른 풀이]
수학 성적과 과학 성적의 합이 150점 이상인 학생들의 점수를 (수학 성적, 과학 성적)으로 나타내면
(80, 70), (80, 80), (90, 80), (90, 90),
(100, 100)으로 5명이다.
$\therefore \dfrac{5}{10}\times 100=50(\%)$

6 기온이 내려갈수록 난방용 도시가스 사용량이 늘어나므로 음의 상관관계이다. 따라서 알맞은 산점도는 ④이다.

7 ① 상위 30 %에 해당되는 학생 수는
$20\times\dfrac{30}{100}=6$(명)
② 점수의 합이 높은 순서대로 6등까지 나열하면 90점인 학생은 2명, 85점인 학생은 1명, 80점인 학생은 2명, 75점인 학생은 1명이다.

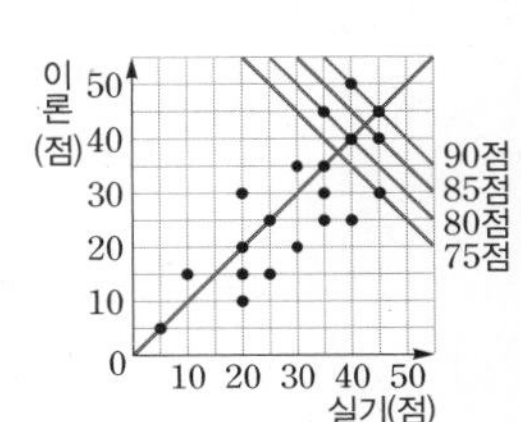

③ 따라서 상위 30 %에 들려면 점수의 합이 최소한 75 점 이상이어야 한다.

8 ① 듣기와 말하기 점수가 20점 이상 차이가 나는 학생 수는 오른쪽 그림에서 어두운 부분(경계선 포함)에 해당하므로 3명이다.

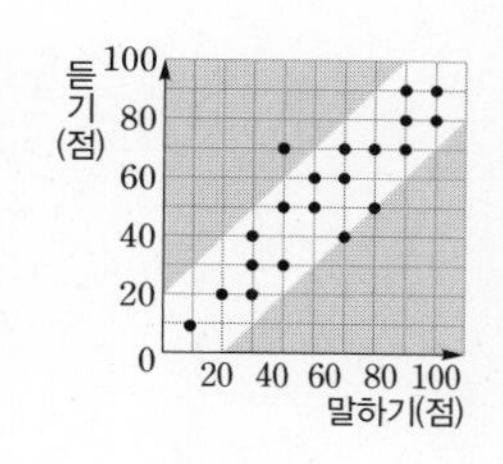

② $\frac{3}{20}\times100=15(\%)$

개념북

수 학 은 개 념 이 다 !

디딤돌수학

개념기본

중 3 / 2

익힘북 정답과 풀이

'아! 이걸 묻는거구나' 출제의 의도를
단박에 알게해주는 정답과 풀이

디딤돌

I 삼각비

1 삼각비

개념적용익힘

익힘북 4~10쪽

1 ④ 2 $\sin A=\frac{\sqrt{57}}{19}$, $\tan C=\frac{4\sqrt{3}}{3}$

3 $\frac{5}{6}$ 4 $\sqrt{2}$

5 (1) $\overline{AC}=8$, $\overline{BC}=15$ (2) $\frac{2}{3}$

6 풀이 참조 7 $2\sqrt{14}$ 8 $4\sqrt{5}$ cm

9 ④ 10 $\frac{\sqrt{7}}{3}$ 11 $\frac{2\sqrt{5}}{5}$ 12 1

13 $\frac{3}{4}$ 14 $\frac{2\sqrt{5}}{5}$ 15 ② 16 ⑤

17 $\frac{1}{4}$ 18 2 19 ② 20 $45°$

21 $\frac{\sqrt{2}}{2}$ 22 $x=3$, $y=\sqrt{3}$ 23 $5\sqrt{6}$

24 $6\sqrt{2}$ 25 ④ 26 $5(\sqrt{3}-1)$ cm

27 $(7\sqrt{3}-7)$ m 28 ⑤ 29 $30°$

30 $y=\sqrt{3}x-3$ 31 ④ 32 ⑤

33 2.69 34 ③ 35 ⑤

36 (1) 0 (2) 3 37 $30°$ 38 $43°$

39 (1) 1.6464 (2) $81°$ 40 61.57

41 $x=74.31$, $y=66.91$ 42 0.8290

1 $\overline{BC}=\sqrt{6^2-5^2}=\sqrt{11}$이므로

① $\sin A=\frac{\sqrt{11}}{6}$ ② $\cos A=\frac{5}{6}$

③ $\sin C=\frac{5}{6}$ ⑤ $\tan C=\frac{5}{\sqrt{11}}=\frac{5\sqrt{11}}{11}$

따라서 옳은 것은 ④이다.

2 $\overline{AC}=\sqrt{(\sqrt{3})^2+4^2}=\sqrt{19}$

$\sin A=\frac{\overline{BC}}{\overline{AC}}=\frac{\sqrt{3}}{\sqrt{19}}=\frac{\sqrt{57}}{19}$

$\tan C=\frac{\overline{AB}}{\overline{BC}}=\frac{4}{\sqrt{3}}=\frac{4\sqrt{3}}{3}$

3 피타고라스 정리에 의해

$\overline{BC}=\sqrt{6^2-4^2}=\sqrt{20}=2\sqrt{5}$이므로

$\tan A=\frac{\overline{BC}}{\overline{AB}}=\frac{2\sqrt{5}}{4}=\frac{\sqrt{5}}{2}$

$\cos C=\frac{\overline{BC}}{\overline{AC}}=\frac{2\sqrt{5}}{6}=\frac{\sqrt{5}}{3}$

$\therefore \tan A\times\cos C=\frac{\sqrt{5}}{2}\times\frac{\sqrt{5}}{3}=\frac{5}{6}$

4 피타고라스 정리에 의해 $\overline{BC}=\sqrt{3^2+3^2}=3\sqrt{2}$

$\sin B=\frac{\overline{AC}}{\overline{BC}}=\frac{3}{3\sqrt{2}}=\frac{\sqrt{2}}{2}$

$\cos C=\frac{\overline{AC}}{\overline{BC}}=\frac{3}{3\sqrt{2}}=\frac{\sqrt{2}}{2}$

$\therefore \sin B+\cos C=\frac{\sqrt{2}}{2}+\frac{\sqrt{2}}{2}=\sqrt{2}$

5 (1) $\triangle ADC$에서 피타고라스 정리에 의해

$\overline{AC}=\sqrt{10^2-6^2}=8$

$\triangle ABC$에서 피타고라스 정리에 의해

$\overline{BC}=\sqrt{17^2-8^2}=15$

(2) $\tan B=\frac{\overline{AC}}{\overline{BC}}=\frac{8}{15}$

$\sin D=\frac{\overline{AC}}{\overline{AD}}=\frac{8}{10}=\frac{4}{5}$

$\therefore \tan B\div\sin D=\frac{8}{15}\div\frac{4}{5}=\frac{8}{15}\times\frac{5}{4}=\frac{2}{3}$

6 $\triangle ABC$와 $\triangle DEF$에서

$\angle A=\angle D=39°$, $\angle B=\angle E=90°$

즉, 두 쌍의 대응하는 각의 크기가 각각 같으므로

$\triangle ABC\backsim\triangle DEF$ (AA 닮음)

이때 닮은 두 삼각형은 대응하는 변의 길이의 비가 같으므로

$\frac{\overline{BC}}{\overline{AC}}=\frac{\overline{EF}}{\overline{DF}}$

따라서 $\sin A=\sin D$이므로 지혜의 말은 옳지 않다.

7 $\cos B=\frac{5}{\overline{AB}}=\frac{5}{9}$에서 $\overline{AB}=9$

따라서 피타고라스 정리에 의해

$\overline{AC}=\sqrt{9^2-5^2}=2\sqrt{14}$

8 $\sin A=\frac{\overline{BC}}{12}=\frac{2}{3}$이므로 $\overline{BC}=8$ cm

따라서 피타고라스 정리에 의해

$\overline{AC}=\sqrt{12^2-8^2}=4\sqrt{5}$(cm)

9 $\sin A=\dfrac{\overline{BC}}{6}=\dfrac{\sqrt{2}}{2}$에서 $\overline{BC}=3\sqrt{2}$

피타고라스 정리에 의해 $\overline{AC}=\sqrt{6^2-(3\sqrt{2})^2}=3\sqrt{2}$

$\therefore \triangle ABC=\dfrac{1}{2}\times 3\sqrt{2}\times 3\sqrt{2}=9$

10 $\sin A=\dfrac{\sqrt{2}}{3}$이므로

오른쪽 그림의 직각삼각형 ABC에서 피타고라스 정리에 의해

$\overline{AB}=\sqrt{3^2-(\sqrt{2})^2}=\sqrt{7}$

$\therefore \cos A=\dfrac{\overline{AB}}{\overline{AC}}=\dfrac{\sqrt{7}}{3}$

11 $\tan A=\dfrac{1}{2}$이므로

오른쪽 그림의 직각삼각형 ABC에서 피타고라스 정리에 의해

$\overline{AC}=\sqrt{2^2+1^2}=\sqrt{5}$

$\sin A=\dfrac{1}{\sqrt{5}}=\dfrac{\sqrt{5}}{5}$, $\cos C=\dfrac{1}{\sqrt{5}}=\dfrac{\sqrt{5}}{5}$

$\therefore \sin A+\cos C=\dfrac{\sqrt{5}}{5}+\dfrac{\sqrt{5}}{5}=\dfrac{2\sqrt{5}}{5}$

12 오른쪽 그림의 직각삼각형 ABC에서

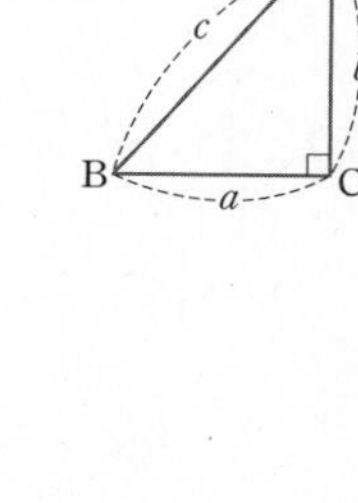

$\sin A=\dfrac{a}{c}$, $\cos A=\dfrac{b}{c}$이고,

$\sin A=\cos A$이므로 $\dfrac{a}{c}=\dfrac{b}{c}$

즉, $a=b$이므로 $\tan A=\dfrac{a}{b}=1$

13 $\triangle ABC$에서 피타고라스 정리에 의해

$\overline{AC}=\sqrt{5^2-3^2}=4$

$\triangle ABC$와 $\triangle DBE$에서

$\angle BAC=\angle BDE=90^\circ$, $\angle B$는 공통이므로

$\triangle ABC \backsim \triangle DBE$ (AA 닮음)

$\therefore \angle ACB=\angle DEB$

따라서 $\triangle ABC$에서 $\tan x=\dfrac{\overline{AB}}{\overline{AC}}=\dfrac{3}{4}$

14 $\triangle ABC$에서 피타고라스 정리에 의해

$\overline{AC}=\sqrt{2^2+4^2}=2\sqrt{5}$

$\triangle ABC$와 $\triangle BEC$에서 $\angle ABC=\angle BEC=90^\circ$이고, $\angle C$는 공통이므로 $\triangle ABC \backsim \triangle BEC$ (AA 닮음)

$\therefore \angle BAC=\angle EBC$

따라서 $\triangle ABC$에서 $\sin x=\dfrac{\overline{BC}}{\overline{AC}}=\dfrac{4}{2\sqrt{5}}=\dfrac{2\sqrt{5}}{5}$

15 $\triangle ABC$에서 피타고라스 정리에 의해

$\overline{AB}=\sqrt{3^2+4^2}=5$

$\triangle ABC$와 $\triangle ADE$에서

$\angle ACB=\angle AED=90^\circ$, $\angle A$는 공통이므로

$\triangle ABC \backsim \triangle ADE$ (AA 닮음)

따라서 $\angle B=\angle ADE$, 즉 $\angle x=\angle y$

$\therefore \cos x+\sin y=\cos x+\sin x=\dfrac{3}{5}+\dfrac{4}{5}=\dfrac{7}{5}$

16 ① $\sin 45^\circ+\cos 45^\circ=\dfrac{\sqrt{2}}{2}+\dfrac{\sqrt{2}}{2}=\sqrt{2}$

② $\sin 30^\circ-\cos 60^\circ=\dfrac{1}{2}-\dfrac{1}{2}=0$

③ $\tan 30^\circ\times\tan 60^\circ=\dfrac{\sqrt{3}}{3}\times\sqrt{3}=1$

④ $\tan 45^\circ\times\sin 60^\circ=1\times\dfrac{\sqrt{3}}{2}=\dfrac{\sqrt{3}}{2}$

⑤ $\cos^2 30^\circ\div\tan^2 60^\circ=\left(\dfrac{\sqrt{3}}{2}\right)^2\div(\sqrt{3})^2$

$=\dfrac{3}{4}\times\dfrac{1}{3}=\dfrac{1}{4}$

따라서 옳지 않은 것은 ⑤이다.

17 (주어진 식) $=\left(1-\dfrac{\sqrt{3}}{2}\right)\times\left(2\times\dfrac{\sqrt{2}}{2}\times\dfrac{\sqrt{2}}{2}+\dfrac{\sqrt{3}}{2}\right)$

$=\dfrac{2-\sqrt{3}}{2}\times\dfrac{2+\sqrt{3}}{2}=\dfrac{4-3}{4}=\dfrac{1}{4}$

18 $\cos 60^\circ=\dfrac{1}{2}$이므로

$x=\dfrac{1}{2}$을 $ax^2-3x+1=0$에 대입하면

$a\times\left(\dfrac{1}{2}\right)^2-3\times\dfrac{1}{2}+1=0$,

$\dfrac{1}{4}a-\dfrac{3}{2}+1=0$, $\dfrac{1}{4}a=\dfrac{1}{2}$ $\quad\therefore a=2$

19 $\cos A=\dfrac{3}{2\sqrt{3}}=\dfrac{\sqrt{3}}{2}$이므로 $\angle A=30^\circ$

20 $\cos(2x-30^\circ)=\dfrac{1}{2}$이므로

$2x-30^\circ=60^\circ$, $2x=90^\circ$ $\quad\therefore x=45^\circ$

21 $\tan(2x-60^\circ)=\dfrac{\sqrt{3}}{3}$이므로

$2x-60^\circ=30^\circ$, $2x=90^\circ$ $\quad\therefore x=45^\circ$

$\therefore \sin x=\sin 45^\circ=\dfrac{\sqrt{2}}{2}$

22 $\triangle ABD$에서 $\sin 30^\circ=\dfrac{\overline{AD}}{\overline{AB}}=\dfrac{x}{6}=\dfrac{1}{2}$ $\quad\therefore x=3$

$\triangle ACD$에서 $\tan 30^\circ=\dfrac{\overline{CD}}{\overline{AD}}=\dfrac{y}{3}=\dfrac{\sqrt{3}}{3}$

$\therefore y=\sqrt{3}$

23 △ABC에서 $\cos 30^\circ=\frac{\overline{AC}}{\overline{BC}}=\frac{\overline{AC}}{20}=\frac{\sqrt{3}}{2}$

$\therefore \overline{AC}=10\sqrt{3}$

△ACD에서 $\cos 45^\circ=\frac{\overline{AD}}{\overline{AC}}=\frac{\overline{AD}}{10\sqrt{3}}=\frac{\sqrt{2}}{2}$

$\therefore \overline{AD}=5\sqrt{6}$

24 △ABC에서 $\tan 60^\circ=\frac{\overline{BC}}{\overline{AB}}=\frac{\overline{BC}}{2\sqrt{3}}=\sqrt{3}$

$\therefore \overline{BC}=6$

△BCD에서 $\sin 45^\circ=\frac{\overline{BC}}{\overline{BD}}=\frac{6}{\overline{BD}}=\frac{\sqrt{2}}{2}$

$\therefore \overline{BD}=\frac{12}{\sqrt{2}}=6\sqrt{2}$

25 △BHC에서 $\tan 60^\circ=\frac{\overline{CH}}{2}=\sqrt{3}$이므로

$\overline{CH}=2\sqrt{3}$ cm

△AHC에서 $\sin 30^\circ=\frac{\overline{CH}}{\overline{AC}}=\frac{2\sqrt{3}}{\overline{AC}}=\frac{1}{2}$이므로

$\overline{AC}=4\sqrt{3}$ cm

26 $\angle BEF=90^\circ-45^\circ=45^\circ$,

$\angle CEF=90^\circ-30^\circ=60^\circ$이므로

$\overline{EF}=x$ cm라 하면

직각삼각형 BEF에서 $\overline{BF}=\overline{EF}=x$ cm

직각삼각형 CEF에서 $\tan 60^\circ=\frac{\overline{CF}}{x}=\sqrt{3}$이므로

$\overline{CF}=\sqrt{3}x$ cm

$\overline{BF}+\overline{CF}=\overline{BC}$이므로

$x+\sqrt{3}x=10$, $(1+\sqrt{3})x=10$

$\therefore x=\frac{10}{1+\sqrt{3}}=5(\sqrt{3}-1)$

따라서 $\overline{EF}$의 길이는 $5(\sqrt{3}-1)$ cm이다.

27 △ABC에서 $\tan 45^\circ=\frac{\overline{BC}}{7}=1$이므로

$\overline{BC}=7$ m

△ABD에서 $\tan 60^\circ=\frac{\overline{BD}}{7}=\sqrt{3}$이므로

$\overline{BD}=7\sqrt{3}$ m

$\therefore \overline{CD}=\overline{BD}-\overline{BC}=7\sqrt{3}-7$(m)

28 오른쪽 그림과 같은 △ABO에서

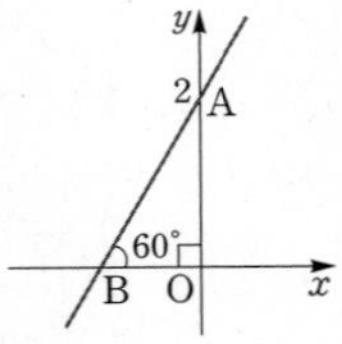

(직선의 기울기)$=\frac{\overline{OA}}{\overline{BO}}$

$=\tan 60^\circ=\sqrt{3}$

이때 직선의 y절편은 2이므로

구하는 일차함수의 식은 $y=\sqrt{3}x+2$

29 $\sqrt{3}x-3y+7=0$에서 $y=\frac{\sqrt{3}}{3}x+\frac{7}{3}$이므로

오른쪽 그림의 직각삼각형

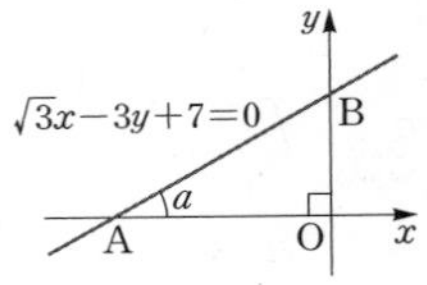

AOB에서

$\tan a=\frac{\overline{BO}}{\overline{AO}}$

$=$(직선의 기울기)$=\frac{\sqrt{3}}{3}$

즉, $\tan a=\frac{\sqrt{3}}{3}$이므로 $a=30^\circ$

30 $\sin a=\frac{\sqrt{3}}{2}$이므로 $\angle a=60^\circ$

(직선의 기울기)$=\tan 60^\circ=\sqrt{3}$

따라서 기울기가 $\sqrt{3}$이고 y절편이 -3인 직선의 방정식은

$y=\sqrt{3}x-3$

31 ① $\sin x=\frac{\overline{BC}}{\overline{AC}}=\frac{\overline{BC}}{1}=\overline{BC}$

② $\cos x=\frac{\overline{AB}}{\overline{AC}}=\frac{\overline{AB}}{1}=\overline{AB}$

③ $\tan x=\frac{\overline{DE}}{\overline{AD}}=\frac{\overline{DE}}{1}=\overline{DE}$

④ $\angle x$의 크기가 작아지면 $\sin x$, $\tan x$의 값은 작아지고 $\cos x$의 값은 커진다.

32 ① $\sin x=\frac{\overline{BC}}{\overline{AC}}=\frac{\overline{BC}}{1}=\overline{BC}$

② $\sin y=\frac{\overline{AB}}{\overline{AC}}=\frac{\overline{AB}}{1}=\overline{AB}$

③ $\cos x=\frac{\overline{AB}}{\overline{AC}}=\frac{\overline{AB}}{1}=\overline{AB}$

④ $\cos y=\frac{\overline{BC}}{\overline{AC}}=\frac{\overline{BC}}{1}=\overline{BC}$

⑤ $\tan z=\frac{\overline{AD}}{\overline{DE}}=\frac{1}{\overline{DE}}$

33 △COD에서

$\tan 52^\circ=\frac{\overline{CD}}{\overline{OD}}=\frac{1.28}{1}=1.28$

△AOB에서 $\angle OAB=38^\circ$이므로

$\sin 38^\circ=\frac{\overline{OB}}{\overline{OA}}=\frac{0.62}{1}=0.62$

$\cos 38^\circ=\frac{\overline{AB}}{\overline{OA}}=\frac{0.79}{1}=0.79$

$\therefore \tan 52^\circ+\sin 38^\circ+\cos 38^\circ$

$=1.28+0.62+0.79$

$=2.69$

34 $\tan 0° + \sin 0° + \cos 0° \times \sin 90°$
$= 0 + 0 + 1 \times 1 = 1$

35 ㄱ. $\sin 0° = 0$　ㄴ. $\cos 0° = 1$　ㄷ. $\tan 0° = 0$
ㄹ. $\sin 90° = 1$　ㅁ. $\cos 90° = 0$　ㅂ. $\tan 45° = 1$
따라서 삼각비의 값이 1인 것은 ㄴ, ㄹ, ㅂ이다.

36 (1) (주어진 식)$= 0 + \frac{1}{2} \times 0 - 0 \times \frac{\sqrt{2}}{2} = 0$
(2) (주어진 식)$= 1 \times 1 + 1 \div \frac{1}{2} = 1 + 2 = 3$

37 $\sin 14° = 0.2419$, $\tan 16° = 0.2867$이므로
$\angle x = 14°$, $\angle y = 16°$
$\therefore \angle x + \angle y = 14° + 16° = 30°$

38 $\cos x = \frac{7314}{10000} = 0.7314$이므로 삼각비의 표에서 cos의 세로줄에서 0.7314를 찾아 이에 해당하는 가로줄의 각도를 읽으면 $\angle x = 43°$이다.

39 (1) $\cos 39° = 0.7771$, $\tan 41° = 0.8693$
$\therefore \cos 39° + \tan 41° = 0.7771 + 0.8693$
$= 1.6464$
(2) $\sin 40° = 0.6428$이므로 $\angle x = 40°$
$\cos 41° = 0.7547$이므로 $\angle y = 41°$
$\therefore \angle x + \angle y = 40° + 41° = 81°$

40 $\angle C = 180° - (90° + 38°) = 52°$이므로
$\cos 52° = \frac{\overline{BC}}{\overline{AC}} = \frac{\overline{BC}}{100} = 0.6157$
$\therefore \overline{BC} = 100 \times 0.6157 = 61.57$

41 $\sin 48° = \frac{x}{100}$
$\therefore x = 100 \sin 48° = 100 \times 0.7431 = 74.31$
$\cos 48° = \frac{y}{100}$
$\therefore y = 100 \cos 48° = 100 \times 0.6691 = 66.91$

42 $\angle DAE = x$라 하면 $\triangle DAE$에서
$\tan x = \frac{\overline{DE}}{\overline{AE}} = \frac{1.4826}{1} = 1.4826$이므로 $x = 56°$
$\triangle BAC$에서 $\sin 56° = \frac{\overline{BC}}{\overline{AB}} = \frac{\overline{BC}}{1} = 0.8290$
$\therefore \overline{BC} = 0.8290$

개념완성익힘

익힘북 11~12쪽

1 ④　**2** ①　**3** ⑤　**4** $5\sqrt{6}$
5 ⑤　**6** 24.244　**7** ④
8 $\cos x + \sin x$　**9** $\frac{\sqrt{3}}{4}$　**10** $\frac{1}{2}$
11 $\frac{1}{12}\pi - \frac{\sqrt{3}}{8}$　**12** $\sqrt{3} + 2$

1 피타고라스 정리에 의해 $\overline{AB} = \sqrt{7^2 - 5^2} = 2\sqrt{6}$
③ $\tan A = \frac{5}{2\sqrt{6}} = \frac{5\sqrt{6}}{12}$
④ $\sin C = \frac{2\sqrt{6}}{7}$
따라서 옳지 않은 것은 ④이다.

2 $\tan A = \sqrt{2}$이므로 오른쪽 그림과 같이 $\angle B = 90°$이고 $\overline{AB} = 1$, $\overline{BC} = \sqrt{2}$인 직각삼각형 ABC를 그릴 수 있다.

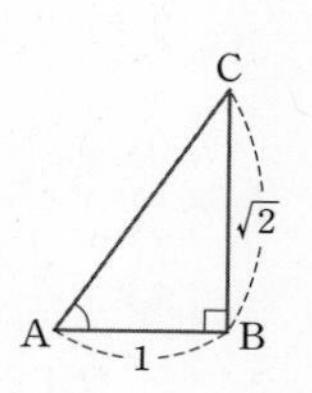

피타고라스 정리에 의해
$\overline{AC} = \sqrt{1^2 + (\sqrt{2})^2} = \sqrt{3}$이므로
$\sin A = \frac{\sqrt{2}}{\sqrt{3}} = \frac{\sqrt{6}}{3}$, $\cos A = \frac{1}{\sqrt{3}} = \frac{\sqrt{3}}{3}$
$\therefore \sin A \times \cos A = \frac{\sqrt{6}}{3} \times \frac{\sqrt{3}}{3} = \frac{3\sqrt{2}}{9} = \frac{\sqrt{2}}{3}$

3 $\sin A : \cos A = \sqrt{3} : 1 = \frac{\sqrt{3}}{2} : \frac{1}{2}$
이때 $\sin 60° = \frac{\sqrt{3}}{2}$, $\cos 60° = \frac{1}{2}$이므로 $\angle A = 60°$
$\therefore \tan A = \tan 60° = \sqrt{3}$
[다른 풀이]
오른쪽 그림과 같은 직각삼각형 ABC에서

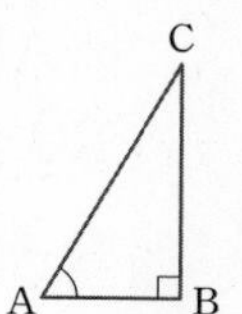

$\sin A = \frac{\overline{BC}}{\overline{AC}}$, $\cos A = \frac{\overline{AB}}{\overline{AC}}$이므로
$\sin A : \cos A = \overline{BC} : \overline{AB}$
$\sin A : \cos A = \sqrt{3} : 1$이므로
$\overline{BC} : \overline{AB} = \sqrt{3} : 1$
$\therefore \tan A = \frac{\overline{BC}}{\overline{AB}} = \frac{\sqrt{3}}{1} = \sqrt{3}$

4 $\triangle ABC$에서 $\tan 30° = \frac{\overline{AB}}{\overline{BC}} = \frac{10}{\overline{BC}} = \frac{\sqrt{3}}{3}$
$\therefore \overline{BC} = 10\sqrt{3}$
$\triangle DBC$에서 $\cos 45° = \frac{\overline{BD}}{\overline{BC}} = \frac{\overline{BD}}{10\sqrt{3}} = \frac{\sqrt{2}}{2}$
$\therefore \overline{BD} = 5\sqrt{6}$

5 구하는 일차함수의 식을 $y=ax+b$라 하면
오른쪽 그림의 $\triangle$AOB에서

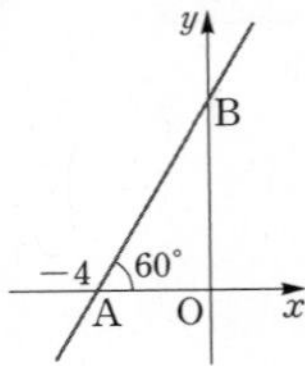

$$(\text{직선의 기울기})=\frac{\overline{BO}}{\overline{AO}}=\tan 60°=\sqrt{3}$$

$\therefore a=\sqrt{3}$
즉, $y=\sqrt{3}x+b$의 그래프가 점 $(-4, 0)$을 지나므로
$x=-4$, $y=0$을 대입하면 $0=-4\sqrt{3}+b$
$\therefore b=4\sqrt{3}$
따라서 구하는 일차함수의 식은 $y=\sqrt{3}x+4\sqrt{3}$

6 $\cos 14°=\frac{x}{20}=0.9703$ $\therefore x=19.406$
$\sin 14°=\frac{y}{20}=0.2419$ $\therefore y=4.838$
$\therefore x+y=19.406+4.838=24.244$

7 $\tan 45°=1$이므로 $2x-15°=45°$, $2x=60°$
$\therefore x=30°$
$\therefore 2\tan 2x\times\sin(x+15°)=2\tan 60°\times\sin 45°$
$=2\times\sqrt{3}\times\frac{\sqrt{2}}{2}=\sqrt{6}$

8 $0°<x<90°$일 때,
$0<\cos x<1$이므로 $\cos x+1>0$
$0<\sin x<1$이므로 $\sin x-1<0$
$\therefore$ (주어진 식)$=(\cos x+1)+(\sin x-1)$
$=\cos x+\sin x$

9 $\triangle ABC\backsim\triangle HBA\backsim\triangle HAC$ (AA 닮음)이므로
$\angle x=\angle ACB$, $\angle y=\angle ABC$
$\triangle$ABC에서 피타고라스 정리에 의해
$\overline{BC}=\sqrt{(2\sqrt{3})^2+2^2}=4(\text{cm})$
$\triangle$ABC에서
$\cos x=\frac{\overline{AC}}{\overline{BC}}=\frac{2}{4}=\frac{1}{2}$, $\cos y=\frac{\overline{AB}}{\overline{BC}}=\frac{2\sqrt{3}}{4}=\frac{\sqrt{3}}{2}$
$\therefore \cos x\times\cos y=\frac{1}{2}\times\frac{\sqrt{3}}{2}=\frac{\sqrt{3}}{4}$

10 $\overline{FH}=\sqrt{4^2+3^2}=5$, $\overline{BH}=\sqrt{5^2+5^2}=5\sqrt{2}$이므로 …… ①

오른쪽 그림의 직각삼각형 BFH에서

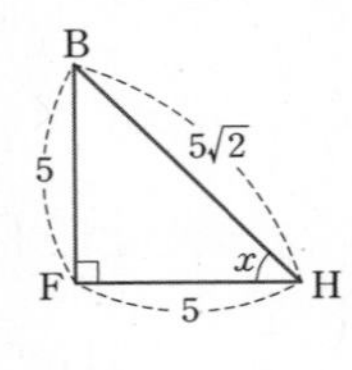

$\cos x=\frac{5}{5\sqrt{2}}=\frac{\sqrt{2}}{2}$,
$\sin x=\frac{5}{5\sqrt{2}}=\frac{\sqrt{2}}{2}$ …… ②
$\therefore \cos x\times\sin x=\frac{\sqrt{2}}{2}\times\frac{\sqrt{2}}{2}=\frac{1}{2}$ …… ③

단계	채점 기준	비율
①	$\overline{FH}$, $\overline{BH}$의 길이 각각 구하기	40 %
②	$\cos x$, $\sin x$의 값 각각 구하기	40 %
③	$\cos x\times\sin x$의 값 구하기	20 %

11 (부채꼴 AOB의 넓이)$=\pi\times1^2\times\frac{30°}{360°}$
$=\frac{1}{12}\pi$ …… ①
$\triangle$AOH에서 $\sin 30°=\frac{\overline{AH}}{1}=\frac{1}{2}$이므로 $\overline{AH}=\frac{1}{2}$
$\cos 30°=\frac{\overline{OH}}{1}=\frac{\sqrt{3}}{2}$이므로 $\overline{OH}=\frac{\sqrt{3}}{2}$
$\therefore \triangle AOH=\frac{1}{2}\times\overline{OH}\times\overline{AH}$
$=\frac{1}{2}\times\frac{\sqrt{3}}{2}\times\frac{1}{2}=\frac{\sqrt{3}}{8}$ …… ②
따라서 색칠한 부분의 넓이는
(부채꼴 AOB의 넓이)$-\triangle AOH=\frac{1}{12}\pi-\frac{\sqrt{3}}{8}$
…… ③

단계	채점 기준	비율
①	부채꼴 AOB의 넓이 구하기	40 %
②	$\triangle$AOH의 넓이 구하기	40 %
③	색칠한 부분의 넓이 구하기	20 %

12 $\triangle$ABC에서 $\angle ACB=180°-(90°+60°)=30°$
또, $\triangle$ACD는 $\overline{CA}=\overline{CD}$인 이등변삼각형이므로
$\angle CAD=\angle CDA=\frac{1}{2}\angle ACB=\frac{1}{2}\times30°=15°$
$\therefore \angle DAB=\angle BAC+\angle CAD$
$=60°+15°=75°$ …… ①
$\triangle$ABC에서 $\cos 60°=\frac{\overline{AB}}{\overline{AC}}=\frac{8}{\overline{AC}}=\frac{1}{2}$이므로
$\overline{AC}=16$ cm …… ②
$\tan 60°=\frac{\overline{BC}}{\overline{AB}}=\frac{\overline{BC}}{8}=\sqrt{3}$이므로 $\overline{BC}=8\sqrt{3}$ cm
이때 $\overline{CD}=\overline{AC}=16$ cm이므로
$\overline{BD}=\overline{BC}+\overline{CD}=8\sqrt{3}+16(\text{cm})$ …… ③
따라서 $\triangle$DAB에서
$\tan 75°=\frac{\overline{BD}}{\overline{AB}}=\frac{8\sqrt{3}+16}{8}=\sqrt{3}+2$ …… ④

단계	채점 기준	비율
①	$\angle$DAB의 크기 구하기	30 %
②	$\overline{AC}$의 길이 구하기	30 %
③	$\overline{BD}$의 길이 구하기	30 %
④	$\tan 75°$의 값 구하기	10 %

2 삼각비의 활용

개념적용익힘

익힘북 13~19쪽

1 ④ **2** $9\sqrt{3}$ m **3** 15.7 m **4** $\sqrt{26}$ cm
5 $3\sqrt{21}$ m **6** ③ **7** $6\sqrt{3}$ cm **8** ②
9 $(6+2\sqrt{3}+2\sqrt{6})$ cm **10** $3(\sqrt{3}-1)$ **11** ①
12 $36(3-\sqrt{3})$ cm^2 **13** $7(\sqrt{3}+1)$ m
14 $16\sqrt{3}$ cm **15** ② **16** ③ **17** ④
18 ② **19** $10\sqrt{3}$ cm^2 **20** ⑤
21 25 : 24 **22** ④ **23** 135°
24 $10\sqrt{3}$ cm^2 **25** $(18\pi-9\sqrt{3})$ cm^2
26 ③ **27** $(12+4\sqrt{3})$ cm^2
28 $150\sqrt{3}$ cm^2 **29** $392\sqrt{2}$ cm^2
30 ⑤ **31** $14\sqrt{3}$ cm^2 **32** $4\sqrt{3}$
33 5 cm **34** ③ **35** $\frac{3\sqrt{3}}{4}$ cm^2
36 ⑤ **37** $80\sqrt{3}$ cm^2
38 $20\sqrt{2}$ cm^2 **39** ⑤ **40** 18 cm
41 45°

1 $\sin 63^\circ=\frac{\overline{AC}}{\overline{AB}}=\frac{7}{\overline{AB}}$ $\quad\therefore \overline{AB}=\frac{7}{\sin 63^\circ}$

2 $\overline{AB}=\overline{BC}\tan 30^\circ=9\times\frac{\sqrt{3}}{3}=3\sqrt{3}$(m)

$\overline{AC}=\frac{\overline{BC}}{\cos 30^\circ}=9\times\frac{2}{\sqrt{3}}=6\sqrt{3}$(m)

∴ (부러지기 전의 전봇대의 높이)

$=\overline{AB}+\overline{AC}=3\sqrt{3}+6\sqrt{3}=9\sqrt{3}$(m)

3 △ABC에서

$\overline{BC}=\overline{AC}\tan 35^\circ=20\times0.70=14$(m)

$\therefore \overline{BD}=\overline{BC}+\overline{CD}=14+1.7=15.7$(m)

4 오른쪽 그림과 같이 점 A에서 $\overline{BC}$에 내린 수선의 발을 H라 하면

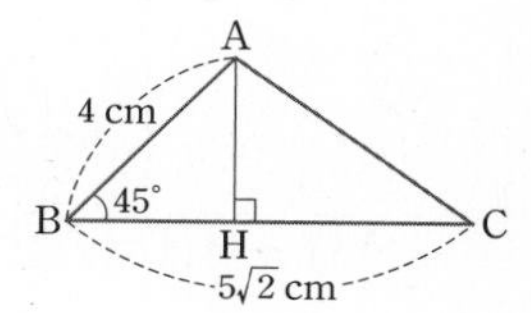

$\overline{AH}=4\sin 45^\circ=4\times\frac{\sqrt{2}}{2}$

$=2\sqrt{2}$(cm)

$\overline{BH}=4\cos 45^\circ=4\times\frac{\sqrt{2}}{2}=2\sqrt{2}$(cm)

$\overline{HC}=\overline{BC}-\overline{BH}=5\sqrt{2}-2\sqrt{2}=3\sqrt{2}$(cm)

$\therefore \overline{AC}=\sqrt{(2\sqrt{2})^2+(3\sqrt{2})^2}=\sqrt{26}$(cm)

5 오른쪽 그림과 같이 점 C에서 $\overline{AB}$에 내린 수선의 발을 H라 하면

△AHC에서

$\overline{HC}=12\sin 60^\circ$

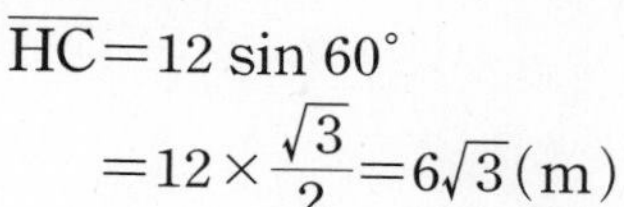

$=12\times\frac{\sqrt{3}}{2}=6\sqrt{3}$(m)

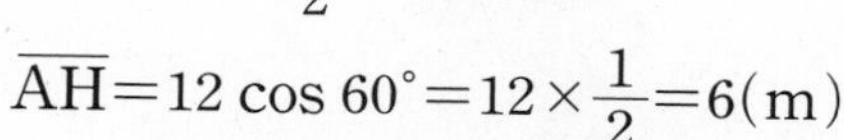

$\overline{AH}=12\cos 60^\circ=12\times\frac{1}{2}=6$(m)

$\overline{BH}=\overline{AB}-\overline{AH}=15-6=9$(m)

$\therefore \overline{BC}=\sqrt{9^2+(6\sqrt{3})^2}=3\sqrt{21}$(m)

따라서 두 지점 B, C 사이의 거리는 $3\sqrt{21}$ m이다.

6 오른쪽 그림과 같이 배의 위치를 각각 A, B라 하고 점 P에서 $\overline{AB}$에 내린 수선을 발을 H라 하면

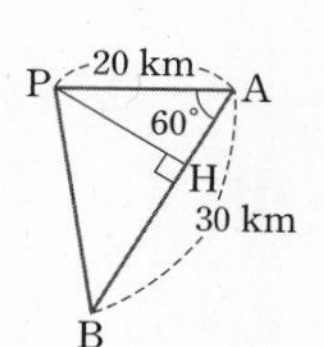

△APH에서

$\overline{PH}=20\sin 60^\circ=20\times\frac{\sqrt{3}}{2}=10\sqrt{3}$(km)

$\overline{AH}=20\cos 60^\circ=20\times\frac{1}{2}=10$(km)

$\therefore \overline{BH}=\overline{AB}-\overline{AH}=30-10=20$(km)

즉, △PBH에서

$\overline{PB}=\sqrt{20^2+(10\sqrt{3})^2}=10\sqrt{7}$(km)

따라서 이 배가 섬의 P 지점으로부터 떨어진 거리는 $10\sqrt{7}$ km이다.

7 오른쪽 그림과 같이 점 B에서 $\overline{AC}$에 내린 수선의 발을 H라 하면

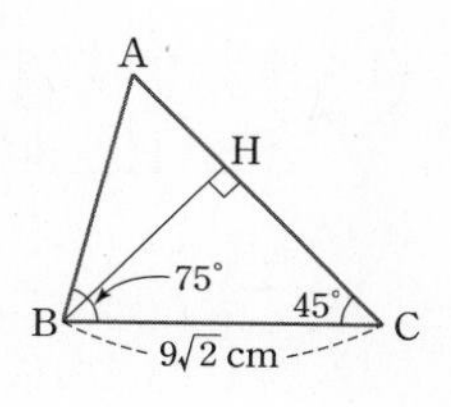

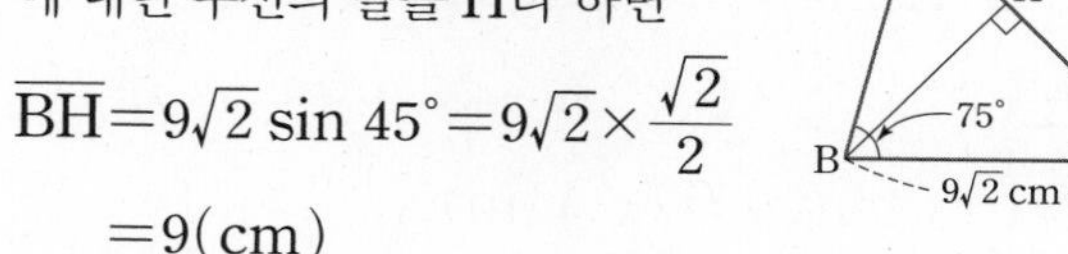

$\overline{BH}=9\sqrt{2}\sin 45^\circ=9\sqrt{2}\times\frac{\sqrt{2}}{2}$

$=9$(cm)

△ABC에서

$\angle A=180^\circ-(75^\circ+45^\circ)=60^\circ$

따라서 △ABH에서

$\overline{AB}=\frac{\overline{BH}}{\sin 60^\circ}=9\times\frac{2}{\sqrt{3}}=6\sqrt{3}$(cm)

8 오른쪽 그림과 같이 꼭짓점 A에서 $\overline{BC}$에 내린 수선의 발을 D라 하면

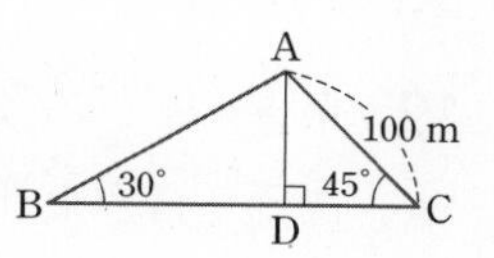

$\overline{AD}=100\sin 45^\circ$

$=100\times\frac{\sqrt{2}}{2}=50\sqrt{2}$(m)

$\therefore \overline{AB}=\dfrac{\overline{AD}}{\sin 30^\circ}=50\sqrt{2}\times 2=100\sqrt{2}(\text{m})$

따라서 두 지점 A, B 사이의 거리는 $100\sqrt{2}$ m이다.

9 오른쪽 그림과 같이 꼭짓점 B에서 $\overline{AC}$에 내린 수선의 발을 H라 하면

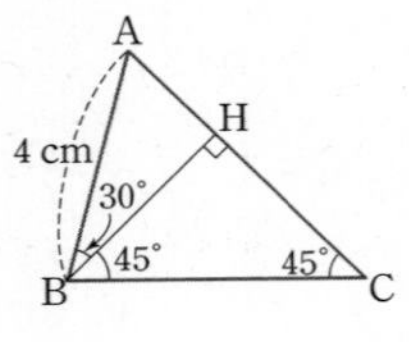

$\overline{BH}=4\cos 30^\circ=4\times\dfrac{\sqrt{3}}{2}$

$=2\sqrt{3}(\text{cm})$

$\overline{AH}=4\sin 30^\circ=4\times\dfrac{1}{2}=2(\text{cm})$

$\overline{CH}=\overline{BH}=2\sqrt{3}$ cm이므로

$\overline{BC}=\sqrt{(2\sqrt{3})^2+(2\sqrt{3})^2}=2\sqrt{6}(\text{cm})$

따라서 △ABC의 둘레의 길이는

$\overline{AB}+\overline{BC}+\overline{CA}=4+2\sqrt{6}+(2+2\sqrt{3})$

$=6+2\sqrt{3}+2\sqrt{6}(\text{cm})$

10 $\overline{AH}=h$라 하면

△ABH에서 ∠BAH=60°이므로

$\overline{BH}=h\tan 60^\circ=\sqrt{3}h$

△ACH에서 ∠CAH=45°이므로

$\overline{CH}=h\tan 45^\circ=h$

$\overline{BC}=\overline{BH}+\overline{CH}$이므로 $6=\sqrt{3}h+h$

$\therefore h=\dfrac{6}{\sqrt{3}+1}=3(\sqrt{3}-1)$

따라서 $\overline{AH}$의 길이는 $3(\sqrt{3}-1)$이다.

11 오른쪽 그림과 같이 꼭짓점 A에서 $\overline{BC}$에 내린 수선의 발을 H라 하고 첨성대의 높이를 x m라 하면 ∠BAH=30°, ∠CAH=45°이므로

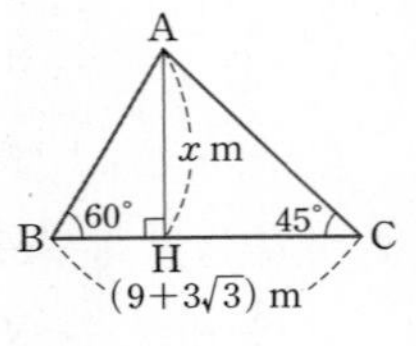

$\overline{BH}=x\tan 30^\circ=\dfrac{\sqrt{3}}{3}x(\text{m})$,

$\overline{CH}=x\tan 45^\circ=x(\text{m})$

이때 $\overline{BH}+\overline{CH}=\overline{BC}$이므로 $\dfrac{\sqrt{3}}{3}x+x=9+3\sqrt{3}$

$\dfrac{3+\sqrt{3}}{3}x=9+3\sqrt{3}$ $\quad\therefore x=\dfrac{9(3+\sqrt{3})}{3+\sqrt{3}}=9$

따라서 첨성대의 높이는 9 m이다.

12 오른쪽 그림과 같이 △ABC의 점 A에서 $\overline{BC}$에 내린 수선의 발을 H, $\overline{AH}=h$ cm라 하면

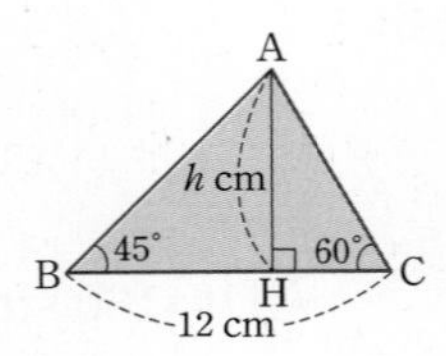

△ABH에서 ∠BAH=45°이므로

$\overline{BH}=h\tan 45^\circ=h(\text{cm})$

△AHC에서 ∠CAH=30°이므로

$\overline{HC}=h\tan 30^\circ=\dfrac{\sqrt{3}}{3}h(\text{cm})$

$\overline{BC}=\overline{BH}+\overline{HC}$이므로 $12=h+\dfrac{\sqrt{3}}{3}h$

$\therefore h=\dfrac{36}{3+\sqrt{3}}=6(3-\sqrt{3})$

$\therefore \triangle ABC=\dfrac{1}{2}\times 12\times 6(3-\sqrt{3})$

$=36(3-\sqrt{3})(\text{cm}^2)$

13 $\overline{AH}=h$ m라 하면

△ABH에서 ∠BAH=45°이므로

$\overline{HB}=h\tan 45^\circ=h(\text{m})$

△ACH에서 ∠CAH=60°이므로

$\overline{HC}=h\tan 60^\circ=\sqrt{3}h(\text{m})$

$\overline{BC}=\overline{HC}-\overline{HB}$이므로 $14=\sqrt{3}h-h$

$\therefore h=\dfrac{14}{\sqrt{3}-1}=7(\sqrt{3}+1)$

따라서 $\overline{AH}$의 길이는 $7(\sqrt{3}+1)$ m이다.

14 ∠BAH=60°, ∠CAH=30°이므로 $\overline{AH}=h$ cm라 하면

$\overline{BH}=h\tan 60^\circ=\sqrt{3}h(\text{cm})$,

$\overline{CH}=h\tan 30^\circ=\dfrac{\sqrt{3}}{3}h(\text{cm})$

$\overline{BC}=\overline{BH}-\overline{CH}$이므로 $32=\sqrt{3}h-\dfrac{\sqrt{3}}{3}h$

$\therefore h=32\times\dfrac{3}{2\sqrt{3}}=16\sqrt{3}$

따라서 $\overline{AH}$의 길이는 $16\sqrt{3}$ cm이다.

[다른 풀이]

△ABC에서 ∠BAC=30°이므로

$\overline{AC}=\overline{BC}=32$ cm

또, △ACH에서 ∠ACH=60°이므로

$\overline{AH}=32\sin 60^\circ=32\times\dfrac{\sqrt{3}}{2}=16\sqrt{3}(\text{cm})$

15 ∠ACH=25°, ∠BCH=15°이므로 $\overline{CH}=h$ m라 하면

$\overline{AH}=h\tan 25^\circ(\text{m})$, $\overline{BH}=h\tan 15^\circ(\text{m})$

$\overline{AH}-\overline{BH}=\overline{AB}$이므로 $h\tan 25^\circ-h\tan 15^\circ=20$

$(\tan 25^\circ-\tan 15^\circ)h=20$

$\therefore h=\dfrac{20}{\tan 25^\circ-\tan 15^\circ}$

따라서 $\overline{CH}$의 길이는 $\dfrac{20}{\tan 25^\circ-\tan 15^\circ}$ m이다.

16 $\triangle ABC=\frac{1}{2}\times\overline{AB}\times\overline{BC}\times\sin x$

$=\frac{1}{2}\times10\times6\sqrt{3}\times\sin x=15\sqrt{3}$

이므로 $\sin x=\frac{1}{2}$

$\therefore\ \angle x=30°$

17 $\cos B=\frac{\sqrt{2}}{2}$이므로 $\angle B=45°$

$\therefore\ \triangle ABC=\frac{1}{2}\times\overline{AB}\times\overline{BC}\times\sin 45°$

$=\frac{1}{2}\times4\times5\times\frac{\sqrt{2}}{2}=5\sqrt{2}(cm^2)$

18 $\angle C=\angle B=75°$이므로 $\angle A=180°-2\times75°=30°$

$\therefore\ \triangle ABC=\frac{1}{2}\times\overline{AB}\times\overline{AC}\times\sin 30°$

$=\frac{1}{2}\times5\sqrt{3}\times5\sqrt{3}\times\frac{1}{2}=\frac{75}{4}(cm^2)$

19 $\triangle ABC=\frac{1}{2}\times\overline{AB}\times\overline{AC}\times\sin 60°$

$=\frac{1}{2}\times10\times12\times\frac{\sqrt{3}}{2}=30\sqrt{3}(cm^2)$

$\therefore\ \triangle GBC=\frac{1}{3}\ \triangle ABC=\frac{1}{3}\times30\sqrt{3}=10\sqrt{3}(cm^2)$

20 $\overline{AE}/\!/\overline{DC}$이므로 $\triangle AED=\triangle AEC$

$\therefore\ \square ABED=\triangle ABE+\triangle AED$

$=\triangle ABE+\triangle AEC$

$=\triangle ABC$

$=\frac{1}{2}\times3\times4\times\sin 60°$

$=\frac{1}{2}\times3\times4\times\frac{\sqrt{3}}{2}$

$=3\sqrt{3}(cm^2)$

21 $\overline{AB}=a$라 하면 $\overline{A'B}=\frac{4}{5}a$

$\overline{BC}=b$라 하면 $\overline{BC'}=\frac{6}{5}b$

$\triangle ABC=\frac{1}{2}ab\sin B$

$\triangle A'BC'=\frac{1}{2}\times\frac{4}{5}a\times\frac{6}{5}b\times\sin B=\frac{12}{25}ab\sin B$

$\therefore\ \triangle ABC:\triangle A'BC'=\frac{1}{2}:\frac{12}{25}=25:24$

22 $\triangle ABC=\frac{1}{2}\times6\times8\times\sin(180°-135°)$

$=\frac{1}{2}\times6\times8\times\frac{\sqrt{2}}{2}=12\sqrt{2}(cm^2)$

23 $\triangle ABC=\frac{1}{2}\times4\times7\times\sin(180°-B)=7\sqrt{2}$

$\therefore\ \sin(180°-B)=\frac{\sqrt{2}}{2}$

따라서 $180°-\angle B=45°$이므로 $\angle B=135°$

24 점 I가 $\triangle ABC$의 내심이므로

$\angle BIC=90°+\frac{1}{2}\times60°=120°$

$\therefore\ \triangle IBC=\frac{1}{2}\times\overline{BI}\times\overline{CI}\times\sin(180°-120°)$

$=\frac{1}{2}\times8\times5\times\frac{\sqrt{3}}{2}$

$=10\sqrt{3}(cm^2)$

25 (반원의 넓이)$=\frac{1}{2}\times\pi\times6^2=18\pi(cm^2)$

$\overline{AO}=\overline{BO}=6$ cm이므로

$\triangle ABO=\frac{1}{2}\times\overline{AO}\times\overline{BO}\times\sin(180°-120°)$

$=\frac{1}{2}\times6\times6\times\frac{\sqrt{3}}{2}=9\sqrt{3}(cm^2)$

$\therefore$ (색칠한 부분의 넓이)=(반원의 넓이)$-\triangle ABO$

$=18\pi-9\sqrt{3}(cm^2)$

26 점 A에서 $\overline{BC}$의 연장선에 내린 수선의 발을 H라 하면

$\overline{AH}=3$ cm이므로

$\triangle AHC$에서 $\sin C=\frac{3}{6}=\frac{1}{2}$ $\quad\therefore\ \angle C=30°$

$\angle DAC=\angle BAC$(접은 각),

$\angle DAC=\angle BCA$(엇각)에서

$\angle BAC=\angle BCA$이므로 $\triangle ABC$는 이등변삼각형이다.

이때 $\angle ABC=180°-(30°+30°)=120°$,

$\angle ABH=60°$

이므로 $\triangle ABH$에서

$\overline{AB}=\frac{3}{\sin 60°}=3\times\frac{2}{\sqrt{3}}=2\sqrt{3}(cm)$

$\therefore\ \triangle ABC=\frac{1}{2}\times2\sqrt{3}\times6\times\sin 30°$

$=6\sqrt{3}\times\frac{1}{2}=3\sqrt{3}(cm^2)$

27 $\widehat{AB}:\widehat{BC}:\widehat{CA}=3:4:5$이고 한 원에서 호의 길이는 중심각의 크기에 정비례하므로

$\angle AOB=360°\times\frac{3}{3+4+5}=90°$

$\angle BOC = 360° \times \dfrac{4}{3+4+5} = 120°$

$\angle COA = 360° \times \dfrac{5}{3+4+5} = 150°$

$\therefore \triangle ABC$

$= \triangle OAB + \triangle OBC + \triangle OCA$

$= \dfrac{1}{2} \times 4 \times 4 \times \sin 90°$

$+ \dfrac{1}{2} \times 4 \times 4 \times \sin(180° - 120°)$

$+ \dfrac{1}{2} \times 4 \times 4 \times \sin(180° - 150°)$

$= 8 + 8 \times \dfrac{\sqrt{3}}{2} + 8 \times \dfrac{1}{2} = 12 + 4\sqrt{3}\ (\text{cm}^2)$

28 오른쪽 그림과 같이 정육각형은 6개의 합동인 정삼각형으로 나누어지므로

$\triangle AOB = \dfrac{1}{2} \times 10 \times 10 \times \sin 60°$

$= \dfrac{1}{2} \times 10 \times 10 \times \dfrac{\sqrt{3}}{2} = 25\sqrt{3}\ (\text{cm}^2)$

$\therefore$ (정육각형의 넓이) $= 6 \times 25\sqrt{3} = 150\sqrt{3}\ (\text{cm}^2)$

29 오른쪽 그림과 같이 정팔각형은 8개의 합동인 이등변삼각형으로 나누어진다.

$\triangle AOB$에서

$\angle AOB = \dfrac{360°}{8} = 45°$,

$\overline{OA} = \overline{OB} = 14$ cm이므로

$\triangle AOB = \dfrac{1}{2} \times 14 \times 14 \times \sin 45°$

$= \dfrac{1}{2} \times 14 \times 14 \times \dfrac{\sqrt{2}}{2} = 49\sqrt{2}\ (\text{cm}^2)$

$\therefore$ (정팔각형의 넓이) $= 8 \times 49\sqrt{2} = 392\sqrt{2}\ (\text{cm}^2)$

30 $\overline{BD}$를 그으면

$\triangle ABD$

$= \dfrac{1}{2} \times \overline{AB} \times \overline{AD}$

$\times \sin(180° - 120°)$

$= \dfrac{1}{2} \times 2\sqrt{3} \times 2\sqrt{3} \times \dfrac{\sqrt{3}}{2} = 3\sqrt{3}$

$\triangle BCD = \dfrac{1}{2} \times \overline{BC} \times \overline{CD} \times \sin 60°$

$= \dfrac{1}{2} \times 6 \times 6 \times \dfrac{\sqrt{3}}{2} = 9\sqrt{3}$

$\therefore \square ABCD = \triangle ABD + \triangle BCD$

$= 3\sqrt{3} + 9\sqrt{3} = 12\sqrt{3}$

31 $\triangle ABC$에서

$\overline{AC} = \overline{BC} \cos 30° = 8 \times \dfrac{\sqrt{3}}{2} = 4\sqrt{3}\ (\text{cm})$

이므로

$\triangle ABC = \dfrac{1}{2} \times \overline{BC} \times \overline{AC} \times \sin 30°$

$= \dfrac{1}{2} \times 8 \times 4\sqrt{3} \times \dfrac{1}{2} = 8\sqrt{3}\ (\text{cm}^2)$

$\triangle ACD = \dfrac{1}{2} \times \overline{AC} \times \overline{CD} \times \sin 30°$

$= \dfrac{1}{2} \times 4\sqrt{3} \times 6 \times \dfrac{1}{2} = 6\sqrt{3}\ (\text{cm}^2)$

$\therefore \square ABCD = \triangle ABC + \triangle ACD$

$= 8\sqrt{3} + 6\sqrt{3} = 14\sqrt{3}\ (\text{cm}^2)$

32 오른쪽 그림과 같이 $\overline{AE}$를 그으면

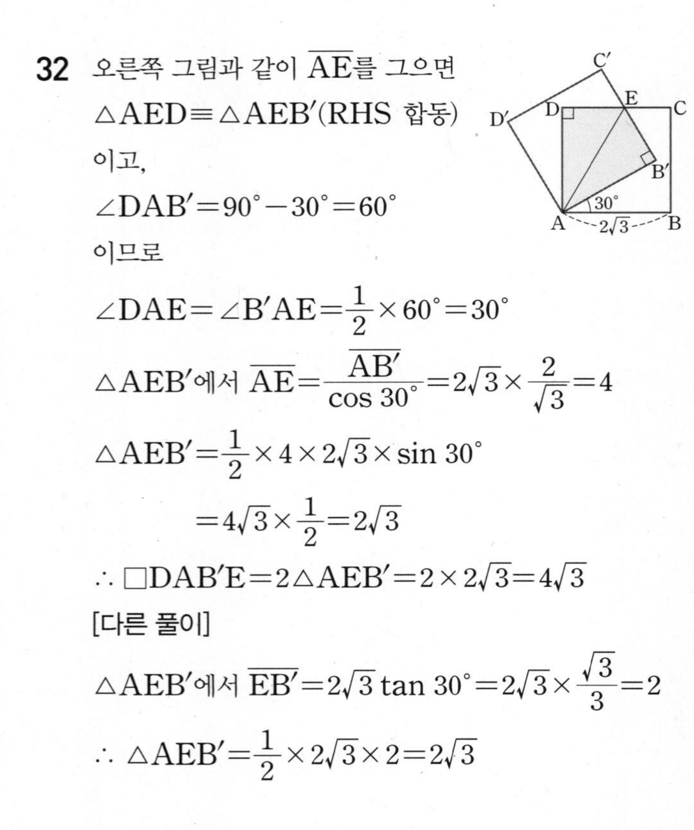

$\triangle AED \equiv \triangle AEB'$(RHS 합동)

이고,

$\angle DAB' = 90° - 30° = 60°$

이므로

$\angle DAE = \angle B'AE = \dfrac{1}{2} \times 60° = 30°$

$\triangle AEB'$에서 $\overline{AE} = \dfrac{\overline{AB'}}{\cos 30°} = 2\sqrt{3} \times \dfrac{2}{\sqrt{3}} = 4$

$\triangle AEB' = \dfrac{1}{2} \times 4 \times 2\sqrt{3} \times \sin 30°$

$= 4\sqrt{3} \times \dfrac{1}{2} = 2\sqrt{3}$

$\therefore \square DAB'E = 2\triangle AEB' = 2 \times 2\sqrt{3} = 4\sqrt{3}$

[다른 풀이]

$\triangle AEB'$에서 $\overline{EB'} = 2\sqrt{3} \tan 30° = 2\sqrt{3} \times \dfrac{\sqrt{3}}{3} = 2$

$\therefore \triangle AEB' = \dfrac{1}{2} \times 2\sqrt{3} \times 2 = 2\sqrt{3}$

33 $\square ABCD = \overline{AB} \times \overline{AD} \times \sin(180° - 135°)$

$= 4 \times \overline{AD} \times \dfrac{\sqrt{2}}{2} = 10\sqrt{2}$

$\therefore \overline{AD} = 5$ cm

34 $\overline{BC} = \overline{AD} = 6$ cm이므로

$\square ABCD = 5 \times 6 \times \sin B = 15$

$\sin B = \dfrac{1}{2}$ $\quad \therefore \angle B = 30°$

35 $\overline{BC}=\overline{AD}=3$ cm이므로

$\square ABCD=\overline{AB}\times\overline{BC}\times\sin 60^\circ$

$=2\times3\times\frac{\sqrt{3}}{2}=3\sqrt{3}(cm^2)$

$\therefore \triangle ABP=\frac{1}{4}\square ABCD$

$=\frac{1}{4}\times3\sqrt{3}=\frac{3\sqrt{3}}{4}(cm^2)$

36 $\overline{AB}=3k$ cm, $\overline{BC}=5k$ cm (단, $k>0$)라 하면

$\square ABCD=3k\times5k\times\sin 30^\circ=30$

$15k^2\times\frac{1}{2}=30,\ k^2=4\qquad \therefore k=2\ (\because k>0)$

따라서 $\overline{AB}=6$ cm, $\overline{BC}=10$ cm이므로

($\square$ABCD의 둘레의 길이)$=2\times(6+10)=32$(cm)

37 오른쪽 그림과 같이 $\overline{AC}$를 그으면

(색칠한 부분의 넓이)

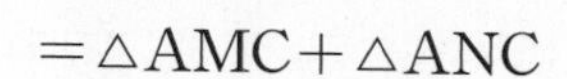

$=\triangle AMC+\triangle ANC$

$=\frac{1}{2}\triangle ABC+\frac{1}{2}\triangle ACD$

$=\frac{1}{2}(\triangle ABC+\triangle ACD)$

$=\frac{1}{2}\square ABCD=\frac{1}{2}\times(20\times16\times\sin 60^\circ)$

$=160\times\frac{\sqrt{3}}{2}=80\sqrt{3}(cm^2)$

38 오른쪽 그림의 $\triangle$CDP에서

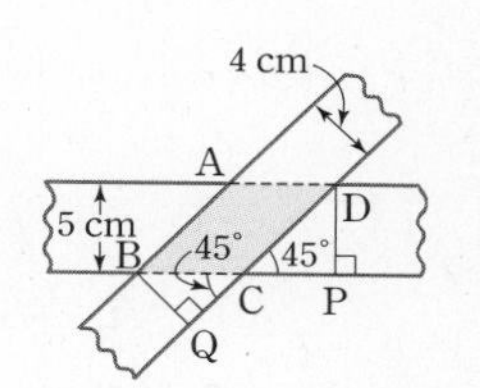

$\overline{CD}=\frac{5}{\sin 45^\circ}$

$=5\times\frac{2}{\sqrt{2}}=5\sqrt{2}(cm)$

$\triangle$BQC에서

$\overline{BC}=\frac{4}{\sin 45^\circ}=4\times\frac{2}{\sqrt{2}}=4\sqrt{2}(cm)$

이때 $\square$ABCD는 평행사변형이고,

$\angle BCD=180^\circ-45^\circ=135^\circ$이므로

$\square ABCD=5\sqrt{2}\times4\sqrt{2}\times\sin(180^\circ-135^\circ)$

$=40\times\frac{\sqrt{2}}{2}=20\sqrt{2}(cm^2)$

[다른 풀이]

$\square ABCD=\overline{CD}\times\overline{BQ}=5\sqrt{2}\times4=20\sqrt{2}(cm^2)$

39 $\square ABCD=\frac{1}{2}\times\overline{AC}\times\overline{BD}\times\sin 60^\circ$

$=\frac{1}{2}\times12\times13\times\frac{\sqrt{3}}{2}=39\sqrt{3}(cm^2)$

40 $\square ABCD=\frac{1}{2}\times\overline{AC}\times\overline{BD}\times\sin(180^\circ-120^\circ)$

$=\frac{1}{2}\times\overline{AC}\times20\times\frac{\sqrt{3}}{2}=90\sqrt{3}$

$5\sqrt{3}\,\overline{AC}=90\sqrt{3}\qquad \therefore \overline{AC}=18$ cm

41 오른쪽 그림과 같이 두 대각선이 이루는 예각의 크기를 x라 하면

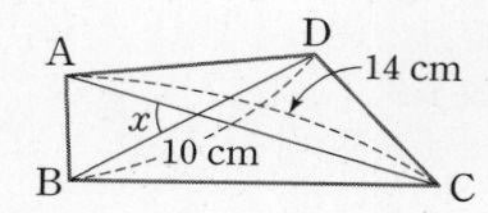

$\square ABCD=\frac{1}{2}\times14\times10\times\sin x$

$=35\sqrt{2}$

이므로 $\sin x=\frac{\sqrt{2}}{2}\qquad \therefore x=45^\circ$

개념완성익힘

익힘북 20~21쪽

1 ④	**2** ⑤	**3** ①	**4** 135°
5 $22\sqrt{3}$	**6** ⑤	**7** $4\sqrt{2}$	**8** 40 m
9 $\frac{24}{5}$ cm	**10** $(80\sqrt{3}-80)$ m		**11** 6 m
12 $4(\sqrt{3}-1)$ cm		**13** $10\sqrt{3}$ cm^2	

1 $\angle C=180^\circ-(90^\circ+42^\circ)=48^\circ$이므로

$x=5\sin 48^\circ=5\times0.74=3.7$

$y=5\cos 48^\circ=5\times0.67=3.35$

$\therefore x+y=3.7+3.35=7.05$

2 오른쪽 그림과 같이 점 A에서 $\overline{BC}$에 내린 수선의 발을 H라 하면

$\overline{AH}=6\sin 45^\circ=6\times\frac{\sqrt{2}}{2}=3\sqrt{2}$,

$\overline{CH}=6\cos 45^\circ=6\times\frac{\sqrt{2}}{2}=3\sqrt{2}$,

$\overline{BH}=\overline{BC}-\overline{CH}=4\sqrt{2}-3\sqrt{2}=\sqrt{2}$이므로

직각삼각형 ABH에서

$\overline{AB}=\sqrt{(3\sqrt{2})^2+(\sqrt{2})^2}=2\sqrt{5}$

3 $\triangle$ABH에서 $\angle BAH=62^\circ$이므로

$\overline{BH}=h\tan 62^\circ$(m)

$\triangle$ACH에서 $\angle CAH=32^\circ$이므로

$\overline{CH}=h\tan 32^\circ$(m)

$\overline{BC}=\overline{BH}-\overline{CH}$이므로

$100=h\tan 62^\circ-h\tan 32^\circ$

4 $\triangle ABC=\frac{1}{2}\times\overline{AC}\times\overline{BC}\times\sin(180^\circ-C)$

$=\frac{1}{2}\times6\times3\times\sin(180^\circ-C)=\frac{9\sqrt{2}}{2}$

이므로

$\sin(180^\circ-C)=\frac{\sqrt{2}}{2}$

따라서 $180^\circ-\angle C=45^\circ$이므로 $\angle C=135^\circ$

5 $\triangle ABD$에서 $\overline{BD}=\frac{\overline{AD}}{\cos30^\circ}=4\sqrt{3}\times\frac{2}{\sqrt{3}}=8$

$\therefore \square ABCD=\triangle ABD+\triangle BCD$

$=\frac{1}{2}\times\overline{AD}\times\overline{BD}\times\sin30^\circ$

$+\frac{1}{2}\times\overline{BC}\times\overline{BD}\times\sin60^\circ$

$=\frac{1}{2}\times4\sqrt{3}\times8\times\frac{1}{2}+\frac{1}{2}\times7\times8\times\frac{\sqrt{3}}{2}$

$=8\sqrt{3}+14\sqrt{3}=22\sqrt{3}$

6 오른쪽 그림과 같이 점 A에서 $\overline{BC}$에 내린 수선의 발을 H, $\overline{AH}=h$ cm라 하면

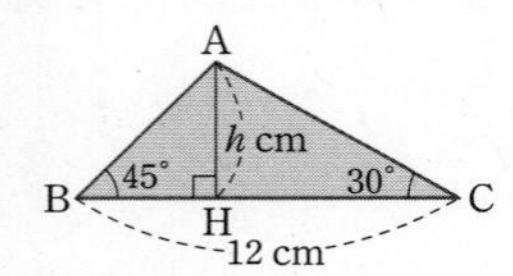

$\triangle ABH$에서 $\angle BAH=45^\circ$

이므로 $\overline{BH}=h\tan45^\circ=h$(cm)

$\triangle ACH$에서 $\angle CAH=60^\circ$이므로

$\overline{CH}=h\tan60^\circ=\sqrt{3}h$(cm)

$\overline{BC}=\overline{BH}+\overline{CH}$이므로 $12=h+\sqrt{3}h$

$\therefore h=\frac{12}{\sqrt{3}+1}=6(\sqrt{3}-1)$

$\therefore \triangle ABC=\frac{1}{2}\times\overline{BC}\times\overline{AH}=\frac{1}{2}\times12\times6(\sqrt{3}-1)$

$=36(\sqrt{3}-1)(\text{cm}^2)$

7 등변사다리꼴의 두 대각선의 길이는 서로 같으므로

$\overline{AC}=\overline{BD}=4$

$\therefore \square ABCD=\frac{1}{2}\times\overline{AC}\times\overline{BD}\times\sin(180^\circ-135^\circ)$

$=\frac{1}{2}\times4\times4\times\frac{\sqrt{2}}{2}=4\sqrt{2}$

8 $\overline{BD}=10$ m이므로

$\triangle ABD$에서

$\overline{AB}=\frac{\overline{BD}}{\tan30^\circ}=10\times\frac{3}{\sqrt{3}}=10\sqrt{3}$(m)

$\triangle ABC$에서

$\overline{CB}=\overline{AB}\tan60^\circ=10\sqrt{3}\times\sqrt{3}=30$(m)

따라서 나무의 높이는

$\overline{CD}=\overline{CB}+\overline{BD}=30+10=40$(m)이다.

9 $\triangle ABC=\frac{1}{2}\times\overline{AB}\times\overline{AC}$

$=\frac{1}{2}\times4\sqrt{3}\times6=12\sqrt{3}(\text{cm}^2)$

$\angle BAC=90^\circ$이고 $\angle CAD=2\angle BAD$이므로

$\angle BAD=90^\circ\times\frac{1}{3}=30^\circ$, $\angle CAD=90^\circ\times\frac{2}{3}=60^\circ$

$\triangle ABD=\frac{1}{2}\times\overline{AB}\times\overline{AD}\times\sin30^\circ$

$=\frac{1}{2}\times4\sqrt{3}\times\overline{AD}\times\frac{1}{2}=\sqrt{3}\,\overline{AD}(\text{cm}^2)$

$\triangle ADC=\frac{1}{2}\times\overline{AC}\times\overline{AD}\times\sin60^\circ$

$=\frac{1}{2}\times6\times\overline{AD}\times\frac{\sqrt{3}}{2}=\frac{3\sqrt{3}}{2}\overline{AD}(\text{cm}^2)$

$\triangle ABC=\triangle ABD+\triangle ADC$이므로

$12\sqrt{3}=\sqrt{3}\,\overline{AD}+\frac{3\sqrt{3}}{2}\overline{AD}$

$\therefore \overline{AD}=12\sqrt{3}\times\frac{2}{5\sqrt{3}}=\frac{24}{5}$(cm)

10 $\triangle ABH$에서 $\angle BAH=60^\circ$

이므로

$\overline{BH}=\overline{AH}\tan60^\circ$

$=80\sqrt{3}$(m)

$\triangle ACH$에서 $\angle CAH=45^\circ$이므로

$\overline{CH}=\overline{AH}\tan45^\circ=80$(m)

$\therefore \overline{BC}=\overline{BH}-\overline{CH}=80\sqrt{3}-80$(m)

따라서 1분 동안 영주가 움직인 거리는 $(80\sqrt{3}-80)$ m 이다.

11 오른쪽 그림과 같이 점 C에서 $\overline{AB}$에 내린 수선의 발을 H라 하면

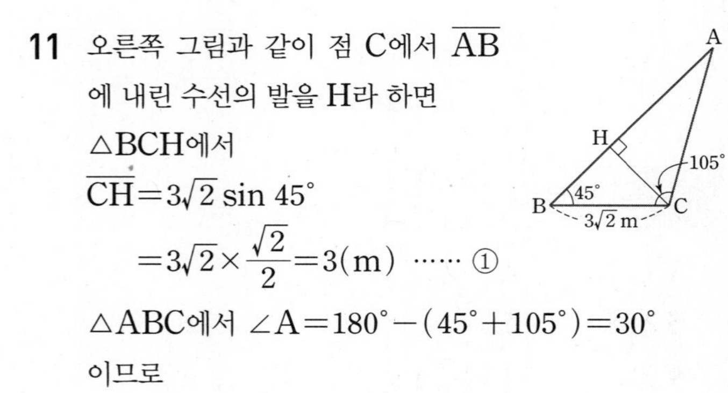

$\triangle BCH$에서

$\overline{CH}=3\sqrt{2}\sin45^\circ$

$=3\sqrt{2}\times\frac{\sqrt{2}}{2}=3$(m) …… ①

$\triangle ABC$에서 $\angle A=180^\circ-(45^\circ+105^\circ)=30^\circ$

이므로

$\triangle ACH$에서 $\overline{AC}=\frac{\overline{CH}}{\sin30^\circ}=3\times2=6$(m) …… ②

단계	채점 기준	비율
①	점 C에서 내린 수선의 발 H에 대하여 $\overline{CH}$의 길이 구하기	50 %
②	$\overline{AC}$의 길이 구하기	50 %

12 $\overline{AH}=h$ cm라 하면

$\triangle ABH$에서 $\angle BAH=60^\circ$이므로

$\overline{BH}=h\tan 60^\circ=\sqrt{3}h$(cm) ...... ①

△ACH에서 ∠CAH=45°이므로

$\overline{CH}=h\tan 45^\circ=h$(cm) ...... ②

$\overline{BC}=\overline{BH}+\overline{CH}$이므로 $8=\sqrt{3}h+h$

$\therefore h=\frac{8}{\sqrt{3}+1}=4(\sqrt{3}-1)$

따라서 $\overline{AH}$의 길이는 $4(\sqrt{3}-1)$ cm이다. ...... ③

단계	채점 기준	비율
①	$\overline{AH}$의 길이를 이용하여 $\overline{BH}$의 길이 나타내기	40 %
②	$\overline{AH}$의 길이를 이용하여 $\overline{CH}$의 길이 나타내기	40 %
③	$\overline{AH}$의 길이 구하기	20 %

13 평행사변형의 이웃하는 두 내각의 크기의 합은 180°이고

∠BAD : ∠ADC=2 : 1이므로

$\angle BAD=180^\circ\times\frac{2}{3}=120^\circ$ ...... ①

$\square ABCD=\overline{AB}\times\overline{AD}\times\sin(180^\circ-120^\circ)$

$=8\times10\times\frac{\sqrt{3}}{2}=40\sqrt{3}(\text{cm}^2)$ ...... ②

$\therefore \triangle AMC=\frac{1}{4}\square ABCD$

$=\frac{1}{4}\times40\sqrt{3}=10\sqrt{3}(\text{cm}^2)$ ...... ③

단계	채점 기준	비율
①	∠BAD의 크기 구하기	20 %
②	□ABCD의 넓이 구하기	40 %
③	△AMC의 넓이 구하기	40 %

대단원 마무리

익힘북 22~24쪽

1 ④ **2** ⑤ **3** ③ **4** ③
5 2.08 **6** ② **7** ③ **8** 7.0320
9 ④ **10** $12\sqrt{3}$ m **11** ④ **12** ②
13 ③ **14** ③ **15** ⑤ **16** ①
17 ⑤ **18** 120°

1 $\overline{AC}=\sqrt{5^2+3^2}=\sqrt{34}$이므로

$\sin A=\frac{3}{\sqrt{34}}=\frac{3\sqrt{34}}{34}$, $\cos A=\frac{5}{\sqrt{34}}=\frac{5\sqrt{34}}{34}$

$\therefore \sin A+\cos A=\frac{3\sqrt{34}}{34}+\frac{5\sqrt{34}}{34}=\frac{4\sqrt{34}}{17}$

2 $\cos A=\frac{\overline{AB}}{8}=\frac{3}{4}$이므로 $\overline{AB}=6$

피타고라스 정리에 의해 $\overline{BC}=\sqrt{8^2-6^2}=2\sqrt{7}$

$\therefore \triangle ABC=\frac{1}{2}\times\overline{AB}\times\overline{BC}=\frac{1}{2}\times6\times2\sqrt{7}=6\sqrt{7}$

3 △ABD에서 $\overline{BD}=\sqrt{3^2+4^2}=5$

△ABD∽△HBA (AA 닮음)이므로

∠BDA=∠BAH=∠x

따라서 △ABD에서

$\sin x=\frac{\overline{AB}}{\overline{BD}}=\frac{3}{5}$, $\tan x=\frac{\overline{AB}}{\overline{AD}}=\frac{3}{4}$

$\therefore \sin x\times\tan x=\frac{3}{5}\times\frac{3}{4}=\frac{9}{20}$

4 $\sin 60^\circ=\frac{\sqrt{3}}{2}$에서 $2x-10^\circ=60^\circ$이므로 $x=35^\circ$

$\therefore \tan(x+10^\circ)=\tan 45^\circ=1$

5 △AOB에서 $\cos 57^\circ=\frac{\overline{OB}}{\overline{OA}}=\frac{0.54}{1}=0.54$

△COD에서 $\tan 57^\circ=\frac{\overline{CD}}{\overline{OD}}=\frac{1.54}{1}=1.54$

$\therefore \cos 57^\circ+\tan 57^\circ=0.54+1.54=2.08$

6 (주어진 식)$=(1+1)\times\frac{1}{2}+\sqrt{3}\times0=1+0=1$

7 $0^\circ<A<90^\circ$이면 $0<\cos A<1$이므로

$\cos A+1>0$, $\cos A-1<0$

∴ (주어진 식)$=\cos A+1-(\cos A-1)=2$

8 $\cos 51^\circ=\frac{x}{5}=0.6293$이므로 $x=3.1465$

$\sin 51^\circ=\frac{y}{5}=0.7771$이므로 $y=3.8855$

$\therefore x+y=3.1465+3.8855=7.0320$

9 $\sin C=\frac{\overline{AB}}{\overline{AC}}$이므로 $\sin 40^\circ=\frac{7}{\overline{AC}}$

$\therefore \overline{AC}=\frac{7}{\sin 40^\circ}$

10 오른쪽 그림에서

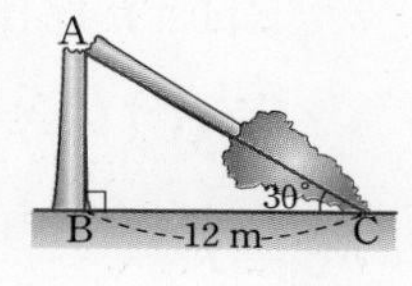

$\overline{AB}=12\tan 30^\circ$

$=12\times\frac{\sqrt{3}}{3}$

$=4\sqrt{3}$(m) ...... ①

$\overline{AC}=\frac{12}{\cos 30^\circ}=12\times\frac{2}{\sqrt{3}}=8\sqrt{3}$(m) ...... ②

$\therefore \overline{AB}+\overline{AC}=4\sqrt{3}+8\sqrt{3}=12\sqrt{3}(m)$

따라서 부러지기 전의 나무의 높이는 $12\sqrt{3}$ m이다.

…… ③

단계	채점 기준	비율
①	$\overline{AB}$의 길이 구하기	40 %
②	$\overline{AC}$의 길이 구하기	40 %
③	부러지기 전의 나무의 높이 구하기	20 %

11 $\triangle ABH$에서

$\overline{AH}=200\sin 60^\circ=200\times\dfrac{\sqrt{3}}{2}=100\sqrt{3}(m)$

따라서 $\triangle ACH$에서

$\overline{CH}=100\sqrt{3}\tan 45^\circ=100\sqrt{3}(m)$

12 오른쪽 그림과 같이 점 A에서 $\overline{BC}$에 내린 수선의 발을 H라 하면 $\triangle ACH$에서

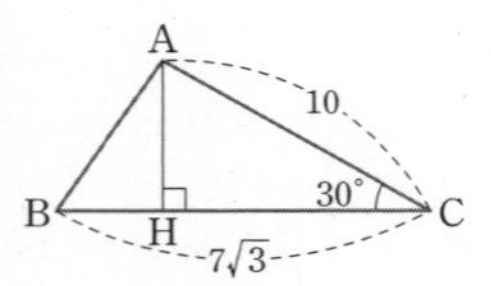

$\overline{AH}=10\sin 30^\circ=10\times\dfrac{1}{2}=5$

$\overline{CH}=10\cos 30^\circ=10\times\dfrac{\sqrt{3}}{2}=5\sqrt{3}$

$\overline{BH}=\overline{BC}-\overline{CH}=7\sqrt{3}-5\sqrt{3}=2\sqrt{3}$

따라서 $\triangle ABH$에서 $\overline{AB}=\sqrt{5^2+(2\sqrt{3})^2}=\sqrt{37}$

13 오른쪽 그림과 같이 점 C에서 $\overline{AB}$에 내린 수선의 발을 H라 하면 $\triangle BCH$에서

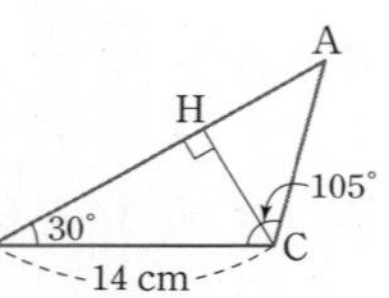

$\overline{CH}=14\sin 30^\circ=14\times\dfrac{1}{2}=7(cm)$

$\triangle ABC$에서 $\angle A=180^\circ-(30^\circ+105^\circ)=45^\circ$이므로

$\triangle ACH$에서 $\overline{AC}=\dfrac{\overline{CH}}{\sin 45^\circ}=7\times\dfrac{2}{\sqrt{2}}=7\sqrt{2}(cm)$

14 오른쪽 그림과 같이 점 A에서 $\overline{BC}$에 내린 수선의 발을 H라 하고, $\overline{AH}=h$ m라 하면 $\triangle ABH$에서 $\angle BAH=30^\circ$이므로

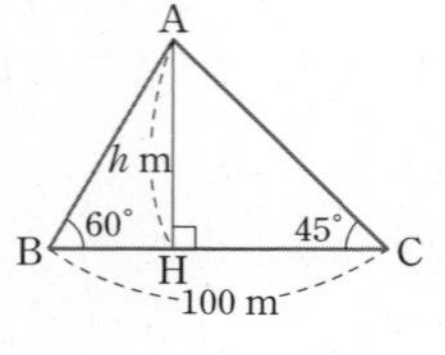

$\overline{BH}=h\tan 30^\circ=\dfrac{\sqrt{3}}{3}h(m)$

$\triangle ACH$에서 $\angle CAH=45^\circ$이므로

$\overline{CH}=h\tan 45^\circ=h(m)$

$\overline{BC}=\overline{BH}+\overline{CH}$이므로 $100=\dfrac{\sqrt{3}}{3}h+h$

$\therefore h=\dfrac{300}{\sqrt{3}+3}=50(3-\sqrt{3})$

따라서 열기구의 지면으로부터의 높이는 $50(3-\sqrt{3})$ m이다.

15 $\triangle ACH$에서 $\angle ACH=60^\circ$이므로

$\overline{AH}=h\tan 60^\circ=\sqrt{3}h$

$\triangle BCH$에서 $\angle BCH=45^\circ$이므로

$\overline{BH}=h\tan 45^\circ=h$

$\overline{AB}=\overline{AH}-\overline{BH}$이므로 $8=\sqrt{3}h-h$

$\therefore h=\dfrac{8}{\sqrt{3}-1}=4(\sqrt{3}+1)$

16 $\triangle ABC=\dfrac{1}{2}\times\overline{AB}\times\overline{BC}\times\sin 30^\circ$

$=\dfrac{1}{2}\times 16\times 10\times\dfrac{1}{2}=40(cm^2)$

$\therefore \triangle AGC=\dfrac{1}{3}\triangle ABC=\dfrac{1}{3}\times 40=\dfrac{40}{3}(cm^2)$

17 오른쪽 그림과 같이 정육각형은 6개의 합동인 정삼각형으로 나누어진다.

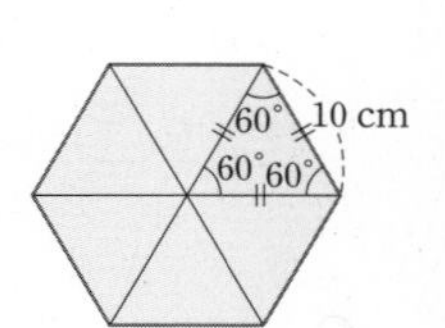

정삼각형 한 개의 넓이는

$\dfrac{1}{2}\times 10\times 10\times\sin 60^\circ$

$=\dfrac{1}{2}\times 10\times 10\times\dfrac{\sqrt{3}}{2}=25\sqrt{3}(cm^2)$

따라서 정육각형의 넓이는 $6\times 25\sqrt{3}=150\sqrt{3}(cm^2)$

18 $\square ABCD=\dfrac{1}{2}\times\overline{AC}\times\overline{BD}\times\sin(180^\circ-\angle x)$

에서 …… ①

$30\sqrt{3}=\dfrac{1}{2}\times 10\times 12\times\sin(180^\circ-\angle x)$이므로

$\sin(180^\circ-\angle x)=\dfrac{\sqrt{3}}{2}$ …… ②

따라서 $180^\circ-\angle x=60^\circ$이므로 $\angle x=120^\circ$ …… ③

단계	채점 기준	비율
①	문자를 사용하여 □ABCD의 넓이 나타내기	40 %
②	sin을 이용하여 식 세우기	40 %
③	$\angle x$의 크기 구하기	20 %

1 원과 직선

개념적용익힘

익힘북 25~32쪽

1 (1) 12 (2) 14 **2** (1) 4 cm (2) $2\sqrt{5}$ cm
3 5 cm **4** 5 cm **5** 8 cm
6 $2\sqrt{13}\pi$ cm **7** $12\sqrt{3}$ cm **8** $6\sqrt{5}$ cm
9 ② **10** $16\sqrt{2}$ cm **11** $\frac{15}{2}$ cm **12** $\frac{25}{3}$ cm
13 5 cm **14** 2 cm **15** $4\sqrt{7}$ cm^2
16 $12\sqrt{3}$ cm **17** $10\sqrt{3}$ cm **18** $4\sqrt{3}$ cm
19 (1) 16 (2) $\sqrt{34}$ **20** ④ **21** 48 cm^2
22 (1) 40° (2) 65° **23** ④ **24** ⑤
25 20 cm **26** $\sqrt{39}$ cm **27** 2 cm **28** 70°
29 10π cm^2 **30** 50° **31** $x=9$, $y=3\sqrt{3}$
32 $7\sqrt{2}$ cm **33** 3π cm^2 **34** 10 cm **35** 20 cm
36 2 cm **37** 14 cm **38** $2\sqrt{30}$ cm **39** 78 cm^2
40 12 cm **41** 5 cm **42** ③ **43** ②
44 6 cm **45** ③ **46** 10 cm
47 (1) 6 cm (2) $4\sqrt{2}$ cm **48** 36π cm^2

1 (1) $\overline{AB}\perp\overline{OM}$이므로
$\overline{AM}=\overline{BM}=\frac{1}{2}\times 24=12(\text{cm})$
$\therefore x=12$
(2) $\overline{AB}\perp\overline{OM}$이므로
$\overline{AB}=2\overline{AM}=2\times 7=14(\text{cm})$
$\therefore x=14$

2 (1) $\overline{AB}\perp\overline{OM}$이므로 $\overline{AM}=\overline{MB}=4$ cm
(2) 직각삼각형 OAM에서
$\overline{OM}=\sqrt{6^2-4^2}=2\sqrt{5}$ (cm)

3 오른쪽 그림에서

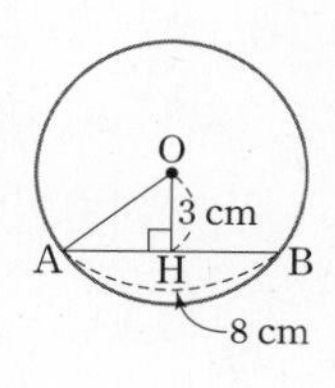

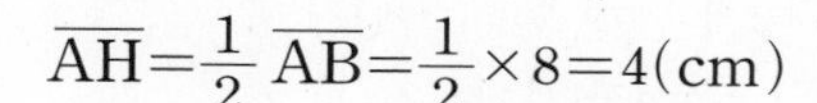
$\overline{AH}=\frac{1}{2}\overline{AB}=\frac{1}{2}\times 8=4(\text{cm})$
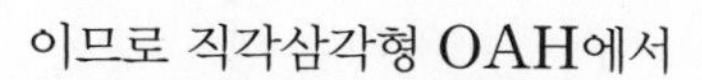
이므로 직각삼각형 OAH에서
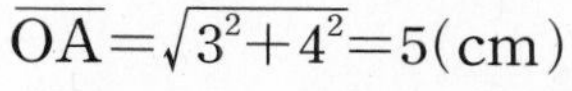
$\overline{OA}=\sqrt{3^2+4^2}=5(\text{cm})$
따라서 원의 반지름의 길이는 5 cm이다.

4 오른쪽 그림과 같이 $\overline{CO}$를 그으면

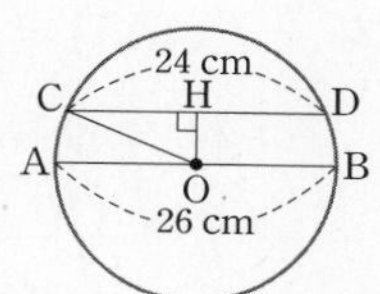

$\overline{CO}=\overline{AO}=\frac{1}{2}\overline{AB}$
$=\frac{1}{2}\times 26=13(\text{cm})$
이때 $\overline{CD}\perp\overline{HO}$이므로
$\overline{CH}=\frac{1}{2}\overline{CD}=\frac{1}{2}\times 24=12(\text{cm})$
따라서 직각삼각형 COH에서
$\overline{HO}=\sqrt{13^2-12^2}=5(\text{cm})$

5 $\overline{AB}\perp\overline{OM}$이므로
$\overline{AM}=\overline{BM}=\frac{1}{2}\overline{AB}=\frac{1}{2}\times 8\sqrt{3}=4\sqrt{3}$ (cm)
직각삼각형 OAM에서 $\angle AOM=180^\circ-120^\circ=60^\circ$
이므로
$\sin 60^\circ=\frac{\overline{AM}}{\overline{OA}}$
$\therefore \overline{OA}=\frac{\overline{AM}}{\sin 60^\circ}=4\sqrt{3}\times\frac{2}{\sqrt{3}}=8(\text{cm})$

6 오른쪽 그림과 같이 원의 중심 O에서 $\overline{AC}$, $\overline{BC}$에 내린 수선의 발을 각각 D, E라 하면

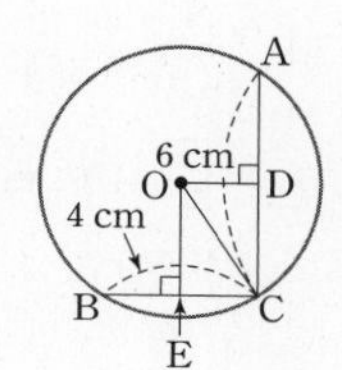

$\overline{OE}=\overline{DC}=\frac{1}{2}\overline{AC}$
$=\frac{1}{2}\times 6=3(\text{cm})$
$\overline{EC}=\frac{1}{2}\overline{BC}=\frac{1}{2}\times 4=2(\text{cm})$
직각삼각형 OEC에서
$\overline{OC}=\sqrt{3^2+2^2}=\sqrt{13}(\text{cm})$
따라서 원 O의 둘레의 길이는
$2\pi\times\sqrt{13}=2\sqrt{13}\pi(\text{cm})$

7 $\overline{OC}=\overline{OA}=12$ cm이므로
$\overline{OD}=\overline{DC}=\frac{1}{2}\overline{OC}=\frac{1}{2}\times 12=6(\text{cm})$
직각삼각형 AOD에서
$\overline{AD}=\sqrt{12^2-6^2}=6\sqrt{3}$ (cm)
$\therefore \overline{AB}=2\overline{AD}=2\times 6\sqrt{3}=12\sqrt{3}$ (cm)

8 $\overline{OC}=\overline{OA}=9$ cm이므로
$\overline{OH}=\overline{OC}-\overline{CH}=9-3=6(\text{cm})$
직각삼각형 AOH에서
$\overline{AH}=\sqrt{9^2-6^2}=3\sqrt{5}$ (cm)
$\therefore \overline{AB}=2\overline{AH}=2\times 3\sqrt{5}=6\sqrt{5}$ (cm)

9 △OAH에서 $\overline{AH}=\sqrt{10^2-3^2}=\sqrt{91}$ (cm)
이때 $\overline{BH}=\overline{AH}=\sqrt{91}$ cm이고,
$\overline{CH}=\overline{OC}-\overline{OH}=10-3=7$(cm)
이므로 △HBC에서
$\overline{BC}=\sqrt{(\sqrt{91})^2+7^2}=2\sqrt{35}$ (cm)

10 오른쪽 그림과 같이 $\overline{OC}$를 그으면
$\overline{OC}=\frac{1}{2}\overline{AB}=\frac{1}{2}\times 24=12$ cm
$\overline{OH}=\overline{OB}-\overline{HB}=12-8=4$(cm)
이므로
$\overline{CH}=\sqrt{12^2-4^2}$
$=\sqrt{128}=8\sqrt{2}$(cm)
$\therefore \overline{CD}=2\overline{CH}=2\times 8\sqrt{2}=16\sqrt{2}$ (cm)

11 오른쪽 그림과 같이 $\overline{AO}$를 긋고
원 O의 반지름의 길이를 r cm라
하면
직각삼각형 AOP에서
$\overline{OP}=(r-3)$ cm이므로
$r^2=6^2+(r-3)^2$, $6r=45$ $\therefore r=\frac{15}{2}$
따라서 원 O의 반지름의 길이는 $\frac{15}{2}$ cm이다.

12 직각삼각형 ACD에서
$\overline{AD}=\sqrt{10^2-6^2}=8$(cm)
오른쪽 그림과 같이 $\overline{OA}$를 긋고
원 O의 반지름의 길이를 r cm라
하면 직각삼각형 OAD에서
$\overline{OD}=(r-6)$ cm이므로
$r^2=(r-6)^2+8^2$, $12r=100$ $\therefore r=\frac{25}{3}$
따라서 원 O의 반지름의 길이는 $\frac{25}{3}$ cm이다.

13 원의 중심을 O라 하면 오른쪽 그
림과 같이 $\overline{CD}$의 연장선은 점 O
를 지난다. 원 O의 반지름의 길이
를 r cm라 하면
$\overline{OD}=(r-2)$ cm
또, $\overline{AD}=\frac{1}{2}\overline{AB}=\frac{1}{2}\times 8=4$(cm)
직각삼각형 AOD에서
$r^2=4^2+(r-2)^2$, $4r=20$ $\therefore r=5$
따라서 이 원의 반지름의 길이는 5 cm이다.

14 원의 중심을 O라 하면 오른쪽 그
림과 같이 $\overline{CM}$의 연장선은 점 O
를 지난다.
△AOM에서 $\overline{OA}=4$ cm,
$\overline{AM}=\overline{BM}=\frac{1}{2}\overline{AB}=\frac{1}{2}\times 4\sqrt{3}=2\sqrt{3}$ (cm)
$\overline{CM}=x$ cm라 하면 $\overline{OM}=4-x$(cm)
△AOM에서
$(4-x)^2+(2\sqrt{3})^2=4^2$
$x^2-8x+12=0$, $(x-6)(x-2)=0$
$\therefore x=2$ ($\because 0<x<4$)
따라서 $\overline{CM}$의 길이는 2 cm이다.

15 원의 중심을 O라 하면 오른쪽 그
림과 같이 $\overline{PM}$의 연장선은 점 O
를 지난다.
△OMB에서 $\overline{OB}=8$ cm,
$\overline{OM}=8-2=6$(cm)이므로
$\overline{BM}=\sqrt{8^2-6^2}=2\sqrt{7}$ (cm)
따라서 $\overline{AB}=2\overline{BM}=2\times 2\sqrt{7}=4\sqrt{7}$ (cm)이므로
$\triangle APB=\frac{1}{2}\times 4\sqrt{7}\times 2=4\sqrt{7}$ (cm^2)

16 오른쪽 그림과 같이 원의 중심 O에서
$\overline{AB}$에 내린 수선의 발을 H라 하면
$\overline{OH}=\frac{1}{2}\overline{OC}=\frac{1}{2}\times 12=6$(cm)
직각삼각형 OAH에서
$\overline{AH}=\sqrt{12^2-6^2}=6\sqrt{3}$ (cm)
$\therefore \overline{AB}=2\overline{AH}=2\times 6\sqrt{3}=12\sqrt{3}$ (cm)

17 오른쪽 그림과 같이 원 O의 중심에서
$\overline{AB}$에 내린 수선의 발을 M이라 하면

$\overline{OM}=\frac{1}{2}\overline{OA}=5$(cm)
△AOM에서
$\overline{AM}=\sqrt{10^2-5^2}=5\sqrt{3}$ (cm)
$\therefore \overline{AB}=2\overline{AM}=10\sqrt{3}$ (cm)

18 오른쪽 그림과 같이 원의 중심 O에서
$\overline{AB}$에 내린 수선의 발을 M, 원 O의
반지름의 길이를 r cm라 하면

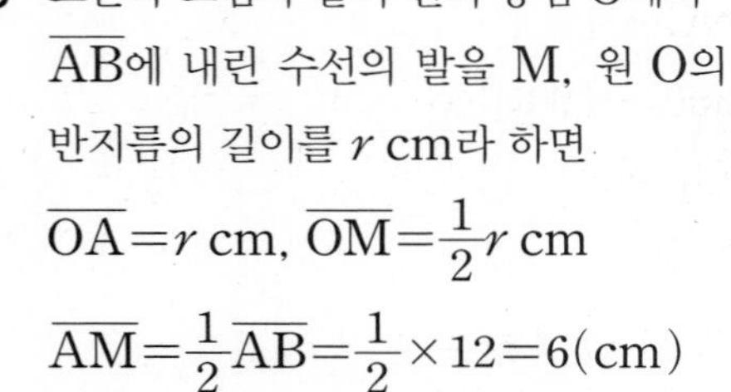

$\overline{OA}=r$ cm, $\overline{OM}=\frac{1}{2}r$ cm
$\overline{AM}=\frac{1}{2}\overline{AB}=\frac{1}{2}\times 12=6$(cm)

직각삼각형 OAM에서

$r^2=6^2+\left(\frac{1}{2}r\right)^2$

$r^2=36+\frac{1}{4}r^2$, $r^2=48$ $\quad\therefore r=4\sqrt{3}$ ($\because r>0$)

따라서 원 O의 반지름의 길이는 $4\sqrt{3}$ cm이다.

19 (1) $\overline{ON}=\overline{OM}=\frac{1}{2}\overline{MN}=\frac{1}{2}\times12=6$(cm)

직각삼각형 OCN에서 $\overline{CN}=\sqrt{10^2-6^2}=8$(cm)

$\overline{AB}=\overline{CD}=2\overline{CN}=2\times8=16$(cm)

$\therefore x=16$

(2) $\overline{AB}=\overline{CD}$이므로 $\overline{ON}=\overline{OM}=3$ cm

$\overline{ND}=\frac{1}{2}\overline{CD}=\frac{1}{2}\times10=5$(cm)

직각삼각형 OND에서

$\overline{OD}=\sqrt{3^2+5^2}=\sqrt{34}$ (cm)

$\therefore x=\sqrt{34}$

20 $\overline{CN}=\frac{1}{2}\overline{CD}=\frac{1}{2}\times6=3$(cm)이므로

△OCN에서 $\overline{ON}=\sqrt{5^2-3^2}=4$(cm)

$\overline{AB}=\overline{CD}$이므로 $\overline{OM}=\overline{ON}=4$ cm

$\therefore \overline{OM}+\overline{ON}=4+4=8$(cm)

21 오른쪽 그림과 같이 점 O에서 $\overline{CD}$에 내린 수선의 발을 N이라 하면

$\overline{AB}=\overline{CD}$이므로 $\overline{ON}=\overline{OM}=6$ cm

직각삼각형 OND에서

$\overline{ND}=\sqrt{10^2-6^2}=8$(cm)

따라서 $\overline{CD}=2\overline{ND}=2\times8=16$(cm)

이므로

$\triangle OCD=\frac{1}{2}\times16\times6=48$(cm^2)

22 (1) $\overline{OD}=\overline{OE}$이므로 △ABC는 $\overline{AB}=\overline{AC}$인 이등변삼각형이다.

따라서 ∠ACB=∠ABC=70°이므로

∠x=180°−2×70°=40°

(2) □MBNO에서

∠B=360°−(90°+90°+130°)=50°

$\overline{OM}=\overline{ON}$이므로 △ABC는 $\overline{BA}=\overline{BC}$인 이등변삼각형이다.

∴ ∠$x=\frac{1}{2}\times$(180°−50°)=65°

23 $\overline{OM}=\overline{ON}$이므로 △ABC는 $\overline{AB}=\overline{AC}$인 이등변삼각형이고, ∠BAC=60°이므로 △ABC는 정삼각형이다.

④ $\overline{BC}=\overline{AB}=\overline{AC}=10$ cm

⑤ $\triangle ABC=\frac{\sqrt{3}}{4}\times10^2=25\sqrt{3}$ (cm^2)

24 오른쪽 그림과 같이 점 O에서 $\overline{BC}$에 내린 수선의 발을 N이라 하면

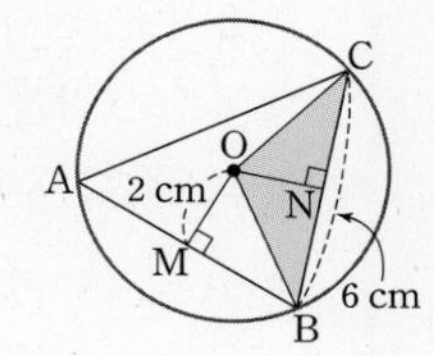

$\overline{AB}=\overline{BC}$이므로

$\overline{ON}=\overline{OM}=2$ cm

$\therefore \triangle OBC=\frac{1}{2}\times6\times2=6$(cm^2)

25 △PAO는 직각삼각형이므로

$\overline{OP}=\sqrt{7^2+(3\sqrt{39})^2}=20$(cm)

26 $\overline{OA}=\overline{OT}=5$ cm이므로

$\overline{OP}=5+3=8$(cm)

따라서 ∠PTO=90°이므로 직각삼각형 OPT에서

$\overline{PT}=\sqrt{8^2-5^2}=\sqrt{39}$ (cm)

27 ∠PAO=90°이므로 원 O의 반지름의 길이를 r cm라 하면

$\overline{OA}=r$ cm, $\overline{OP}=(r+1)$cm

직각삼각형 APO에서 $(r+1)^2=r^2+(\sqrt{5})^2$

$2r=4$ $\quad\therefore r=2$

따라서 원 O의 반지름의 길이는 2 cm이다.

28 ∠PBO=90°이므로 ∠PBA=90°−35°=55°

이때 △APB는 $\overline{PA}=\overline{PB}$인 이등변삼각형이므로

∠PAB=∠PBA=55°

∴ ∠APB=180°−2×55°=70°

29 ∠PAO=∠PBO=90°이므로

□APBO에서

∠AOB=360°−(90°+45°+90°)=135°

따라서 색칠한 부채꼴의 중심각의 크기는

360°−135°=225°이므로 구하는 넓이는

$\pi\times4^2\times\frac{225°}{360°}=10\pi$(cm^2)

30 △PTO와 △PT′O에서

∠PTO=∠PT′O=90°, $\overline{PO}$는 공통, $\overline{PT}=\overline{PT'}$

이므로

△PTO≡△PT′O (RHS 합동)

∴ $\angle TPO=\angle T'PO=\frac{1}{2}\times 80^\circ=40^\circ$

직각삼각형 PTO에서

$\angle x=180^\circ-(90^\circ+40^\circ)=50^\circ$

31 $\angle APB=60^\circ$이고 $\overline{PA}=\overline{PB}$이므로 △APB는 정삼각형이다. ∴ $x=9$

오른쪽 그림과 같이 $\overline{OP}$를 그으면

△PAO≡△PBO (RHS 합동)이므로

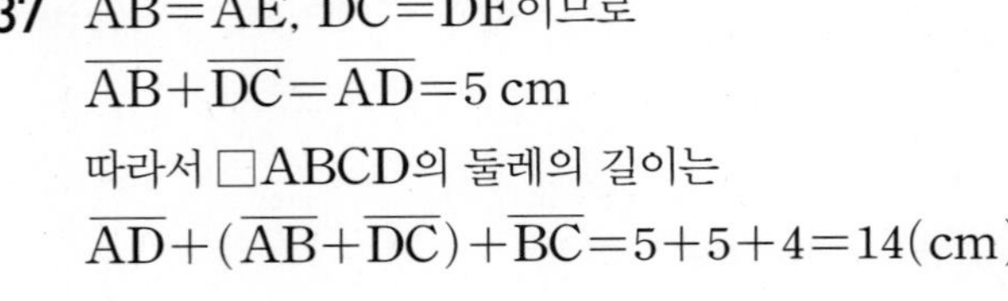

$\angle APO=\angle BPO=30^\circ$

△PAO에서

$\tan 30^\circ=\frac{y}{9}=\frac{\sqrt{3}}{3}$ ∴ $y=3\sqrt{3}$

32 □APBO에서 $\angle PAO=\angle PBO=90^\circ$이므로

$\angle APB=360^\circ-(90^\circ+90^\circ+90^\circ)=90^\circ$

따라서 직각삼각형 APB에서

$\overline{PB}=\overline{PA}=7$ cm이므로

$\overline{AB}=\sqrt{7^2+7^2}=7\sqrt{2}$(cm)

33 오른쪽 그림과 같이 $\overline{PO}$를 그으면

△PAO≡△PBO (RHS 합동)

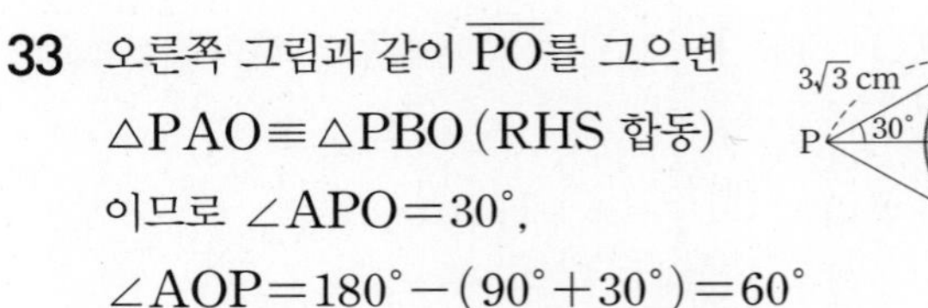

이므로 $\angle APO=30^\circ$,

$\angle AOP=180^\circ-(90^\circ+30^\circ)=60^\circ$

△APO에서

$\overline{AO}=\frac{3\sqrt{3}}{\tan 60^\circ}=3\sqrt{3}\div\sqrt{3}=3$(cm)

따라서 색칠한 부분의 넓이는

$\pi\times 3^2\times\frac{120^\circ}{360^\circ}=3\pi$(cm^2)

34 $\overline{BD}=16-10=6$(cm)이고 $\overline{AE}=\overline{AD}=16$ cm이므로

$\overline{CE}=16-12=4$(cm)

∴ $\overline{BC}=\overline{BF}+\overline{CF}=\overline{BD}+\overline{CE}$

$=6+4=10$(cm)

35 $\overline{AD}=\overline{AE}$, $\overline{BD}=\overline{BF}$, $\overline{CE}=\overline{CF}$이므로

(△ABC의 둘레의 길이)

$=\overline{AB}+\overline{BC}+\overline{CA}=\overline{AB}+(\overline{BF}+\overline{CF})+\overline{CA}$

$=(\overline{AB}+\overline{BD})+(\overline{CE}+\overline{CA})=\overline{AD}+\overline{AE}$

$=2\overline{AD}=2\times(7+3)$

$=20$(cm)

36 $\overline{AD}=\overline{AE}$, $\overline{BD}=\overline{BF}$, $\overline{CE}=\overline{CF}$이므로

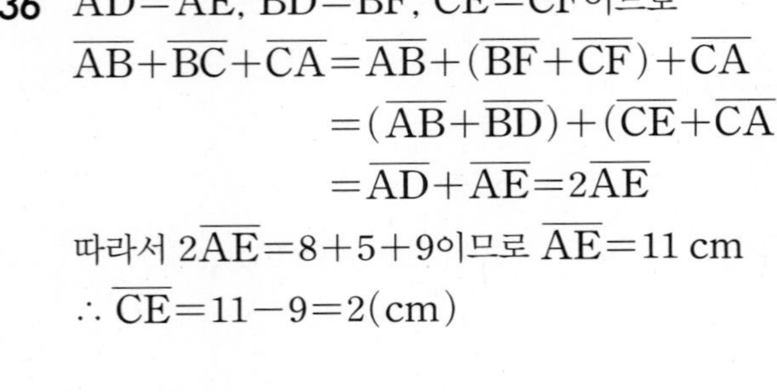

$\overline{AB}+\overline{BC}+\overline{CA}=\overline{AB}+(\overline{BF}+\overline{CF})+\overline{CA}$

$=(\overline{AB}+\overline{BD})+(\overline{CE}+\overline{CA})$

$=\overline{AD}+\overline{AE}=2\overline{AE}$

따라서 $2\overline{AE}=8+5+9$이므로 $\overline{AE}=11$ cm

∴ $\overline{CE}=11-9=2$(cm)

37 $\overline{AB}=\overline{AE}$, $\overline{DC}=\overline{DE}$이므로

$\overline{AB}+\overline{DC}=\overline{AD}=5$ cm

따라서 □ABCD의 둘레의 길이는

$\overline{AD}+(\overline{AB}+\overline{DC})+\overline{BC}=5+5+4=14$(cm)

38 $\overline{DE}=\overline{DA}=3$ cm,

$\overline{BC}=\overline{EC}=10$ cm

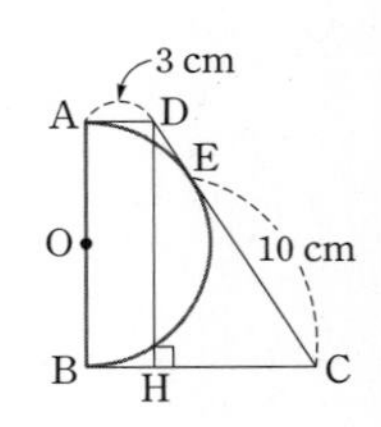

오른쪽 그림과 같이 점 D에서 $\overline{BC}$에 내린 수선의 발을 H라 하면

$\overline{BH}=\overline{AD}=3$ cm

$\overline{HC}=10-3=7$(cm)

$\overline{DC}=3+10=13$(cm)

따라서 직각삼각형 DHC에서

$\overline{AB}=\overline{DH}=\sqrt{13^2-7^2}=2\sqrt{30}$ (cm)

39 $\overline{DE}=\overline{DA}=9$ cm,

$\overline{CE}=\overline{CB}=4$ cm이므로

$\overline{DC}=9+4=13$(cm)

오른쪽 그림과 같이 점 C에서 $\overline{AD}$에 내린 수선의 발을 H라 하면

$\overline{AH}=\overline{BC}=4$ cm이므로

$\overline{DH}=9-4=5$(cm)

직각삼각형 DHC에서

$\overline{AB}=\overline{HC}=\sqrt{13^2-5^2}=12$(cm)

∴ $□ABCD=\frac{1}{2}\times(4+9)\times 12=78$(cm^2)

40 $\overline{BE}=\overline{BD}=x$ cm라 하면

$\overline{AF}=\overline{AD}=(22-x)$ cm,

$\overline{CF}=\overline{CE}=(17-x)$ cm

$\overline{AC}=\overline{AF}+\overline{CF}$이므로 $15=(22-x)+(17-x)$

$2x=24$ ∴ $x=12$

따라서 $\overline{BE}$의 길이는 12 cm이다.

41 $\overline{AD}=\overline{AF}$, $\overline{BD}=\overline{BE}$, $\overline{CE}=\overline{CF}$이므로

$$\begin{aligned}(\triangle ABC\text{의 둘레의 길이})&=2(\overline{AD}+\overline{BE}+\overline{CF})\\&=2(\overline{AD}+\overline{BD}+\overline{CF})\\&=2(\overline{AB}+\overline{CF})\\&=2(9+\overline{CF})=28\end{aligned}$$

$9+\overline{CF}=14$ $\quad\therefore \overline{CF}=5$ cm

42 $\overline{CE}=\overline{CF}=8$ cm, $\overline{AD}=\overline{AF}=12-8=4$(cm)

$\overline{BD}=\overline{BE}=15-8=7$(cm)

$\therefore \overline{AB}=\overline{AD}+\overline{BD}=4+7=11$(cm)

따라서 $\triangle ABC$의 둘레의 길이는

$\overline{AB}+\overline{BC}+\overline{AC}=11+15+12=38$(cm)

43 직각삼각형 ABC에서

$\overline{AB}=\sqrt{17^2-15^2}=8$(cm)

세 점 D, E, F를 원 O의 접점이라 하고 원 O의 반지름의 길이를 r cm라 하면

$\overline{BD}=\overline{BE}=r$ cm이므로

$\overline{AF}=\overline{AD}=(8-r)$ cm

$\overline{CF}=\overline{CE}=(15-r)$ cm

$\overline{AC}=\overline{AF}+\overline{CF}$이므로

$17=(8-r)+(15-r)$, $2r=6$ $\quad\therefore r=3$

따라서 원 O의 반지름의 길이는 3 cm이다.

44 $\overline{BD}=\overline{BE}=\overline{OE}=4$ cm, $\overline{AD}=\overline{AF}=20$ cm이므로 $\overline{CE}=\overline{CF}=x$ cm라 하면

$\overline{AB}=\overline{AD}+\overline{BD}=20+4=24$(cm)

직각삼각형 ABC에서 $(x+20)^2=(x+4)^2+24^2$

$32x=192$ $\quad\therefore x=6$

따라서 $\overline{CE}$의 길이는 6 cm이다.

45 $\overline{BE}=\overline{BD}=x$ cm라 하면

$\overline{AD}=\overline{AF}=(10-x)$ cm

이므로

$\overline{BC}=x+2$(cm)

$\overline{AC}=(10-x)+2=12-x$(cm)

직각삼각형 ABC에서

$(x+2)^2+(12-x)^2=10^2$

$x^2-10x+24=0$

$(x-4)(x-6)=0$

$\therefore x=4$ 또는 $x=6$

$\therefore \triangle ABC=\frac{1}{2}\times8\times6=24(\text{cm}^2)$

46 $\overline{AB}+\overline{CD}=\overline{AD}+\overline{BC}=\frac{1}{2}\times18=9$(cm)이므로

$\overline{BC}=9-3=6$(cm), $\overline{CD}=9-5=4$(cm)

$\therefore \overline{BC}+\overline{CD}=6+4=10$(cm)

47 (1) $\overline{AB}=\overline{DC}$이므로 $\overline{AB}+\overline{CD}=\overline{AD}+\overline{BC}$에서

$2\overline{AB}=4+8$ $\quad\therefore \overline{AB}=6$ cm

(2) 오른쪽 그림과 같이 두 점 A, D에서 $\overline{BC}$에 내린 수선의 발을 각각 E, F라 하면

$\overline{EF}=\overline{AD}=4$ cm이고

$\overline{BE}=\overline{CF}=\frac{1}{2}\times(8-4)=2$(cm)

직각삼각형 ABE에서

$\overline{AE}=\sqrt{6^2-2^2}=4\sqrt{2}$ (cm)

따라서 원 O의 지름의 길이는 $4\sqrt{2}$ cm이다.

48 원 O의 반지름의 길이를 r cm라 하면

$\overline{AB}=\overline{HF}=2r$ cm

$\overline{AH}=\overline{EO}=r$ cm

$\overline{AB}+\overline{CD}=\overline{AD}+\overline{BC}$이므로

$2r+13=(r+4)+15$ $\quad\therefore r=6$

따라서 원 O의 넓이는

$\pi\times6^2=36\pi(\text{cm}^2)$

개념완성익힘

익힘북 33~34쪽

1 ⑤	**2** ③	**3** 2 cm	**4** 2 cm
5 ④	**6** ③	**7** $22\sqrt{7}$ cm²	
8 36 cm	**9** 18 cm	**10** 8 cm	**11** $5\sqrt{3}$ cm
12 10 cm			

1 직각삼각형 AOH에서

$\overline{AH}=\sqrt{12^2-6^2}=6\sqrt{3}$ (cm)

$\therefore \overline{AB}=2\overline{AH}=2\times6\sqrt{3}=12\sqrt{3}$ (cm)

2 오른쪽 그림과 같이 $\overline{OA}$를 그으면

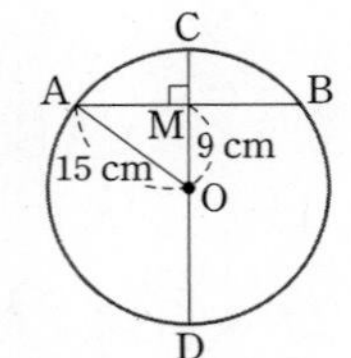

원 O의 반지름의 길이는

$\frac{1}{2}\overline{CD}=\frac{1}{2}\times 30=15(\text{cm})$

이므로

$\overline{OM}=15-6=9(\text{cm})$

직각삼각형 AOM에서

$\overline{AM}=\sqrt{15^2-9^2}=12(\text{cm})$

$\therefore \overline{AB}=2\overline{AM}=2\times 12=24(\text{cm})$

3 원의 중심을 O라 하면 오른쪽 그림과 같이 $\overline{CD}$의 연장선은 점 O를 지난다.

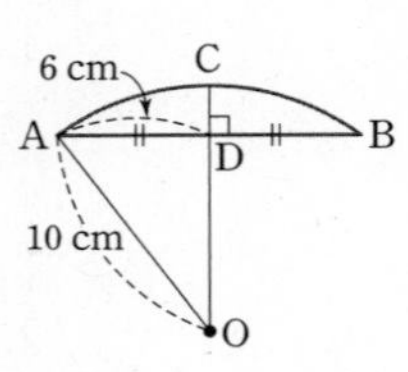

$\overline{AO}=\overline{CO}=\frac{1}{2}\times 20=10(\text{cm})$,

$\overline{AD}=\overline{BD}=\frac{1}{2}\overline{AB}=\frac{1}{2}\times 12=6(\text{cm})$이므로

직각삼각형 AOD에서

$\overline{DO}=\sqrt{10^2-6^2}=8(\text{cm})$

$\therefore \overline{CD}=\overline{CO}-\overline{DO}=10-8=2(\text{cm})$

4 $\overline{AB}:\overline{CD}=7:5$이므로

$\overline{AB}:10=7:5$

$\therefore \overline{AB}=14\text{ cm}$

오른쪽 그림과 같이 원의 중심 O에서 $\overline{AB}$에 내린 수선의 발을 M이라 하면

$\overline{BM}=\frac{1}{2}\overline{AB}=\frac{1}{2}\times 14=7(\text{cm})$

$\overline{DM}=\frac{1}{2}\overline{CD}=\frac{1}{2}\times 10=5(\text{cm})$

$\therefore \overline{DB}=\overline{BM}-\overline{DM}=7-5=2(\text{cm})$

5 ①, ③, ④ $\overline{OM}=\overline{ON}$이므로 $\overline{AB}=\overline{CD}$

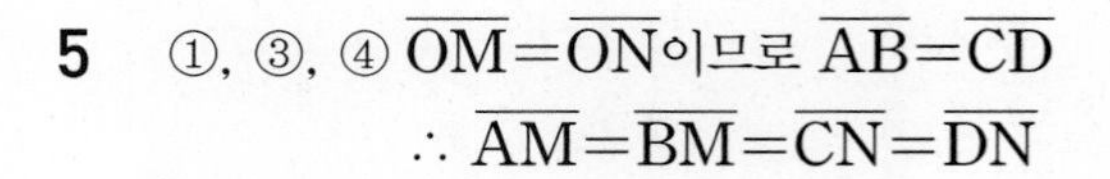

$\therefore \overline{AM}=\overline{BM}=\overline{CN}=\overline{DN}$

6 $\overline{PB}=\overline{PA}=10+3=13(\text{cm})$이고

$\overline{CE}=\overline{CA}=3\text{ cm}$이므로

$\overline{BD}=\overline{DE}=7-3=4(\text{cm})$

$\therefore \overline{PD}=\overline{PB}-\overline{BD}=13-4=9(\text{cm})$

7 $\overline{AD}=\overline{AP}$, $\overline{BC}=\overline{BP}$이므로

$\overline{AD}+\overline{BC}=\overline{AP}+\overline{BP}=\overline{AB}=11\text{ cm}$

또, $\overline{DC}=2\overline{OC}=2\times 2\sqrt{7}=4\sqrt{7}(\text{cm})$이므로

$\square ABCD=\frac{1}{2}\times(\overline{AD}+\overline{BC})\times\overline{DC}$

$=\frac{1}{2}\times 11\times 4\sqrt{7}$

$=22\sqrt{7}\,(\text{cm}^2)$

8 $\overline{AD}=\overline{AF}$, $\overline{BD}=\overline{BE}$, $\overline{CE}=\overline{CF}$이므로

$\overline{AF}=\overline{AD}=4\text{ cm}$,

$\overline{BD}+\overline{CF}=\overline{BE}+\overline{CE}=\overline{BC}=14\text{ cm}$

$\therefore$ (△ABC의 둘레의 길이)

$=(\overline{AD}+\overline{AF})+(\overline{BD}+\overline{CF})+\overline{BC}$

$=(4+4)+14+14=36(\text{cm})$

9 $\overline{AB}+\overline{CD}=\overline{AD}+\overline{BC}$이므로

$\overline{AB}+\overline{CD}=11+16=27(\text{cm})$

따라서 $\overline{AB}:\overline{CD}=1:2$이므로

$\overline{CD}=27\times\frac{2}{3}=18(\text{cm})$

10 $\overline{OM}=\overline{ON}$이므로

△ABC는 $\overline{AB}=\overline{AC}$인 이등변삼각형이고 …… ①

□AMON에서

$\angle MAN=360^\circ-(90^\circ+120^\circ+90^\circ)=60^\circ$이므로

△ABC는 정삼각형이다. …… ②

$\therefore \overline{BC}=\overline{AB}=2\overline{AM}=2\times 4=8(\text{cm})$ …… ③

단계	채점 기준	비율
①	$\overline{AB}=\overline{AC}$임을 알기	30 %
②	△ABC가 정삼각형임을 알기	30 %
③	$\overline{BC}$의 길이 구하기	40 %

11 오른쪽 그림과 같이 $\overline{PO}$를 그으면

△PAO≡△PBO (RHS 합동)

이므로

$\angle AOP=60^\circ$,

$\angle APO=180^\circ-(90^\circ+60^\circ)=30^\circ$ …… ①

△APO에서

$\overline{PA}=\frac{5}{\tan 30^\circ}=5\div\frac{\sqrt{3}}{3}=5\sqrt{3}\,(\text{cm})$ …… ②

이때 $\angle APB=60^\circ$, $\overline{PA}=\overline{PB}$이므로 △APB는 정삼각형이다.

$\therefore \overline{AB}=\overline{PA}=5\sqrt{3}\text{ cm}$ …… ③

단계	채점 기준	비율
①	∠AOP, ∠APO의 크기 구하기	40 %
②	$\overline{PA}$의 길이 구하기	30 %
③	$\overline{AB}$의 길이 구하기	30 %

12 오른쪽 그림과 같이 꼭짓점 A에서 $\overline{BC}$에 내린 수선의 발을 E라 하자.

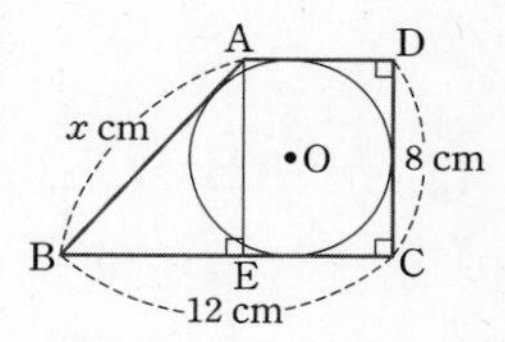

$\overline{AB}=x$ cm라 하면

$\overline{AB}+\overline{CD}=\overline{AD}+\overline{BC}$이므로

$x+8=\overline{AD}+12$

$\therefore \overline{AD}=(x-4)$ cm ...... ①

$\overline{BE}=\overline{BC}-\overline{EC}=\overline{BC}-\overline{AD}$

$=12-(x-4)$

$=16-x$(cm) ...... ②

직각삼각형 ABE에서 $x^2=(16-x)^2+8^2$

$32x=320 \quad \therefore x=10$

따라서 $\overline{AB}$의 길이는 10 cm이다. ...... ③

단계	채점 기준	비율
①	$\overline{AB}$의 길이를 x로 놓고 $\overline{AD}$의 길이를 x에 대한 식으로 나타내기	30 %
②	$\overline{BE}$의 길이를 x에 대한 식으로 나타내기	30 %
③	$\overline{AB}$의 길이 구하기	40 %

2 원주각

개념적용익힘

익힘북 35~44쪽

1 $\angle x=80°$, $\angle y=40°$ **2** 67° **3** 36π cm^2
4 70° **5** ④ **6** 36°
7 $\angle x=40°$, $\angle y=95°$ **8** 29° **9** 134°
10 (1) 50° (2) 68° **11** 50° **12** 45°
13 (1) 28 (2) 3 **14** 26° **15** 45°
16 (1) 30 (2) 2 (3) 12 (4) 20 **17** 90°
18 ∠BAC=90°, ∠ABC=54°, ∠ACB=36°
19 ③, ④ **20** (1) 15° (2) 10° **21** 60°
22 20° **23** ① **24** 30° **25** ③
26 $\angle x=85°$, $\angle y=105°$ **27** 150° **28** ②
29 65° **30** $\angle x=60°$, $\angle y=80°$ **31** 75°
32 ② **33** 150° **34** 45° **35** 58°
36 110° **37** 138° **38** 64° **39** 130°
40 ⑤ **41** $\angle x=85°$, $\angle y=108°$ **42** 15°
43 33° **44** $\angle x=40°$, $\angle y=80°$
45 $\angle x=40°$, $\angle y=70°$ **46** ② **47** 130°
48 80° **49** 50° **50** 63° **51** 50°
52 ② **53** $3\sqrt{3}$ **54** 20° **55** 65°
56 61° **57** 118° **58** $\angle x=80°$, $\angle y=70°$
59 85° **60** ⑤

1 $\widehat{BAD}$에 대한 원주각의 크기가 140°이므로 중심각의 크기는 $2\times140°=280°$

$\therefore \angle x=360°-280°=80°$,

$\angle y=\frac{1}{2}\angle x=\frac{1}{2}\times80°=40°$

2 $\angle ADC=\frac{1}{2}\times64°=32°$, $\angle DAB=\frac{1}{2}\times70°=35°$

따라서 △AED에서

$\angle x=\angle ADE+\angle DAE=32°+35°=67°$

3 $\angle AOB=2\angle APB=2\times80°=160°$

$\therefore$ (부채꼴 OAB의 넓이)$=\pi\times9^2\times\frac{160°}{360°}$

$=36\pi(\text{cm}^2)$

4 $\angle PAO=\angle PBO=90°$이므로
□APBO에서
$\angle AOB=360°-(90°+40°+90°)=140°$
$\therefore \angle x=\frac{1}{2}\angle AOB=\frac{1}{2}\times 140°=70°$

5 $\angle OBA=\angle OAB=25°$이므로 $\triangle OAB$에서
$\angle AOB=180°-(25°+25°)=130°$
□APBO에서 $\angle PAO=\angle PBO=90°$이므로
$\angle x=360°-(90°+90°+130°)=50°$

6 $\angle AOB=360°-2\angle ACB$
$=360°-2\times 108°=144°$
이때 $\angle PAO=\angle PBO=90°$이므로
□APBO에서
$\angle x=360°-(90°+90°+144°)=36°$

7 한 호에 대한 원주각의 크기는 같으므로
$\angle x=\angle ACD=40°$
$\angle y=\angle x+55°=40°+55°=95°$

8 오른쪽 그림과 같이 $\overline{AE}$를 그으면
$\angle AED=\angle ACD=\angle x$이고
$\angle AEB=\frac{1}{2}\angle AOB$
$=\frac{1}{2}\times 160°=80°$
이므로 $\angle x+51°=80°$ $\therefore \angle x=29°$

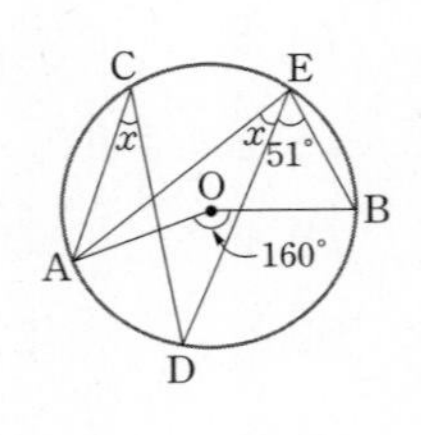

9 $\triangle ACP$에서 $\angle CAP=70°-38°=32°$이므로
$\angle x=\angle CAD=32°$,
$\angle y=\angle x+70°=32°+70°=102°$
$\therefore \angle x+\angle y=32°+102°=134°$

10 (1) $\angle APB=90°$이므로
$\angle x=180°-(90°+40°)=50°$
(2) $\angle APB=90°$이므로
$\angle x=180°-(90°+22°)=68°$

11 오른쪽 그림과 같이 $\overline{AD}$를 그으면
$\angle ADB=\angle ACB=40°$
$\triangle ABD$에서 $\angle BAD=90°$이므로
$\angle x=180°-(90°+40°)=50°$

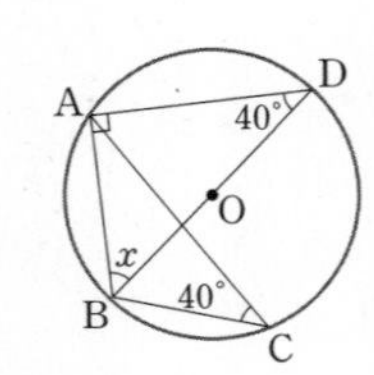

12 오른쪽 그림과 같이 $\overline{AE}$를 그으면
$\angle AEC=\angle ADC=\angle x$
이때 $\angle AEB=90°$이므로
$\angle x+45°=90°$
$\therefore \angle x=45°$

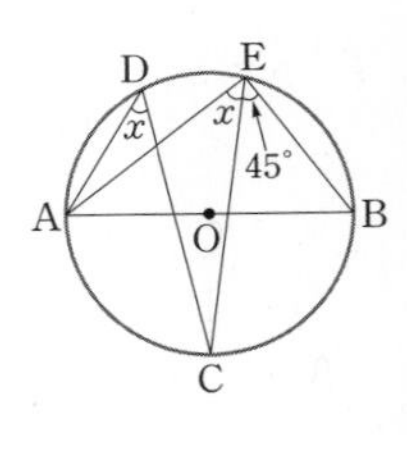

13 (1) $\widehat{AB}=\widehat{CD}$이므로 $\angle APB=\angle CQD=28°$
$\therefore x=28$
(2) $\triangle PCD$에서 $\angle PDC=90°$이므로
$\angle CPD=180°-(60°+90°)=30°$
따라서 $\angle APB=\angle CPD$이므로
$\widehat{AB}=\widehat{CD}=3$ cm $\therefore x=3$

14 $\widehat{AB}=\widehat{CD}$이므로
$\angle DBC=\angle ACB=\angle x$
따라서 $\triangle PBC$에서 $\angle x+\angle x=52°$
$\therefore \angle x=26°$

15 오른쪽 그림과 같이 $\overline{AC}$를 그으면
$\angle CAB=\angle CDB=\angle x$
$\widehat{AC}=\widehat{BC}$이므로
$\angle ABC=\angle CAB=\angle x$
$\triangle ACB$에서 $\angle ACB=90°$이므로
$2\angle x=90°$ $\therefore \angle x=45°$

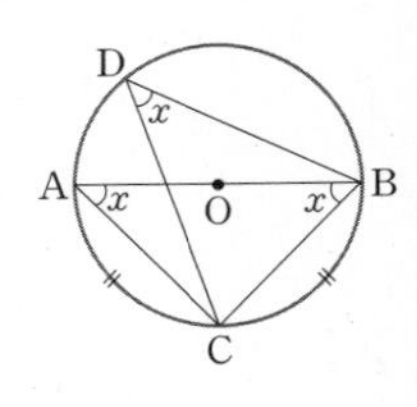

16 (1) $\angle APB : \angle BPC=\widehat{AB} : \widehat{BC}$이므로
$x : 75=2 : 5$ $\therefore x=30$
(2) $\angle CAB : \angle CBA=\widehat{BC} : \widehat{CA}$이므로
$30 : 60=x : 4$ $\therefore x=2$
(3) $\angle ABD : \angle BDC=\widehat{AD} : \widehat{BC}$이므로
$20 : 60=4 : x$ $\therefore x=12$
(4) $\angle CDQ=90°$이므로
$\angle CQD=180°-(50°+90°)=40°$
$\angle APB : \angle CQD=\widehat{AB} : \widehat{CD}$이므로
$x : 40=6 : 12$ $\therefore x=20$

17 $\angle BEC : \angle CAD=\widehat{BC} : \widehat{CD}$이므로
$15° : \angle CAD=1 : 2$ $\therefore \angle CAD=30°$
오른쪽 그림과 같이 $\overline{OC}$를 그으면
$\angle BOC=2\angle BEC=2\times 15°=30°$
$\angle COD=2\angle CAD=2\times 30°=60°$
$\therefore \angle BOD=\angle BOC+\angle COD$
$=30°+60°=90°$

18 $\angle BAC : \angle ABC : \angle ACB$
$= \widehat{BC} : \widehat{CA} : \widehat{AB}$
$=10 : 6 : 4=5 : 3 : 2$
$\therefore \angle BAC=180^\circ \times \frac{5}{5+3+2}=90^\circ$
$\angle ABC=180^\circ \times \frac{3}{5+3+2}=54^\circ$
$\angle ACB=180^\circ \times \frac{2}{5+3+2}=36^\circ$

19 ① $\angle BAC \neq \angle BDC$
② $\angle ACB=180^\circ-(40^\circ+75^\circ)=65^\circ$이므로
$\angle ADB \neq \angle ACB$
③ $\angle DBC=180^\circ-(80^\circ+50^\circ)=50^\circ$이므로
$\angle DAC=\angle DBC$
④ $\angle ABD=\angle ACD$
⑤ $\angle BAC=90^\circ-45^\circ=45^\circ$이므로
$\angle BAC \neq \angle BDC$
따라서 네 점 A, B, C, D가 한 원 위에 있는 것은 ③, ④이다.

20 (1) $\angle x=\angle BAC=40^\circ$, $\angle y=65^\circ-40^\circ=25^\circ$
$\therefore \angle x-\angle y=40^\circ-25^\circ=15^\circ$
(2) $\angle x=\angle ACB=55^\circ$
$\angle y=\angle ACD=180^\circ-(30^\circ+55^\circ+50^\circ)=45^\circ$
$\therefore \angle x-\angle y=55^\circ-45^\circ=10^\circ$

21 네 점 A, B, C, D가 한 원 위에 있으므로
$\angle ABD=\angle ACD=25^\circ$
따라서 $\triangle BPD$에서
$\angle x=\angle PBD+\angle BPD=25^\circ+35^\circ=60^\circ$

22 $\angle x=\frac{1}{2}\angle BOD=\frac{1}{2}\times 160^\circ=80^\circ$
$\square ABCD$는 원 O에 내접하므로 $\angle x+\angle y=180^\circ$
$80^\circ+\angle y=180^\circ \quad \therefore \angle y=100^\circ$
$\therefore \angle y-\angle x=100^\circ-80^\circ=20^\circ$

23 $\angle CAD=\angle CBD=20^\circ$
$\square ABCD$가 원에 내접하므로
$\angle BAD+110^\circ=180^\circ$에서
$\angle x+20^\circ+110^\circ=180^\circ \quad \therefore \angle x=50^\circ$

24 $\angle BAD+\angle BCD=180^\circ$이므로
$\angle BAD+120^\circ=180^\circ \quad \therefore \angle BAD=60^\circ$
이때 $\overline{BC}=\overline{CD}$이므로
$\angle x=\angle CAD=\frac{1}{2}\angle BAD=\frac{1}{2}\times 60^\circ=30^\circ$

25 $\triangle ABC$는 $\overline{AB}=\overline{AC}$인 이등변삼각형이므로
$\angle ABC=\angle ACB=\frac{1}{2}\times(180^\circ-48^\circ)=66^\circ$
$\square ABCD$에서 $\angle ABC+\angle x=180^\circ$이므로
$66^\circ+\angle x=180^\circ \quad \therefore \angle x=114^\circ$

26 $\square BCDE$가 원 O에 내접하므로
$\angle x=180^\circ-95^\circ=85^\circ$
$\square ACDE$가 원 O에 내접하므로
$\angle CAE=180^\circ-95^\circ=85^\circ$
따라서 $\triangle AFE$에서 $\angle y=85^\circ+20^\circ=105^\circ$

27 $\angle BAD=90^\circ$이므로 $\triangle ABD$에서
$\angle ABD=180^\circ-(90^\circ+20^\circ)$
$=70^\circ$

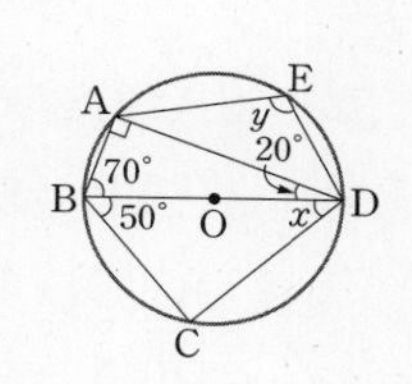

$\square ABCD$에서
$\angle ABC+\angle ADC=180^\circ$이므로
$70^\circ+50^\circ+20^\circ+\angle x=180^\circ \quad \therefore \angle x=40^\circ$
$\square ABDE$에서 $\angle ABD+\angle y=180^\circ$
$70^\circ+\angle y=180^\circ \quad \therefore \angle y=110^\circ$
$\therefore \angle x+\angle y=40^\circ+110^\circ=150^\circ$

28 $\triangle ABD$에서 $\angle A=180^\circ-(75^\circ+30^\circ)=75^\circ$
$\square ABCD$가 원 O에 내접하므로
$\angle DCE=\angle A=75^\circ$

29 $\angle BCD=\frac{1}{2}\angle BOD=\frac{1}{2}\times 130^\circ=65^\circ$
$\square ABCD$가 원 O에 내접하므로
$\angle DAE=\angle BCD=65^\circ$

30 $\angle BAD=\angle DCE$이므로
$\angle x+40^\circ=100^\circ$
$\therefore \angle x=60^\circ$
$\widehat{CD}$에 대하여
$\angle DBC=\angle DAC=40^\circ$이므로
$\square ABCD$에서 $\angle ABC+\angle y=180^\circ$
$(60^\circ+40^\circ)+\angle y=180^\circ$
$\therefore \angle y=80^\circ$

31 $\triangle APB$에서 $\angle PAB=110^\circ-35^\circ=75^\circ$

$\therefore \angle x=\angle PAB=75^\circ$

32 $\square BCDE$가 원에 내접하므로

$32^\circ+\angle ACD+67^\circ=180^\circ$ $\therefore \angle ACD=81^\circ$

$\square ACDE$가 원에 내접하므로

$\angle AEF=\angle ACD=81^\circ$

33 $\angle BAD=\angle DCE$이므로 $25^\circ+\angle x=55^\circ$

$\therefore \angle x=30^\circ$

$\angle ACB=90^\circ$이므로 $\triangle ABC$에서

$\angle ABC=180^\circ-(90^\circ+30^\circ)=60^\circ$

$\square ABCD$에서 $\angle y+\angle ABC=180^\circ$이므로

$\angle y+60^\circ=180^\circ$ $\therefore \angle y=120^\circ$

$\therefore \angle x+\angle y=30^\circ+120^\circ=150^\circ$

34 $\triangle ABQ$에서

$\angle PAD=50^\circ+35^\circ=85^\circ$

$\square ABCD$가 원에 내접하므로

$\angle PDA=\angle PBC=50^\circ$

$\triangle PAD$에서

$\angle x+85^\circ+50^\circ=180^\circ$

$\therefore \angle x=45^\circ$

35 $\square ABCD$가 원에 내접하므로

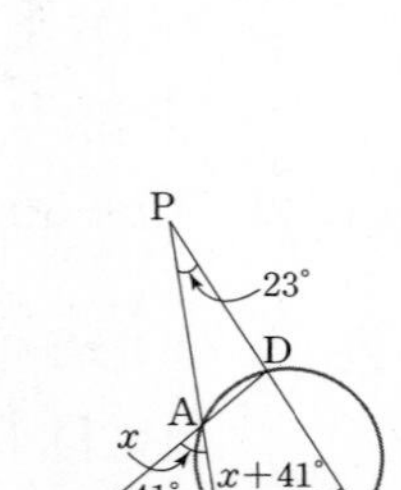

$\angle QAB=\angle BCD=\angle x$

$\triangle AQB$에서 $\angle PBC=\angle x+41^\circ$

$\triangle PBC$에서

$23^\circ+(\angle x+41^\circ)+\angle x=180^\circ$

$2\angle x=116^\circ$ $\therefore \angle x=58^\circ$

36 $\angle BAD=\angle x$라 하면

$\angle PCB=\angle QCD=\angle BAD=\angle x$

$\triangle PBC$에서 $\angle ABC=\angle x+40^\circ$

$\triangle CQD$에서 $\angle CDA=\angle x+30^\circ$

$\square ABCD$에서

$\angle ABC+\angle CDA=(\angle x+40^\circ)+(\angle x+30^\circ)$

$=180^\circ$

이므로

$2\angle x=110^\circ$ $\therefore \angle x=55^\circ$

$\therefore \angle BOD=2\angle x=2\times 55^\circ=110^\circ$

37 오른쪽 그림과 같이 $\overline{BD}$를 그으면

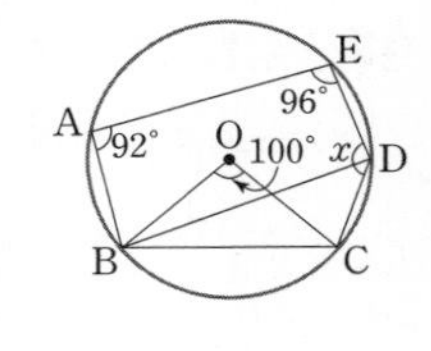

$\angle BDC=\frac{1}{2}\angle BOC$

$=\frac{1}{2}\times 100^\circ=50^\circ$

$\square ABDE$가 원 O에 내접하므로

$\angle A+\angle BDE=180^\circ$

$\therefore \angle BDE=180^\circ-92^\circ=88^\circ$

$\therefore \angle x=\angle BDE+\angle BDC=88^\circ+50^\circ=138^\circ$

38 오른쪽 그림과 같이 $\overline{BD}$를 그으면

$\square ABDE$는 원 O에 내접하므로

$\angle A+\angle BDE=180^\circ$

$\therefore \angle BDE=180^\circ-80^\circ=100^\circ$

따라서 $\angle BDC=132^\circ-100^\circ=32^\circ$이므로

$\angle x=2\angle BDC=2\times 32^\circ=64^\circ$

39 $\square ABCD$가 원 O에 내접하므로

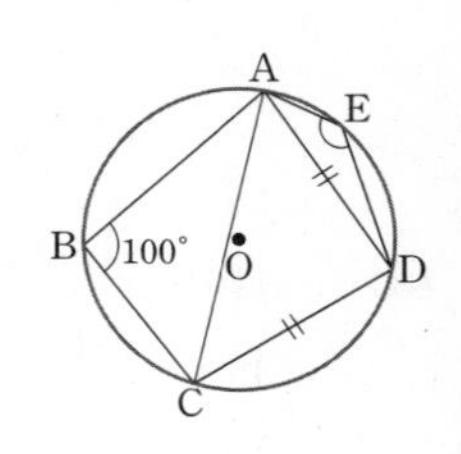

$\angle ADC=180^\circ-100^\circ=80^\circ$

$\triangle DAC$는 이등변삼각형이므로

$\angle ACD=\frac{1}{2}\times(180^\circ-80^\circ)$

$=50^\circ$

이때 $\square ACDE$도 원 O에 내접하므로

$\angle AED=180^\circ-50^\circ=130^\circ$

40 ①, ③ 한 선분에 대하여 같은 쪽에 있는 원주각의 크기가 같으므로 원에 내접한다.

② 한 외각의 크기가 그 각에 이웃한 내각의 대각의 크기와 같으므로 원에 내접한다.

④ 한 쌍의 대각의 크기의 합이 180°이므로 원에 내접한다.

⑤ $\angle BDC=180^\circ-(90^\circ+25^\circ)$

$=65^\circ$

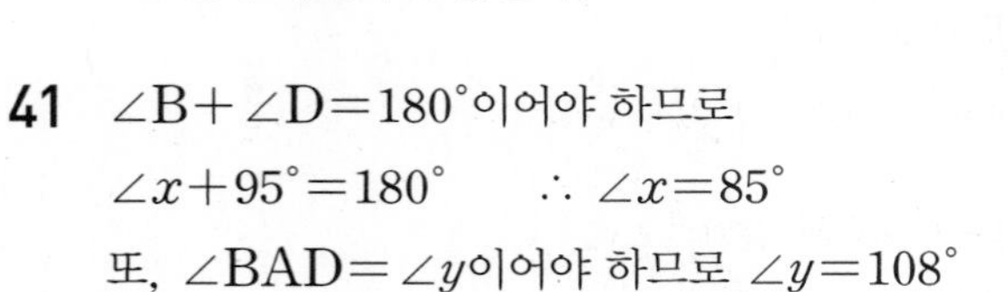

따라서 $\angle BAC\neq\angle BDC$이므로 원에 내접하지 않는다.

41 $\angle B+\angle D=180^\circ$이어야 하므로

$\angle x+95^\circ=180^\circ$ $\therefore \angle x=85^\circ$

또, $\angle BAD=\angle y$이어야 하므로 $\angle y=108^\circ$

42 $\angle B+\angle D=180^\circ$이어야 하므로

$65^\circ+\angle D=180^\circ$ $\therefore \angle D=115^\circ$

$\triangle ACD$에서 $\angle ACD=180^\circ-(115^\circ+50^\circ)=15^\circ$

43 $\angle ACB=\angle BAP=79°$이므로
$\triangle ABC$에서 $\angle x=180°-(79°+68°)=33°$

44 $\angle x=\angle BAT=40°$
$\angle y=2\angle x=2\times 40°=80°$

45 $\triangle CPA$에서 $\angle CAP=70°-30°=40°$
$\therefore \angle x=\angle CAP=40°$
$\angle y=\angle BCA=70°$

46 $\angle ABT=\angle ATP=68°$이므로
$\angle AOT=2\angle ABT=2\times 68°=136°$
$\triangle OAT$는 $\overline{OA}=\overline{OT}$인 이등변삼각형이므로
$\angle x=\frac{1}{2}\times(180°-136°)=22°$

47 $\angle BDC=\angle CBT=35°$이므로
$\angle ADC=30°+35°=65°$
$\therefore \angle x=2\angle ADC$
$=2\times 65°=130°$

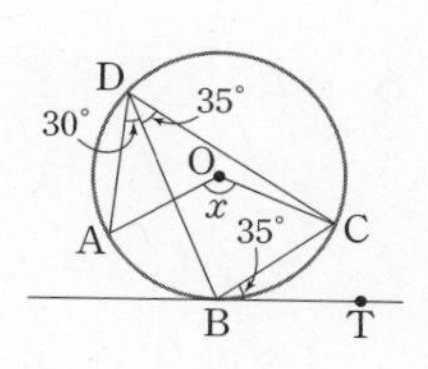

48 $\square ABCD$에서
$\angle B+\angle D=180°$이므로
$\angle D=180°-120°=60°$
$\triangle DAC$에서
$\angle DCA=180°-(60°+40°)=80°$
$\therefore \angle x=\angle DCA=80°$

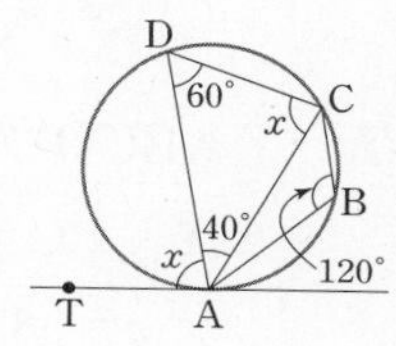

49 $\overline{BC}$는 원 O의 지름이므로 $\angle CAB=90°$
$\triangle ABC$에서 $\angle x=180°-(65°+90°)=25°$
$\angle BAT=\angle BCA$이므로 $\angle y=25°$
$\therefore \angle x+\angle y=25°+25°=50°$

50 $\angle BAT=\angle BTC=\angle x$
$\angle ATB=90°$이므로 $\triangle ATB$에서
$\angle ABT=180°-(90°+\angle x)$
$=90°-\angle x$
$\triangle PTB$에서 $36°+(90°-\angle x)=\angle x$
$2\angle x=126°$ $\therefore \angle x=63°$

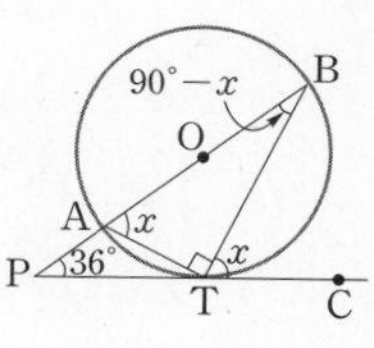

51 오른쪽 그림과 같이 $\overline{BC}$를 그으면
$\angle ABC=\angle CAT=40°$
$\overline{CD}$는 원 O의 지름이므로
$\angle CBD=90°$
$\therefore \angle x=90°-40°=50°$

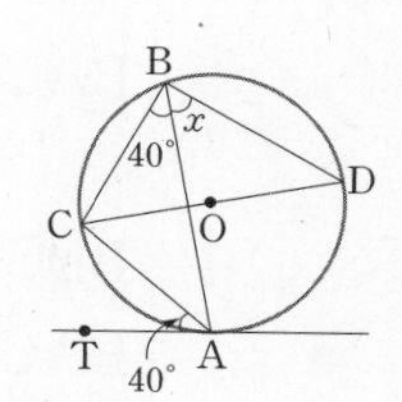

52 $\square ABCD$가 원 O에 내접하므로
$\angle CBA=180°-124°=56°$
$\overline{BC}$는 원 O의 지름이므로 $\angle CAB=90°$
$\triangle ABC$에서 $\angle ACB=180°-(90°+56°)=34°$
$\therefore \angle x=\angle ACB=34°$

53 $\angle PAB=\angle BPT=60°$, $\angle ABP=90°$이므로
$\triangle APB$에서
$\overline{BP}=6\sin 60°=6\times\frac{\sqrt{3}}{2}=3\sqrt{3}$

54 오른쪽 그림과 같이 $\overline{AT}$, $\overline{BT}$를 그으면
$\angle TAB=\angle TCB=55°$
$\angle ATB=90°$이므로
$\triangle ATB$에서
$\angle ABT=180°-(55°+90°)=35°$
$\angle ATP=\angle ABT=35°$이므로 $\triangle APT$에서
$\angle x+35°=55°$ $\therefore \angle x=20°$

55 $\triangle BDE$에서 $\overline{BD}=\overline{BE}$이므로
$\angle BDE=\angle BED=\frac{1}{2}\times(180°-50°)=65°$
$\therefore \angle x=\angle BDE=65°$

56 $\triangle ABC$에서 $\angle B=180°-(52°+70°)=58°$
$\triangle BED$에서 $\overline{BD}=\overline{BE}$이므로
$\angle BED=\angle BDE=\frac{1}{2}\times(180°-58°)=61°$
$\therefore \angle x=\angle BED=61°$

57 $\triangle APB$는 $\overline{PA}=\overline{PB}$인 이등변삼각형이므로
$\angle PBA=\frac{1}{2}\times(180°-56°)=62°$
$\overline{AD}/\!/\overline{PB}$이므로 $\angle DAB=\angle PBA=62°$(엇각)
따라서 $\square ABCD$가 원에 내접하므로
$\angle DAB+\angle x=180°$
$\therefore \angle x=180°-62°=118°$

58 $\angle x=\angle ABT=80°$
$\angle y=\angle DCT=70°$

59 $\angle CTQ=\angle CDT=30°$, $\angle BTQ=\angle BAT=65°$
이므로
$\angle ATB=180°-(30°+65°)=85°$

60 오른쪽 그림과 같이 $\overline{AB}$와 작은 원의 교점을 E라 하고 $\overline{DE}$를 그으면

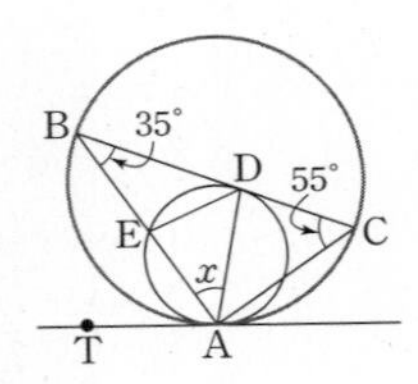

$\angle EDA = \angle BAT = \angle BCA$
$= 55°$

또, $\angle BDE = \angle DAE = \angle x$이므로

$\triangle BAD$에서 $35° + \angle x + (55° + \angle x) = 180°$

$2\angle x = 90°$ $\quad \therefore \angle x = 45°$

개념완성익힘

익힘북 45~46쪽

1 ③	**2** ⑤	**3** ④	**4** ③
5 102°	**6** 52°	**7** ③	**8** ④
9 ㄷ, ㄹ, ㅂ		**10** ④	**11** 60°
12 37°	**13** 40°		

1 $\angle AOB = 2\angle APB = 2 \times 50° = 100°$

$\triangle OAB$에서 $\overline{OA} = \overline{OB}$이므로

$\angle x = \frac{1}{2} \times (180° - 100°) = 40°$

2 오른쪽 그림과 같이 $\overline{AO}$를 그으면

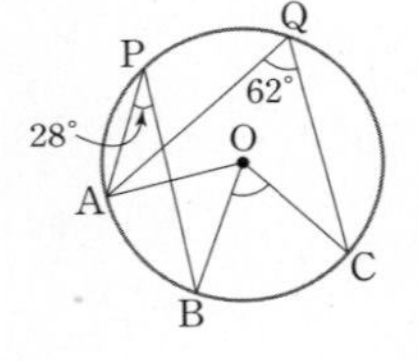

$\angle AOB = 2\angle APB$
$= 2 \times 28° = 56°$

$\angle AOC = 2\angle AQC$
$= 2 \times 62° = 124°$

$\therefore \angle BOC = \angle AOC - \angle AOB$
$= 124° - 56° = 68°$

3 $\angle x = \angle ACD = 26°$, $\angle y = \angle BAC = 32°$이고

$\triangle ABP$에서 $\angle z = 32° + 26° = 58°$

$\therefore \angle x + \angle y + \angle z = 26° + 32° + 58° = 116°$

4 오른쪽 그림과 같이 $\overline{PB}$, $\overline{AQ}$를 그으면 $\angle APB = 90°$이므로

$\angle BPO = 90° - 70° = 20°$

$\triangle POB$에서 $\overline{OP} = \overline{OB}$이므로

$\angle PBO = \angle OPB = 20°$

따라서 $\angle PQA = \angle PBA = 20°$이고 $\angle AQB = 90°$이므로

$\angle x = \angle PQA + \angle AQB = 20° + 90° = 110°$

[다른 풀이]

$\overline{OP} = \overline{OA}$이므로 $\angle OAP = 70°$

□PABQ는 원 O에 내접하므로 $\angle A + \angle Q = 180°$

$\therefore \angle x = 180° - 70° = 110°$

5 오른쪽 그림과 같이 $\overline{BC}$를 그으면 한 원에서 모든 원주각의 크기의 합은 180°이므로

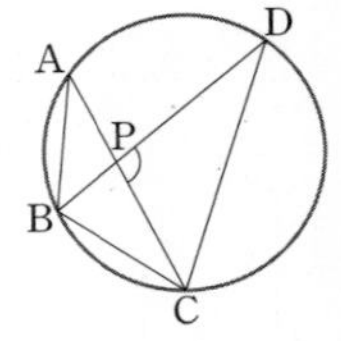

$\angle ACB = 180° \times \frac{1}{6} = 30°$

$\angle DBC = 180° \times \frac{2}{5} = 72°$

따라서 $\triangle PBC$에서

$\angle DPC = \angle PCB + \angle PBC = 30° + 72° = 102°$

6 $\triangle PBD$에서 $\angle BDC = \angle x + 26°$이고

네 점 A, B, C, D가 한 원 위에 있으므로

$\angle ACD = \angle ABD = 26°$

따라서 $\triangle DQC$에서 $(\angle x + 26°) + 26° = \angle y$

$\angle x + 52° = \angle y$ $\quad \therefore \angle y - \angle x = 52°$

7 □ABCD가 원 O에 내접하므로

$\angle A + \angle C = 180°$, $\angle x + 82° = 180°$

$\therefore \angle x = 98°$

$\overset{\frown}{BCD}$에 대하여 $\angle y = 2\angle x = 2 \times 98° = 196°$

$\therefore \angle x + \angle y = 98° + 196° = 294°$

8 □ABCD가 원에 내접하므로

$\angle CBP = \angle ADC = 55°$

$\triangle CBP$에서 $\angle BCP = 180° - (55° + 40°) = 85°$

9 ㄱ. $\triangle ACD$에서

$\angle ADC = 180° - (45° + 35°) = 100°$

$\angle ABC + \angle ADC = 45° + 100° \neq 180°$이므로

□ABCD는 원에 내접하지 않는다.

ㄴ. $\angle BAD + \angle BCD = 110° + 80° \neq 180°$이므로

□ABCD는 원에 내접하지 않는다.

ㄷ. $\angle BAD = \angle DCE$이므로 □ABCD는 원에 내접한다.

ㄹ. $\angle BAC = \angle BDC$이므로 □ABCD는 원에 내접한다.

ㅁ. $\angle BDC = 90° - 50° = 40°$

$\angle BAC \neq \angle BDC$이므로 □ABCD는 원에 내접하지 않는다.

ㅂ. △ABC에서

$\angle BAC=180^\circ-(90^\circ+35^\circ)=55^\circ$

$\angle BAC=\angle BDC$이므로 □ABCD는 원에 내접한다.

따라서 원에 내접하는 것은 ㄷ, ㄹ, ㅂ이다.

10 △APB에서 $\angle ABC=20^\circ+42^\circ=62^\circ$이므로

$\angle x=\angle ABC=62^\circ$

11 한 원에서 모든 원주각의 크기의 합은 180°이므로

$\angle x=180^\circ\times\frac{3}{12}=45^\circ$ …… ①

$\angle y=180^\circ\times\frac{1}{12}=15^\circ$ …… ②

$\therefore \angle x+\angle y=45^\circ+15^\circ=60^\circ$ …… ③

단계	채점 기준	비율
①	$\angle x$의 크기 구하기	40 %
②	$\angle y$의 크기 구하기	40 %
③	$\angle x+\angle y$의 크기 구하기	20 %

12 네 점 A, B, C, D가 한 원 위에 있으므로

$\angle BDC=\angle BAC=44^\circ$ …… ①

따라서 △DBC에서

$\angle x=180^\circ-(44^\circ+57^\circ+42^\circ)=37^\circ$ …… ②

단계	채점 기준	비율
①	∠BDC의 크기 구하기	50 %
②	$\angle x$의 크기 구하기	50 %

13 □ABCD는 원 O에 내접하므로

$\angle ABC+\angle ADC=180^\circ$

$\therefore \angle ADC=180^\circ-130^\circ=50^\circ$ …… ①

$\angle ACD=90^\circ$이므로 △ACD에서

$\angle CAD=180^\circ-(90^\circ+50^\circ)=40^\circ$ …… ②

$\therefore \angle x=\angle CAD=40^\circ$ …… ③

단계	채점 기준	비율
①	∠ADC의 크기 구하기	40 %
②	∠CDA의 크기 구하기	40 %
③	$\angle x$의 크기 구하기	20 %

대단원 마무리

익힘북 47~49쪽

1 ⑤	**2** ⑤	**3** 10 cm	**4** 68
5 ①	**6** ⑤	**7** ③	**8** 38 cm
9 8 cm	**10** ②	**11** ③	**12** ⑤
13 110°	**14** ③	**15** ②	**16** ④
17 ③	**18** 97°	**19** 36°	**20** ②

1 직각삼각형 OHA에서

$\overline{AH}=\sqrt{10^2-1^2}=\sqrt{99}=3\sqrt{11}$(cm)

직각삼각형 HBC에서

$\overline{HC}=\overline{OC}-\overline{OH}=10-1=9$(cm)

$\overline{BH}=\overline{AH}=3\sqrt{11}$ cm이므로

$\overline{BC}=\sqrt{9^2+(3\sqrt{11})^2}=\sqrt{180}=6\sqrt{5}$ (cm)

2 오른쪽 그림과 같이 원의 중심 O에서 $\overline{AB}$에 내린 수선의 발을 H라 하면

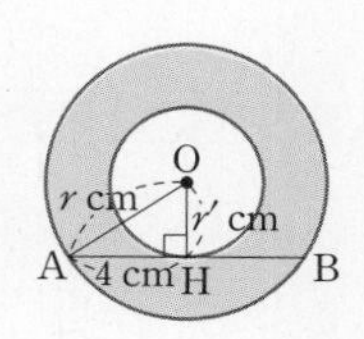

$\overline{AH}=\overline{BH}=\frac{1}{2}\times8=4$(cm)

큰 원과 작은 원의 반지름의 길이를 각각 r cm, r'cm라 하면

$r^2=r'^2+4^2 \quad \therefore r^2-r'^2=16$

따라서 색칠한 부분의 넓이는

$\pi r^2-\pi r'^2=\pi(r^2-r'^2)=16\pi$(cm²)

3 오른쪽 그림과 같이 원의 중심을 O, 반지름의 길이를 r cm라 하면 직각삼각형 AOD에서

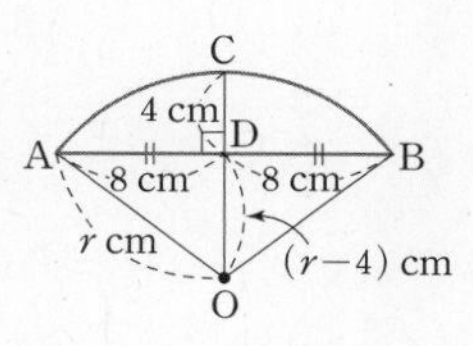

$r^2=(r-4)^2+8^2$, $8r=80$

$\therefore r=10$

따라서 원래 구리 거울의 반지름의 길이는 10 cm이다.

4 $\overline{OM}=\overline{ON}=\overline{OL}$이므로

$\overline{AB}=\overline{BC}=\overline{CA}=2\overline{AM}=2\times4=8$(cm)

$\therefore y=8$

△ABC는 정삼각형이므로 $\angle A=60^\circ$

$\therefore x=60$

$\therefore x+y=60+8=68$

5 $\overline{OA}=\overline{OB}=\overline{OC}=8$ cm, $\angle PAO=90^\circ$이므로

직각삼각형 POA에서

$\overline{PA}=\sqrt{17^2-8^2}=\sqrt{225}=15$(cm)

이때 $\overline{PB}=\overline{PA}=15$ cm이므로

□OAPB의 둘레의 길이는

$15+15+8+8=46(\text{cm})$

6 $\overline{PB}=\overline{PA}=13+4=17$

$\overline{CD}=\overline{CA}=4$이므로

$\overline{EB}=\overline{ED}=10-4=6$

$\therefore \overline{PE}=\overline{PB}-\overline{EB}=17-6=11$

7 $\overline{AF}=x\text{ cm}$라 하면

$\overline{AD}=\overline{AF}=x\text{ cm}$, $\overline{BE}=\overline{BD}=(7-x)\text{ cm}$

$\overline{CE}=\overline{CF}=(9-x)\text{ cm}$

이때 $\overline{BC}=\overline{BE}+\overline{CE}$이므로

$10=(7-x)+(9-x)$

$2x=6 \qquad \therefore x=3$

따라서 $\overline{AF}$의 길이는 3 cm이다.

8 $\overline{BC}:\overline{CD}=3:2$이므로

$\overline{BC}=3x\text{ cm}$, $\overline{CD}=2x\text{ cm}$

라 하면 □ABCD가 원 O에 외접하므로

$11+2x=7+3x \qquad \therefore x=4$

따라서 $\overline{BC}=3\times4=12(\text{cm})$,

$\overline{CD}=2\times4=8(\text{cm})$이므로 □ABCD의 둘레의 길이는

$7+11+12+8=38(\text{cm})$

9 $\overline{AF}=\overline{AD}=1\text{ cm}$이므로

$\overline{CE}=\overline{CF}=\overline{AC}-\overline{AF}=3-1=2(\text{cm})$ …… ①

$\overline{BD}=\overline{BE}=\overline{BC}-\overline{CE}=6-2=4(\text{cm})$ …… ②

$\therefore$ (△HBI의 둘레의 길이)

$=\overline{BH}+\overline{HI}+\overline{BI}=\overline{BH}+\overline{HG}+\overline{IG}+\overline{BI}$

$=\overline{BH}+\overline{HD}+\overline{IE}+\overline{BI}=\overline{BD}+\overline{BE}$

$=2\overline{BD}=2\times4=8(\text{cm})$ …… ③

단계	채점 기준	비율
①	$\overline{CE}$의 길이 구하기	30 %
②	$\overline{BD}$의 길이 구하기	30 %
③	△HBI의 둘레의 길이 구하기	40 %

10 $\widehat{AB}$에 대하여

$\angle AOB=2\angle ACB=2\times60^\circ=120^\circ$

따라서 부채꼴 OAB의 넓이는

$\pi\times3^2\times\frac{120^\circ}{360^\circ}=3\pi(\text{cm}^2)$

11 △QCB에서

$\angle BCQ=65^\circ-40^\circ=25^\circ$

$\widehat{BD}$에 대한 원주각의 크기는 같으므로

$\angle x=\angle BCD=25^\circ$

12 오른쪽 그림과 같이 $\overline{AD}$를 그으면

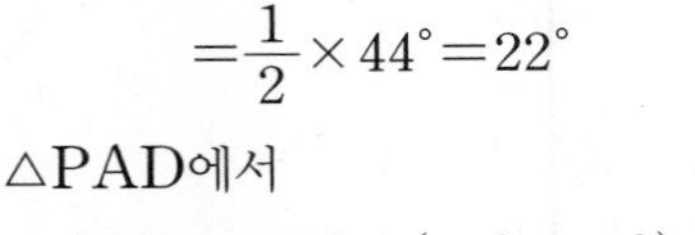

$\angle ADB=90^\circ$

$\widehat{CD}$에 대하여

$\angle CAD=\frac{1}{2}\angle COD$

$=\frac{1}{2}\times44^\circ=22^\circ$

△PAD에서

$\angle APB=180^\circ-(22^\circ+90^\circ)=68^\circ$

13 $\widehat{AM}=\widehat{BM}$이므로

$\angle ACM=\angle BCM=\frac{1}{2}\angle ACB=\frac{1}{2}\times80^\circ=40^\circ$

△ABC에서

$\angle BAC=180^\circ-(40^\circ+80^\circ)=60^\circ$ …… ①

$\widehat{BN}=\widehat{CN}$이므로

$\angle BAN=\angle CAN=\frac{1}{2}\angle BAC=\frac{1}{2}\times60^\circ=30^\circ$

△APC에서

$\angle APC=180^\circ-(30^\circ+40^\circ)=110^\circ$ …… ②

$\therefore \angle MPN=\angle APC=110^\circ$ (맞꼭지각) …… ③

단계	채점 기준	비율
①	∠BAC의 크기 구하기	40 %
②	∠APC의 크기 구하기	40 %
③	∠MPN의 크기 구하기	20 %

14 $\angle BAD=\angle x$라 하면

$\widehat{BD}=4\widehat{AC}$이므로 $\angle ADC=\frac{1}{4}\angle x$

△APD에서

$\angle x=\frac{1}{4}\angle x+24^\circ$이므로 $\frac{3}{4}\angle x=24^\circ$

$\therefore \angle x=24^\circ\times\frac{4}{3}=32^\circ$

따라서 ∠BAD의 크기는 32°이다.

15 ① $\angle BAC=\angle BDC$

② $\angle BAC\neq\angle BDC$

③ △ABE에서 $\angle ABE=90^\circ-30^\circ=60^\circ$이므로

$\angle ABD=\angle ACD$

④ $\angle BAC=\angle BDC$

⑤ △DBC에서 $\angle DBC=180^\circ-(70^\circ+90^\circ)=20^\circ$
이므로
$\angle DAC=\angle DBC$
따라서 네 점 A, B, C, D가 한 원 위에 있지 않은 것은
②이다.

16 $\angle y=\frac{1}{2}\angle BOD=\frac{1}{2}\times150^\circ=75^\circ$
□ABCD는 원 O에 내접하므로
$\angle x=\angle y=75^\circ$
$\therefore \angle x+\angle y=75^\circ+75^\circ=150^\circ$

17 □ABCD가 원에 내접하므로 $\angle DAP=\angle x$
△CDQ에서 $\angle PDQ=\angle x+50^\circ$
△ADP에서
$\angle x+(\angle x+50^\circ)+40^\circ=180^\circ$
$2\angle x=90^\circ \qquad \therefore \angle x=45^\circ$

18 □PQCD가 원 O′에 내접하므로
$\angle BQP=\angle CDP=83^\circ$
□ABQP가 원 O에 내접하므로
$\angle BAP+\angle BQP=180^\circ$
$\therefore \angle BAP=180^\circ-83^\circ=97^\circ$

19 $\angle ACB=\angle ABP=\angle x$
$\widehat{AB}:\widehat{AC}=1:2$이므로
$\angle ABC=2\angle ACB=2\angle x$
$\overline{AC}=\overline{BC}$이므로
$\angle BAC=\angle ABC=2\angle x$
△ABC에서 $\angle x+2\angle x+2\angle x=180^\circ$
$5\angle x=180^\circ \qquad \therefore \angle x=36^\circ$

20 오른쪽 그림과 같이 $\overline{AT}$를
그으면 $\angle BTA=90^\circ$이고
$\angle PTA=\angle TBA=\angle x$라

하면
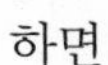
△TPB에서
$(\angle x+90^\circ)+\angle x+2\angle QPB=180^\circ$
$2\angle x+2\angle QPB=90^\circ$
$\therefore \angle x+\angle QPB=45^\circ$
따라서 △QPB에서
$\angle TQP=\angle x+\angle QPB=45^\circ$

III 통계

1 대푯값과 산포도

익힘북

개념적용익힘

익힘북 50~55쪽

1 91점 **2** ① **3** ④ **4** 16
5 ② **6** $a=-4$, $b=10$
7 (1) 85 (2) 82점 **8** 90점
9 평균: 57, 중앙값: 65 **10** 8 **11** 32
12 $a=7$, $b=12$ **13** 5.6 규모 **14** 5
15 4 **16** ③ **17** $A<B<C$
18 ②, ⑤ **19** (1) 3 (2) 86점
20 (1) −4 (2) 9권 **21** 910 **22** $2\sqrt{2}$회
23 ② **24** $2\sqrt{2}$
25 분산: 3.5, 표준편차: $\sqrt{3.5}$시간 **26** ①
27 풀이 참조 **28** 평균: 25, 표준편차: 6
29 평균: 5, 표준편차: $2\sqrt{3}$
30 평균: 12, 표준편차: 9 **31** ①, ⑤ **32** 0
33 116 **34** ② **35** ②, ⑤

1 석진이의 점수를 x점이라 하면
$(\text{평균})=\frac{81+85+89+x+79}{5}=\frac{334+x}{5}=85(\text{점})$
이므로
$334+x=425 \qquad \therefore x=91$
따라서 석진이의 국어 성적은 91점이다.

2 $\frac{a+b+c+d+e}{5}=4$이므로 $a+b+c+d+e=20$
$\therefore \frac{(a+4)+(b-2)+(c+6)+(d-3)+(e+5)}{5}$
$=\frac{(a+b+c+d+e)+10}{5}$
$=\frac{20+10}{5}=\frac{30}{5}=6$

3 다섯 개의 변량 a, b, c, d, e의 평균이 20이므로
$\frac{a+b+c+d+e}{5}=20$
$\therefore a+b+c+d+e=100$
따라서 $3a-2$, $3b-2$, $3c-2$, $3d-2$, $3e-2$의 평
균은

$\frac{(3a-2)+(3b-2)+(3c-2)+(3d-2)+(3e-2)}{5}$

$=\frac{3(a+b+c+d+e)-10}{5}$

$=\frac{3\times100-10}{5}=58$

4 $\frac{16+10+8+x+13+9}{6}=12$, $56+x=72$

$\therefore x=16$

5 4회에 걸친 영어 시험 성적의 총합은

$4\times70=280$(점)

5회의 영어 시험 성적을 x점이라 하면

$\frac{280+x}{5}=74$, $280+x=370$ $\quad\therefore x=90$

따라서 5회의 시험 성적은 90점이다.

6 주어진 변량 10개의 평균이 4이므로

$\frac{-7+1+a+15+3+b+(-9)+11+6+14}{10}=4$

$\frac{34+a+b}{10}=4$, $34+a+b=40$

$\therefore a+b=6$ $\quad\cdots\cdots$ ㉠

$a-b=-14$ $\quad\cdots\cdots$ ㉡

㉠, ㉡을 연립하여 풀면 $a=-4$, $b=10$

7 (1) 평균이 81점이므로

$\frac{92+73+82+68+x+77+90}{7}=81$

$482+x=567$ $\quad\therefore x=85$

(2) 자료를 크기순으로 나열하면

68, 73, 77, 82, 85, 90, 92

이므로 중앙값은 4번째 값인 82점이다.

8 6명의 점수를 작은 값부터 크기순으로 나열할 때, 중앙값은 3번째와 4번째 학생의 점수의 평균이므로 4번째 학생의 점수를 a점이라 하면

$\frac{86+a}{2}=88$ $\quad\therefore a=90$

이때 점수가 92점인 학생이 들어오면 4번째 학생의 점수는 그대로 90점이므로 7명의 수학 점수의 중앙값은 4번째 학생의 점수인 90점이다.

9 $\frac{a+b+c+d+e}{5}=15$이므로 $a+b+c+d+e=75$

$4a-3$, $4b-3$, $4c-3$, $4d-3$, $4e-3$의 평균은

$\frac{(4a-3)+(4b-3)+(4c-3)+(4d-3)+(4e-3)}{5}$

$=\frac{4(a+b+c+d+e)-15}{5}$

$=\frac{4\times75-15}{5}=\frac{285}{5}=57$

$4a-3$, $4b-3$, $4c-3$, $4d-3$, $4e-3$을 작은 값부터 크기순으로 나열하여도 순서는 변하지 않으므로 중앙값은 a, b, c, d, e의 중앙값의 4배에서 3을 뺀 값과 같다. 따라서 중앙값은 $4\times17-3=65$

10 자료가 크기순으로 나열되어 있으므로 중앙값은 4번째 값과 5번째 값의 평균이다. 즉,

(중앙값)$=\frac{x+10}{2}=9$, $x+10=18$ $\quad\therefore x=8$

11 x를 제외한 나머지 변량을 크기순으로 나열하면

23, 28, 38, 41, 45

중앙값이 35이므로 x는 28과 38 사이의 수이어야 하고, 전체 자료를 크기순으로 나열하면

23, 28, x, 38, 41, 45

즉, (중앙값)$=\frac{x+38}{2}=35$

$x+38=70$ $\quad\therefore x=32$

12 조건 ㈎에서 중앙값이 8이므로 $a\le8$

조건 ㈏에서 중앙값이 12이므로 $b=12$ ($\because a\le8$)

2, 14, a, 12, 15의 평균이 10이므로

$\frac{2+14+a+12+15}{5}=10$, $43+a=50$

$\therefore a=7$

13 변량의 개수가 18개이므로 중앙값은 9번째와 10번째 수의 평균이다.

$\therefore a=\frac{3.2+3.4}{2}=3.3$(규모)

또, 2.3의 도수가 4로 가장 크므로 최빈값은 $b=2.3$ 규모

$\therefore a+b=3.3+2.3=5.6$(규모)

14 A, B 두 모둠의 인원 수가 같으므로

$2+4+x+5+3=18$, $14+x=18$

$\therefore x=4$

따라서 A 모둠의 최빈값은 3회이므로 $a=3$

B 모둠의 최빈값은 2회이므로 $b=2$

$\therefore a+b=5$

15 $(\text{평균})=\frac{-5+7-2+a+4+b+0}{7}$

$=\frac{a+b+4}{7}=0$

이므로 $a+b=-4$

최빈값이 0이므로 a, b의 값 중에서 하나는 0이다.

그런데 $a<b$이므로 $a=-4$, $b=0$

$\therefore b-a=0-(-4)=4$

16 ㄱ. 주어진 자료의 평균은

$\frac{1+2+2+3+3+4+6}{7}=3$

ㄴ. 중앙값은 4번째 변량인 3이다.

ㄷ. 최빈값은 2와 3이다.

따라서 옳은 것은 ㄱ, ㄴ이다.

17 $A=\frac{9+7+8+7+8+8+6+6+7+8}{10}$

$=\frac{74}{10}=7.4$

주어진 자료를 작은 값부터 크기순으로 나열하면

6, 6, 7, 7, 7, 8, 8, 8, 8, 9

$\therefore B=\frac{7+8}{2}=7.5$

8시간의 도수가 4로 가장 크므로 $C=8$

$\therefore A<B<C$

18

	평균	중앙값	최빈값
민우	$\frac{8+9+10+8+5}{5}=\frac{40}{5}=8$(점)	8점	8점
효찬	$\frac{8+3+7+5+7}{5}=\frac{30}{5}=6$(점)	7점	7점

② 민우의 점수의 중앙값이 효찬이의 점수의 중앙값보다 높다.

⑤ 효찬이의 점수의 중앙값과 최빈값은 같다.

19 (1) 편차의 총합은 0이므로

$4+(-8)+x+(-1)+2=0$

$x-3=0 \quad \therefore x=3$

(2) (편차)=(변량)−(평균)에서

(변량)=(편차)+(평균)이므로

(3회의 점수)$=3+83=86$(점)

20 (1) 편차의 총합은 0이므로

$5+(-3)+2+1+(-1)+x=0$, $x+4=0$

$\therefore x=-4$

(2) 학생 A는 평균보다 5권의 책을 더 읽었고, 학생 F는 평균보다 4권의 책을 덜 읽었으므로 책을 가장 많이 읽은 학생과 가장 적게 읽은 학생의 권수의 차는 9권이다.

21 편차의 총합은 0이므로

$b+0+30+(-10)+20=0$, $b+40=0$

$\therefore b=-40$

수박 B의 무게가 990 g이고, 편차가 0 g이므로 수박 5개의 무게의 평균은 990 g이다.

(편차)=(변량)−(평균)에서

(변량)=(편차)+(평균)이므로

$a=b+990=-40+990=950$

$\therefore a+b=950+(-40)=910$

22 학생 B의 편차를 x회라 하면 편차의 총합은 0이므로

$1+x+(-2)+4+(-3)+3=0$

$x+3=0 \quad \therefore x=-3$

$(\text{분산})=\frac{1^2+(-3)^2+(-2)^2+4^2+(-3)^2+3^2}{6}$

$=\frac{48}{6}=8$

$\therefore (\text{표준편차})=\sqrt{8}=2\sqrt{2}$ (회)

23 $(\text{평균})=\frac{88+87+89+94+92+90}{6}$

$=\frac{540}{6}=90$(회)

$\therefore a=90$

각 변량의 편차는 −2, −3, −1, 4, 2, 0이므로

$(\text{분산})=\frac{(-2)^2+(-3)^2+(-1)^2+4^2+2^2+0^2}{6}$

$=\frac{34}{6}=\frac{17}{3}$

$\therefore b=\frac{17}{3}$

$\therefore ab=90\times\frac{17}{3}=510$

24 5개의 변량의 평균이 9이므로

$\frac{4+10+x+12+8}{5}=9$

$34+x=45 \quad \therefore x=11$

각 변량의 편차를 구하면 −5, 1, 2, 3, −1이므로

$(\text{분산})=\frac{(-5)^2+1^2+2^2+3^2+(-1)^2}{5}=\frac{40}{5}=8$

$\therefore (\text{표준편차})=\sqrt{8}=2\sqrt{2}$

25 $(\text{평균})=\dfrac{10+4+7+x+y+6+5+8}{8}=7(\text{시간})$

이므로 $x+y+40=56$

$\therefore x+y=16$

이때 최빈값이 7시간이므로 x, y의 값 중에서 하나는 7이다. 그런데 $x<y$이므로 $x=7$, $y=9$

각 변량의 편차는 3, -3, 0, 0, 2, -1, -2, 1이므로

$(\text{분산})=\dfrac{3^2+(-3)^2+0^2+0^2+2^2+(-1)^2+(-2)^2+1^2}{8}$

$=3.5$

$\therefore (\text{표준편차})=\sqrt{3.5}\,(\text{시간})$

26 주어진 자료의 평균은

$\dfrac{a+(a+2)+(a+6)+(a+12)}{4}=a+5$

각 변량의 편차는 -5, -3, 1, 7이므로

$(\text{분산})=\dfrac{(-5)^2+(-3)^2+1^2+7^2}{4}=\dfrac{84}{4}=21$

27 $(\text{분산})=\dfrac{(-4)^2\times2+(-1)^2\times3+2^2\times4+3^2\times1}{10}$

$=\dfrac{60}{10}=6$

$\therefore (\text{표준편차})=\sqrt{6}\,(\text{회})$

28 a, b, c의 평균이 7이므로 $\dfrac{a+b+c}{3}=7$

$\therefore a+b+c=21$ …… ㉠

a, b, c의 분산이 $2^2=4$이므로

$\dfrac{(a-7)^2+(b-7)^2+(c-7)^2}{3}=4$ …… ㉡

$3a+4$, $3b+4$, $3c+4$에 대하여

$(\text{평균})=\dfrac{(3a+4)+(3b+4)+(3c+4)}{3}$

$=\dfrac{3(a+b+c)+12}{3}$

$=\dfrac{3\times21+12}{3}=25\ (\because ㉠)$

$(\text{분산})=\dfrac{(3a+4-25)^2+(3b+4-25)^2+(3c+4-25)^2}{3}$

$=\dfrac{9\{(a-7)^2+(b-7)^2+(c-7)^2\}}{3}$

$=9\times4=36\ (\because ㉡)$

$\therefore (\text{표준편차})=\sqrt{36}=6$

[다른 풀이]

a, b, c의 평균이 7, 표준편차가 2이므로 $3a+4$, $3b+4$, $3c+4$의 평균은 $3\times7+4=25$, 표준편차는 $3\times2=6$

29 a, b, c, d의 평균이 5이므로 $\dfrac{a+b+c+d}{4}=5$

$\therefore a+b+c+d=20$ …… ㉠

a, b, c, d의 분산이 3이므로

$\dfrac{(a-5)^2+(b-5)^2+(c-5)^2+(d-5)^2}{4}=3$ …… ㉡

$2a-5$, $2b-5$, $2c-5$, $2d-5$에 대하여

$(\text{평균})=\dfrac{(2a-5)+(2b-5)+(2c-5)+(2d-5)}{4}$

$=\dfrac{2(a+b+c+d)-20}{4}=\dfrac{2\times20-20}{4}$

$=5\ (\because ㉠)$

(분산)

$=\dfrac{(2a-5-5)^2+(2b-5-5)^2+(2c-5-5)^2+(2d-5-5)^2}{4}$

$=\dfrac{4\{(a-5)^2+(b-5)^2+(c-5)^2+(d-5)^2\}}{4}$

$=4\times3=12\ (\because ㉡)$

$\therefore (\text{표준편차})=\sqrt{12}=2\sqrt{3}$

[다른 풀이]

a, b, c, d의 평균이 5, 표준편차가 $\sqrt{3}$이므로 $2a-5$, $2b-5$, $2c-5$, $2d-5$의 평균은 $2\times5-5=5$, 표준편차는 $2\times\sqrt{3}=2\sqrt{3}$

30 $\dfrac{a+b+c+d+e}{5}=4$,

$\dfrac{(a-4)^2+(b-4)^2+(c-4)^2+(d-4)^2+(e-4)^2}{5}=9$

이므로 $3a$, $3b$, $3c$, $3d$, $3e$에 대하여

$(\text{평균})=\dfrac{3a+3b+3c+3d+3e}{5}$

$=\dfrac{3(a+b+c+d+e)}{5}$

$=3\times4=12$

$(\text{분산})=\dfrac{(3a-12)^2+(3b-12)^2+(3c-12)^2+(3d-12)^2+(3e-12)^2}{5}$

$=\dfrac{9\{(a-4)^2+(b-4)^2+(c-4)^2+(d-4)^2+(e-4)^2\}}{5}$

$=9\times9=81$

$\therefore (\text{표준편차})=\sqrt{81}=9$

31 $(\text{평균})=\dfrac{x+3+5+10+(12-x)}{5}=\dfrac{30}{5}=6$

각 변량의 편차는 $x-6$, -3, -1, 4, $6-x$이므로

$(\text{분산})=\dfrac{(x-6)^2+(-3)^2+(-1)^2+4^2+(6-x)^2}{5}$

$=6.8$

$x^2-12x+32=0$, $(x-4)(x-8)=0$

$\therefore x=4$ 또는 $x=8$

32 편차의 총합은 0이므로

$3+(-5)+x+(-3)+1+y=0$

$x+y-4=0 \quad \therefore x+y=4$

분산은 $(\sqrt{10})^2=10$이므로

$\frac{3^2+(-5)^2+x^2+(-3)^2+1^2+y^2}{6}=10$

$x^2+y^2+44=60 \quad \therefore x^2+y^2=16$

$(x+y)^2=x^2+y^2+2xy$이므로

$4^2=16+2xy$

$\therefore xy=0$

33 평균이 6이므로 $\frac{2+x+8+y+6}{5}=6$

$x+y+16=30$

$\therefore x+y=14 \quad \cdots\cdots$ ㉠

분산이 8이므로

$\frac{(-4)^2+(x-6)^2+2^2+(y-6)^2+0^2}{5}=8$

$(x-6)^2+(y-6)^2+20=40$

$x^2+y^2-12(x+y)+92=40 \quad \cdots\cdots$ ㉡

㉠을 ㉡에 대입하면 $x^2+y^2-12\times14+92=40$

$\therefore x^2+y^2=116$

34 표준편차가 작을수록 자료의 분포 상태가 더 고르다.
이때 $4\sqrt{5}=\sqrt{80}$, $5=\sqrt{25}$, $3\sqrt{6}=\sqrt{54}$, $5\sqrt{2}=\sqrt{50}$이므로 선수들 간의 키의 격차가 가장 작은 농구단은 B이다.

35 ① 최고 득점자가 있는 반은 알 수 없다.
② 1반의 평균이 가장 낮으므로 수학 성적이 가장 낮다.
③ 편차의 총합은 항상 0이다.
④ (분산)=(표준편차)^{2}이므로 분산이 두 번째로 큰 반은 5반이다.
⑤ 표준편차가 작을수록 자료의 분포 상태가 고르므로 성적이 가장 고르게 분포되어 있는 반은 4반이다.

개념완성익힘

익힘북 56~57쪽

1 ③	**2** 13회	**3** 82점	**4** ②
5 11.5	**6** 26	**7** ②	**8** 37
9 성록	**10** (1) A반: 3일, B반: 3일 (2) B반		
11 17	**12** 17회	**13** $\sqrt{7}$	

1 5개의 변량 A, B, C, D, E의 평균이 12이므로

$\frac{A+B+C+D+E}{5}=12$

$\therefore A+B+C+D+E=60$

따라서 6개의 변량 A, B, C, D, E, 18의 평균은

$\frac{A+B+C+D+E+18}{6}=\frac{60+18}{6}=\frac{78}{6}=13$

2 학생 10명의 턱걸이 횟수의 평균이 12회이면 총 횟수는
$10\times12=120$(회)
이때 평균 12회는 한 학생의 11회를 1회로 잘못 보고 구한 것이므로 총 횟수를 바르게 구하면
$120+10=130$(회)
따라서 학생 10명의 턱걸이 횟수의 평균을 바르게 구하면
$\frac{130}{10}=13$(회)

3 학생 10명의 국어 성적을 크기순으로 나열할 때, 5번째 학생의 점수를 x점이라 하면

$\frac{x+84}{2}=83 \quad \therefore x=82$

이때 국어 성적이 82점보다 작은 78점인 학생이 들어왔으므로 11명 중 6번째 학생의 점수는 82점이다.
따라서 11명의 국어 성적의 중앙값은 6번째 값인 82점이다.

4 3개의 도수가 10명으로 가장 크므로 최빈값은 3개이다.

5 (평균)$=\frac{1\times1+2\times2+3\times5+4\times10+5\times2}{20}$

$=\frac{70}{20}=3.5$(점)

$\therefore a=3.5$

자료를 크기순으로 나열하였을 때, 중앙값은 10번째 값과 11번째 값의 평균이므로

$\frac{4+4}{2}=4$(점) $\quad \therefore b=4$

4점의 도수가 10명으로 가장 크므로 최빈값은 4점이다.

$\therefore c=4$

$\therefore a+b+c=3.5+4+4=11.5$

6 x를 제외하면 24, 26, 27의 도수가 2로 같고 최빈값이 1개이므로 x는 24, 26, 27 중 하나와 그 값이 같다.
따라서 x의 도수가 3으로 가장 크므로 최빈값은 x이다.
이때 평균과 최빈값이 같으므로

$(\text{평균})=\dfrac{24+28+26+24+27+x+26+27}{8}=x$

$x+182=8x$, $7x=182$

$\therefore x=26$

7 $(\text{평균})=\dfrac{x+5+11+2+3}{5}=6$이므로

$x+21=30 \qquad \therefore x=9$

따라서 각 변량의 편차는 3, -1, 5, -4, -3이므로

$(\text{분산})=\dfrac{3^2+(-1)^2+5^2+(-4)^2+(-3)^2}{5}$

$=\dfrac{60}{5}=12$

$\therefore (\text{표준편차})=\sqrt{12}=2\sqrt{3}$

8 $(\text{평균})=\dfrac{7+x+9+3+y+10}{6}=6$이므로

$x+y+29=36 \qquad \therefore x+y=7$ …… ㉠

$(\text{분산})=\dfrac{1^2+(x-6)^2+3^2+(-3)^2+(y-6)^2+4^2}{6}$

$=10$

이므로

$(x-6)^2+(y-6)^2+35=60$

$x^2+y^2-12(x+y)+107=60$

이 식에 ㉠을 대입하면 $x^2+y^2-12\times7+107=60$

$\therefore x^2+y^2=37$

9 표준편차가 작을수록 자료의 분포 상태가 고르므로 전 과목 성적이 가장 고른 학생은 성록이다.

10 (1) A반, B반의 현장 체험 일수의 평균은

A반: $\dfrac{1\times4+2\times6+3\times10+4\times6+5\times4}{30}$

$=\dfrac{90}{30}=3(\text{일})$

B반: $\dfrac{1\times5+2\times6+3\times8+4\times6+5\times5}{30}$

$=\dfrac{90}{30}=3(\text{일})$

(2) A반, B반의 현장 체험 일수의 분산은

A반: $\dfrac{(-2)^2\times4+(-1)^2\times6+0^2\times10+1^2\times6+2^2\times4}{30}$

$=\dfrac{44}{30}=\dfrac{22}{15}$

B반: $\dfrac{(-2)^2\times5+(-1)^2\times6+0^2\times8+1^2\times6+2^2\times5}{30}$

$=\dfrac{52}{30}=\dfrac{26}{15}$

따라서 B반의 분산이 더 크다.

11 자료 A를 크기순으로 나열하면

4, 6, 7, 8, 8, 10, 11

이므로 중앙값은 4번째 값인 8이다.

$\therefore a=8$ …… ①

자료 B를 크기순으로 나열하면

2, 5, 7, 8, 10, 11, 14, 14

이므로 중앙값은 4번째 값과 5번째 값의 평균인

$\dfrac{8+10}{2}=9$이다.

$\therefore b=9$ …… ②

$\therefore a+b=8+9=17$ …… ③

단계	채점 기준	비율
①	a의 값 구하기	40 %
②	b의 값 구하기	40 %
③	$a+b$의 값 구하기	20 %

12 인성이의 편차를 x회라 하면 편차의 총합은 0이므로

$3+(-1)+(-4)+5+x=0$, $x+3=0$

$\therefore x=-3$ …… ①

(편차)=(변량)−(평균)에서 (평균)=(변량)−(편차)이므로

$(\text{평균})=14-(-3)=17(\text{회})$ …… ②

단계	채점 기준	비율
①	인성이의 편차 구하기	50 %
②	평균 구하기	50 %

13 $x_1+x_2+\cdots+x_{10}=50$, $x_1^{\,2}+x_2^{\,2}+\cdots+x_{10}^{\,2}=320$ 이므로

$(\text{평균})=\dfrac{x_1+x_2+\cdots+x_{10}}{10}=\dfrac{50}{10}=5$ …… ①

$(\text{분산})=\dfrac{(x_1-5)^2+(x_2-5)^2+\cdots+(x_{10}-5)^2}{10}$

$=\dfrac{x_1^{\,2}+x_2^{\,2}+\cdots+x_{10}^{\,2}-10(x_1+x_2+\cdots+x_{10})+25\times10}{10}$

$=\dfrac{320-10\times50+250}{10}=\dfrac{70}{10}=7$ …… ②

$\therefore (\text{표준편차})=\sqrt{7}$ …… ③

단계	채점 기준	비율
①	평균 구하기	30 %
②	분산 구하기	50 %
③	표준편차 구하기	20 %

2 상관관계

개념적용익힘

익힘북 58~59쪽

1 ⑤	2 ③	3 A	4 ⑤
5 ④	6 ④	7 ③	8 ④
9 ②	10 ③	11 ②	12 ③
13 ③			

1 키에 비하여 발의 크기가 큰 학생은 E이다.

2 ① A는 과학 성적보다 수학 성적이 높다.
② B는 수학 성적과 과학 성적이 모두 낮다.
④ D는 수학 성적과 과학 성적이 모두 높다.
⑤ C는 A보다 과학 성적이 좋다.

3 수학 성적과 과학 성적의 차가 가장 큰 학생은 A이다.

4 수학 성적과 영어 성적이 같은 학생 수는 오른쪽 그림에서 대각선 위의 점의 개수와 같으므로 6명이다.

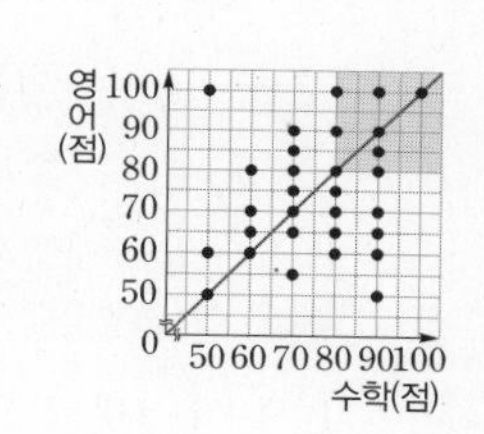

5 수학 성적이 영어 성적보다 우수한 학생 수는 위 그림에서 대각선 아래쪽 부분의 점의 개수와 같으므로 12명이다.

$\therefore \frac{12}{30} \times 100 = 40(\%)$

6 수학 성적과 영어 성적이 모두 80점 이상인 학생 수는 위 그림에서 어두운 부분(경계선 포함)의 점의 개수와 같으므로 8명이다.

7 수학 성적이 90점인 학생은 8명이고, 이 학생들의 영어 성적은 각각 50점, 60점, 65점, 70점, 80점, 85점, 90점, 100점이다.

$\therefore (\text{평균}) = \frac{50+60+65+70+80+85+90+100}{8}$

$= \frac{600}{8} = 75(\text{점})$

8 중간고사 성적과 기말고사 성적이 모두 80점 이상인 학생 수는 오른쪽 그림에서 어두운 부분(경계선 포함)의 점의 개수와 같으므로 6명이다.

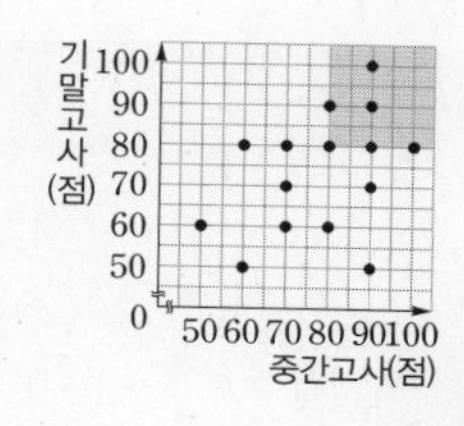

$\therefore \frac{6}{15} \times 100 = 40(\%)$

9 중간고사 성적과 기말고사 성적의 차가 20점 이상인 학생 수는 오른쪽 그림에서 어두운 부분(경계선 포함)의 점의 개수와 같으므로 5명이다.

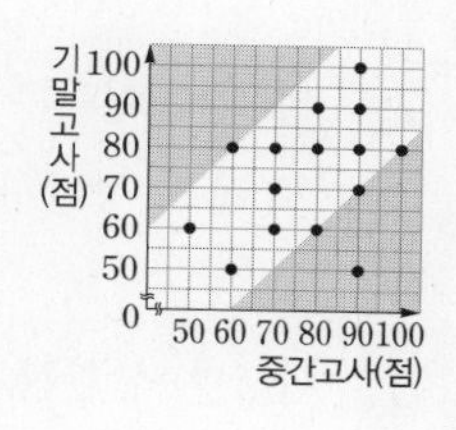

[다른 풀이]
중간고사 성적과 기말고사 성적의 차가 20점 이상인 학생들의 점수를 (중간고사, 기말고사)로 나타내면
(60, 80), (80, 60), (90, 50), (90, 70), (100, 80)이므로 5명이다.

10 중간고사 성적과 기말고사 성적의 합이 160점 이상인 학생 수는 오른쪽 그림에서 어두운 부분(경계선 포함)의 점의 개수와 같으므로 7명이다.

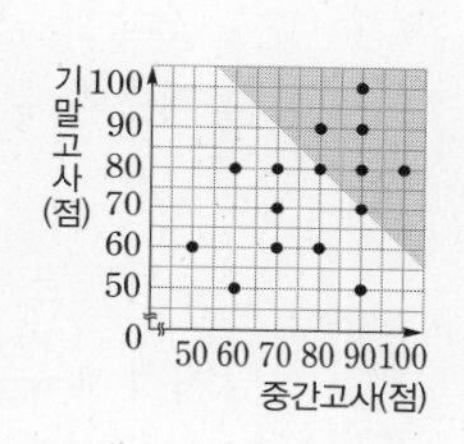

[다른 풀이]
중간고사 성적과 기말고사 성적의 합이 160점 이상인 학생들의 점수를 (중간고사, 기말고사)로 나타내면
(80, 80), (80, 90), (90, 70), (90, 80), (90, 90), (90, 100), (100, 80)이므로 7명이다.

11 한 변량이 증가할수록 다른 변량도 증가하는 관계이므로 양의 상관관계이다.

12 ①, ②, ⑤ 상관관계가 없다.
④ 양의 상관관계

13 ①, ④, ⑤ 상관관계가 없다.
② 음의 상관관계
③ 양의 상관관계
주어진 산점도는 양의 상관관계를 나타내므로 ③이다.

개념완성익힘

익힘북 60쪽

1 ① **2** ③ **3** ③, ④ **4** 12 **5** 40 %

1 마른 사람은 키에 비해 몸무게가 적게 나가는 사람이므로 A이다.

2 한 변량이 증가할수록 다른 변량이 감소하는 관계이므로 음의 상관관계이다. 따라서 적당한 산점도는 ③이다.

3 ①, ② 상관관계가 없다.
③, ④ 음의 상관관계
⑤ 양의 상관관계
주어진 산점도는 음의 상관관계를 나타내므로 ③, ④이다.

4 1차 성적과 2차 성적이 같은 학생 수는 오른쪽 그림에서 대각선 위의 점의 개수와 같으므로 4명이다.

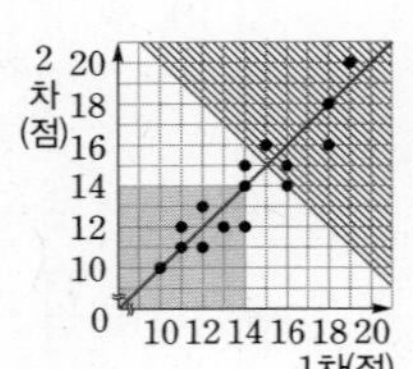

$\therefore a=4$ …… ①

1차 성적과 2차 성적이 모두 14점 이하인 학생 수는 위 그림에서 어두운 부분(경계선 포함)의 점의 개수와 같으므로 8명이다. $\therefore b=8$ …… ②

$\therefore a+b=4+8=12$ …… ③

단계	채점 기준	비율
①	a의 값 구하기	40 %
②	b의 값 구하기	40 %
③	$a+b$의 값 구하기	20 %

5 1차 성적과 2차 성적의 합이 30점 이상인 학생 수는 위 그림에서 빗금 친 부분(경계선 포함)의 점의 개수와 같으므로 6명이다. …… ①

$\therefore \frac{6}{15}\times 100=40(\%)$ …… ②

단계	채점 기준	비율
①	두 성적의 합이 30점 이상인 학생 수 구하기	60 %
②	전체의 몇 %인지 구하기	40 %

[다른 풀이]
1차 성적과 2차 성적의 합이 30점 이상인 학생들의 점수를 (1차 성적, 2차 성적)으로 나타내면
(15, 16), (16, 14), (16, 15), (18, 16), (18, 18), (19, 20)
으로 6명이다.

$\therefore \frac{6}{15}\times 100=40(\%)$

대단원 마무리

익힘북 61~62쪽

1 ⑤ **2** 7.4 **3** ②, ④
4 분산: 26, 표준편차: $\sqrt{26}$점 **5** ④
6 ② **7** 6 **8** ④ **9** 선민
10 ③ **11** ④ **12** ⑤ **13** ④

1 (평균)$=\frac{1+(-4)+x+3+6+y+(-7)}{7}=1$
$x+y-1=7$
$\therefore x+y=8$
또, 최빈값이 1이므로 x, y의 값 중 적어도 하나는 1이고 $x<y$이므로 $x=1$, $y=7$
$\therefore xy=7$

2 편차의 총합은 0이므로
$0.9+y+0.3+(-1)=0$, $y+0.2=0$
$\therefore y=-0.2$ …… ①
A수박의 무게가 8.7 kg, 편차가 0.9 kg이므로
(평균)=(변량)−(편차)=8.7−0.9=7.8(kg)
또, (변량)=(편차)+(평균)이므로
$x=y+7.8=-0.2+7.8=7.6$ …… ②
$\therefore x+y=7.6+(-0.2)=7.4$ …… ③

단계	채점 기준	비율
①	y의 값 구하기	40 %
②	x의 값 구하기	50 %
③	$x+y$의 값 구하기	10 %

3 ② (편차)=(변량)−(평균)이므로 평균보다 작은 변량의 편차는 음수이다.
④ 분산은 편차의 제곱의 평균이다.

4 (평균)$=\frac{21+33+19+22+20}{5}$
$=\frac{115}{5}=23$(점)

각 농구 선수의 편차는 -2점, 10점, -4점, -1점, -3점이므로

$$(\text{분산})=\frac{(-2)^2+10^2+(-4)^2+(-1)^2+(-3)^2}{5}$$

$$=\frac{130}{5}=26$$

$\therefore$ (표준편차)$=\sqrt{26}$(점)

5 평균이 6이므로 $\frac{4+7+8+4+x}{5}=6$

$23+x=30 \quad \therefore x=7$

각 변량의 편차는 -2, 1, 2, -2, 1이므로

$$(\text{분산})=\frac{(-2)^2+1^2+2^2+(-2)^2+1^2}{5}$$

$$=\frac{14}{5}=2.8$$

$\therefore$ (표준편차)$=\sqrt{2.8}$

6 몸무게가 50 kg인 학생을 제외한 나머지 5명의 학생의 몸무게를 A, B, C, D, E(kg)이라 하면 6명의 몸무게의 평균이 50 kg이고 분산이 10이므로

$$\frac{(A-50)^2+(B-50)^2+(C-50)^2+(D-50)^2+(E-50)^2+(50-50)^2}{6}$$

$=10$

$(A-50)^2+(B-50)^2+(C-50)^2+(D-50)^2+(E-50)^2$

$=60$

이때 몸무게가 50 kg인 학생을 제외한 나머지 5명의 학생의 몸무게의 평균은 그대로 50 kg이므로 분산은

$$\frac{(A-50)^2+(B-50)^2+(C-50)^2+(D-50)^2+(E-50)^2}{5}$$

$$=\frac{60}{5}=12$$

7 a, b, c의 평균이 10이므로

$\frac{a+b+c}{3}=10 \quad \therefore a+b+c=30$ …… ㉠

a, b, c의 분산이 $3^2=9$이므로

$\frac{(a-10)^2+(b-10)^2+(c-10)^2}{3}=9$

$(a-10)^2+(b-10)^2+(c-10)^2=27$ …… ㉡

$2a+1$, $2b+1$, $2c+1$에 대하여

$$(\text{평균})=\frac{(2a+1)+(2b+1)+(2c+1)}{3}$$

$$=\frac{2(a+b+c)+3}{3}$$

$=\frac{2\times30+3}{3}=21$ ($\because$ ㉠) …… ①

$$(\text{분산})=\frac{(2a+1-21)^2+(2b+1-21)^2+(2c+1-21)^2}{3}$$

$$=\frac{4\{(a-10)^2+(b-10)^2+(c-10)^2\}}{3}$$

$=\frac{4\times27}{3}=36$ ($\because$ ㉡) …… ②

$\therefore$ (표준편차)$=\sqrt{36}=6$ …… ③

단계	채점 기준	비율
①	평균 구하기	40 %
②	분산 구하기	40 %
③	표준편차 구하기	20 %

8 표준편차가 클수록 자료의 분포 상태가 고르지 않으므로 수면 시간이 가장 불규칙했던 학생은 D학생이다.

9 미주가 얻은 점수에서

$(\text{평균})=\frac{2+4\times2+6\times4+8\times2+10}{10}=6$(점)이므로

$$(\text{분산})=\frac{(-4)^2+(-2)^2\times2+0^2\times4+2^2\times2+4^2}{10}$$

$=4.8$

선민이가 얻은 점수에서

$(\text{평균})=\frac{4\times4+6\times3+8\times2+10}{10}=6$(점)이므로

$(\text{분산})=\frac{(-2)^2\times4+0^2\times3+2^2\times2+4^2}{10}=4$

따라서 선민이의 분산이 더 작으므로 선민이의 점수의 분포 상태가 더 고르다.

10 수학 성적과 과학 성적이 같은 학생 수는 오른쪽 그림에서 대각선 위의 점의 개수와 같으므로 6명이다.

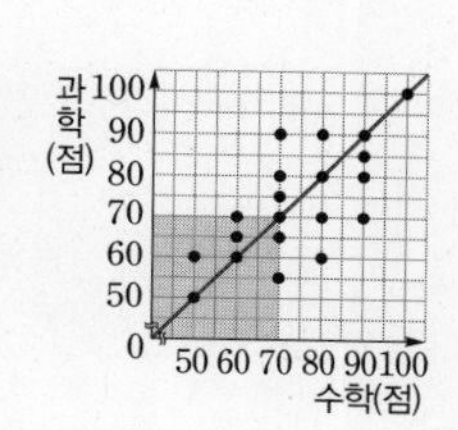

11 수학 성적보다 과학 성적이 우수한 학생은 위 그림에서 대각선 위쪽 부분의 점의 개수와 같으므로 7명이다.

$\therefore \frac{7}{20}\times100=35(\%)$

12 수학 성적과 과학 성적이 모두 70점 이하인 학생 수는 위 그림에서 어두운 부분(경계선 포함)의 점의 개수와 같으므로 8명이다.

13 수학 성적이 80점인 학생은 4명이고 이 학생들의 과학 성적은 각각 60점, 70점, 80점, 90점이다.

$\therefore$ (평균)$=\frac{60+70+80+90}{4}=\frac{300}{4}=75$(점)

개념 확장

최상위수학

수학적 사고력 확장을 위한
심화 학습 교재

심화 완성

개념부터 심화까지

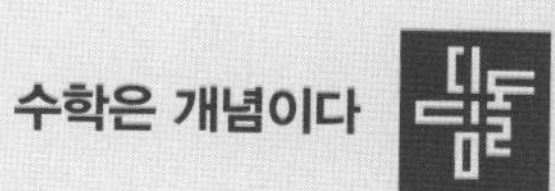